D0522610

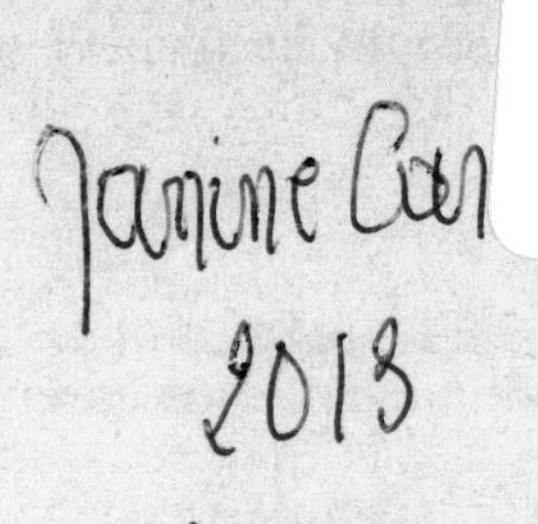
2013

RETOUR AU PAYS

DU MÊME AUTEUR

CHEZ POCKET

Retour en Cornouailles

Les pêcheurs de coquillages

ROSAMUNDE PILCHER

RETOUR AU PAYS

Presses de la Cité

Titre original :
The Blue Bedroom
et *Flowers in the Rain*

ISBN 2-266-10198-6

Toby

Par une froide matinée de printemps, juste avant Pâques, Jemmy Todd, le facteur, entra dans la cuisine des Harding, posa le courrier sur la table du petit déjeuner puis leur annonça que M. Sawcombe, leur voisin, était mort dans la nuit d'une crise cardiaque.

Les quatre membres de la famille Harding étaient réunis autour de la table. Toby, huit ans, était en train de manger des corn-flakes lorsqu'il entendit la nouvelle. Il sentit les pétales de maïs, à la fois gluants et croustillants, qui gonflaient dans sa bouche, mais il lui fut impossible de les ingurgiter : il semblait ne plus savoir mâcher et une boule se formait dans sa gorge, l'empêchant d'avaler.

La seule chose rassurante était que le reste de la famille paraissait tout aussi choqué et sidéré. Son père, habillé pour le travail et sur le point de se lever de table pour partir au bureau, posa sa tasse de café, se rassit et fixa sur Jemmy un regard incrédule.

– Bill Sawcombe ? Mort ? Quand l'as-tu appris ?

– Tôt ce matin. C'est le pasteur qui me l'a dit juste au moment où je commençais ma tournée. On s'est croisés, il sortait de l'église.

Toby regarda sa mère et vit que des larmes embuaient ses yeux.

– Mon Dieu !

Il ne supportait pas de la voir pleurer. Il l'avait vue pleurer une fois déjà, quand il avait fallu faire piquer son vieux chien, et la sensation que le monde s'écroulait tout autour de lui l'avait étreint des jours durant.

– Pauvre Mme Sawcombe ! Quel choc terrible ce doit être pour elle...

– Il avait eu un infarctus, il y a de ça deux ou trois ans, rappelez-vous, dit Jemmy.

– Mais il s'était remis. Et il allait si bien ! Il profitait de son jardin et disposait d'un peu de temps à lui après toutes ces années passées à s'occuper de sa femme.

Vicky, dix-neuf ans, retrouva soudain l'usage de la parole.

– C'est insupportable. *Insupportable.*

Vicky était revenue pour Pâques de Londres, où elle travaillait et partageait un appartement avec deux autres jeunes filles. Lorsqu'elle était en vacances, Vicky ne s'habillait jamais pour le petit déjeuner ; elle descendait dans son peignoir de bain en tissu éponge blanc rayé de bleu. Les bandes bleues étaient de la même teinte que ses yeux et, avec ses longs cheveux blond pâle, elle pouvait parfois être très jolie, parfois très ordinaire. En cet instant elle était ordinaire. La peine la rendait quelconque, faisant s'abaisser les coins de sa bouche comme si elle allait éclater en sanglots, accentuant les arêtes de son petit visage osseux. Leur père lui disait toujours qu'elle était trop mince mais comme elle mangeait comme un ogre, on ne pouvait rien lui reprocher sinon sa gourmandise.

– Il était si gentil. Il va nous manquer.

Les yeux de la mère se posèrent sur Toby, figé sur sa chaise, la bouche toujours pleine de cornflakes. Elle savait – ils savaient tous – que M. Sawcombe était le meilleur ami de Toby. Elle se pencha par-dessus la table et posa sa main sur la sienne.

– Il nous manquera à tous, Toby.

Toby ne répondit pas. Mais avec la main de sa maman sur sa main, il parvint à avaler les derniers pétales de maïs récalcitrants. Comprenant son trouble, elle retira, sur la table devant lui, le bol à moitié vide.

– En tout cas, dit Jemmy, il y a Tom là-bas pour reprendre la ferme. Ce n'est pas comme si Mme Sawcombe se retrouvait toute seule.

Tom était le petit-fils de M. Sawcombe. Il avait vingt-trois ans. Toby et Vicky le connaissaient depuis toujours. Dans le temps, lorsqu'ils étaient beaucoup plus jeunes, Vicky et Tom allaient ensemble à des fêtes, aux bals du club hippique et, en été, en colonie de vacances dans des centres équestres. Puis Tom était parti au collège agricole et Vicky avait grandi elle aussi, elle était devenue secrétaire, s'était installée à Londres et, de fait, ils n'avaient plus tellement de points communs à présent.

C'était vraiment dommage, pensait Toby. Vicky se faisait beaucoup de nouveaux amis et les ramenait parfois à la maison. Mais aucun d'eux ne valait Tom Sawcombe. Un de ces jeunes gens, un certain Philip, était venu passer le jour de l'An chez les Harding. Un garçon très grand, très blond, qui conduisait une voiture ressemblant à une rutilante torpille noire. Il détonnait toujours un peu dans le cadre familial ordinaire et le plus déroutant, c'était que lorsqu'il se trouvait parmi eux, Vicky aussi semblait détonner. Elle parlait différemment ; elle riait d'une autre manière.

Le soir du 31 décembre, ils donnèrent une petite fête. Tom était invité mais Vicky se comporta à son égard de manière désinvolte et cavalière, et le jeune homme, de toute évidence, se sentit offensé. Toby trouvait la conduite de sa sœur écœurante. Il aimait beaucoup Tom et ne pouvait supporter de le voir si malheureux. Au terme de cette déplaisante soirée, il se confia à sa mère.

– Je sais ce que tu ressens, lui dit celle-ci. Mais nous devons laisser Vicky mener sa vie et prendre ses propres décisions. Elle est adulte maintenant. C'est elle qui choisit ses amis, elle qui commet ses erreurs, elle qui suit son propre chemin. Etre une famille, c'est accepter cela.

– Je ne veux pas être une famille avec Vicky si elle est aussi méchante.

– C'est peut-être ce que tu penses maintenant, mais c'est tout de même ta sœur.

– Je n'aime pas ce Philip.

Le détestable Philip eut cependant l'obligeance de disparaître de la vie de Vicky. Elle cessa de l'inviter et petit à petit son nom disparut de sa conversation, au profit d'autres noms. La famille en fut soulagée et tout revint à la normale. Mais pas avec Tom. Depuis cette soirée, leurs rapports semblaient s'être détériorés et lorsque Vicky était à la maison, Tom ne se montrait plus.

– Non, on ne peut vraiment pas dire que Mme Sawcombe soit livrée à elle-même, dit M. Harding. C'est un bon garçon qu'elle a à ses côtés. (Il regarda sa montre et se leva de table.) Je dois y aller. Merci de nous avoir prévenus, Jemmy.

– Désolé d'être porteur de mauvaises nouvelles, répondit Jemmy.

Il repartit dans sa camionnette rouge pour informer le reste de la paroisse de l'événement. Le père de Toby partit travailler dans la plus grande des deux voitures. Vicky monta dans sa chambre pour s'habiller. Il ne restait plus à table que Toby et sa mère.

Il la regarda. Elle sourit et il dit :

– C'est la première fois qu'un de mes amis meurt.

– Cela arrive à tout le monde un jour ou l'autre.

– Il n'avait que soixante-deux ans. Il me l'a dit avant-hier. Ce n'est pas vieux.

– Oui, mais on ne peut jamais savoir avec les crises cardiaques. Heureusement, il n'était ni malade ni infirme. Il aurait détesté être cloué au lit ou dépendre entièrement de sa famille – être une charge pour tout le monde. Lorsque les gens meurent, Toby, on doit penser aux bonnes choses, se rappeler les bons moments et se réjouir de ces moments-là.

– Je ne peux pas me réjouir de la mort de M. Sawcombe.

– La mort fait partie de la vie.

– Il n'avait que soixante-deux ans.

– Pourquoi ne manges-tu pas tes œufs au bacon ?

– Je ne veux pas d'œufs au bacon.

– Qu'est-ce que tu vas faire aujourd'hui ?

– Je ne sais pas.

– Tu pourrais descendre au village pour voir si David a envie de jouer...

David Harker était le copain de Toby pendant les vacances. Son père tenait le pub du village et, parfois, jouer avec David signifiait une boisson gazeuse gratuite ou encore un paquet de chips.

Toby réfléchit. Peut-être était-ce mieux que rien, au fond.

– D'accord.

Il recula sa chaise et se leva. Une horrible sensation d'oppression emplissait sa poitrine, comme si quelqu'un lui avait égratigné le cœur.

– ... et ne sois pas trop triste pour M. Sawcombe. Il n'aurait pas voulu que tu sois triste.

Il sortit de la maison et descendit l'allée. Entre l'allée et le pâturage des vaches qui faisait partie de la ferme de M. Sawcombe, il y avait un petit pré où, jadis, Vicky élevait son poney. Mais le poney était mort depuis longtemps et le père de Toby avait loué la parcelle à M. Sawcombe pour que les quatre brebis Jacob de sa femme puissent y paître. Ces brebis étaient pour Mme Sawcombe de véritables animaux de compagnie, cornus, à la toison tachetée, qui répondaient à des noms anciens comme Daisy ou Emily. Un jour, par un froid matin d'octobre, Toby était venu voir les brebis et avait découvert parmi elles un puissant bélier aux longues cornes. Le bélier avait passé là un moment, avant que son propriétaire ne le pousse, sans ménagements ni égards pour sa dignité de mâle, à l'arrière d'un camion déglingué.

Il avait rempli sa tâche. Trois paires de jumeaux étaient déjà nées et, aujourd'hui, il n'y avait plus que Daisy qui attendait son heure. Toby se pencha par-dessus la barrière et l'appela par son nom. L'animal s'approcha doucement avec majesté, frottant son noble museau contre sa main, le laissant caresser son front laineux entre les deux belles cornes.

Toby inspectait la bête à la manière d'un professionnel, comme l'aurait fait Tom. Elle était énorme, son volume encore accentué par la douce laine de son épaisse toison.

– C'est aujourd'hui que tu vas avoir tes jumeaux ? lui demanda-t-il.

Daisy aussi a des jumeaux. C'était ce que M. Sawcombe lui avait dit, il y avait seulement un jour ou deux, *Et nous aurons deux cents pour cent de réussite, Toby... Deux agneaux par brebis : qu'est-ce qu'un éleveur de moutons peut demander de mieux ? J'aimerais bien que cela arrive. C'est Mme Sawcombe qui serait contente. Ah ! oui alors. J'aimerais bien voir ça.*

Impossible d'accepter le fait qu'il ne parlerait plus jamais à M. Sawcombe. Impossible d'admettre qu'il était parti ; qu'ils ne se verraient plus.

D'autres personnes étaient mortes, mais jamais quelqu'un d'aussi proche de Toby que M. Sawcombe. Son grand-père, par exemple, mais il y avait tellement longtemps de cela que Toby ne se souvenait même plus de lui. Il ne restait qu'une photographie au chevet du lit de Granny et les histoires qu'elle lui racontait. Après la mort de Grand-Père, Granny était restée dans la vieille maison vide tant qu'elle avait pu vivre toute seule. Le père de Toby avait ensuite transformé l'arrière de la maison des Harding en petit appartement et maintenant elle vivait avec eux tout en restant indépendante, car l'appartement était équipé : elle possédait sa propre cuisine, sa salle de bains, préparait elle-même ses repas et il fallait frapper à la porte avant d'entrer chez elle. La mère de Toby disait qu'il était important de toujours frapper, de ne jamais faire irruption chez Granny sans s'annoncer, par respect pour son intimité.

Il laissa Daisy et se dirigea vers le village, toujours perdu dans ses pensées. Il connaissait d'autres personnes qui étaient mortes. Mme Fletcher, qui tenait l'épicerie et la poste du village, était morte et la mère de Toby avait mis son chapeau noir et s'était rendue à ses funérailles. Mais Mme Fletcher n'était pas une amie. En fait, Toby avait toujours eu un peu peur d'elle : elle était tellement vieille, tellement laide. Une grande araignée noire, assise là à vendre des timbres. Après sa mort, sa fille Olive avait repris la direction du commerce. Mais c'était encore elle qui trônait dans la boutique. Une présence inquiétante, qui mâchonnait son dentier, tricotait des chaussettes et surveillait de ses yeux de fouine toutes les allées et venues. Non, il n'avait pas aimé Mme Fletcher. Tandis que M. Sawcombe lui manquait déjà.

Il pensa à David. Sa mère lui avait suggéré d'aller s'amuser avec David mais, tout à coup,

Toby sut qu'il n'était pas d'humeur à jouer aux astronautes ou à pêcher des poissons dans le ruisseau boueux qui coulait au fond du jardin, derrière le pub. Il irait plutôt voir un autre de ses amis. Willie Harell, le charpentier du village. Willie était gentil, il parlait doucement et portait de vieilles salopettes avec une grande casquette en tweed. Toby s'était lié d'amitié avec lui lorsqu'il était venu installer de nouveaux placards dans la cuisine. Depuis, l'une de ses escapades matinales favorites pendant les vacances était de marcher jusqu'au village pour papoter avec Willie dans son atelier.

L'atelier était en soi un lieu magique, jonché de copeaux en volute et parfumé par la senteur des essences. C'était là que Willie fabriquait les portails de fermes, les portes de granges, les chambranles de fenêtres, les solives et les poutres. Et les cercueils aussi, de temps en temps, car Willie était l'entrepreneur de pompes funèbres du village en même temps que son menuisier. Dans ce rôle il devenait une personne complètement différente : coiffé d'un chapeau melon et revêtu d'un costume noir, il adoptait, dans cette tenue lugubre, une voix étouffée et respectueuse assortie d'une expression de pieuse tristesse.

Son atelier était grand ouvert ce matin-là. Sa petite camionnette était garée dans la cour encombrée. Toby alla à la porte et regarda à l'intérieur. Willie, appuyé contre l'établi, buvait une grande tasse de thé versée d'un Thermos.

– Willie.

Le charpentier leva les yeux.

– Tiens, voilà le jeune Toby. (Il sourit.) Alors, qu'est-ce qui t'amène ?

– Je suis juste venu parler un peu.

Il se demanda si Willie savait pour M. Sawcombe. Il s'approcha, s'appuya lui aussi contre l'établi et se mit à tripoter un tournevis.

– Tu n'as rien à faire ?

– Pas grand-chose.

– Tout à l'heure, j'ai vu David qui passait à vélo. Il portait un chapeau de cow-boy. Ça ne doit pas être très amusant de jouer aux cow-boys tout seul.

– Je n'ai pas envie de jouer aux cow-boys.

– Oui, mais aujourd'hui je n'ai pas le temps de parler avec toi. J'ai un travail qui ne peut pas attendre. Il faut que je sois chez les Sawcombe avant onze heures.

Toby ne répondit pas. Mais il avait compris. Willie et M. Sawcombe n'avaient jamais cessé d'être amis. Ils jouaient ensemble aux boules, se partageaient le travail de bedeau à l'église le dimanche. Et maintenant, Willie allait devoir... Toby ne voulait même pas y penser.

– Willie ?

– Qu'est-ce qu'il y a ?

– M. Sawcombe est mort.

– Je sentais bien que tu étais au courant, dit Willie d'un ton compatissant. Je l'ai vu rien qu'à ta tête, dès le moment où tu es entré. (Il reposa sa tasse de thé et mit une main sur l'épaule de Toby.) Il ne faut pas être malheureux. Il te manque, je le sais, mais il ne faut pas être triste. En fait, il nous manque à tous, ajouta-t-il, et sa voix se brisa tout à coup.

– C'était mon meilleur ami.

– Je le sais. (Willie secoua la tête.) C'est drôle l'amitié, tout de même. Tu es juste un p'tit gars... quel âge as-tu ? Huit ans ? Et pourtant toi et Bill Sawcombe, vous vous entendiez si bien... Peut-être parce que tu étais souvent tout seul, puisque Vicky est beaucoup plus grande. Toi, tu es l'enfant de la deuxième vague... C'est comme ça qu'on t'appelait, Bill et moi. Le petit Harding de la deuxième vague.

– Willie... est-ce que tu vas fabriquer un cercueil pour M. Sawcombe ?

– Je crois bien, oui.

Toby s'imagina Willie en train de confectionner le cercueil, choisissant le bois, rabotant sa surface, plaçant son vieil ami dans le réceptacle chaud et parfumé comme s'il le bordait dans son lit. Bizarrement, c'était une image réconfortante.

– Willie !

– Qu'y a-t-il, mon petit ?

– Je sais que lorsque quelqu'un meurt, tu le mets dans un cercueil et tu l'emmènes au cimetière. Et je sais que lorsque les gens sont morts, ils vont au paradis pour être au côté de Dieu. Mais que se passe-t-il entre les deux ?

– Ah ! ça, dit Willie. (Il vida sa tasse d'une gorgée, posa la main sur la tête de Toby et lui ébouriffa les cheveux.) C'est peut-être un secret entre Dieu et moi.

Toby n'avait toujours pas envie de jouer avec David. Lorsque Willie était parti chez les Sawcombe dans sa petite camionnette, il s'était dirigé vers la maison car il ne savait pas quoi faire d'autre. Il prit le raccourci à travers le pré des moutons. Les trois brebis qui avaient déjà mis bas étaient au milieu du pré, leurs agneaux gambadant autour d'elles. Daisy s'était réfugiée dans un coin, à l'ombre d'un grand pin écossais qui la protégeait des regards ainsi que du vent et de l'aveuglant soleil de printemps. Et près d'elle, vacillant sur ses pattes frêles, aussi petit qu'un chiot, il y avait maintenant un agneau.

Toby savait qu'il valait mieux ne pas s'approcher. Il contempla la scène un moment, regarda le bébé fouiller du museau l'épaisse toison, à la recherche du lait, et entendit le doux bêlement de Daisy à l'adresse de son petit. Il découvrit qu'il était partagé entre plaisir et déception. Plaisir, parce qu'un agneau sain était né, et déception, parce que ce n'étaient pas des jumeaux et que

Mme Sawcombe n'obtiendrait pas ses deux cents pour cent de réussite pour l'agnelage de printemps. Au bout d'un moment, Daisy se coucha lourdement sur le sol. L'agneau s'affala à côté d'elle. Toby traversa le pré, escalada la barrière et entra dans la maison pour annoncer la nouvelle à sa mère.

– Daisy a eu son agneau. C'est le dernier.

Devant la cuisinière, sa mère était en train de préparer de la purée de pommes de terre pour le déjeuner. Elle se retourna et dit à Toby :

– Ce ne sont pas des jumeaux ?

– Non, il n'y en a qu'un seul. Il tète et a l'air en bonne santé. Il faudrait peut-être le dire à Tom.

– Eh bien, pourquoi ne lui téléphones-tu pas ?

Mais Toby ne voulait pas appeler chez les Sawcombe car si Mme Sawcombe répondait au téléphone, il craignait de ne pas savoir quoi lui dire.

– Tu ne peux pas lui téléphoner, toi ?

– Oh, mon chéri, je ne peux pas maintenant. Le déjeuner est prêt et ensuite il faut que j'aille porter des fleurs à Mme Sawcombe. Je ferai la commission à Tom.

– Mais c'est maintenant qu'il doit être mis au courant. M. Sawcombe voulait toujours être informé tout de suite de la naissance des agneaux. Au cas où, il disait.

– Eh bien, puisque tu penses que c'est si important, demande à Vicky de téléphoner à Tom.

– *Vicky ?*

– Ça ne coûte rien de lui demander. Elle est en train de repasser, là-haut. Et dis-lui que le déjeuner est prêt.

Il alla trouver sa sœur.

– Vicky, le déjeuner est prêt et Daisy a eu son agneau, et on se demandait si tu ne voudrais pas téléphoner à Tom pour l'avertir. Il faut lui dire.

Vicky reposa le fer à repasser qui fit entendre un bruit sourd.

– Je ne téléphonerai pas à Tom Sawcombe.
– Pourquoi ?
– Parce que je ne veux pas, c'est tout. Téléphone-lui, toi.
Toby savait pourquoi elle ne voulait pas appeler Tom : parce qu'elle s'était montrée désagréable avec lui la veille du Nouvel An et parce que, depuis, il ne lui adressait plus la parole. Elle répéta :
– Appelle-le, toi.
Toby fit la moue.
– Qu'est-ce que je vais dire si c'est Mme Sawcombe qui répond ?
– Alors demande à maman de téléphoner.
– Elle a plein de choses à faire et elle est pressée parce qu'elle doit aller voir Mme Sawcombe après le déjeuner.
– Elle n'a qu'à demander que l'on fasse la commission à Tom.
– Elle m'a dit que c'était ce qu'elle allait faire.
– Oh ! Toby, dit Vicky exaspérée, pourquoi faire tant d'histoires, alors ?
Obstiné, Toby répondit :
– M. Sawcombe voulait toujours être informé *tout de suite*.
Vicky fronça les sourcils.
– Mais Daisy va bien, n'est-ce pas ?
Elle aimait Daisy autant que Toby et son ton n'était plus coupant ni exaspéré ; elle avait repris sa voix habituelle.
– Je pense que oui.
– Alors tout ira bien. (Elle éteignit le fer à repasser et le posa sur son support au bout de la planche pour qu'il refroidisse.) Descendons déjeuner, j'ai une faim de loup.

Les nuages clairsemés du matin s'épaissirent, s'assombrirent, et après le déjeuner il se mit à pleuvoir. La mère de Toby, vêtue d'un ciré et portant un immense bouquet de jonquilles, partit rendre visite à Mme Sawcombe dans sa voiture. Vicky déclara qu'elle allait se laver les cheveux et Toby, ne sachant trop quoi faire, monta dans sa chambre, s'allongea sur le lit et commença à lire le nouveau livre qu'il venait d'emprunter à la bibliothèque. C'était un livre sur les explorateurs de l'Arctique. Il n'en était encore qu'au premier chapitre lorsqu'il fut interrompu dans sa lecture par le bruit d'une voiture qui remontait l'allée et s'arrêta dans un crissement de gravier devant le portail. Il reposa son livre, se leva et regarda par la fenêtre. Il aperçut la vieille Land Rover de Tom Sawcombe, puis Tom lui-même qui en sortait.

Il ouvrit la fenêtre et se pencha au-dehors.

– Bonjour.

Tom s'arrêta et leva les yeux. Toby pouvait voir ses cheveux blonds et bouclés, perlés de gouttes de pluie, son visage bruni par le soleil qui contrastait avec le bleu si profond de ses yeux et ses larges épaules de joueur de rugby sous la veste kaki rapiécée qu'il portait pour travailler. Des bottes en caoutchouc lui arrivaient aux genoux, recouvrant ses jeans délavés.

– Ta mère m'a dit pour Daisy. Je suis venu voir si elle allait bien. Est-ce que Vicky est là ?

Voilà qui était surprenant.

– Elle est en train de se laver les cheveux.

– Eh bien, va la chercher, veux-tu ? Il se pourrait bien que Daisy ait un autre agneau et je vais avoir besoin d'aide.

– Je t'aiderai, moi.

– Je sais, mon gars, mais tu es un peu petit pour tenir une vieille brebis comme Daisy. Il vaut mieux aller chercher Vicky.

Toby rentra la tête à l'intérieur et s'exécuta.

Il trouva Vicky dans la salle de bains, la tête dans le lavabo. Elle se rinçait les cheveux à l'aide d'une douche en plastique.

– Vicky, Tom est ici.

Elle ferma les robinets et se redressa, ses cheveux clairs dégoulinant sur son maillot. Elle les écarta de son visage et regarda Toby.

– Tom ? Qu'est-ce qu'il veut ?

– Il pense que Daisy porte peut-être un autre agneau. Il dit qu'il a besoin d'aide et que je ne suis pas assez grand pour la tenir.

Vicky se saisit d'une serviette qu'elle enroula autour de sa tête.

– Où est-il ?

– En bas.

Déjà elle sortait de la salle de bains, courait sur le palier et descendait en hâte. Tom l'attendait. Il était entré dans la maison de lui-même, comme il l'avait toujours fait avant qu'ils soient brouillés.

– S'il y a un autre agneau, lui dit Vicky, tu ne crois pas qu'il est déjà mort ?

– Il faut vérifier. Va me chercher un seau d'eau, tu seras gentille. Et du savon. Et apporte-moi tout ça au pré ! Toi, Toby, tu viens avec moi.

Dehors il pleuvait des cordes. Ils descendirent l'allée, traversèrent les hautes herbes mouillées près des rhododendrons puis grimpèrent par-dessus la barrière. A travers le rideau de pluie, Toby apercevait Daisy qui les attendait. Elle s'était remise sur ses pattes, protégeant son agneau, maintenant son front tourné vers eux. Elle émit un grognement rauque et profond quand ils approchèrent, qui ne ressemblait en rien à son bêlement habituel, plein de santé.

– La voici, dit Tom à voix basse. Tout doux, ma belle, tout doux.

Il lui fit face et se saisit de ses cornes. Daisy ne résista pas comme elle l'aurait fait d'ordinaire en pareille situation. Peut-être savait-elle qu'elle avait besoin d'aide, et que Tom et Toby étaient venus pour cela.

– Là, là, doucement, ma belle.

Tom caressa l'épaisse laine gorgée de pluie sur l'échine de l'animal.

Toby regardait. Il sentait son cœur battre, plutôt sous le coup de l'excitation que de l'inquiétude. Il n'avait pas peur, car Tom était là. Avec lui, c'était comme avec M. Sawcombe : il n'avait jamais peur de rien.

– Mais, Tom, si elle porte un autre agneau, pourquoi n'est-il pas encore sorti ?

– C'est peut-être un gros gaillard. Ou alors il n'est pas dans la bonne position.

Tom leva les yeux en direction de la maison. Toby suivit son regard et aperçut Vicky avec ses longues jambes grêles et ses cheveux dégoulinants, qui traversait le pré et se dirigeait vers eux, le corps courbé de côté pour contrebalancer le poids du seau d'eau qui débordait un peu à chaque fois qu'il battait contre sa jambe. Elle les rejoignit et posa le seau par terre.

– Merci, Vicky, lui dit Tom. Maintenant, ajouta-t-il, tiens-la. Fermement mais en douceur. Elle ne se débattra pas. Accroche-toi bien à sa toison. Toi, Toby, prends-la par les cornes et parle-lui sans arrêt. Pour la rassurer, pour qu'elle sente qu'elle est entre de bonnes mains.

Vicky paraissait sur le point de fondre en larmes. Elle s'agenouilla dans la boue et appuya sa joue contre le flanc de la brebis.

– Oh ! ma pauvre Daisy, il va falloir être très courageuse et tout ira bien.

Tom ôta sa veste, sa chemise et son maillot de corps blanc. Torse nu, il entreprit ensuite de savonner ses mains et ses bras.

– Maintenant, voyons voir ça, dit-il.

Toby, agrippé aux cornes de Daisy, aurait voulu fermer les yeux. Mais il n'en fit rien. *Parle-lui*, avait dit Tom. *Pour la rassurer*.

– Là, là, doucement, dit Toby.

C'était ce qu'avait dit Tom ; il ne savait quoi dire d'autre.

– Tout doux, Daisy.

La naissance... L'éternel miracle, comme avait coutume de dire M. Sawcombe. C'était la vie qui arrivait et lui, Toby, aidait à cette apparition.

Il entendit la voix de Tom :

– Ça vient. Ça vient ! Tout doux, ma vieille !

Daisy n'eut qu'un seul gémissement, de malaise et d'irritation, puis on entendit Tom :

– Le voilà ! Il est énorme et il est vivant !

Et la petite créature qui avait été la cause de tant de trouble apparut : un agneau blanc tacheté de noir, couvert de sang et reposant à terre, mais en parfaite santé. Toby relâcha les cornes de la brebis, Vicky desserra son affectueuse étreinte et Daisy, libérée, se retourna pour inspecter le nouveau venu. Elle bêla avec une douceur toute maternelle, se pencha et entreprit de faire sa toilette. Elle le poussa ensuite délicatement du museau. Alors l'agneau commença à bouger, à relever la tête et parvint, à grand-peine, à se mettre debout. Il vacillait sur ses longues pattes frêles. Daisy se remit à le lécher, le reconnaissant comme sien, responsable de lui dorénavant, aimante et protectrice. Le petit fit un ou deux pas hésitants et, quelques instants plus tard, encouragé par sa mère, commença à téter.

Longtemps après que Tom se fut séché avec sa chemise et eut renfilé ses vêtements, ils restèrent là, ignorant la pluie qui s'abattait sur eux, à contempler Daisy et ses jumeaux, tout à la fois fascinés par le spectacle miraculeux et fiers d'eux-mêmes et de la réussite de leur entreprise commune. Vicky et Toby s'étaient assis côte à côte sous le vieux pin écossais et il y avait, éclairant le visage de Vicky, un sourire que Toby n'y avait pas vu depuis longtemps.

Elle se tourna vers Tom.

– Comment as-tu su qu'il y avait un autre agneau ?

– Elle était encore assez grosse et paraissait incommodée. Très nerveuse aussi.

– Cela fait deux cents pour cent de réussite pour Mme Sawcombe, dit Toby.

Tom sourit :

– Oui, Toby.

– Mais pourquoi est-ce que l'agneau n'est pas venu de lui-même ?

– Regarde-le ! C'est parce qu'il est vraiment costaud et que sa tête est grosse. Mais il est tiré d'affaire, maintenant. (Tom regarda Vicky.) Toi, par contre, tu n'iras pas trop bien si tu restes là, assise sous la pluie. Tu vas attraper un rhume avec tes cheveux mouillés.

Il se baissa, ramassa le seau puis tendit son autre main à Vicky.

– Maintenant, allons-y !

Vicky prit la main de Tom et il l'aida à se relever. Ils se tinrent un moment face à face. Ils souriaient.

– C'est bien de parler ensemble, dit Tom.

– Oui, répondit Vicky. Je suis désolée...

– C'est ma faute autant que la tienne.

Vicky eut l'air gênée. Elle sourit encore, piteusement, son sourire abaissant les coins de sa bouche.

– On ne se disputera plus, Tom.

– Mon grand-père disait que la vie est trop courte pour que l'on se dispute.

– Je ne t'ai pas dit combien j'étais désolée de... ce qui lui est arrivé... Nous sommes tous désemparés. Je ne sais pas comment dire ça.

– Je sais, dit Tom. Certaines choses n'ont pas besoin d'être dites. Allez, viens.

Ils semblaient avoir oublié la présence de Toby. Ils s'éloignèrent, ils traversèrent le pré et le bras de

Tom enlaçait la taille de Vicky, la tête mouillée de la jeune fille reposant contre son épaule.

Tom se sentit rempli d'un sentiment de satisfaction. M. Sawcombe aurait été enchanté. Tout comme il aurait été enchanté de la naissance des jumeaux de Daisy. Le dernier-né était un très bel agneau. Pas seulement costaud, comme avait dit Tom. Sa robe était vraiment belle, avec ses marques noires symétriques ; et ses cornes étaient déjà visibles : deux petits bourgeons perçant sous la douce laine bouclée. Toby se demanda quel nom lui donnerait Mme Sawcombe. Peut-être le nommerait-elle Bill. Et il continua à contempler les moutons jusqu'à ce que le froid et l'humidité le tirent de sa rêverie. Alors il leur tourna le dos et se dirigea vers la maison.

Sa mère revint de chez Mme Sawcombe et lui prépara un superbe dîner : du poisson pané, des frites, des haricots verts, du gâteau aux prunes, des biscuits chocolatés et un bol de chocolat chaud. Tandis qu'il dévorait tout cela, il lui raconta la grande aventure avec Daisy.

– ... et Tom et Vicky sont redevenus amis, dit-il.

– Je sais. (Elle sourit.) Il l'a ramenée dans sa Land Rover. Vicky soupe chez les Sawcombe, ce soir.

Après dîner, le père de Toby rentra du bureau et ils regardèrent ensemble le match de football à la télévision. Puis Toby monta prendre un bain. Allongé dans l'eau chaude, baignant dans la vapeur parfumée à l'essence de pin – il avait chipé le flacon de Vicky –, il pensa que la journée n'avait pas été trop mauvaise, après tout. Il décida d'aller rendre visite à Granny.

Il sortit du bain, enfila son pyjama et sa robe de chambre et traversa le couloir qui menait à son appartement. Il frappa à la porte. La voix de sa grand-mère retentit à l'intérieur : « Entrez ! » Ce fut comme s'il pénétrait dans un autre monde. Les meubles, les rideaux, les objets, tout contrastait totalement avec le reste de la maison. Personne dans la famille n'avait autant de photographies encadrées et de bibelots divers. Il y avait toujours un peu de charbon rougeoyant dans l'âtre et c'est auprès du feu, tricotant dans son grand fauteuil, qu'il trouva Granny. Elle avait un livre ouvert sur les genoux. La télévision trônait dans un coin de la pièce mais elle ne l'appréciait guère. Elle préférait lire et Toby, lorsqu'il pensait à elle, l'imaginait toujours plongée dans un livre. A chaque fois qu'il venait la voir elle plaçait un signet de cuir entre les pages, refermait le livre et le posait à l'écart, comme pour lui signifier qu'il avait toute son attention.

– Bonsoir, Toby.

Elle était terriblement vieille. (Les grands-mères de ses amis étaient souvent assez jeunes ; mais la sienne était très vieille car, tout comme Toby, son père était un enfant de la deuxième vague.) Elle était maigre aussi. Si frêle qu'elle semblait sur le point de se briser. Ses mains étaient presque transparentes, les articulations de ses doigts tellement grosses qu'elle ne pouvait plus retirer ses bagues. Elle ne les quittait plus et elles brillaient de tous leurs feux.

– Qu'est-ce que tu as fait aujourd'hui ?

Il approcha un tabouret et s'assit pour lui raconter sa journée. Il lui parla de M. Sawcombe mais elle était déjà au courant. Il lui dit que Willie fabriquait un cercueil pour M. Sawcombe, qu'il n'avait pas voulu jouer aux cow-boys avec David et il relata la naissance de l'agneau de Daisy. Puis il lui annonça que Vicky et Tom s'étaient réconciliés.

Granny semblait enchantée.

– En voilà une bonne nouvelle ! Je suis bien contente qu'ils se soient rabibochés.

– Tu crois qu'ils vont tomber amoureux et qu'ils se marieront ?

– Peut-être que oui, peut-être que non.
– Tu étais amoureuse, toi, lorsque tu as épousé Grand-Père ?
– Je crois bien. C'est si loin, maintenant, que parfois j'oublie.
– Est-ce que tu...
Il hésita. Mais il devait savoir. Et puis Granny était quelqu'un que les questions difficiles ne dérangeaient jamais.
– Lorsqu'il est mort, est-ce qu'il t'a beaucoup manqué ?
– Pourquoi me demandes-tu cela ? C'est parce que tu es triste pour M. Sawcombe ?
– Oui. Toute la journée il m'a manqué.
– Cela passera, tu verras. La peine s'estompera et tu ne te souviendras que des bons moments.
– Et pour toi, avec Grand-Père, c'était comme ça ?
– Je crois, oui.
– Est-ce que cela fait très peur de mourir ?
– Je ne sais pas. (Elle sourit, du petit sourire qu'il lui connaissait, espiègle et gamin, très surprenant lorsqu'il s'inscrivait sur son vieux visage ridé.) Je n'ai jamais été morte !
– Mais... (Il la regardait dans les yeux, fixement. Personne ne pouvait vivre éternellement.) Mais tu n'as pas *peur* ?
Granny se pencha pour prendre la main de Toby dans la sienne.
– Tu sais, dit-elle, j'ai toujours pensé que la vie de tous les hommes et de toutes les femmes ressemblait à une montagne. Au début, tu grandis dans la vallée, et il fait beau et chaud, il y a partout des prairies, des petits ruisseaux, des boutons-d'or et toutes sortes de choses de ce genre. C'est lorsque tu es enfant. Et puis, tu commences à grimper, doucement. La montagne devient un peu plus escarpée et tu avances difficilement mais, si tu t'arrêtes de temps en temps et que tu contemples

la vue merveilleuse autour de toi, alors tous tes efforts sont amplement récompensés. Et le sommet de la montagne, la cime où la neige et la glace scintillent au soleil, d'une beauté inimaginable, eh bien, c'est cela l'apogée, l'accomplissement, la fin du long voyage.

Elle en parlait comme d'une chose merveilleuse. Toby s'écria, la voix tremblante de tout l'amour qu'il avait pour elle :

– Je ne veux pas que tu meures !

Granny se mit à rire.

– Oh, mon chéri, ne t'en fais pas. Je vais être avec vous encore longtemps, à vous embêter tous. Et maintenant, nous allons prendre une petite crème de menthe et faire des réussites, tu veux? Comme c'est gentil d'être venu me voir! Je commençais à me fatiguer de ma propre compagnie...

Plus tard, il lui souhaita bonne nuit et se retira. Il alla se brosser les dents puis rentra dans sa chambre, écarta les rideaux et regarda au-dehors. Il ne pleuvait plus et un croissant de lune s'élevait dans le ciel. Dans la pénombre, Toby distinguait le pré, les silhouettes des brebis et de leurs agneaux rassemblés à l'abri sous les branches du vieux pin. Il retira sa robe de chambre et se coucha. Sa mère avait placé une bouillotte dans le lit, un petit plaisir qu'elle lui faisait de temps en temps. Il la remonta sur son ventre et resta les yeux grands ouverts dans l'obscurité enveloppante, bien au chaud, l'humeur pensive.

Il estima qu'aujourd'hui, il avait beaucoup appris ; beaucoup appris sur la vie. Il avait aidé à une naissance et avait vu, chez Vicky et Tom, le début d'une nouvelle relation. Peut-être se marieraient-ils. Ou peut-être pas. S'ils se mariaient, ils auraient des bébés. (Il savait déjà comment les bébés venaient au monde parce qu'un jour, au cours d'une conversation entre hommes sur la reproduction du bétail, M. Sawcombe le lui avait dit.) Cela ferait de lui, Toby, un oncle.

Quant à la mort... *La mort fait partie de la vie*, lui avait dit sa mère. Et Willie lui avait confié que la mort était un secret entre lui et Dieu. Pour sa grand-mère, la mort était le pic étincelant sur la montagne. C'était peut-être cela le meilleur. Le plus réconfortant.

M. Sawcombe avait gravi la montagne et atteint son sommet. Toby l'imagina, debout, triomphant, en costume du dimanche, portant des lunettes d'alpiniste à cause de la clarté aveuglante du ciel. Peut-être agitait-il un drapeau.

Il se sentit soudain très fatigué et ferma les yeux. Deux cents pour cent de réussite pour l'agnelage de printemps. M. Sawcombe aurait été tellement content ! Quel dommage qu'il n'ait pas vécu assez longtemps pour savoir que Daisy aussi avait eu des jumeaux...

Cependant, avant de céder au sommeil, il se sourit à lui-même. Car il eut soudain la certitude que son vieil ami, où qu'il se trouvât, savait déjà !

Traduit par Christian Salzedo

La chambre bleue

Alors que le soleil allait toucher la mer et que les ombres s'allongeaient sur les dunes sablonneuses, la plage se vida lentement. Les mères appelaient leurs enfants qui faisaient la sourde oreille, utilisaient des trésors d'éloquence pour les convaincre de sortir des flaques laissées par la marée haute d'une chaude journée d'été. De petits enfants tout ensommeillés et dorés par le soleil étaient attachés dans leur poussette, on remballait la nourriture dans les paniers de pique-nique, des sandales et des serviettes perdues étaient retrouvées. A sept heures la plage fut pratiquement déserte. Il ne restait qu'un surveillant de baignade assis sur sa chaise de camping près de son poste de secours, un couple de surfers obstinés et une femme accompagnée de son chien qui folâtrait.

Sans compter Emily et Portia.

Emily avait quatorze ans et Portia était plus âgée d'un an. Emily vivait au village, elle y était née et avait passé toute sa vie dans la vieille maison à l'architecture fantaisiste qui jouxtait l'église. Portia, elle, venait de Londres. Aussi loin que remontaient les souvenirs d'Emily, les parents de Portia louaient la maison des Luscombe pour le mois d'août, tandis que les Luscombe en profitaient pour aller passer un mois chez leur fille qui vivait dans un coin perdu d'Ecosse dont le nom, à l'oreille, évoquait un éternuement.

Enfants, Emily et Portia avaient joué ensemble tous les étés. En d'autres circonstances elles ne se seraient probablement pas liées car elles avaient, en réalité, assez peu d'affinités. Mais les frères et sœurs de Portia étaient tous plus âgés qu'elle et Emily était fille unique. Encouragées par leurs parents, elles avaient donc forgé une relation qui s'avérait satisfaisante et leur permettait d'échanger des confidences.

C'était Portia qui avait suggéré d'aller passer l'après-midi à la plage. Emily avait reçu son coup de fil après le déjeuner.

– ... Je suis toute seule. Giles et ses amis sont partis voir des courses de *stock car*...

Son frère Giles, étudiant à Cambridge, était terriblement spirituel et cultivé.

– ... et je n'ai pas envie d'y aller. Il fait trop chaud.

Emily hésita. Portia perçut son hésitation.

– Tu avais quelque chose de prévu ?

Les doigts d'Emily se crispèrent sur le téléphone. Elle écouta le silence de la maison qui sommeillait dans la chaleur de ce début d'après-midi. Mme Wattis, après avoir débarrassé la table du déjeuner, s'était rendue à Fourbourne où elle devait passer la nuit chez sa sœur. Le père d'Emily était parti ce matin à Bristol pour un voyage d'affaires et il ne reviendrait pas avant deux jours. Stephanie se reposait en haut dans sa chambre.

– Non, rien de spécial, dit Emily. Je viendrai avec plaisir.

– Apporte un gâteau, un sandwich, enfin quelque chose à manger. J'ai une bouteille de limonade. Je te retrouve à l'église.

Emily n'avait pas vu Portia depuis un an et dès qu'elle l'aperçut, son cœur se serra. Ça recommençait. A l'école, toutes ses amies grandissaient, la dépassaient. Elles changeaient de classe, se présentaient à des examens, acquéraient des privilèges tandis qu'Emily fermait la marche en trébuchant, comme si elle s'était accrochée à son enfance, à ce qui lui était connu et familier.

Et maintenant Portia.

Elle aussi avait grandi. Son corps s'était formé. En douze mois à peine, elle était passée du statut d'enfant à celui de jeune fille. Son short trop juste et son tee-shirt soulignaient sa taille, ses hanches minces, ses jambes longues et brunes. Elle avait laissé pousser ses cheveux qui tombaient en cascades bouclées sur ses épaules, s'était fait percer les oreilles et portait des anneaux dorés. Ils lancèrent un éclat dans ses boucles brunes quand elle rejeta ses cheveux en arrière. Elle s'était épilé les jambes et verni les ongles de pieds en rose.

Traversant les terrains de golf en bordure de mer, elles passèrent devant deux jeunes joueurs en route pour leur prochain tee. Un an auparavant, ces garçons n'auraient prêté aucune attention à Portia et Emily. Emily surprit leurs regards sur Portia, qui réagit par une pantomime feignant l'indifférence. Mais sa démarche, son mouvement de tête quand une rafale de vent rabattit ses cheveux dans ses yeux n'avaient rien de naturel. Les jeunes gens ne regardèrent pas Emily et Emily trouva cela normal. Personne ne prêtait attention à une gamine de quatorze ans trop maigre avec des cheveux couleur paille et d'horribles lunettes.

– Tu portes toujours tes lunettes ? fit remarquer Portia. Tu devrais essayer les lentilles de contact.

– Un jour, peut-être. Mais je n'ai pas encore l'âge.

– Je connais une fille à l'école qui en porte, mais au début, il paraît que ça fait très mal.

Emily se sentit défaillir. L'idée de se mettre des verres de contact dans les yeux la révulsait. Elle ne supportait même pas de se couper les ongles (sa mère lui avait donné une lime), ni de manger un sandwich où s'étaient glissés des grains de sable.

Elle changea de sujet.

– Tu as passé ton brevet cette année ?

Portia fit la grimace.

– Oui, mais je n'ai pas encore eu les résultats. Je crois que j'ai réussi mais maintenant mes parents veulent que je passe mon bac, ce qui veut dire deux ans de plus au collège. C'est au-dessus de mes forces. J'essaie de les persuader de m'inscrire dans une boîte à bac pour l'année prochaine. J'étouffe, dans ce collège.

Emily ne fit aucun commentaire.

– Et toi ? Je veux dire ton brevet ?

Emily détourna les yeux, craignant qu'ils ne se remplissent de larmes. Elle les sentait déjà monter.

– Je le passerai l'année prochaine.

Ç'avait été un véritable cauchemar. Miss Myles s'était pourtant montrée gentille, compréhensive. Emily était restée là à la fixer, paralysée par l'angoisse. Elle écoutait à peine ce qu'on lui racontait, enregistrait difficilement les paroles pleines de bon sens de miss Myles : *Personne n'attend de toi que tu réussisses, Emily. Pas en ce moment. Après tout, rien ne presse. Pourquoi ne pas t'accorder douze mois supplémentaires ? Avec le temps, les blessures se cicatrisent. Bien sûr tu n'oublieras jamais ta mère, mais je pense que bientôt tu auras surmonté cette épreuve.*

Elles arrivèrent au pont du chemin de fer, le pont en bois qui séparait les terrains de golf des dunes. Comme d'habitude, elles s'arrêtèrent au milieu pour se pencher par-dessus la barrière et contempler la courbe des rails qui brillaient au soleil.

– Mon père m'a dit que ton père s'était remarié, dit Portia.

– Oui.

– Elle est gentille ?

– Oui.

Le silence qui suivit ce seul mot semblait parler contre Stephanie.

– Elle est très jeune, ajouta Emily. Elle n'a que vingt-neuf ans.

– Je sais. Ma mère me l'a dit. Elle m'a également raconté qu'elle attendait un bébé. Ça t'embête ?

– Non, mentit Emily.

– Ça doit te faire bizarre d'attendre un petit frère. Enfin, à ton âge.

– Ça ne me dérange pas.

Ils avaient acheté un nouveau berceau pour le bébé, mais son père avait descendu le vieux landau d'Emily du grenier, et Stephanie l'avait nettoyé, huilé, astiqué, et puis elle avait cousu une petite couverture en patchwork. Il attendait maintenant le nouvel occupant dans un coin de la buanderie.

– Quand même, insista Portia, tu n'as jamais eu de frères et sœurs. Ça doit te faire drôle.

– Je m'habituerai.

Elle sentait les échardes et la chaleur du parapet en bois sur sa paume, respirait l'odeur de créosote.

– Oui, je m'habituerai.

Elle détacha un éclat de bois qu'elle lança sur les rails.

– Allez, viens. J'ai chaud et j'aimerais bien me baigner.

Elles achevèrent la traversée du pont, leurs pas résonnant sur les planches. Puis elles descendirent le chemin sablonneux qui menait aux dunes.

Elles nagèrent et prirent un bain de soleil, à plat ventre sur le sable. Portia bavardait à n'en plus finir, évoquant ses prochaines vacances qu'elle passerait probablement au ski, le garçon qu'elle avait rencontré et qui devait l'emmener faire du patin à roulettes sur de la musique disco, la veste en daim que son père avait promis de lui acheter pour son anniversaire. Elle ne reparla ni de Stephanie ni du bébé et Emily lui en fut reconnaissante.

Le jour finissait, la température fraîchissait, c'était l'heure de rentrer à la maison. La mer commençait à monter, ses vagues venaient se briser contre un banc de sable déjà humide. Elle était un tourbillon de lumière éblouissante sous un ciel toujours sans nuages, d'un bleu de plus en plus profond.

Portia jeta un coup d'œil à sa montre.

– Il est presque sept heures. Il faut que je parte.

Elle épousseta le sable de son bikini.

– Nous avons des invités pour le dîner. Giles va ramener ses amis à la maison et j'ai promis à ma mère de lui donner un coup de main.

Emily imagina le living plein de jeunes gens qui se connaissaient depuis longtemps et mangeaient avec appétit, buvaient de la bière, mettaient des disques à la mode sur la chaîne stéréo. Cette scène l'effrayait et l'attirait tout à la fois. Elle enfila son tee-shirt sur son maillot.

– Moi aussi, il faut que je rentre.

Portia dit sur un ton de réserve polie :

– Tu as un dîner toi aussi ?

– Non, mais mon père est absent et Stephanie est toute seule.

– Alors tu vas te retrouver en tête à tête avec ta méchante belle-mère ?

– Elle n'est pas méchante, dit Emily très vite.

– C'est juste une façon de parler, dit Portia.

Elle ramassa sa serviette et son huile solaire et les fourra dans son sac en toile qui portait l'inscription SAINT-TROPEZ en grosses lettres rouges.

Elles se séparèrent à l'église.

– C'était très sympa, dit Portia. A bientôt.

Elle fit un signe de main désinvolte, s'éloigna d'un pas rapide puis se mit à courir. Portia se dépêchait de rentrer à la maison pour se laver les cheveux et se préparer pour la soirée.

Elle n'avait pas invité Emily et Emily ne le regrettait pas. Aller à une fête ne lui disait rien. Elle n'avait pas non plus très envie de rentrer à la maison pour y passer une soirée en compagnie de Stephanie.

Stephanie et le père d'Emily étaient mariés depuis un an, mais c'était la première fois qu'Emily se retrouvait seule avec sa belle-mère. Elle était morte d'angoisse. D'habitude, son père servait d'intermédiaire. De quoi allaient-elles bien pouvoir parler ?

Elle traversa la place du village et sa grande pelouse, passa sous les chênes imposants, suivit le chemin creusé d'ornières et aperçut la mer au loin. Au bout du virage se dressait la maison. La grille blanche était grande ouverte.

Emily traînait les pieds, prise d'un étrange pressentiment. Elle s'arrêta. C'était sa maison. Mais depuis la mort de sa mère, elle s'y sentait étrangère. Et depuis que son père avait épousé Stephanie, c'était aussi la maison de quelqu'un d'autre.

Qu'est-ce qui avait changé ? De petites choses apparemment sans importance. L'ordre régnait. Les tricots, les ouvrages de couture, les livres et les vieux magazines ne traînaient plus un peu partout. Les coussins étaient battus, les tapis n'avaient plus un pli.

Les fleurs aussi étaient différentes. La mère d'Emily les adorait mais les disposait sans soin particulier. Elle en ramassait une brassée qu'elle fourrait dans un vase. Stephanie avait une main d'artiste. Des arrangements floraux jaillissaient dorénavant de grandes urnes couleur crème, des branches de pieds-d'alouette et des glaïeuls se mêlaient à des roses, des pois de senteur et des feuilles aux formes étranges que personne à part elle n'aurait eu l'idée d'assembler.

Tout cela était inévitable, et demeurait supportable. Mais ce qui avait fait basculer le monde d'Emily, c'était la totale transformation de la chambre de sa mère. Rien d'autre dans la maison n'avait été modifié ou repeint. Seule la grande chambre double qui donnait sur le jardin et les eaux bleues de la crique avait été vidée de ses meubles et entièrement refaite. Il n'y restait plus rien de familier.

Certes, le père d'Emily avait averti sa fille de ces changements.

Il lui avait envoyé un mot à la pension.

« Une chambre est une pièce personnelle, disait la lettre. Ce ne serait pas juste de demander à Stephanie d'utiliser la chambre de ta mère, pas plus qu'il ne serait juste pour ta mère que Stephanie s'installe dans ses meubles les plus personnels. Nous allons donc faire quelques transformations et quand tu reviendras pour les vacances, tu ne reconnaîtras rien. Surtout, ne le prends pas mal. Le reste de la maison restera inchangé, tel que tu l'as toujours connu. »

Emily revoyait cette chambre. Autrefois, avant la mort de sa mère, elle était confortable et défraîchie, rien n'y était vraiment assorti mais tous les objets vivaient en bonne entente, comme les fleurs semées au hasard dans les parterres. Les rideaux et le tapis usés, le grand lit en cuivre de la grand-mère d'Emily, recouvert de dentelle blanche au crochet, les photos posées un peu partout, les pastels anciens aux murs...

Tout avait disparu à présent. Tout était d'un blanc bleuté, avec une moquette bleu clair et des rideaux de satin blanc doublés de jaune pâle. Le vieux lit en cuivre avait été remplacé par un grand lit confortable et spacieux, drapé de voiles en mousseline blanche qui tombaient d'une couronne dorée accrochée au mur. Des tapis de fourrure blanche avaient été disposés sur le sol et, dans la salle de bains décorée de miroirs, la lumière brillait sur toutes sortes de flacons et de pots tentateurs. Ça sentait le muguet, le parfum de Stephanie. La mère d'Emily, elle, avait toujours senti l'eau de Cologne et la poudre de riz.

Debout dans la lumière du soir, avec ses cheveux mouillés et ses jambes brunes pleines de sable, Emily se sentit en proie à une violente nostalgie. Comme elle aurait aimé rentrer en courant, pouvoir appeler sa mère et entendre sa voix dans la chambre ! Ah ! monter vers elle, se blottir dans le grand lit accueillant et la voir assise à sa coiffeuse, en train de brosser ses cheveux courts et capricieux, ou de se poudrer le nez avec sa houppette en cygne qu'elle plongeait dans une coupe de cristal taillé...

Elle ne s'était jamais sentie très proche de Stephanie. Ce n'était pas qu'elle ne l'aimait pas. Stephanie était jeune, belle et généreuse, et elle avait tout essayé pour toucher le cœur d'Emily. Mais étant toutes deux d'un naturel timide, chacune craignait d'empiéter sur l'intimité de l'autre. Peut-être les choses se seraient-elles arrangées si le bébé ne s'était pas annoncé. Dans un mois il serait là, il dormirait dans le berceau neuf de l'ancienne chambre d'Emily. Il faudrait compter avec ce nouveau venu qui lui aussi exigerait l'attention et l'affection de son père.

Emily ne voulait pas de ce bébé. Elle n'aimait pas beaucoup les nouveau-nés. Une fois, elle avait vu un documentaire à la télévision où une personne baignait un nouveau-né et en avait été horrifiée. Ça ressemblait à un têtard.

Elle aurait tellement voulu pouvoir remonter le temps ! Avoir à nouveau douze ans, et oublier tous ces événements si troublants. Elle tentait obstinément de revenir en arrière, ce qui expliquait ses mauvais résultats à l'école, et pour le sport, c'était la même chose, voilà pourquoi elle redoublait. Bientôt elle allait se retrouver avec des filles plus jeunes qu'elle ne connaissait pas. Sa confiance en elle s'était effritée, comme une falaise trop longtemps battue par la mer et le vent, et il lui semblait parfois qu'elle ne pourrait plus jamais prendre une décision ou réussir quoi que ce soit dans sa vie. Plus jamais.

Mais les idées noires n'arrangeaient rien. Pas moyen de fuir la soirée qui s'annonçait. Elle traversa le jardin, étendit son maillot de bain sur un fil et pénétra dans la maison par la porte de derrière. La cuisine était parfaitement propre et rangée. La pendule ronde en bois posée sur le buffet découpait les minutes avec un bruit de claquement de ciseaux. Emily posa le reste du pique-nique sur la table et se rendit dans le hall. Un faisceau de lumière jaune, les derniers rayons du soleil, s'était glissé par la porte ouverte. Debout dans la lumière, elle tendit l'oreille et ne perçut que le silence. Elle regarda dans le salon. Personne.

– Stephanie ?

Elle était probablement allée se promener. Le soir, quand le temps se rafraîchissait, elle aimait bien aller marcher. Emily grimpa l'escalier. A l'étage, elle hésita devant la porte de la grande chambre bleu pâle.

– Emily ? Emily, c'est toi ? interrogea une voix.

– Oui.

Elle poussa la porte.

– Emily ?

Stephanie était allongée sur le grand lit, ses cheveux d'un roux flamboyant répandus sur l'oreiller, vêtue de son ample robe de grossesse en coton. Elle avait ôté ses sandales. Son visage sans maquillage et couvert de taches de rousseur, comme celui d'un enfant, était très pâle et luisait de sueur.

Elle tendit la main.
– Je suis si heureuse que tu sois rentrée !
– J'étais à la plage avec Portia. Je pensais que tu étais allée te promener.
Emily s'approcha du lit mais elle ne prit pas la main tendue de Stephanie ; celle-ci ferma les yeux et se détourna. Sa respiration était soudain devenue entrecoupée, difficile.
– Ça ne va pas ?
Non, ça n'allait pas, et Emily savait déjà pourquoi quand Stephanie se détendit enfin et rouvrit les yeux. Leurs regards se croisèrent.
– Le bébé arrive, dit Stephanie.
– Mais il n'est pas prévu avant un mois.
– Il arrive. J'en suis sûre. Je me suis sentie bizarre toute la journée, j'ai essayé d'aller prendre l'air après le thé et là j'ai commencé à avoir mal. Je suis rentrée à la maison pour m'allonger. J'ai pensé que ça allait passer mais ça n'a fait qu'empirer.
Emily avala sa salive. Elle essaya de se rappeler le peu d'informations qu'elle avait glanées ici ou là concernant les accouchements.
– Les douleurs sont très espacées ?
Stephanie prit sa montre en or sur la table de chevet.
– Les dernières contractions remontent à cinq minutes.
Cinq minutes. Le cœur d'Emily se mit à battre plus fort. Elle fixa le drôle de monticule qu'était devenu le ventre de Stephanie, tendu de vie naissante sous le fin coton de son ample robe.
Sans réfléchir, elle y posa doucement la main.
– Je croyais que le premier bébé prenait toujours son temps.
– Rien n'est jamais aussi simple.
– As-tu appelé l'hôpital ? ou le docteur ?
– Je n'ai rien fait. J'avais peur de bouger.
– J'y vais. Je les appelle tout de suite.

Elle essaya de se rappeler ce qui s'était passé quand Daphne, la fille de Mme Wattis, avait eu son bébé.

– Ils vont t'envoyer une ambulance.

Daphne avait calculé un peu juste et manqué avoir son bébé sur le chemin de l'hôpital.

– Gerald devait me conduire là-bas, dit Stephanie.

Gerald était le père d'Emily.

– Je ne veux pas l'avoir ici sans lui...

Sa voix se brisa, des larmes lui montèrent aux yeux.

– Tu vas peut-être y être obligée, dit Emily.

Stephanie éclata en sanglots, et s'arrêta brusquement.

– Oh... revoilà les contractions !

Elle attrapa la main d'Emily et pendant une minute ou deux rien d'autre n'exista que ses doigts qui s'accrochaient désespérément, sa respiration lente et résolue, les gémissements de douleur qui lui échappaient. Cela sembla une éternité et finit par s'apaiser. Voilà, c'était terminé. Epuisée, Stephanie restait étendue. Elle avait lâché la main d'Emily. Celle-ci traversa la pièce, alla dans la salle de bains de Stephanie, prit un gant de toilette propre, le trempa dans l'eau froide et revint à son chevet. Elle lui essuya le visage et lui posa le gant sur le front.

– Bon, je te laisse, je vais téléphoner en bas. Si ça ne va pas, tu n'auras qu'à crier...

Il y avait un téléphone dans le bureau de son père. Elle détestait téléphoner. Elle s'assit dans son fauteuil, pour se donner confiance et parce que cela la rapprochait de lui. Le numéro de l'hôpital était noté dans le répertoire. Elle le composa en prenant garde de ne pas se tromper et attendit. Quand une voix d'homme lui répondit, elle prit sa voix la plus calme et demanda la maternité. Il y eut un moment d'attente qui lui sembla durer une éternité. Emily était malade d'angoisse et d'impatience.

– Ici la maternité.

Le soulagement la fit bégayer.

– Oh... c'est que... il faut...

Elle prit une profonde inspiration.

– Ici Emily Bradley. Ma belle-mère devait avoir son bébé dans un mois mais elle est en train d'accoucher en ce moment. Enfin, elle a des contractions.

– Ah. Très bien, dit une voix merveilleusement calme et professionnelle.

Emily imagina une personne en blouse immaculée, qui prenait un bloc-notes et un stylo pour noter des listes de statistiques.

– Comment s'appelle votre belle-mère ?

– Stephanie Bradley. Mme Gerald Bradley. Elle est attendue dans un mois mais je crois qu'elle va avoir le bébé. Là, maintenant.

– Savez-vous de combien sont espacées les contractions ?

– Cinq minutes.

– Le mieux serait que vous l'ameniez ici.

– Je ne peux pas. Je n'ai pas de voiture, je ne sais pas conduire et mon père s'est absenté. Je suis seule avec elle.

Son interlocuteur finit par saisir l'urgence de la situation.

– Très bien. Nous envoyons l'ambulance, dit la voix soudain moins calme.

– Dans ce cas, dit Emily en se rappelant Daphne, la fille de Mme Wattis, vous feriez bien d'envoyer aussi une infirmière.

– Quelle est votre adresse ?

– Wheal House à Carnton. Vous passez devant l'église et vous descendez le chemin.

– Et qui est le médecin de Mme Bradley ?

– Le Dr Meredith. Je vais l'appeler, si vous pouvez vous occuper de l'ambulance et préparer un lit à l'hôpital.

– L'ambulance sera chez vous dans un quart d'heure.

– Merci. Merci beaucoup.

Elle raccrocha et se renversa sur le fauteuil en se mordant la lèvre. Elle songea à appeler le médecin, se souvint de Stephanie et remonta l'escalier quatre à quatre. L'urgence de la situation et les responsabilités qui lui incombaient soudain lui donnaient des ailes.

Stephanie paraissait dormir. Elle semblait ne pas avoir bougé. Emily l'appela par son nom et elle ouvrit les yeux. Emily sourit pour la rassurer.

– Ça va ?

– J'ai eu d'autres contractions. Cela va faire quatre minutes. Oh, Emily, j'ai tellement peur !

– Il n'y a aucune raison. J'ai téléphoné à l'hôpital, ils envoient une ambulance et une infirmière... ils seront ici dans un quart d'heure.

– J'ai tellement chaud ! Je me sens sale.

– Je vais t'aider à enlever ta robe et à enfiler une chemise de nuit propre. Tu te sentiras mieux.

– Quelle bonne idée ! Il y en a une dans le tiroir.

Elle ouvrit le tiroir et trouva la chemise parfumée, en batiste blanche ornée de dentelles. Doucement elle aida Stephanie à s'extraire de sa robe froissée et à ôter son slip et son soutien-gorge. L'énorme renflement de son ventre fut brusquement mis à nu. Emily, qui n'avait jamais vu une chose pareille, eut la surprise de ne pas en être horrifiée. Au contraire, cela lui sembla une sorte de miracle : un nid sombre et protégé qui contenait un enfant vivant, un enfant qui déjà avait annoncé sa présence et faisait savoir au monde que le moment était arrivé. Soudain, d'effrayante, la situation devint plutôt excitante. Stephanie passa la tête par l'encolure de la chemise et Emily l'aida à enfiler les manches. Puis elle prit une brosse à cheveux et un ruban sur la coiffeuse. Stephanie brossa ses cheveux en arrière, les attacha, et se rejeta sur le lit pour affronter les prochaines douleurs. Elles ne furent pas longues à venir. Quand ce fut terminé, Emily se sentait aussi épuisée que Stephanie. Il restait quatre minutes avant que ça la reprenne.

Quatre minutes. Emily fit quelques calculs affolés. Le bébé avait toutes les chances de ne pas patienter jusqu'à l'hôpital. Auquel cas il naîtrait ici, dans cette maison, dans la chambre bleue, sur le lit immaculé. Avoir un bébé était une affaire plutôt salissante. Emily l'avait appris dans les livres mais aussi en regardant sa chatte tigrée mettre bas toute une portée de chatons. Il y avait des précautions à prendre. Elle se dirigea vers l'armoire à linge, y trouva une alaise en caoutchouc récemment achetée pour le bébé et une pile de belles serviettes blanches en tissu-éponge.

– Tu es parfaite, dit Stephanie tandis qu'Emily refaisait du mieux qu'elle pouvait le lit où était étendue se belle-mère.

– Tu comprends, tu pourrais perdre les eaux.

Stephanie ne put s'empêcher de rire en dépit de sa situation.

– Mais où as-tu appris tout ça ?

– Je ne sais pas. Enfin, si, quand maman m'a mise au courant des choses de la vie : les bébés, tout ça. Elle était en train d'éplucher des choux de Bruxelles. Je me souviens que je me tenais près de l'évier et je me disais qu'il devait bien exister un moyen plus simple d'avoir des enfants. Mais bien sûr, il n'y en a pas, ajouta-t-elle.

– Non, il n'y en a pas.

– Ma maman n'a eu que moi mais quand c'est fini, je sais qu'on oublie la douleur, on pense que c'était merveilleux. D'avoir le bébé, je veux dire. Et quand on en a un autre, les douleurs reprennent et on pense « je suis folle d'avoir recommencé », mais bien sûr, il est trop tard. Maintenant, si tu te sens mieux, je vais appeler le docteur.

Mme Meredith décrocha et dit que le docteur faisait sa tournée. Elle laisserait un message à la maternité, où il appelait souvent.

– C'est très urgent, dit Emily, et elle expliqua la situation.

Mme Meredith dit que dans ce cas elle allait essayer de le localiser elle-même.

– Tu as appelé l'hôpital, Emily ?

– Oui. Ils envoient une ambulance avec une infirmière. Elle ne devrait pas tarder.

– Mme Wattis est avec vous ?

– Non, elle est partie à Fourbourne.

– Et ton père ?

– Il est à Bristol et il n'a pas été prévenu. Je suis seule avec Stephanie.

Il y eut un silence à l'autre bout du fil.

– Je pars tout de suite à la recherche de mon mari.

Et Mme Meredith raccrocha.

– Et maintenant, dit Emily, il faut contacter papa.

– Non, répondit Stephanie. Attendons que tout soit terminé. Sinon, il va s'affoler. Il ne peut rien faire de toute façon. Attendons l'arrivée du bébé, alors nous le préviendrons.

Elles échangèrent un sourire complice, comme deux femmes conspirant pour protéger l'homme qu'elles aimaient. L'instant d'après, les yeux de Stephanie s'agrandirent, sa bouche s'ouvrit et laissa échapper un halètement de douleur.

– Oh, Emily...

– Tout va bien.

Elle lui prit la main.

– Tout va bien, je reste avec toi. Je ne te quitterai pas. Je suis là...

Cinq minutes plus tard, l'ambulance traversait le village dans un mugissement de sirène. Au maximum de son volume sonore, elle s'engagea dans la route à ornières, fonça par les grilles ouvertes et remonta l'allée à toute allure. Emily n'avait pas descendu l'escalier qu'ils étaient déjà dans la maison, l'infirmière avec un gros sac et deux gaillards solides portant un brancard.

Emily s'avança à leur rencontre dans le hall.

– Je ne pense pas que vous ayez le temps de l'emmener à l'hôpital.

– Nous allons voir, dit l'infirmière. Où est-elle ?

– En haut. La première porte à gauche. Il y a des serviettes et une alaise sur le lit.

– Bonne petite, dit l'infirmière d'un ton brusque, et elle disparut, les deux hommes sur les talons.

Une autre voiture fit son apparition. Elle s'arrêta dans un crissement de pneus et le Dr Meredith en jaillit comme un boulet de canon.

Il était un vieil ami d'Emily.

– Que se passe-t-il ?

Elle le lui expliqua.

– Il a un mois d'avance. Ça doit être à cause de la chaleur.

Le docteur dissimula un sourire.

– Vous croyez que c'est embêtant ou vous pensez que ça va bien se passer ?

– Faut voir.

Il se dirigea vers l'escalier.

– Et maintenant, qu'est-ce que je fais ? demanda Emily.

Il s'arrêta et se tourna vers elle. Elle n'avait jamais vu une telle expression sur son visage.

– Je crois que tu as largement fait ce que tu avais à faire. Ta mère aurait été fière de toi. Détends-toi. Va dans le jardin et assieds-toi au soleil. Je te tiendrai au courant.

Ta mère aurait été fière de toi. Elle pénétra dans le salon, sortit par la porte-fenêtre et se retrouva sur la terrasse. Elle s'assit en haut des marches qui menaient à la pelouse. Elle se sentait soudain très fatiguée et posa son menton dans sa main. *Ta mère aurait été fière de toi.* Elle songea à sa mère. Bizarrement, cela ne la rendait plus malheureuse. Le besoin déchirant de la présence d'une personne disparue s'était envolé. Cela lui donna à réfléchir. Peut-être avait-on davantage besoin des autres quand ils n'avaient pas besoin de vous.

Une demi-heure plus tard, quand le Dr Meredith vint la retrouver, elle n'avait pas bougé, toujours plongée dans ses réflexions. Elle entendit son pas sur les dalles et se retourna. Il avait enlevé son veston et retroussé les manches de sa chemise. Il vint doucement s'asseoir près d'elle.

– Tu as une petite sœur. Six livres et demie. Elle est parfaite.

– Et Stephanie ?

– Un peu fatiguée mais rayonnante. Une mère modèle.

Le visage d'Emily s'illumina d'un sourire, sa gorge se serra et les larmes lui montèrent aux yeux. Sans un mot, le Dr Meredith lui tendit un mouchoir. Elle ôta ses lunettes et se moucha.

– Papa a été prévenu ?

– Oui. Je viens de l'avoir au téléphone. Il arrive tout de suite. Il sera ici vers minuit. L'ambulance est retournée à l'hôpital mais l'infirmière va passer la nuit ici.

– Quand est-ce que je pourrai voir le bébé ?

– Maintenant, si tu veux. Mais pas longtemps.

Emily se leva.

– Oui, j'aimerais bien.

Ils retournèrent dans la maison. En haut, l'infirmière affairée et compétente tendit un masque de coton à Emily pour qu'elle le mette sur son visage.

– Par précaution, expliqua-t-elle. C'est un bébé prématuré et il ne faut pas prendre de risques.

Emily passa docilement le masque. Elle entra avec le Dr Meredith dans la chambre bleue. Là, dans le beau lit blanc, appuyée sur des oreillers, se reposait Stephanie. Et dans ses bras, entourée d'un châle, sa petite tête couverte d'un duvet de la même couleur que les cheveux de Stephanie, dormait un bébé tout neuf. Une nouvelle personne. Une petite sœur.

Emily se pencha et posa sa joue contre celle de la jeune maman. Elle ne pouvait pas l'embrasser à cause du masque. Mais Stephanie l'embrassa. Toute gêne entre elles s'était dissipée. Elles n'étaient plus intimidées et Emily savait qu'elles ne le seraient jamais plus. Baissant les yeux sur le bébé, elle dit d'une voix rêveuse :

– Elle est belle.

– Nous l'avons fait naître ensemble, lui dit Stephanie d'une voix où perçait la fatigue. J'ai l'impression qu'elle est autant à toi qu'à moi.

– Vous feriez une sacrée petite infirmière, Emily, intervint l'infirmière. Je ne m'y serais pas prise autrement.

– Maintenant, nous sommes une famille, dit Stephanie.

– C'est ce que tu voulais ? demanda Emily.

– Plus que tout au monde.

Une famille. Tout avait changé, tout était différent, mais cela ne signifiait rien de négatif. Ayant raccompagné le docteur et regardé s'éloigner sa voiture, Emily s'attarda dehors. La nuit était tombée. Dans l'obscurité, le jardin exhalait tous ses parfums après la longue journée étouffante. Une belle soirée. Tout à fait indiquée pour une personne qui commençait à vivre. Pour une personne qui s'était enfin résolue à grandir.

Elle était extrêmement fatiguée. Elle enleva ses lunettes et se frotta les yeux. Puis regarda ses lunettes d'un air pensif. Les lentilles de contact étaient peut-être une bonne chose après tout. Si Stephanie pouvait supporter d'accoucher, alors Emily à coup sûr pouvait s'habituer à porter des lentilles de contact.

Elle essaierait. Dès qu'elle aurait l'âge, elle essaierait.

Traduit par Hélène Prouteau

Le jour des mûres

Le train de nuit quitta Euston en direction du nord. Claudia, qui avait déjà mis sa chemise de nuit, remonta le store et, assise sur l'étroite couchette, regarda la ville s'éloigner doucement : les lumières, les rues indistinctes et les hauts immeubles furent repoussés peu à peu dans le passé. Le temps était couvert et les nuages comme teintés de bronze par la succession des réverbères. Soudain la couche nuageuse s'éclaircit et Claudia aperçut la lune, une pleine lune, aussi ronde et brillante qu'un disque d'argent.

Elle éteignit les lampes et se glissa sous les draps en coton, aussi empesés que ceux d'un lit d'hôpital. Puis, les yeux fixés sur la lune, elle se laissa bercer par le rythme régulier du train. Repensant à d'autres voyages d'il y avait bien longtemps, elle se sentit, pour la première fois, légèrement excitée par la perspective du lendemain. Comme si ce voyage-là allait se révéler positif et non plus seulement un compromis.

Cette pensée apaisa son orgueil blessé et lui permit d'oublier un instant ses incertitudes. L'inquiétude était toujours là, rôdant à la limite de son subconscient, mais elle pouvait maintenant s'offrir le luxe de se dire qu'elle avait choisi la bonne ligne de conduite.

Elle était terriblement fatiguée. Comme l'éclat de la lune la gênait, elle se tourna de l'autre côté, enfonça son visage dans l'oreiller et, contre toute attente, s'endormit aussitôt.

Lorsqu'elle descendit à Inverness, le climat était tellement différent qu'elle eut l'impression que le train l'avait transportée non pas dans le nord, mais tout bonnement dans un autre pays. On était au mois de septembre et la veille au soir, quand elle avait quitté Londres, il faisait aussi chaud qu'au mois de juin. Le ciel était couvert, l'air lourd et pollué. Et voilà qu'elle se retrouvait en ce samedi matin dans un monde qui scintillait dans la lumière de l'aube, sous un ciel dégagé et d'un bleu parfait. Il faisait beaucoup plus froid qu'à Londres. On sentait au fond de l'air la première morsure du gel et, sur les arbres, les feuilles étaient d'un jaune doré automnal.

Comme il y avait au moins une heure d'attente avant le départ de l'omnibus qui devait l'emmener encore plus au nord, elle se rendit dans l'hôtel le plus proche et commanda un petit déjeuner. Lorsqu'elle regagna la gare, le kiosque à journaux était ouvert et elle en profita pour acheter un magazine. Puis elle se dirigea vers le quai où le petit train attendait, se remplissant peu à peu de voyageurs. Elle avait trouvé une place et venait de ranger sa valise quand une femme vint s'asseoir sur le siège placé en face d'elle, de l'autre côté de la tablette. Elle avait un visage agréable, portait un manteau en tweed avec, sur le revers, une broche ornée d'une pierre de Cairngorm et un feutre vert mousse. En plus de son nécessaire de voyage, elle transportait des sacs à provisions en plastique et l'un d'eux semblait contenir un pique-nique substantiel.

Claudia lui sourit poliment quand leurs regards se croisèrent.

– Qu'est-ce qu'il fait froid, ce matin ! dit la femme. Il a fallu que j'attende le bus et j'ai les pieds gelés.

– Mais quel temps magnifique !

– Froid et sec. Comme je dis toujours : tout vaut mieux que la pluie. (Il y eut un coup de sifflet et les portes se fermèrent.) Ça y est, nous partons. A l'heure juste, en plus. Vous allez loin ?

Claudia, qui s'apprêtait à ouvrir son magazine, le reposa sur ses genoux et se résigna à faire la conversation.

– Lossdale.

– C'est là que j'habite. Je suis venue à Inverness passer deux jours chez ma sœur. Pour faire des courses. Il y a un *Marks and Spencers* formidable. J'ai acheté une chemise pour mon mari. Vous comptez rester longtemps à Lossdale ?

Ce n'était pas de la curiosité déplacée, simplement une marque d'intérêt. Claudia répondit :

– Juste une semaine.

Sachant que la femme allait lui poser la question, elle ajouta :

– Je suis invitée chez ma cousine, Jennifer Drysdale.

– Jennifer ! Je la connais très bien. Nous faisons partie toutes les deux du Foyer rural. Nous cousons de nouveaux coussins pour l'église. C'est drôle qu'elle ne m'ait pas dit qu'elle attendait votre visite.

– Je me suis décidée au dernier moment.

– C'est la première fois que vous venez à Lossdale ?

– Non. J'y passais les vacances d'été quand j'étais jeune. Avant que Jennifer perde ses parents et hérite de la ferme.

– Vous vivez dans le Sud ?

– Oui, à Londres.

– Je m'en doutais. A cause de vos vêtements.

Le train traversait un pont dans un bruit de ferraille, surplombant le golfe. Claudia aperçut des petits bateaux de pêche et de délicieuses maisons qui donnaient sur la mer, avec des jardins qui descendaient jusqu'au rivage.

– J'ai pris le train de nuit hier soir, reprit-elle.

– Même si le voyage dure longtemps, c'est quand même mieux que de venir en voiture. Mon mari ne conduit presque jamais sur les grandes routes. Les gens y roulent tellement vite qu'on a l'impression à chaque instant de risquer sa vie. De toute façon, il a toujours été lent de nature. Et c'est parfait pour son travail.

– Que fait-il ? demanda Claudia en souriant.

– Il est berger. Et il ne pense pas à grand-chose d'autre qu'à ses moutons. J'espère qu'il n'oubliera pas de venir me chercher à la gare. J'ai laissé un mot sur la cuisinière pour le lui rappeler, mais il n'est pas sûr qu'il s'en souvienne.

C'était une femme qui ne se plaignait pas et semblait même plutôt satisfaite des défauts de son mari, comme si ceux-ci faisaient de lui un homme à part.

– Jennifer vient vous chercher ? ajouta-t-elle.

– Elle m'a dit qu'elle serait à la gare, répondit Claudia.

– Entre la ferme, les animaux et les enfants, elle a de quoi faire. Ses enfants sont adorables.

– Je ne les ai vus qu'en photo. Cela fait vingt ans que je ne suis pas revenue à Inverloss. Jennifer n'était pas encore mariée à l'époque.

– Avec Ronnie, elle est tombée sur quelqu'un de bien. Il a beau venir du sud de l'Ecosse, c'est un excellent agriculteur. Et c'est aussi bien pour s'occuper de cette grande ferme.

La conversation en resta là et Claudia en profita pour regarder par la fenêtre. Le train traversait maintenant des collines désertes, exception faite de quelques fermes isolées et de rares troupeaux de moutons. Le soleil était plus haut dans le ciel et les ombres raccourcissaient. La voyageuse assise en face de Claudia ouvrit son sac de pique-nique, en sortit un Thermos, versa du thé dans une tasse en plastique et se mit à manger avec beaucoup de distinction un sandwich au jambon.

Le train s'arrêtait à toutes les stations, laissant descendre et monter des voyageurs. Des chiens aboyaient et les porteurs poussaient des chariots pleins de bagages. Personne ne se dépêchait. On aurait dit qu'ils avaient toute la vie devant eux.

En approchant de sa destination, Claudia se mit à compter les arrêts comme elle le faisait dans sa jeunesse. Encore trois. Plus que deux. Avant-dernier arrêt. On y était presque. Le train longeait la mer, et elle aperçut des plages découvertes par la marée descendante et de lointains brisants. La femme du berger rangea son pique-nique, brossa sa jupe pour en faire tomber les miettes et fouilla dans son immense sac à main, à la recherche de son ticket.

Le train ralentit ; la pancarte *Lossdale* apparut derrière la vitre. Les deux voyageuses, chargées de leurs bagages, descendirent sur le quai. Le berger était là avec son chien. Il n'avait pas oublié de venir chercher sa femme mais l'accueillit sans cérémonie. « Te voilà », se contenta-t-il de dire. Puis il prit ses bagages et se dirigea vers la sortie. Elle partit à sa suite, se retournant un instant pour saluer Claudia de la main.

– Nous aurons peut-être l'occasion de nous revoir.

Pas de trace de Jennifer. Le train repartit et Claudia se retrouva toute seule sur le quai. Toujours vêtue de son tailleur londonien, sa valise posée à ses pieds, elle se dit qu'il n'y avait rien de plus démoralisant que de n'être accueillie par personne à la fin d'un long voyage. Elle ne voulait pas se montrer impatiente. Rien ne pressait et Jennifer avait dû être retenue au dernier moment...

– Claudia, dit alors une voix d'homme.

Elle se retourna. Eblouie par le soleil, elle dut couvrir ses yeux pour voir qui l'appelait. Elle se demanda d'abord qui était l'homme qui s'avançait vers elle. Puis le reconnut soudain.

Magnus Ballater. La dernière personne qu'elle s'attendait à voir. Elle se souvenait de lui mais cela faisait tellement longtemps qu'elle n'avait pas pensé à lui qu'il lui était sorti de l'esprit. Magnus, vêtu d'un pantalon de velours côtelé et d'un pull-over orné d'énormes motifs, plus grand et plus costaud que dans son souvenir, avec ses cheveux bruns et épais d'une longueur inaccoutumée. Et toujours ce sourire irrésistible qui illuminait son visage tanné et buriné par le grand air.

– Claudia, répéta-t-il.

Sachant qu'elle était en train de le regarder bouche bée, elle se mit à rire de son propre étonnement.

– Magnus ! Pour l'amour du ciel, que fais-tu là ?

– Jennifer a été retenue à Inverloss. Un problème avec la chaudière. Elle m'a téléphoné et m'a demandé de venir te chercher.

Il attendait, la dominant de sa haute taille.

– Je n'ai pas droit à un baiser ?

Montant sur la pointe des pieds, elle l'embrassa sur la joue.

– Je ne savais pas que tu étais dans le coin.

– Eh oui, je fais partie de la population locale maintenant. Allons-y, proposa-t-il en prenant sa valise.

Il avait les jambes tellement longues qu'elle dut presque courir pour rester à sa hauteur tandis qu'il se dirigeait vers le parking de la gare. Il s'approcha d'un grand break cabossé. Assis à l'arrière, un chien les regardait à travers la vitre qui portait de longues traînées laissées par son museau. Magnus ouvrit le coffre, y déposa la valise de Claudia, puis il fit le tour de la voiture pour lui ouvrir la portière. Elle s'installa à l'avant. L'intérieur du break sentait le chien et ne semblait pas avoir été nettoyé depuis des mois. Mais Magnus ne s'en excusa pas et, après s'être assis à son tour, fit claquer la portière et démarra sur les chapeaux de roue. Claudia se souvint qu'il n'avait jamais été du genre à perdre son temps.

– Que diable fais-tu à Lossdale ? demanda-t-elle.

– Je dirige la fabrique de lainages de mon père.

– Mais tu t'étais juré de ne pas reprendre l'affaire. Tu voulais être indépendant et t'en sortir tout seul.

– C'est ce que j'ai fait pendant un certain temps. J'ai travaillé dans le sud de l'Ecosse, puis dans le Yorkshire. J'ai passé deux ans en Allemagne et je me suis retrouvé courtier en laines à New York. Mais à ce moment-là, mon père est mort et le moulin s'est mis à péricliter. Plutôt que de le vendre, je suis rentré pour m'en occuper.

Il semblait si sûr de lui que Claudia conclut à sa place :

– Et tu as remis l'affaire sur pied.

– J'essaie. Pour l'instant, les dettes sont épongées et nous avons pas mal de grosses commandes. La production a été multipliée par deux. Il faudra que tu viennes voir et que tu me dises ce que tu penses du produit fini.

– Que fabriquez-vous ?

– Toujours des tweeds. Mais plus beaux que ceux que faisait mon père. Tissés plus serré et moins lourds. Résistants et souples à la fois. Et avec des couleurs parfois étonnantes.

– C'est toi qui crées ces tissus ?

– Oui.

– Et d'où viennent ces fameuses commandes ?

– Du monde entier.

– C'est formidable. Et où habites-tu ?

– Dans la vieille maison de papa.

Claudia se souvenait parfaitement de la maison de M. Ballater, construite en haut de la colline et dominant la ville, avec son immense jardin et son court de tennis. Ils avaient passé là bien des après-midi car Magnus, ayant un an de plus que Claudia et Jennifer, faisait partie de la bande de jeunes qui sortaient tout le temps ensemble. A sa sortie du lycée, il avait entrepris des études de styliste en textiles et, lors du dernier été que Claudia avait passé à Lossdale, il venait de terminer sa première année.

Ces vacances avaient été particulièrement réussies pour plusieurs raisons. Le temps d'abord, exceptionnellement chaud et sec. Le soleil se couchant très tard, ils avaient profité des longues soirées pour remonter la rivière et pêcher la truite. Ensuite, la vie sociale. Ils étaient à présent tous adultes et les sorties s'étaient succédé : pique-niques, parties de golf, tournois de tennis, soirées de danses écossaises et barbecues sur la plage à minuit. Mais Magnus aussi avait sans doute été pour beaucoup dans la réussite de ces vacances. Vu son énergie sans bornes et son goût pour les nouvelles distractions, il les avait tous entraînés dans son sillage. Jamais fatigué, toujours de bonne humeur et le mot pour rire, il possédait sa propre voiture et semblait bien décidé à profiter de la vie et de tous les plaisirs qu'elle lui offrait.

– Parle-moi de toi, dit-il à Claudia. (Il conduisait tellement vite qu'ils avaient déjà traversé la ville et se retrouvaient en pleine campagne.) Jennifer m'a dit que cela faisait vingt ans que tu n'étais pas revenue en Ecosse. Comment as-tu pu couper ainsi les ponts ?

– Je suis restée en contact avec Jennifer. Nous nous sommes toujours écrit et téléphoné. En plus, Jennifer est descendue de temps en temps chez moi à Londres pour faire des courses ou aller au théâtre...

– Vingt ans, c'est long. Surtout quand on pense aux bons moments que nous avons passés ensemble. (Il se tourna vers elle et lui sourit; comme ils se trouvaient en plein milieu d'un virage, Claudia pria le ciel qu'aucune voiture n'arrive en face.) Pourquoi n'es-tu pas revenue avant? Tu étais trop occupée?

– Oui. Moi aussi, j'ai appris un métier. Acquis de l'expérience. Et monté une affaire.

– Tu es décoratrice d'intérieur, d'après ce que Jennifer m'a dit. Et où travailles-tu?

– A Londres. J'ai ouvert une boutique dans King's Road et j'ai mes propres ateliers. Beaucoup de commandes. Parfois même trop.

– Qui s'occupe de la boutique pendant ton absence?

– Mon assistante.

– Tu as drôlement réussi.

Claudia réfléchit avant de répondre.

– On peut voir les choses comme ça, en effet.

– Et tu ne t'es jamais mariée? demanda Magnus, le regard à nouveau fixé sur la route.

– Je suppose que Jennifer t'a dit ça aussi.

– En effet. Et j'ai eu du mal à le croire.

La femme en elle s'irrita de cette remarque. Elle demanda d'un ton coupant:

– Tu t'imaginais que mon seul avenir c'était une maison, un mari et des enfants?

– Je n'ai jamais pensé une chose pareille, répondit calmement Magnus. J'ai été seulement surpris d'apprendre qu'une fille aussi belle ne s'est pas casée depuis longtemps.

Cette explication était si raisonnable et si naturelle que Claudia eut honte de ses arrière-pensées.

– Je fais ce que je veux, dit-elle.

Elle ne put s'empêcher de penser à Giles. Mais comme il se trouvait actuellement aux Etats-Unis et que l'homme assis à côté d'elle ignorait tout de lui, elle le chassa aussitôt de son esprit. Elle ajouta:

– Je ne dépends de personne.

– Puis-je me permettre de te dire que cela te va très bien ?

– Merci pour le compliment, répondit-elle avec un grand sourire.

Changeant habilement de sujet, elle lui demanda :

– Et toi, Magnus ? Tu es marié ?

– Je ne me suis toujours pas décidé.

– Que veux-tu dire ?

– Je n'ai pas encore trouvé le courage de m'engager pour de bon. Bien sûr, j'ai batifolé à droite et à gauche, mais sans jamais franchir le pas. (A nouveau il se tourna vers elle, ses yeux bleus pétillant de malice.) J'ai l'impression qu'on peut nous mettre dans le même sac, tous les deux.

Claudia détourna la tête sans lui répondre. Il se trompait. Elle n'était pas du tout dans la même situation que lui. Il était facile de deviner ce qu'il entendait par « batifoler à droite et à gauche » car il était très attirant et l'avait toujours été. Elle, elle n'avait pas batifolé. Au contraire. Elle était restée fidèle à Giles depuis huit ans qu'elle le connaissait. Quand elle l'avait rencontré, il était malheureux en ménage ; elle l'avait soutenu pendant un divorce difficile et lui était entièrement dévouée. Contrairement à Magnus, elle n'avait pas peur de s'engager et débordait d'envie de se marier.

Ils étaient arrivés à Inverloss. A l'abri derrière des bouquets de chênes et de hêtres centenaires, la ferme était reliée à la route par un chemin plein d'ornières. Secouée par les cahots, Claudia regardait autour d'elle. Elle s'attendait à trouver des changements et fut tout heureuse de voir qu'il y en avait très peu. Mis à part une nouvelle grange et une grille entre le jardin et la route pour empêcher le bétail de passer, tout était resté pareil. Derrière la grille, à la place du gravier, il y avait des galets et, comme autrefois, elle eut l'impression en arrivant devant la maison que la voiture roulait sur la plage. Magnus appuya sur le klaxon et, avant que Claudia ait eu le temps d'ouvrir la portière, Jennifer surgit, un bambin sur la hanche et les chiens frétillant à ses pieds. Elle portait un jean et un sweat-shirt, son visage couvert de taches de rousseur respirait la santé et avec ses cheveux courts et bouclés, elle ressemblait toujours à un garçon manqué.

Elle déposa le bambin par terre et serra Claudia dans ses bras. Tous les chiens, y compris celui de Magnus, se mirent à aboyer. Comme le bébé, le visage décomposé, commençait à hurler, Jennifer le reprit dans ses bras ; les yeux embués de larmes, il lança un regard de reproche à Claudia.

– Désolée de ne pas avoir pu aller te chercher, dit Jennifer, mais Ronnie est parti pêcher et le réparateur est passé pour la chaudière. Cela fait plusieurs jours que nous l'attendons et il n'a rien trouvé de mieux que de venir un samedi !

– Ce n'est pas grave puisque je suis là.

– Tu es un ange, Magnus. Reste donc déjeuner avec nous. Il fait tellement beau que nous avons décidé ce matin que ce serait notre jour des mûres. Jane et Rory sont partis faire un tour sur leurs poneys mais ils ne vont pas tarder à rentrer.

Aussi loin que Claudia s'en souvienne, il y avait chaque année à Inverloss un jour des mûres, une expédition traditionnelle où on ramassait assez de fruits pour pouvoir manger des confitures et de la gelée pendant les douze mois suivants.

– Nous irons à Creagan Hill ? demanda-t-elle.

– Naturellement, répondit Jennifer. Tu viens avec nous, Magnus ? Nous n'aurons pas trop de deux mains en plus.

– D'accord. Mais il faut d'abord que je retourne au moulin. Il y a un ou deux problèmes à régler. A quelle heure comptez-vous déjeuner ?

– Vers une heure.

– J'y serai.

L'intérieur de la maison n'avait pas changé. Toujours aussi peu confortable. Toujours les mêmes odeurs, celles du feu de bois, des moutons et de la tourbe. Par endroits, les tapis étaient usés jusqu'à la corde et le papier peint portait des marques de doigts laissées par les enfants.

– C'est vraiment formidable que Magnus vive à nouveau à Lossdale, non ? dit Jennifer. On se croirait revenus au bon vieux temps. Ronnie et lui sont copains comme cochons et Magnus a fait des merveilles à la fabrique. Tu as dû être surprise de le revoir.

Son fils dans les bras, elle s'engagea dans l'escalier. Claudia la suivit, portant sa valise. Arrivée sur l'immense palier, Jennifer ouvrit une porte et pénétra dans une pièce tout ensoleillée.

– Je t'ai mise là, dit-elle. Dans la chambre où tu as toujours dormi. (Claudia posa sa valise sur une chaise.) J'ai pensé que tu adorerais ce nouveau dessus-de-lit. Je l'ai trouvé au fond d'une malle, dans le grenier. Tu dois avoir envie d'enlever tes vêtements de voyage. Et moi, j'attends avec impatience le moment de te présenter Ronnie. Quand je pense que tu ne le connais toujours pas ! Pas plus que Jane et Rory. Celui-là s'appelle Geordie, ajouta-t-elle en mettant son dernier-né sur ses pieds avant de s'asseoir sur le lit. Et c'est un amour.

Vacillant un peu sur ses jambes, Geordie se dirigea vers la commode. Puis il se laissa tomber par terre et se mit à jouer avec la poignée de cuivre du tiroir.

Debout devant la fenêtre, tournant le dos à sa cousine, Claudia contemplait les champs et la mer dans le lointain.

– J'avais tellement peur que tout soit différent, dit-elle. Mais ce n'est pas le cas. (Elle se tourna vers Jennifer.) Et toi aussi, tu es toujours pareille.

– Toi par contre, tu as changé, dit Jennifer avec franchise. Tu as maigri.

– C'est à cause de la vie à Londres. Et puis, nous avons maintenant toutes les deux trente-sept ans. Nous ne sommes plus des jeunes filles.

– Je n'ai pas dit que tu paraissais plus vieille. Simplement que tu avais maigri. Ça te donne d'ailleurs un petit côté raffiné. Qu'est-ce qui t'a poussée à revenir ? demanda-t-elle en regardant sa cousine dans les yeux. Tu t'es décidée au dernier moment, j'ai l'impression. Mais tu préfères peut-être ne pas en parler...

Elles n'avaient jamais eu de secrets l'une pour l'autre. Comme Claudia baissait la tête et déboutonnait la veste de son tailleur, Jennifer insista :

– C'est à cause de Giles, n'est-ce pas ?

Claudia se sentit soulagée qu'elle ait prononcé ce nom. Au moins, Giles ne s'interposerait plus entre elles deux, comme un spectre.

Jennifer connaissait l'existence de Giles. Elle avait glané quelques renseignements sur lui dans les lettres que lui envoyait Claudia et l'avait rencontré à Londres un soir où il les avait invitées toutes les deux à dîner. A cette époque – il était divorcé depuis un an –, Jennifer avait demandé à sa cousine : « Il va t'épouser ? » Claudia avait répondu en riant qu'ils étaient simplement bons amis.

Giles. Bel homme, bourré de charme, gagnant très bien sa vie – mais doté d'une personnalité fuyante, à la limite de la paranoïa. Ils avaient conservé chacun leur appartement bien qu'étant amants. Leurs amis les considéraient comme un couple et quand ils étaient invités pour un week-end, ils dormaient dans la même chambre.

Giles était courtier en Bourse et son activité prenait une place énorme dans sa vie. Il passait une partie de son temps à New York où il avait un appartement et restait parfois absent de Londres deux ou trois mois d'affilée. Claudia savait qu'il était de retour le jour où il lui téléphonait. « Je suis là », annonçait-il. Et ils reprenaient alors leur semblant de vie commune comme si cette longue absence n'avait jamais eu lieu : Claudia recommençait à organiser des dîners dans la maison de Giles, ils reprenaient contact avec leurs amis, retournaient dîner dans leur restaurant italien préféré et passaient à nouveau des nuits paradisiaques dans l'immense lit de Claudia.

La vie de Claudia changeait alors du tout au tout. Elle se sentait pleine d'énergie et n'avait aucune difficulté à concilier les exigences quotidiennes de son travail et de sa vie privée. Au contraire, elle vivait cela comme un défi qu'elle était fière de relever. Profondément satisfaite, l'avenir lui semblait plein de promesses. Et elle avait du mal à croire qu'il n'en fût pas de même pour Giles. Demain, ne cessait-elle de se dire, il va se rendre compte qu'il ne peut pas vivre sans moi. Mais le lendemain, Giles lui téléphonait pour lui dire qu'il repartait à New York pour son travail. Et, séparée de lui par l'Atlantique, elle devait recommencer à se débrouiller comme elle pouvait avec sa morne existence de célibataire.

Jennifer attendait toujours qu'elle lui réponde. Elle lui dit :

– Oui, c'est à cause de Giles. Nous devions partir en Espagne avec des amis. Nous avions déjà tout retenu. Mais il a été obligé de rester à New York et il a fallu annuler. J'aurais pu partir en Espagne. Mais sans lui, ce voyage n'avait plus de sens.

– Combien de temps est-il resté absent cette fois-ci ?

– Quelques mois. Il devait rentrer il y a trois jours.

– C'est vraiment minable de sa part.

– Ce n'est pas sa faute.

– Tu lui trouves toujours des excuses. Je parie qu'il ne t'a même pas écrit.

– Il me téléphone de temps en temps.

– Encore des excuses. Je suppose que tu es amoureuse de lui. Est-ce que tu l'épouserais s'il te le demandait ?

– Je... commença Claudia en cherchant ses mots... Oui, bien sûr. J'aimerais me marier. Tout le monde croit que seule ma carrière m'intéresse. Mais j'aimerais aussi avoir des enfants. Avant d'être trop âgée.

– Qu'est-ce qui te dit que tu n'es pas simplement sa maîtresse londonienne ? demanda Jennifer avec une franchise déconcertante.

Un soupçon effrayant que Claudia s'était toujours refusée à envisager et qu'elle repoussa à nouveau.

– Cela reste toujours possible, dit-elle seulement.

– As-tu confiance en lui ?

– Jamais je ne me pose ce genre de questions.

– Mais il n'y a rien de plus important que la confiance mutuelle, Claudia. Tu es en train de gâcher ta vie.

– Comment pourrais-je quitter Giles ? Jamais je n'arriverai à prendre une telle décision. Il fait partie de moi, maintenant. Il y a tellement longtemps que je l'aime.

– Oui. Trop longtemps. Tu devrais couper les amarres.

– J'en suis incapable.

Elles se turent toutes les deux. Le silence fut soudain interrompu par des portes qui claquaient, des bruits de pas et des voix haut perchées qui criaient dans l'escalier :

– Maman ! On est là. On meurt de faim !

Jennifer poussa un soupir. Elle se leva, reprit Geordie dans ses bras et annonça :

– Il faut que j'aille préparer à déjeuner. Nous reparlerons de tout ça plus tard.

Quand elle fut partie, Claudia défit ses bagages. Puis elle mit un jean et des chaussures de marche. Elle était en train de se brosser les cheveux quand elle entendit une voiture qui se garait devant la maison. Elle s'approcha de la fenêtre et reconnut Magnus. Il revenait de la fabrique.

Il sortit de sa voiture et se dirigea vers la maison. Claudia le regardait toujours. Comme si elle l'avait appelé par son nom, il releva la tête et l'aperçut, debout dans l'encadrement de la fenêtre.

– Tu n'es pas encore prête ? dit-il. Il est l'heure de déjeuner.

– Je descends, répondit-elle.

Creagan Hill se trouvait de l'autre côté d'Inverloss, à quatre kilomètres et demi de la petite ville. Son sommet arrondi était couronné d'éboulis et de rochers et ses pentes couvertes de bruyère rejoignaient la plaine côtière, laissant place alors à de petits lopins de terre délimités par des murets en pierres sèches où paissaient des moutons. D'étroits chemins serpentaient autour de ces terres, abrités du vent dominant et bien ensoleillés. C'est là que se trouvaient d'épais buissons de ronces, couverts de grosses mûres noires poussant sur des tiges épineuses.

A l'idée de cette expédition, les enfants de Jennifer étaient remplis d'impatience.

– On y va tous les ans, expliqua Jane entre deux bouchées de tourte au fromage. On s'en met partout et celui qui en ramasse le plus gagne un prix. L'an dernier, c'est moi qui l'ai eu...

– Tu m'avais volé des mûres, rappela Rory, un garçon flegmatique aux yeux bleus et aux cheveux bouclés comme ceux de sa mère.

– C'est toi qui me les avais données.

– Mon seau était plein. Je n'avais plus de place.

Magnus intervint avec tact.

– Peu importe. Il se peut que cette année tout le monde ait droit à un prix.

– Même Geordie ?

– Pourquoi pas ?

– Tout ce qu'il va faire c'est nous embêter, être dans nos jambes et manger des mûres. Il va certainement se rendre malade.

Geordie frappa avec sa cuillère sur sa chaise haute et, comme tout le monde le regardait, il se mit à rire de plaisir.

Quand les éclats de rire se furent calmés autour de la table, Jennifer dit :

– Jane n'a pas tout à fait tort. Cette sortie risque d'être trop longue pour Geordie. Nous allons donc prendre deux voitures. Comme ça, je pourrai le ramener quand il en aura assez.

– Je veux monter dans la voiture de Magnus, annonça Jane.

– Moi aussi, dit Rory qui ne voulait pas être en reste.

Leur mère soupira.

– Vous monterez avec qui vous voudrez. Mais avant, que diriez-vous de m'aider à débarrasser la table pour que nous puissions partir ?

Claudia s'assit à nouveau à côté de Magnus tandis que les enfants s'installaient sur le siège arrière et que le chien se retrouvait dans le coffre, son expression indiquant clairement qu'il prenait son mal en patience. Jennifer partit la première, le bébé attaché dans son siège derrière elle, et Magnus la suivit en conduisant beaucoup plus prudemment que le matin.

L'après-midi tenait les promesses du début de journée : le temps restait clair, lumineux et chaud. Dès qu'ils eurent dépassé la ville, Claudia aperçut les pentes des collines et l'éclat de la mer. Le soleil illuminait les fougères rousses et les bruyères liede-vin. Ils quittèrent la route et s'engagèrent dans un dédale de petits chemins qui les éloignaient de la mer. Creagan Hill se dressa alors si abruptement devant eux qu'ils cessèrent d'en voir le sommet.

Jane et Rory se posaient des devinettes.

– Qu'est-ce qui est vert et roule à cent soixante à l'heure ?

– Une groseille à maquereau qui fait du cent soixante à l'heure.

– Pourquoi le loir cherche-t-il à se faire valoir ?

– Parce que le daim le traite avec dédain. Tu as compris, Rory ? Daim et dédain.

Ils éclatèrent de rire.

Claudia ouvrit sa vitre et laissa le vent lui fouetter le visage. Un vent froid qui sentait la mousse et les algues. Repensant à l'Espagne, elle fut soudain tout heureuse de se retrouver ici au lieu d'être partie là-bas.

Ils arrivèrent enfin à l'endroit choisi par Jennifer et, aussitôt sortis de la voiture, se mirent au travail. En ligne du côté du chemin ou escaladant les murets pour se retrouver dans les champs, ils cueillirent des mûres pendant deux heures. Les seaux en plastique se remplissaient lentement. Les lèvres et les doigts avaient pris une teinte pourpre, les pulls et les pantalons étaient déchirés et les chaussures couvertes de boue. A quatre heures, comme Geordie montrait des signes d'impatience, Jennifer annonça qu'il était temps de le ramener à la maison.

– Il a été tellement gentil de rester assis dans la tourbe à regarder les coccinelles, n'est-ce pas, mon petit amour, dit Jennifer en embrassant son visage tout sale. De toute façon, il faut que je rentre pour préparer le repas de ce soir. Tu dînes avec nous, Magnus ?

– Tu m'as déjà offert à déjeuner.

– Eh bien, je t'offrirai aussi à dîner. Pas de problème. Et Ronnie sera tout content de te parler du poisson qu'il n'aura pas réussi à attraper. Qui vient avec moi ? ajouta-t-elle à l'intention des enfants.

Jane et Rory décidèrent de rentrer avec leur mère. Ils s'étaient lassés des mûres et voulaient regarder la télévision.

– Qu'est-ce que vous comptez faire, vous deux ? demanda Jennifer à Magnus et Claudia.

Celle-ci plaça son seau rempli à ras bord de mûres dans le coffre de Jennifer et étira ses bras et ses épaules endoloris.

– La journée est tellement belle que j'aimerais encore en profiter, dit-elle. (Elle regarda Magnus.) Nous pourrions peut-être emmener ton chien se promener ? Il ne s'est pas beaucoup amusé jusque-là.

– Si tu veux, répondit-il. Nous pouvons grimper en haut de la colline. Il y a une vue magnifique. Qu'en dis-tu ?

C'était exactement ce que Claudia avait eu envie de faire pendant tout l'après-midi.

– Cela me ferait très plaisir, répondit-elle.

Jennifer se mit en route et les enfants en profitèrent pour leur faire de grands signes par la vitre ouverte comme s'ils ne devaient jamais se revoir. La voiture disparue, Magnus lança :

– Allons-y !

Ils traversèrent des prés dont la pente se faisait de plus en plus raide, franchirent des barrières cassées et marchèrent au milieu de fougères qui leur arrivaient aux genoux. Le chien, ravi qu'on s'occupe enfin de lui, courait devant eux, flairant les lapins, sa longue queue dressée à la verticale. En les voyant approcher, de vieux moutons cessaient de brouter pour les regarder passer. Le vent froid qui lui fouettait maintenant les joues faisait plaisir à Claudia et elle appréciait aussi de sentir sous ses pieds une herbe rase qui facilitait la marche. Les muscles de ses jambes retrouvaient leur élasticité ; ses poumons se remplissaient d'un air aussi pur que de l'eau de source.

A mi-hauteur environ de la colline, ils tombèrent sur un cirque verdoyant coupé en deux par un minuscule ruisseau ; une suite de cascades miniatures bouillonnait sur un lit de galets blancs. Comme Claudia avait soif, elle s'agenouilla, prit de l'eau dans ses mains et la but. Puis elle s'assit le dos à la colline, contemplant l'étendue de la vallée.

– Jamais je n'aurais cru que nous avions grimpé aussi haut.

– Tu t'en es bien sortie, dit Magnus en s'installant à côté d'elle.

Ses longues jambes ramenées contre lui, il mit sa main en visière au-dessus de ses yeux.

– Inutile de monter plus haut. Nous n'aurions pas une plus belle vue qu'ici.

Il avait raison. Claudia avait beau se souvenir de ce panorama spectaculaire, elle le trouvait toujours d'une beauté à couper le souffle. De l'endroit où elle était assise, elle distinguait la courbe de la côte, les champs, les fermes et les lochs intérieurs. Elle avait l'impression d'une carte géante étalée sous ses yeux. L'air était si transparent que l'on pouvait voir les montagnes situées à près de quatre-vingts kilomètres plus au sud, leurs sommets couverts par les premières chutes de neige. Et devant c'était l'océan, aussi bleu ce jour-là que la Méditerranée, la mer enchanteresse de la Grèce d'Homère.

Et le silence. Troublé seulement par le vent, le chant d'une alouette, le long et triste appel d'un courlis. Comme Claudia et Magnus restaient assis sans bouger, le vent finit par les faire frissonner ; la jeune femme remit le pull-over qu'elle avait attaché autour de sa taille pendant la montée.

– Je ne voudrais pas que tu prennes froid, dit Magnus.

– Je suis très bien. C'est bon pour l'âme de contempler une vue pareille par une aussi belle journée ! Nous avons bien de la chance. Toi surtout, puisque tu vis ici toute l'année.

– Je comprends ce que tu veux dire. Un tel panorama remet les choses à leur juste place.

– Ça me donne l'impression d'être une fourmi.

– Une fourmi ?

– Minuscule. Insignifiante. Sans importance.

Mais il ne s'agissait pas seulement d'elle. Elle songeait à la vie tout entière, avec tous ses aspects : travailler, gagner de l'argent, courir après l'amour. Contempler le monde d'aussi haut revenait à regarder la foire d'empoigne quotidienne par l'autre bout de la lorgnette, si bien que tout semblait soudain rapetissé, sans poids, dérisoire. Et si Claudia était une fourmi, alors l'Atlantique n'était qu'une mare, New York un point sur le globe, grouillant de millions d'insectes affairés. Et Giles n'était plus qu'un insecte parmi d'autres.

– Est-ce que tu aimerais vivre tout le temps ici ? demanda Magnus.

– Je n'y ai jamais réfléchi. Jennifer a l'air tellement heureuse, avec son mari, ses enfants et sa ferme... Pourtant, je ne crois pas que cela me suffirait.

– La vie est étrange. Après avoir été tous séparés pendant tant d'années... Pourquoi toi et moi nous retrouvons-nous ici aujourd'hui, à mi-hauteur de Creagan Hill, et par cette journée bénie, en plus ?

– Je ne peux pas te répondre, Magnus.

– Je me demande si tu sais à quel point j'étais amoureux de toi ?

Complètement abasourdie, Claudia le regarda en fronçant les sourcils. Le visage sombre, il regardait droit devant lui. Elle remarqua les rides autour de sa bouche, les pattes-d'oie aux coins de ses yeux et quelques mèches grises dans son abondante chevelure noire. Lorsqu'il se retourna vers elle, il n'y avait plus rien de sa gaieté coutumière au fond de ses yeux.

– Tu n'es pas sérieux, dit-elle.

– Tu ne t'en es jamais doutée ?

– Je n'avais que dix-sept ans.

– Mais tu étais sensationnelle. Tellement belle que j'avais peur de ce que j'éprouvais pour toi car tu me semblais inaccessible.

– Tu n'as jamais rien dit...

– Ni même laissé paraître quoi que ce soit.

– Mais pourquoi ?

– Ce n'était pas le moment. Nous étions trop jeunes. Nous venions de quitter le lycée et nous ne savions rien de la vie. Nous avions des tas de choses à apprendre et à faire. Le monde nous attendait, rempli de gens ne pensant qu'à l'amour. Nous n'avions qu'une envie : partir et découvrir tout ça par nous-mêmes. J'avais conservé une photo de toi que je montrais à mes copains en disant : « C'est mon premier amour. » Mais j'aurais dû leur dire : « C'est mon seul amour. »

– Pourquoi m'en parles-tu aujourd'hui ?

– Parce que je suis trop vieux pour être encore si fier.

Claudia baissa les yeux, ne voulant pas qu'il devine ce qu'elle était en train de penser : « Moi aussi, je suis trop vieille pour demeurer si fière. Mais je n'ai pas voulu le reconnaître car, en ce qui concerne Giles, cela semblait le seul moyen de le retenir. Triste constat. » Elle eut brusquement envie de se confier à Magnus, de lui parler de Giles – de tout lui expliquer dans l'espoir qu'il comprendrait. Puis y renonça. Le moment était mal choisi : elle souffrait trop et ne savait plus où elle en était. Giles faisait partie de sa vie à elle, c'était son problème et elle n'avait pas le droit de s'en décharger sur cet homme. Cet ami de longue date, qui venait juste de lui avouer qu'il l'avait toujours aimée.

Non. Mieux valait prendre tout cela un peu plus à la légère.

Elle sourit.

– Trop de fierté peut nous nuire, dit-elle. C'est ce qui sépare les gens les uns des autres.

– Oui... Et on se tait jusqu'au moment où il est trop tard. Peut-être vaudrait-il mieux alors ne rien dire du tout.

– Tu as tort de penser ça.

Le soleil était en train de se coucher derrière eux; ses derniers rayons projetaient de longues ombres sur le paysage. Le vent soufflait plus fort, courbant les herbes qui poussaient sur les rives du ruisseau. Claudia frissonna.

– Il commence à faire froid.

Magnus semblait tellement avoir besoin de réconfort qu'elle se pencha vers lui et l'embrassa sur la bouche.

– Il est temps de rentrer, conclut-elle.

Il sourit d'un air piteux – mais c'était quand même un sourire. Il se remit sur ses pieds et lui prit la main pour l'aider à se relever. Puis il siffla son chien et ils repartirent. La descente fut facile et, quand ils arrivèrent à la voiture, Magnus était à nouveau lui-même, il avait retrouvé son entrain et faisait des projets pour la soirée.

– Il faut que j'achète du vin pour Ronnie. Si ça ne t'ennuie pas, je vais m'arrêter en ville et faire quelques courses. Je n'ai plus de bacon et j'ai aussi besoin de nourriture pour le chien.

Sous la lumière dorée de cette fin de journée, la rue principale d'Inverloss grouillait d'activité. Les boutiques étaient encore ouvertes : boucher, marchand de légumes et magasin d'articles de pêche. Les lumières au néon du café italien se déversaient sur le trottoir ; de l'intérieur de l'établissement parvenaient des accents de pop music et une odeur de frites et de poisson grillé. Des filles traînaient devant le café en gloussant, vêtues de leur tenue du samedi soir – jeans serrés et boucles d'oreilles –, conscientes des regards que leur jetaient quelques jeunes gens assis devant le pub de l'autre côté de la rue.

– Je n'en ai pas pour longtemps, dit Magnus.

Il entra chez le marchand de journaux et en ressortit presque aussitôt avec un journal qu'il laissa tomber sur les genoux de Claudia à travers la vitre ouverte.

– Voilà de quoi passer le temps, dit-il avant de repartir vers une autre boutique.

Il lui avait apporté un journal du matin, un tabloïd qui paraissait à Londres. Après avoir lu les gros titres accrocheurs, Claudia parcourut le reste du journal, jetant un coup d'œil aux articles, aux photos et aux publicités. Elle en était au carnet mondain quand elle tomba sur une photo de Giles.

La photo n'était ni très grande ni de très bonne qualité mais elle lui sauta aux yeux comme un nom connu attire votre attention en plein milieu d'un article. Giles tenait par le bras une jeune femme aux longs cheveux blonds, bras nus et vêtue d'une robe au décolleté plongeant. Il souriait de toutes ses dents, avait quelques kilos en trop et arborait une cravate à pois époustouflante.

La légende précisait : « Giles Savours et sa jeune épouse, Debbie Peyton. »

« C'est impossible, se dit Claudia instinctivement. C'est une abominable erreur. Ils se sont trompés. » Mais elle se sentait glacée et avait la bouche sèche.

Elle se reporta alors à l'article qui annonçait en gros caractères d'imprimerie :

COMME TOUJOURS LES AFFAIRES
AVANT TOUT POUR GILES ET DEBBIE.

Pas de lune de miel dans l'immédiat pour l'homme d'affaires londonien Giles Savours (44 ans), qui s'est marié cette semaine à New York dans l'église St-Michael, Brewsville. Giles, un associé de la firme Wolfson-Rilke de la City, a trop de travail qui l'attend dans son bureau new-yorkais pour s'absenter actuellement mais compte aller à la Barbade pour Noël.

Debbie Peyton, sa ravissante épouse de 22 ans, est la fille unique de Charlie D. Peyton de Consolidated Aluminium. Cette petite jeune femme d'un mètre cinquante-sept a rencontré Savours pour la première fois il y a trois mois et la cour assidue qu'il lui a faite n'a pas échappé à ses collègues new-yorkais. C'est son second mariage – il avait épousé en premières noces lady Priscilla Rolands – et ses amis commençaient à se demander s'il allait à nouveau sauter le pas...

Claudia ne put poursuivre sa lecture. La lumière était trop faible, les pages du journal tremblaient dans ses mains, les mots se brouillaient. Giles marié. Elle repensa à sa voix au téléphone quelques jours plus tôt, aussi naturelle que d'habitude et débitant des excuses qui allaient de soi. « Je suis terriblement navré. Un problème de dernière minute. Je ne pourrai pas rentrer à Londres à temps pour partir en Espagne. Je suis persuadé que tu comprends. Pourquoi n'irais-tu pas là-bas sans moi ? Je suis sûr que ça te plaira... Oui, bien sûr... Dès que je peux... »

Et ainsi de suite. Toujours les mêmes mots et toujours la même attente déçue. Toujours pareil. Sauf que cette fois, il n'avait même pas eu le courage de lui dire qu'il s'apprêtait à épouser une autre femme. Assez jeune pour être sa fille. Et maintenant, il était marié. Il avait laissé tomber Claudia. C'était fini.

Elle continuait à se sentir glacée. « Je suis sous le choc », se dit-elle. Assise à l'avant de la voiture, elle surveillait ses propres réactions, attendant le contrecoup de cette nouvelle. Elle n'allait pas tarder à se mettre en colère. Peut-être pousser des cris de rage. Pleurer d'humiliation. Éprouver un sentiment de perte irrémédiable.

Mais rien de tel n'arriva. Les sentiments qui l'envahirent étaient totalement inattendus : du soulagement, et une certaine forme de gratitude. Soulagement de n'avoir plus à prendre la décision de rompre, et gratitude car c'était là peut-être le dernier et le plus beau cadeau que Giles pouvait lui faire.

– Désolé d'avoir été aussi long.

Magnus était de retour. Après avoir lancé sur le siège arrière un paquet de nourriture pour chiens, il se glissa derrière le volant et posa entre Claudia et lui le sac en plastique qui contenait ses courses. Claudia entendit le cliquetis des bouteilles, puis le claquement de la portière.

– J'ai acheté du vin et des bonbons pour les enfants. Au dernier moment, je me suis souvenu que je leur avais promis qu'ils gagneraient tous quelque chose pour avoir cueilli des mûres...

Claudia ne répondit rien. Elle demeurait immobile. Mais elle sentit que Magnus la regardait.

– Claudia ? demanda-t-il. Il y a quelque chose qui ne va pas ?

Elle hocha la tête, les yeux fixés sur le journal. Magnus le lui retira des mains avec douceur.

– Que se passe-t-il ?

– Simplement un homme que je connais.

– Que lui est-il arrivé ? demanda Magnus qui semblait craindre le pire.

– Il n'est ni mort ni quoi que ce soit d'autre. Il vient de se marier.

– Ce type-là ? Giles Savours ?

Elle hocha la tête.

– C'est un ami à toi ?
– Oui.
– Ton amant ?
– Oui.
– Depuis combien de temps le connaissais-tu ?
– Huit ans.

Il y eut un long silence. Magnus lisait l'article.

– Pourquoi l'âge et les mensurations ont-ils toujours une telle importance dans ces torchons ? demanda-t-il en froissant brutalement le journal avant de le laisser tomber sur le sol.

Il prit la main de Claudia dans la sienne et lui proposa :

– Veux-tu m'en parler ?

– Il n'y a rien à en dire. Ce serait trop long à expliquer. Disons que c'est à cause de Giles que je suis ici. Nous devions aller en Espagne ensemble et il s'est décommandé au dernier moment. Il ne m'a pas dit pourquoi, simplement qu'il avait un empêchement.

– Tu savais qu'il sortait avec cette fille ?

– Non, je n'étais au courant de rien. Parce que je préférais ne pas savoir, je suppose. Je ne pensais qu'à moi-même. Il n'y a rien de moins attirant qu'une femme jalouse et je savais que si je posais des questions à Giles, cela risquait de tout gâcher entre nous.

– C'est pourtant le minimum quand on sort avec un homme. Tu méritais mieux.

– Non. Tout est ma faute. Mais j'aurais quand même trouvé plus correct pour nous deux qu'il ait le courage de me l'annoncer lui-même. J'en suis presque désolée pour lui. C'est affreux de manquer autant de force morale.

– Moi, je ne le plains pas. C'est un salopard. Cruel, en plus.

– Non, Magnus, ce n'est pas de la cruauté. Il fallait que l'un de nous mette fin à tout ça. Cette relation bancale durait depuis trop longtemps. Et ne t'inquiète pas pour moi. Tu crois que j'ai été abandonnée mais moi, j'ai l'impression d'avoir retrouvé ma liberté.

Magnus lui tenait toujours la main. Elle osa enfin tourner la tête et le regarder dans les yeux. Et cette fois, ce fut lui qui posa un baiser sur sa bouche.

– Voilà une journée pour le moins mémorable, dit-il. Et en plus, c'est le premier jour de ta nouvelle vie. Pourquoi ne pas hisser le drapeau en signe de victoire et se jurer que les jours à venir seront eux aussi mémorables ? Après tout, nous avons du vin, des femmes et je peux même me dévouer pour chanter.

Malgré ce qui venait d'arriver, Claudia ne put s'empêcher de rire.

– Je suis heureuse que ce soit toi qui te sois trouvé là. Et que tu sois celui à qui j'ai pu en parler.

– Moi aussi, j'en suis heureux, dit Magnus.

Et ce fut tout. Magnus démarra et la voiture les emmena à travers la ville, puis dans la campagne où s'installait le crépuscule. A la nuit tombée, Claudia qui regardait la mer vit la lune apparaître au-dessus de la ligne d'horizon. Profondément apaisée, elle sourit à sa face d'argent comme elle aurait accueilli un vieil ami.

Traduit par Catherine Pageard

Une soirée mémorable

La tête sous le séchoir, les cheveux chargés de bigoudis, Alison Stockman refusa les magazines qu'on lui tendait et sortit de son sac un bloc-notes et un crayon. Il fallait – pour la dixième fois peut-être – qu'elle revoie sa liste.

Elle n'était pourtant pas du genre à préparer des listes. Elle avait plutôt tendance à faire ses achats au petit bonheur et oubliait régulièrement le pain, le beurre ou le produit à laver la vaisselle. Convaincue que ce n'était pas très important, elle parvenait toujours à s'en sortir et improvisait joyeusement, ce qui ne l'empêchait pas de griffonner sur des pense-bête improvisés, des bouts d'enveloppes, des talons de chèques, de vieilles factures. Cela ajoutait un certain mystère à l'existence. *Abat-jour. Combien ?* découvrait-elle inscrit sur un reçu pour du charbon livré six mois auparavant ; et elle passait plusieurs minutes à essayer de se rappeler ce que cela pouvait signifier. Quel abat-jour ? Et combien avait-il coûté ?

Depuis qu'ils avaient quitté Londres et s'étaient installés à la campagne, elle s'efforçait de meubler et de décorer leur nouvelle maison mais semblait toujours manquer de temps et d'argent – deux enfants en bas âge, c'est très absorbant et ça coûte cher. Alors il restait toujours des pièces avec de vilaines tapisseries, des tapis manquants ou des lampes sans abat-jour.

Pour cette liste, c'était différent. Elle avait même spécialement acheté le bloc-notes et le petit crayon qui allait avec. Ensuite, elle y avait inscrit avec beaucoup d'application toutes les choses qui devaient être achetées, astiquées, nettoyées, lavées ou repassées.

Passer l'aspirateur dans la salle à manger; astiquer l'argenterie. Elle raya la dernière injonction. *Mettre la table.* Nouveau coup de crayon. Elle s'en était occupée ce matin tandis que Larry était à l'école et que Janey dormait dans son berceau.

– Tu es sûre que les verres ne vont pas prendre la poussière ? avait demandé Henry.

Mais Alison lui avait assuré que non. De toute façon, à la lumière des chandelles, M. et Mme Fairhurst ne distingueraient pas la poussière. Et puis avait-on jamais entendu parler de verres à vin poussiéreux ?

Commander un rôti de bœuf. Rayé. *Peler des pommes de terre.* Rayé. Elles étaient dans un bol d'eau dans le garde-manger. *Sortir les crevettes du congélateur.* Ce serait pour demain matin. *Faire une mayonnaise. Trier la salade. Peler les champignons. Faire le soufflé au citron de maman. Acheter de la crème.* Elle raya *Acheter de la crème.* Le reste attendrait le lendemain.

Elle inscrivit *Fleurs.* Ce qui signifiait cueillir les premières jonquilles à peine écloses dans le jardin et les agrémenter de branches de groseillier en fleur en espérant que cela parfumerait la maison et effacerait les odeurs du chat.

Elle nota *Laver les tasses à café du service.* Un cadeau de Noël, rangé dans un coin de l'armoire du salon. Contrairement aux verres à vin, les tasses à café avaient sérieusement besoin d'être lavées.

Elle écrivit *Prendre un bain.*

Essentiel, même si elle le prenait à deux heures de l'après-midi demain. De préférence après avoir rentré du charbon et rempli le panier de bûches.

Elle enchaîna avec *Réparer la chaise*. C'était une des six petites chaises à dossier rond de la salle à manger qu'Alison avait achetées dans une salle des ventes. Les sièges étaient recouverts de velours vert et bordés d'un galon d'or mais le chat de Larry, qui répondait au nom original de Chacha, s'était servi d'une chaise pour aiguiser ses griffes; le ruban doré s'était détaché et pendait lamentablement comme un bout de jupon qui dépasse. Elle le recollerait et mettrait un ou deux clous. La qualité du travail importait peu du moment que cela ne se remarquait pas.

Elle remit la liste dans son sac et eut une pensée morose pour sa salle à manger. Avoir une salle à manger à leur âge et à l'époque où l'on vivait pouvait surprendre, mais cette petite pièce exposée au nord était tellement peu attirante que personne dans la famille n'en avait voulu. Alison avait suggéré d'en faire un bureau pour Henry, mais il avait protesté qu'elle était trop froide. Elle avait alors proposé que Larry y installe sa ferme miniature mais il préférait jouer sur le carrelage de la cuisine. Finalement, ils ne s'en servaient jamais. Ils mangeaient dans la cuisine ou sur la terrasse quand il faisait beau et, en plein été, il leur arrivait souvent de pique-niquer tous les quatre sur la pelouse, à l'ombre du sycomore.

La salle à manger fit dévier le cours de ses pensées. Cette pièce était tellement sinistre qu'ils avaient décidé que rien ne pourrait jamais l'améliorer. Ils l'avaient donc tapissée d'un tissu vert foncé assorti aux rideaux en velours que la mère d'Alison avait dénichés dans son grenier. Ils avaient ajouté une table anglaise et les chaises à dossier rond, plus un buffet victorien, cadeau de la tante de Henry. Et deux horribles gravures. Ça, c'était la contribution de Henry. Il s'était rendu dans une salle des ventes pour y acheter un pare-feu et ces deux peintures déprimantes faisaient partie du lot. La première représentait un renard dépeçant un canard mort, la deuxième une vache des Highlands debout sous une pluie battante.

– Ça décorera les murs, avait dit Henry en les accrochant. En attendant que j'aie les moyens de t'acheter un Hockney, un Renoir ou un Picasso.

Il était redescendu de l'échelle, en manches de chemise, une toile d'araignée dans les cheveux, et avait embrassé sa femme.

– Les toiles de maître ne m'intéressent pas, avait affirmé Alison.

– Tu as tort.

Il l'avait serrée contre lui.

– Moi, si.

Et il le pensait. Il les voulait pour sa femme et ses enfants. Pour eux, il était ambitieux. Ils avaient vendu leur appartement londonien pour acheter cette petite maison parce qu'ils tenaient à ce que les enfants soient élevés à la campagne, connaissent les vaches, les récoltes, les arbres et les saisons. Et comme ils avaient beaucoup emprunté à la banque, ils s'étaient juré de faire la peinture et la décoration eux-mêmes. Cette tâche interminable les avait occupés tous les week-ends. En hiver, ce n'était pas un problème. Et puis l'été était arrivé, ils avaient abandonné l'intérieur de la maison pour se consacrer à l'extérieur et essayer de remettre un peu d'ordre dans le jardin à l'abandon.

A Londres, ils avaient des loisirs. Ils louaient les services d'une jeune fille pour garder les enfants et ils allaient dîner dehors, ou alors ils écoutaient de la musique sur la chaîne stéréo pendant que Henry lisait le journal et qu'Alison faisait de la tapisserie. Mais maintenant, Henry quittait la maison à sept heures trente et ne rentrait que douze heures plus tard.

– Tu crois que ça vaut le coup ? demandait parfois Alison.

Mais Henry ne se décourageait jamais.

– Ce ne sera pas toujours comme ça, lui disait-il. Tu verras.

Il travaillait chez Fairhurst & Hanbury, une boîte d'industrie de l'équipement. Henry y avait été engagé en tant que simple cadre. L'affaire avait peu à peu prospéré, s'ouvrant à des perspectives intéressantes, dont un projet d'ordinateurs commerciaux. Henry avait progressivement grimpé dans la hiérarchie et on envisageait maintenant de lui confier le poste de directeur des exportations, car la personne qui l'occupait avait décidé de prendre une retraite anticipée, de déménager dans le Devonshire et de se consacrer à l'élevage des poulets.

Etendu auprès d'Alison – leur lit était à présent le seul endroit où ils pouvaient trouver la tranquillité nécessaire pour se parler –, il l'informa de cette possibilité de promotion. Ses chances étaient cependant assez minces. Ses qualifications étaient correctes, sans plus, les autres avaient davantage d'expérience. Et il était le plus jeune.

– Mais alors, tu te chargerais de quoi ? demanda Alison.

– Eh bien, il faudrait que je voyage pas mal. A New York, à Hong Kong, au Japon. Pour découvrir de nouveaux marchés. Tu ne me verrais plus beaucoup. Tu te retrouverais encore plus seule que maintenant. Et je devrais leur rendre la politesse. Si des acheteurs venaient ici, il faudrait que je m'en occupe, que je les distraie... Enfin, ce genre de corvée.

La tête sur l'épaule de son mari, Alison réfléchit. Entrant par la fenêtre ouverte, l'air frais de la campagne lui caressait le visage.

– L'idée de tes absences répétées ne me plaît pas beaucoup, mais je pourrais le supporter. Avec les enfants, je ne me sentirais jamais seule. Et je saurais que tu me reviendras toujours.

Il l'embrassa.

– Est-ce que je t'ai déjà dit que je t'aimais ?

– Une ou deux fois...

– Je veux ce job, Alison. Je sais que je peux le faire. Et je veux finir de payer notre prêt, emmener les enfants en Bretagne pour les vacances d'été et payer un type pour labourer cette saleté de jardin.

– Ne dis pas ça.

Alison posa un doigt sur ses lèvres.

– Il ne faut pas vendre la peau de l'ours avant de l'avoir tué.

Cette conversation nocturne remontait à environ un mois et ils n'en avaient pas reparlé. Et puis la semaine précédente, M. Fairhurst, le patron de Henry, l'avait emmené déjeuner à son club. Henry avait peine à croire que M. Fairhurst lui offrait cet excellent repas pour le seul plaisir de sa compagnie. Mais il fallut attendre le délicieux stilton veiné de bleu et le verre de porto qui l'accompagnait pour que M. Fairhurst en vienne au fait. Il demanda alors des nouvelles d'Alison et des enfants. Henry lui dit qu'ils allaient très bien.

– C'est plus sain pour les enfants de vivre à la campagne, dit M. Fairhurst. Alison se plaît, là-bas ?

– Oui. Elle s'est fait plein d'amis au village.

– Parfait. J'en suis ravi.

M. Fairhurst se resservit un morceau de stilton d'un air pensif.

– Je ne connais pas vraiment Alison.

Il semblait se parler à lui-même.

– Je l'ai bien aperçue de temps en temps, à la soirée de fin d'année du bureau, mais ça ne compte pas. J'aimerais bien voir votre nouvelle maison...

Sa phrase resta en suspens. Henry leva les yeux de la nappe blanche amidonnée où brillait l'argenterie ; il croisa le regard de son patron. A l'évidence, M. Fairhurst lui tendait une perche.

Il s'éclaircit la voix.

– Que diriez-vous de venir dîner chez nous un de ces soirs en compagnie de Mme Fairhurst ?

– Eh bien, mais c'est très gentil à vous, dit le président d'un air aimablement surpris. Je suis sûr que ma femme sera enchantée.

– Je... je demanderai à Alison de lui passer un coup de fil afin qu'elles conviennent d'une date.

– On nous fait passer un examen pour le poste qui s'est libéré, c'est ça ? s'exclama Alison quand il lui annonça la nouvelle. Ils veulent savoir si je serai à la hauteur pour recevoir les clients étrangers ?

– Dit comme ça, cela semble assez brutal... Mais, oui, je suppose que c'est ce dont il s'agit.

– Il faut que ce soit très formel ?

– Non.

– Mais quand même...

– Il est le président.

– Oh, mon Dieu !

– Ne fais pas cette tête-là, je me sens affreusement gêné.

– Oh, Henry.

Elle crut qu'elle allait fondre en larmes mais il la prit dans ses bras et la serra contre lui ; elle se blottit contre son épaule.

– Si on passe un examen, c'est bon signe, murmura-t-il. Ça vaut mieux que d'être ignoré.

– Oui, sans doute.

Un silence.

– Et puis à toute chose malheur est bon. Au moins, nous avons une salle à manger.

Le lendemain matin, Alison téléphona à Mme Fairhurst en essayant de paraître naturelle et l'invita docilement à dîner avec son mari.

– Mais c'est très gentil à vous.

Mme Fairhurst semblait sincèrement surprise, comme si elle n'avait pas été prévenue de cette invitation.

– Nous avions pensé au 6 ou au 7 de ce mois, enfin, comme cela vous arrange, dit Alison.

– Attendez une seconde que je prenne mon agenda.

Il s'ensuivit une longue attente. Le cœur d'Alison battait à tout rompre. C'était ridicule de se sentir aussi angoissée. Enfin, Mme Fairhurst reprit l'appareil.

– Le 7 nous conviendrait tout à fait.

– A sept heures trente ?

– Parfait.

– Je dirai à Henry de préparer un plan pour M. Fairhurst.

– Excellente idée. Il nous est déjà arrivé de nous perdre, vous savez.

Elles rirent, se dirent au revoir et raccrochèrent. Alison appela sa mère aussitôt.

– Maman ?

– Oui, ma chérie.

– J'ai un service à te demander. Pourrais-tu garder les enfants vendredi prochain ?

– Bien sûr. Pourquoi ?

Alison lui expliqua la situation.

– Je passerai les prendre en voiture juste après le thé, dit-elle alors. Ils passeront la nuit ici. Quelle excellente idée ! Impossible de préparer un dîner et de s'occuper des enfants. S'ils savent qu'il se trame quelque chose, ils ne voudront jamais aller se coucher. Ils sont tous les mêmes... Que vas-tu préparer pour les Fairhurst ?

Alison n'y avait pas encore songé. Sa mère fit quelques suggestions très utiles et lui donna la recette de son soufflé au citron. Elle demanda comment allaient les enfants, donna quelques nouvelles de la famille et raccrocha. Alison prit aussitôt un rendez-vous chez le coiffeur.

Après cela, elle se sentit compétente et efficace, deux sensations qui lui étaient inhabituelles. Vendredi, le 7. Elle se dirigea vers la salle à manger, y jeta un coup d'œil critique, et la salle à manger lui renvoya une image hostile. Elle plissa les yeux et se dit qu'avec des bougies et une fois les rideaux tirés, ça pourrait faire l'affaire.

Mon Dieu, je vous en supplie, faites que tout se passe bien. Faites que je sois à la hauteur pour Henry et que le dîner soit réussi.

Aide-toi, le ciel t'aidera. Alison referma la porte de la salle à manger, mit son manteau, se rendit à pied au village où elle acheta le bloc-notes et son crayon.

Ses cheveux étaient secs. Elle émergea de sous le séchoir, s'assit devant un miroir et on s'occupa de la coiffer.

– Vous sortez, ce soir ? demanda le jeune coiffeur.

Une brosse dans chaque main, il semblait prendre la tête d'Alison pour un tambour.

– Non, pas ce soir. Demain soir. J'ai des amis qui viennent dîner.

– Formidable. Un peu de laque ?

– Oui, s'il vous plaît.

Il regarda Alison sous tous les angles, lui tendit un miroir pour qu'elle admire sa nuque, défit le nœud de la blouse en Nylon mauve et l'aida à s'en extraire.

– Merci beaucoup.

– Amusez-vous bien.

On ne sait jamais. Elle paya, remit son manteau et sortit. La nuit tombait. A côté du coiffeur il y avait une confiserie. Elle y entra et acheta du chocolat pour les enfants. Puis elle remonta dans sa voiture. Arrivée chez elle, elle gara la voiture dans le garage et rentra par la porte de la cuisine. Là, elle trouva Evie et les enfants qui prenaient le thé. Janey était dans sa chaise haute, ils mangeaient du poisson pané et des frites, et la cuisine sentait bon la pâtisserie.

– Tu es d'un chic, dit Evie en regardant les cheveux d'Alison.

Alison se laissa tomber sur une chaise et sourit aux trois visages autour de la table.

– Je suis claquée. Il reste du thé ?

– Je vais en refaire.

– Et tu as préparé un gâteau !

– Il me restait un peu de temps, j'ai pensé que ça ne vous ferait pas de mal.

Evie était l'une des meilleures choses qui soient arrivées à Alison depuis qu'elle était venue vivre à la campagne. Vieille fille d'un certain âge, solide et énergique, elle était venue tenir la maison de son frère célibataire qui avait une ferme et cultivait les terres autour de la maison d'Alison. Alison l'avait rencontrée chez l'épicier. Evie s'était présentée et avait dit que si Alison voulait des œufs de la ferme, elle pouvait lui en fournir. Evie avait un élevage de poulets et ravitaillait quelques familles choisies du village. Alison avait accepté son offre avec reconnaissance et allait l'après-midi chercher les œufs à la ferme avec les enfants.

Evie adorait les enfants.

– Si vous avez besoin d'une baby-sitter, passez-moi un coup de fil, avait-elle proposé.

Et Alison s'en était souvenue. Les enfants aimaient bien qu'Evie vienne s'occuper d'eux. Elle leur apportait toujours des bonbons ou des petits cadeaux, apprenait des jeux à Larry, et savait s'y prendre avec Janey. Elle la tenait sur ses genoux et la petite tête blonde de Janey reposait avec délice sur le solide oreiller de sa large poitrine.

Pour l'heure, elle s'affairait près de la cuisinière, remplissait la bouilloire, ouvrait le four pour voir comment se comportait le gâteau.

– Presque cuit.
– Evie, tu es adorable. Mais ne faut-il pas que tu rentres ? Jack va se demander ce qui est arrivé à son thé.
– Aujourd'hui, Jack est au marché. Il ne sera pas de retour avant longtemps. Si tu veux, je vais coucher les enfants. Et puis il faut que j'attende que le gâteau soit cuit.
Elle se tourna d'un air rayonnant vers Larry.
– Tu aimerais bien qu'Evie te fasse prendre ton bain, hein mon canard ? Et Evie va te montrer comment on fait des bulles de savon avec les doigts.
Larry fourra la dernière frite dans sa bouche. C'était un enfant posé, qui ne se lançait pas à la légère dans des projets irréfléchis.
– Tu me liras une histoire quand je serai couché ? demanda-t-il.
– Si tu veux.
– *Où est passé Spot*, d'accord ? Celle où il y a une tortue.
– D'accord, Evie te lira celle-là.

Quand les enfants eurent fini de manger, Evie les accompagna à l'étage. On entendit l'eau qui coulait dans la baignoire et Alison sentit l'odeur de son liquide moussant pour le bain. Elle débarrassa la table, remplit la machine à laver la vaisselle et la brancha. Dehors, la lumière baissait, elle alla donc ramasser le linge qu'elle avait étendu le matin, le rapporta, le plia, et le rangea dans l'armoire à linge qui se trouvait à l'étage. En redescendant les escaliers, elle ramassa une voiture rouge, un ours en peluche qui avait perdu ses yeux, une balle qui couinait, des pièces de jeux de construction. Elle rangea tout cela dans le coffre à jouets dans la cuisine, mit la table du petit déjeuner, et prépara un dîner sur un plateau qu'elle prendrait près du feu avec Henry.

Ce qui lui rappela d'aller allumer le feu au salon. Elle tira les rideaux. La pièce manquait de fleurs mais elle s'en occuperait demain. De retour à la cuisine, elle vit Chacha se glisser dans la pièce par la chatière; il miaula pour signifier à Alison que l'heure de son dîner était passée depuis longtemps et qu'il avait faim. Elle lui ouvrit une boîte, lui versa du lait dans une soucoupe et il mangea avec application, laissant un peu plus tard la soucoupe et le plat parfaitement nettoyés.

Il était temps de préparer quelque chose pour elle et Henry. Dans le garde-manger, elle trouva un panier d'œufs roux de la ferme. Ils mangeraient de la salade et une omelette. Il y avait six oranges dans une coupe et il restait un peu de fromage. Elle prit une laitue, des tomates, la moitié d'un piment, une ou deux branches de céleri et commença à préparer une salade. Elle en était à la vinaigrette quand elle entendit la voiture de Henry qui entrait dans le garage. Il apparut à la porte de derrière. Il paraissait aussi fatigué que son costume; il tenait à la main son journal et une serviette bourrée à craquer.

– Salut.

– Bonsoir, chéri.

Ils s'embrassèrent.

– Tu as eu beaucoup de travail?

– Je n'ai pas arrêté.

Il prit un morceau de laitue dans le saladier.

– Qu'est-ce qu'on mange?

– Ça et une omelette.

– Voilà un dîner frugal. Je suppose que tu te réserves pour demain soir?

– Ne m'en parle pas. Tu as vu M. Fairhurst, aujourd'hui?

– Non, il avait un rendez-vous à l'extérieur. Où sont les enfants?

– Evie leur donne un bain. Tu ne les entends pas? Elle est restée et nous a préparé un gâteau. Il est encore dans le four.

Henry bâilla.

– Je vais lui dire de ne pas vider la baignoire. Un bain me fera le plus grand bien.

Alison ouvrit la machine, rangea la vaisselle et monta à son tour. Elle se sentait épuisée. C'était un plaisir trop rare d'avoir le loisir de traîner dans sa chambre, de ne pas se sentir pressée par le temps. Elle ôta ses vêtements et prit dans son placard le déshabillé en velours que Henry lui avait offert pour Noël. Ce n'était pas un vêtement qu'elle mettait très souvent, sa vie active ne s'accommodant pas de ce genre de tenue. Il était doublé de soie et vous donnait un sentiment de luxe et de confort. Elle le boutonna, lia la ceinture, glissa ses pieds dans des chaussures dorées qui traînaient là depuis l'été dernier et alla dans la chambre des enfants pour leur souhaiter une bonne nuit. Dans son berceau, Janey était sur le point de s'endormir. Assise sur le lit de Larry, Evie terminait son histoire. Larry suçait son pouce, les paupières lourdes. Alison se pencha pour l'embrasser.

– A demain, lui dit-elle.

Il hocha la tête et reporta son attention sur Evie. Il voulait entendre la fin de l'histoire. Alison les laissa et descendit. Elle prit le journal de Henry et l'emporta dans le salon pour voir ce qu'il y avait à la télévision. A cet instant, elle entendit une voiture remonter l'allée et s'arrêter devant le portail. La lumière des phares traversa les rideaux. Alison baissa son journal. Le gravier crissa sous les pneus de la voiture qui s'arrêtait devant leur porte d'entrée. Puis on sonna à la porte. Alison jeta le journal sur le sofa et alla ouvrir.

Dehors, garée sur le gravier, il y avait une grande Daimler noire. Et sur le perron, l'air ravi et dans l'expectative, se tenaient M. et Mme Fairhurst.

Sa première idée fut de leur claquer la porte au visage, de crier, de compter jusqu'à dix et de rouvrir la porte afin de constater qu'ils avaient disparu.

Mais ils étaient là, cela ne faisait pas l'ombre d'un doute. Mme Fairhurst souriait. Alison sourit. Elle avait l'impression que ce sourire lui froissait la figure, comme si on lui avait brusquement appliqué un masque sur la peau.

– Je crains que nous ne soyons un peu en avance, dit Mme Fairhurst. Nous avions tellement peur de nous perdre.

– Non, non, pas du tout.

Sa voix sortit deux octaves plus bas que la normale. Elle s'était trompée dans les dates. Elle avait mal compris Mme Fairhurst et commis l'erreur la plus abominablement impardonnable.

– Je vous en prie, entrez.

Elle referma la porte derrière eux. Ils ôtèrent leurs manteaux.

Je ne peux pas le leur dire. Henry s'en chargera. Il leur donnera quelque chose à boire et leur expliquera qu'il n'y a rien à manger parce que je pensais que le dîner était prévu pour demain soir.

Par réflexe, elle aida Mme Fairhurst à enlever sa fourrure.

– Vous... vous avez trouvé facilement ?

– Oui, sans aucune difficulté, dit M. Fairhurst.

Il portait un costume sombre et une splendide cravate.

– Henry m'avait préparé un plan très clair.

– Et puis le soir, il y a peu de circulation.

Mme Fairhurst sentait le Chanel N° 5. Elle remit en place son col en mousseline de soie et porta une main à ses cheveux argentés qui sortaient de chez le coiffeur, tout comme ceux d'Alison. La coiffure était très élégante. Elle portait des boucles d'oreilles en diamant et une superbe broche fermait sa robe.

– Quelle maison charmante ! Comment l'avez-vous dénichée ? Tous mes compliments.

– Oui, nous nous y plaisons beaucoup.

Ils la regardaient en souriant.

– Venez près du feu.

Elle les conduisit dans le salon qui n'était pas fleuri mais où il faisait une température agréable, ramassa prestement le journal sur le sofa et le glissa sous une pile de magazines. Elle avança un fauteuil vers le feu.

– Asseyez-vous, madame Fairhurst. Mon mari est rentré tard à cause de son travail. Il arrive dans un instant.

Il fallait leur offrir quelque chose à boire. Mais les alcools étaient dans le placard de la cuisine et cela serait bizarre et grossier de les laisser seuls. Et s'ils demandaient un Martini dry ? Henry s'occupait toujours des apéritifs et Alison ne savait pas préparer les Martini dry.

Mme Fairhurst s'installa confortablement dans le fauteuil et dit :

– Jock a dû se rendre à Birmingham ce matin, donc je suppose qu'il n'a pas vu Henry de la journée. Je me trompe, chéri ?

– Non, je ne suis pas allé au bureau.

Il se tenait devant le feu qu'il regardait d'un air bienveillant.

– Cette pièce est très agréable.

– Merci.

– Vous avez un jardin ?

– Oui, environ un demi-hectare. En vérité, c'est un peu grand.

Alison regarda nerveusement autour d'elle et son regard tomba sur un paquet de cigarettes. Elle le prit et l'ouvrit. Il contenait quatre cigarettes.

– Vous fumez ? demanda-t-elle.

Mais Mme Fairhurst ne fumait pas et M. Fairhurst dit que si cela ne la dérangeait pas, il préférait ses propres cigares. Alison dit que cela ne la dérangeait pas du tout et reposa le paquet sur la table. Des images terrifiantes lui traversaient l'esprit. Henry traînant dans son bain. La petite salade qu'elle avait préparée pour le dîner. La salle à manger glaciale et inhospitalière.

– Vous faites le jardin vous-même ?

– Euh... oui. On essaye. Quand on a acheté la maison, il était tout à fait à l'abandon.

– Et vous avez deux enfants ? demanda Mme Fairhurst, entretenant aimablement la conversation.

– Oui. Ils sont couchés. J'ai une amie, Evie, la sœur d'un voisin fermier, qui les a mis au lit.

Et maintenant, que dire d'autre ? M. Fairhurst avait allumé son excellent cigare et la pièce était remplie de son parfum luxueux. Alison prit une profonde inspiration.

– Voulez-vous boire quelque chose ?

– Quelle bonne idée !

Mme Fairhurst jeta un coup d'œil autour d'elle et ne vit ni verres ni bouteilles ; mais si cela l'étonna, elle n'en laissa rien paraître.

– Si vous avez du xérès, ce sera avec plaisir.

– Et vous, monsieur Fairhurst ?

– La même chose pour moi.

Elle les bénit en silence de ne pas demander de Martini.

– Nous... nous avons une bouteille de Tio Pepe...

– Formidable.

– Simplement... vous voudrez bien m'excuser un instant ? Henry n'a pas eu le temps de préparer le plateau pour les boissons.

– Ne vous faites pas de souci pour nous, la rassurèrent-ils. Nous sommes très bien près de ce bon feu.

Alison se retira, et referma doucement la porte derrière elle. C'était plus terrible que tout ce qu'elle aurait pu imaginer. Et ils étaient si gentils, des gens charmants, ce qui rendait la chose encore plus affreuse. Ils se comportaient avec un tel tact ; et elle n'avait même pas eu la présence d'esprit de se rappeler quel soir elle les avait invités à dîner.

Mais il ne s'agissait pas de rester là les bras ballants à se livrer à une séance d'autocritique. Il fallait agir. Elle se glissa furtivement à l'étage. La porte de la salle de bains était ouverte, ainsi que celle de la chambre à coucher. Au milieu d'un chaos de serviettes abandonnées, de chaussettes, de chaussures et de chemises, Henry s'habillait à la vitesse de l'éclair.

– Henry, ils sont là.

– Je sais.

Il enfila une chemise propre, la rentra dans son pantalon, remonta la fermeture Eclair et tendit la main vers un nœud papillon.

– Je les ai vus par la fenêtre de la salle de bains.

– J'ai dû me tromper de soir.

– Ça, je l'avais déjà compris.

Il plia légèrement les genoux pour se coiffer devant le miroir.

– Il faut que tu leur expliques.

– Impossible.

– Tu veux dire qu'il faut leur faire à dîner ?

– Ils ne peuvent pas rester le ventre vide.

– Qu'est-ce que je vais faire ?

– Tu leur as donné quelque chose à boire ?

– Non.

– Occupe-t'en. Ensuite, on avisera.

Ils parlaient à voix basse et Henry évitait son regard.

– Henry, je suis désolée.

Il boutonnait sa veste.

– On n'y peut rien. Vas-y.

Elle se précipita en bas des escaliers, écouta un instant à la porte du salon et entendit une aimable conversation conjugale. Elle les bénit d'être le genre de couple ayant toujours quelque chose à se dire et alla à la cuisine. Elle vit le gâteau tout juste sorti du four, la salade, et Evie sur le départ, le chapeau sur la tête et le manteau boutonné.

– Des amis sont venus à l'improviste ? dit-elle d'un air jovial.

– Ce ne sont pas des amis mais les Fairhurst. Le patron de Henry et sa femme.

Evie parut nettement moins réjouie.

– Evie, j'ai fait une gaffe abominable. Ils sont venus ce soir et il n'y a rien à manger.

Sa voix se brisa.

– Rien du tout.

Evie réfléchit. Elle savait reconnaître une crise. Sa vie n'était qu'une longue suite de crises. Des veaux sans mère, des poules qui refusaient de pondre, des cheminées qui fumaient, des mites dans les agenouilloirs – elle avait tout connu. Rien ne donnait plus de satisfaction à Evie que de se montrer à la hauteur d'une situation. Elle jeta un coup d'œil à la pendule, et retira son chapeau.

– Je reste pour te donner un coup de main, annonça-t-elle.

– Oh, Evie ! C'est si gentil à toi...

– Les enfants dorment : voilà déjà un problème de résolu.

Elle déboutonna son manteau.

– Henry est au courant ?

– Oui, il est presque habillé.

– Qu'est-ce qu'il a dit ?

– Qu'il fallait leur donner quelque chose à boire.

– Alors qu'est-ce qu'on attend ?

Elles réunirent un plateau, des verres, la bouteille de Tio Pepe. Evie sortit des glaçons du compartiment à glace. Alison trouva des amandes.

– La salle à manger ! s'exclama soudain Alison. Je voulais y faire du feu. Elle est glaciale.

– Il reste le poêle. Ça sent un peu mais ça va réchauffer la pièce en un rien de temps. Et puis je tirerai les rideaux et j'allumerai le chauffe-plat.

Alison ouvrit la porte de la cuisine.

– Vas-y, fais vite.

Puis elle traversa le hall avec le plateau, sourit bravement, ouvrit la porte du salon et fit son entrée. Les Fairhurst étaient assis près du feu ; ils paraissaient heureux et détendus. M. Fairhurst se leva et lui prit le plateau des mains.

– Nous nous disions que notre fille devrait vous imiter et s'installer à la campagne. Ils ont un charmant petit appartement à Fulham Road, mais elle attend un second enfant pour l'été et je crains qu'ils ne se retrouvent à l'étroit.

– Il faut bien réfléchir avant de sauter le pas...

Alison allait prendre la bouteille de xérès mais M. Fairhurst la devança.

– Permettez-moi.

Il versa lui-même l'apéritif et tendit un verre à sa femme.

– D'ailleurs Henry...

Alors qu'elle prononçait son nom, Alison elle entendit ses pas dans l'escalier. La porte s'ouvrit. Elle s'attendait à le voir faire irruption dans la pièce hors d'haleine, avec un bouton de manchette en moins et le nœud papillon de travers. Elle le vit entrer tiré à quatre épingles, très à l'aise – comme s'il avait passé une demi-heure à se préparer au lieu de deux minutes montre en main. Elle trouva cela admirable. Par la suite il ne cessa de la surprendre, et son comportement la stupéfia. Elle fut gagnée par son calme. Après tout, il s'agissait de son avenir, de sa carrière. Sa façon de prendre les choses dans la foulée lui redonna confiance en elle. A eux deux, peut-être parviendraient-ils à sauver cette soirée.

Henry fut charmant. Il s'excusa pour son léger retard, s'assura que ses invités ne manquaient de rien, se versa un verre de xérès, et s'installa, parfaitement à son aise, au beau milieu du sofa. Il commença à parler de Birmingham avec les Fairhurst. Alison s'excusa en disant qu'elle devait aller jeter un coup d'œil au dîner.

Dans le hall, elle entendit Evie qui luttait avec le poêle. Elle entra dans la cuisine et mit son tablier. Il y avait la salade. Et quoi d'autre ? Pas le temps de décongeler les crevettes, de cuire le rôti de bœuf ou de faire le soufflé au citron. Il restait le congélateur, rempli surtout de nourriture pour les enfants. Du poisson pané, des frites, de la crème glacée... Elle souleva le couvercle et jeta un coup d'œil à l'intérieur. Elle vit deux poulets durs comme de la pierre, trois miches de pain et deux glaces à l'eau en bâtonnets.

– Oh, mon Dieu, faites que je trouve quelque chose à donner à manger aux Fairhurst !

Elle songea à toutes les prières affolées qu'elle avait adressées au ciel au cours de sa vie. Un jour elle s'était dit que là-haut, dans l'azur, il devait certainement y avoir un ordinateur, sinon comment Dieu pouvait-il répertorier les milliards de milliards de requêtes et de messages urgents qui lui parvenaient depuis la fondation du monde ?

Je vous en supplie, quelque chose à dîner...

Tring, tring, fit l'ordinateur. Le regard d'Alison tomba sur une boîte en plastique : du chili con carne qu'elle avait préparé et congelé deux mois auparavant. La décongélation ne prendrait pas plus d'un quart d'heure si on le mettait sur le feu, et elle l'accompagnerait avec de la salade verte et du riz blanc.

Après une brève investigation, elle découvrit qu'il n'y avait plus de riz ; mais il restait des tagliatelles. Chili con carne, salade verte et tagliatelles. Vite dit, cela ne paraissait pas trop mal.

Et pour commencer ?... De la soupe. Mais il n'y avait qu'une seule boîte de consommé, ce qui ne suffisait pas pour quatre personnes. Elle chercha, et tomba sur un pot de soupe de queue de kangourou qui lui avait été offert pour Noël en guise de plaisanterie, il y avait deux ans de cela. Elle attrapa le chili con carne, les tagliatelles et le pot de soupe, referma le couvercle du congélateur et posa le tout sur la table. Evie arriva, un bidon de fioul dans une main et une tache de suie sur le nez.

– Tout va bien, annonça-t-elle. Il fait déjà nettement plus chaud. Ça manquait de fleurs et la table avait l'air un peu nue, alors j'ai mis la coupe d'oranges au beau milieu. C'est toujours mieux que rien.

Elle reposa le bidon et regarda l'étrange assortiment étalé sur la table.

– Qu'est-ce que c'est que ça ?

– Le dîner, répliqua Alison qui fourrageait dans le placard à la recherche d'un récipient suffisamment grand pour contenir le chili et les tagliatelles. Ça peut aller, qu'en penses-tu ?

Evie fit la grimace.

– Moi, c'est pas mon truc, mais il y a des gens qui mangent n'importe quoi.

Elle-même aimait la cuisine simple et détestait tous les plats étrangers. Des côtelettes de mouton avec de la sauce aux câpres, voilà ce qu'Evie appelait un dîner.

– Et comme dessert ? dit Alison. Qu'est-ce que je vais leur donner comme dessert ?

– Il y a de la glace dans le congélateur.

– Je ne peux pas leur donner juste de la glace.

– Tu prépares une sauce au chocolat.

Mais oui, bien sûr. Elle n'avait pas donné aux enfants le chocolat noir qu'elle avait acheté ; il suffisait de le faire fondre. Elle fonça vers son sac.

– Ensuite, je ferai le café, dit Evie.

– Je n'ai pas eu le temps de laver les tasses du service et elles sont dans l'armoire du salon.

– Ne t'inquiète pas. Je leur donnerai des tasses à thé. De toute façon, les gens préfèrent les grandes tasses. Moi, par exemple. Je ne supporte pas ces tasses minuscules.

Evie avait déjà sorti le chili con carne de sa boîte et le faisait réchauffer dans une casserole. Elle y plongea une cuillère d'un air dégoûté.

– Qu'est-ce que c'est que ces petites choses, là ?

– Des haricots rouges.

– Ça sent bizarre.

– C'est du chili. Un plat mexicain.

– Pourvu qu'ils aiment la nourriture mexicaine !

Alison l'espérait aussi.

Elle rejoignit les autres. Henry laissa passer un peu de temps, puis il se leva, s'excusa et alla s'occuper du vin.

– Vous êtes formidables, vous les jeunes, dit Mme Fairhurst quand il eut disparu. Moi, au début de mon mariage, je redoutais toujours d'organiser des dîners ; il me fallait quelqu'un pour m'aider.

– Evie me donne un coup de main ce soir.

– J'étais une cuisinière épouvantable !

– Allons, ma chérie, c'était il y a longtemps, la réconforta son mari.

Cela semblait le moment adéquat pour les prévenir.

– J'espère que vous aimez le chili con carne. C'est assez épicé.

– C'est ce que vous nous avez préparé ? Formidable. Je n'en ai pas mangé depuis que Jock et moi sommes allés au Texas. C'était pour un congrès.

M. Fairhurst renchérit.

– Et quand nous sommes allés aux Indes, ma femme mangeait le curry le plus épicé sans broncher. J'étais en larmes et elle, elle restait aussi fraîche qu'un concombre.

Henry revint. Quand Alison se retira à nouveau, elle eut l'impression qu'ils étaient engagés dans un jeu de cache-cache ridicule. A la cuisine, Evie contrôlait parfaitement la situation. Elle avait même chauffé les assiettes.

– Fais-les entrer dans la salle à manger, dit-elle. Et si ça sent le fioul, ne dis rien. Il y a certaines choses qu'il vaut mieux passer sous silence.

Mais Mme Fairhurst dit qu'elle adorait l'odeur du fioul. Cela lui rappelait les cottages à la campagne quand elle était enfant. Et la redoutable salle à manger ne parut finalement pas si laide. Evie avait allumé les bougies et les appliques près du buffet victorien. Ils s'assirent. M. Fairhurst se retrouvait face à la vache des Highlands sous la pluie.

– Mais où diable avez-vous déniché cette jolie gravure ? demanda-t-il en attaquant sa soupe. Il y a longtemps que personne n'accroche plus ce genre de chose dans sa salle à manger.

Henry lui raconta l'histoire du pare-feu et de la vente aux enchères. Alison essayait de repérer le goût exotique des queues de kangourou mais n'y parvenait pas. La soupe avait un goût ordinaire.

– Vous avez meublé cette salle à manger en victorien. Quelle bonne idée !

– Nous ne nous sommes pas vraiment concertés, dit Henry. Disons que cela s'est trouvé comme ça...

Le décor de la salle à manger les amena jusqu'au chili con carne. Ce qui leur donna l'occasion de parler du Texas, de l'Amérique, des vacances et des enfants.

– Nous avions l'habitude d'emmener les enfants en Cornouailles, dit Mme Fairhurst en enroulant délicatement ses tagliatelles autour de sa fourchette.

– J'aimerais bien emmener les miens en Bretagne, dit Henry. J'y suis allé quand j'avais quatorze ans et, depuis, cela m'a toujours semblé l'endroit idéal pour des enfants.

M. Fairhurst raconta que dans sa jeunesse, il passait tous ses étés à l'île de Wight. Il y avait son petit bateau personnel. La conversation roula alors sur le sujet de la navigation qui intéressait tellement Alison qu'elle en oublia de débarrasser les assiettes. Henry, qui remplissait les verres, lui donna un léger coup de pied sous la table.

Elle rapporta les assiettes vides à la cuisine.

– Comment ça se passe ? demanda Evie.

– A peu près normalement.

Evie examina les assiettes.

– En tout cas, ils ont tout mangé. Et maintenant, sers le dessert avant que la sauce ne refroidisse. Moi je vais préparer le café.

– Evie, je ne sais pas ce que je serais devenue sans toi. Je n'ose pas y penser.

– Tu devrais suivre mon conseil, dit Evie en prenant le plateau où étaient posées les assiettes remplies de glace nappée de chocolat chaud. Achète-toi un agenda. Notes-y tout ce que tu dois faire. Dans des occasions comme celle-ci, tu ne peux pas te permettre de te tromper.

– Je ne comprends pas, dit Henry, pourquoi tu n'as pas inscrit cette date dans un agenda.

Il était maintenant minuit. Les Fairhurst étaient partis à onze heures et demie en remerciant vivement leurs hôtes. Ils espéraient qu'Alison et Henry viendraient très vite dîner chez eux. Ils adoraient leur maison et avaient beaucoup apprécié le délicieux dîner.

Ils roulaient à présent dans la nuit, en direction de leur domicile. Henry referma la porte et Alison éclata en sanglots.

Il fallut un long moment et un verre de whisky avant qu'il ne parvienne à la calmer.

– Je suis un désastre, dit-elle. Je ne suis bonne à rien.

– Tu t'es très bien débrouillée.

– Mais c'était un repas tellement décousu ! Evie pensait qu'ils n'arriveraient jamais à le manger. Et la salle à manger était glaciale, ça sentait mauvais...

– Mais non.

– Il n'y avait pas de fleurs, juste des oranges, tu n'avais pas eu le temps d'ouvrir le vin et je portais une robe de chambre.

– Tu étais ravissante.

Elle refusait qu'on la console.

– C'était tellement important pour toi, reprit-elle. Absolument primordial. Et j'avais tout préparé. J'avais dressé une liste pour les courses, j'avais tout noté, le rôti de bœuf, les fleurs, tout ça.

C'est à ce moment-là qu'Henry lui dit :

– Je ne comprends pas pourquoi tu n'as pas inscrit cette date dans un agenda.

Elle essaya alors de se souvenir. Elle avait arrêté de pleurer ; ils étaient tous les deux assis sur le sofa devant le feu qui se mourait.

– Il ne m'est pas venu à l'idée de noter quoi que ce soit. De toute façon, je ne trouve jamais de feuille de papier quand j'en ai besoin... Mme Fairhurst avait dit le 7. Je suis certaine qu'elle avait dit le 7. Et pourtant, c'est impossible, fit Alison d'un air navré.

– Je t'ai offert un agenda pour Noël, lui rappela Henry.

– Je sais. Mais Larry me l'a emprunté pour y faire des dessins et je ne l'ai plus revu. Oh, Henry, tu n'auras pas ce poste et c'est ma faute, je le sais bien.

– Si je n'ai pas ce poste, c'est simplement qu'il ne m'était pas destiné. Et maintenant, n'en parlons plus, c'est fini. Allons nous coucher.

Le lendemain matin, il pleuvait. Henry partit à son travail et un voisin vint chercher Larry pour l'emmener à l'école maternelle. Janey faisait ses dents, elle était grincheuse et exigeait une attention de tous les instants. Le bébé au bras ou pleurnichant à ses pieds, Alison parvint malgré tout à faire les lits, la vaisselle et nettoyer la cuisine. Plus tard, quand elle se sentirait mieux, elle appellerait sa mère et lui expliquerait qu'il était inutile qu'elle vienne chercher les enfants. Si elle le faisait maintenant, elle éclaterait en sanglots et elle ne voulait pas alarmer sa mère.

Quand elle eut enfin recouché Janey pour son somme du matin, elle se rendit dans la salle à manger. La pièce était sombre, sentait le tabac froid et les vapeurs de pétrole. Elle ouvrit les rideaux de velours et la lumière grise du matin éclaira les serviettes froissées, les verres sales et les cendriers débordants de mégots. Elle alla chercher un plateau et se mit en devoir de débarrasser les verres. Le téléphone sonna à cet instant.

Il s'agissait probablement d'Evie.

– Alison ?

C'était Mme Fairhurst.

– Ma chère enfant. Qu'est-ce que je peux dire ?

Alison fronça les sourcils. Que devait-elle comprendre ?

– C'est entièrement ma faute, lui dit Mme Fairhurst. Je viens de regarder dans mon agenda pour vérifier l'heure du meeting du *Save the Children Fund*, et j'ai alors compris que vous nous aviez invités pour ce soir. Vendredi. Vous ne nous attendiez pas hier parce que nous n'avions rien à faire chez vous.

Alison prit une profonde inspiration et poussa un soupir de soulagement. Elle eut l'impression que ses épaules se libéraient d'un poids énorme. Elle n'y était pour rien. L'erreur venait de Mme Fairhurst.

– Eh bien...

Il était inutile de mentir. Elle sourit.

– Oui, vous avez raison.

– Et vous n'avez rien dit ! Vous vous êtes comportée comme si vous nous attendiez et vous nous avez préparé ce délicieux dîner. Tout était parfait et vous et Henry étiez si parfaitement détendus ! Je n'arrive pas à m'en remettre. Comment ai-je pu être aussi stupide ? Ma seule excuse c'est que je ne trouvais pas mes lunettes quand vous m'avez téléphoné et j'ai noté le rendez-vous de travers. Vous me pardonnez ?

– C'est aussi un peu ma faute. Je suis toujours très vague au téléphone. En vérité, j'ai cru que c'était moi qui m'étais trompée.

– Vous êtes adorable. Je n'ose penser à la réaction de Jock quand je vais lui annoncer ça. Il va être furieux.

– Pensez-vous.

– En tout cas, je suis sincèrement désolée. Quand vous avez ouvert la porte et que vous nous avez trouvés sur le palier décorés comme des sapins de Noël, cela a dû vous faire un sacré choc. Merci de votre diplomatie. Et merci de vous montrer si compréhensive avec une vieille idiote.

– Vous n'êtes pas une vieille idiote, répliqua Alison. Vous êtes une femme épatante !

Ce soir-là, quand Henry rentra du travail, Alison était en train de préparer le rôti de bœuf. Il y en avait trop pour deux personnes mais les enfants en mangeraient le lendemain pour le déjeuner. Henry rentra tard. Les enfants étaient couchés et dormaient déjà. Le chat avait eu sa pâtée, le feu flambait dans la cheminée. Il était sept heures un quart quand Alison entendit la voiture remonter l'allée et entrer dans le garage. Le moteur se tut. La porte de derrière s'ouvrit et Henry apparut. Il avait son allure de tous les soirs mais en plus de sa serviette et de son journal, il portait le plus beau bouquet de roses rouges qu'Alison eût jamais vu.

Il referma la porte du pied.

– Eh bien, dit-il.

– Eh bien, dit Alison.

– Ils se sont trompés de soir.

– Je sais. Mme Fairhurst m'a téléphoné. Elle avait noté le rendez-vous de travers dans son agenda.

– Ils pensent tous les deux que tu es formidable.
– Cela n'a pas grande importance. C'est ce qu'ils pensent de toi qui compte.

Henry sourit. Il s'approcha d'elle, les roses à la main.

– C'est pour qui ?

Alison réfléchit.

– Evie. Si quelqu'un mérite des roses, c'est Evie.
– Je lui en ai déjà fait livrer. Avec plein de fougères et une petite carte. Alors ?...
– Janey ?
– Tout faux.
– Larry ? Le chat ?
– Non.
– J'abandonne.
– Elles sont, dit Henry en s'efforçant de prendre l'air solennel mais ses yeux brillaient comme ceux d'un écolier, pour la femme du nouveau directeur des exportations de Fairhurst & Hanbury.
– Tu as le poste !

Ils se regardèrent. Alison émit un son qui hésitait entre le sanglot et le cri de triomphe, et se jeta dans les bras de son mari. Celui-ci laissa tomber la serviette, le journal et les roses pour la serrer contre lui.

Chacha, troublé par toute cette agitation, sauta de sa corbeille pour inspecter le bouquet. Puis, ayant compris qu'il n'était pas comestible, il retourna à son coussin et se rendormit.

Traduit par Hélène Prouteau

Le thé avec le Professeur

Ils étaient arrivés beaucoup trop tôt à la gare mais James ne s'en plaignait pas car il craignait toujours de manquer le train. Ils avaient garé la voiture, acheté son billet et maintenant ils montaient lentement l'escalier, Veronica un gros sac à la main et lui tenant son ballon de rugby et son imperméable.

Le quai était désert. Il faisait encore chaud et dans un coin ils découvrirent un siège abrité du vent ; ils s'assirent tous les deux au rayonnant soleil de septembre. James se mit à remuer le gravier du bout de sa chaussure. Au-dessus d'eux, les branches sèches et poussiéreuses d'un palmier bruissaient dans le vent. Une voiture passa sur la route et un portier sortit d'un petit abri avec un chariot à bagages qu'il poussa le long du quai. Ils le regardèrent en silence. James jeta un coup d'œil à la pendule.

– Nigel est en retard, dit-il d'un air satisfait.

– Il lui reste encore cinq minutes.

Il donna un coup de pied dans le gravier. Veronica observait son profil, froid et détaché, ses yeux baissés, ses cils qui effleuraient ses joues aux rondeurs enfantines. Il était son fils unique. Il avait dix ans et retournait en pension. Ils s'étaient dit adieu à la maison, dans une étreinte déchirante. Maintenant, c'était comme s'il était déjà parti. Elle le bénit en silence pour tant de maîtrise.

Une voiture monta à l'assaut de la colline, puis recula, et vira dans le chemin en pente qui menait à la gare. Elle s'arrêta dans un grincement de pneus et un crissement de graviers.

James se tordit le cou pour regarder à travers les lattes de la balustrade en bois.

– C'est Nigel.

– Je pensais bien qu'ils finiraient par arriver.

Ils restèrent assis à attendre. Un instant plus tard, Nigel et sa mère montaient l'escalier, elle toute blonde et essoufflée, lui aussi rond et lisse qu'un chat. Nigel avait le même âge que James et tous deux avaient rejoint la pension la même année, mais James n'éprouvait aucune sympathie pour son camarade. Leurs relations se limitaient aux trajets en train, aux bandes dessinées qu'ils s'échangeaient et sans doute à quelques paroles contraintes. Veronica se sentait parfois coupable de l'attitude de James à l'égard de Nigel.

– Pourquoi ne l'invitons-nous pas à la maison pendant les vacances ? disait-elle. Tu pourrais jouer avec lui.

– J'ai Sally.

– Mais c'est une fille et elle est ta sœur. Elle est plus âgée que toi. Tu ne crois pas que ce serait bien de fréquenter un garçon de ton âge ?

– Pas Nigel.

– Oh, James, il n'est pas si méchant que ça.

– Il a ouvert toutes les cases de mon calendrier de l'Avent. Il l'a trouvé dans mon bureau et il les a toutes ouvertes. Même celle du jour de Noël.

Il ne l'oublierait jamais. Jamais il ne le lui pardonnerait. Veronica abandonna le sujet mais face à la mère de Nigel, elle se sentit gênée. La mère de Nigel, elle, n'était pas gênée le moins du monde. *Elle doit penser*, songea Veronica, *que je suis bien trop ennuyeuse pour qu'on se soucie de moi. Et James ne l'intéresse pas davantage.*

– Bon sang, j'ai bien cru qu'on louperait le train, hein Nigel ? Salut, James, comment ça va ? Tu as passé de bonnes vacances ? Vous êtes partis ? Nous, on est allés au Portugal, mais Nigel a attrapé une grippe intestinale et il a dû garder le lit une semaine. On aurait mieux fait de rester à la maison...

Tout en bavardant, elle chercha une cigarette dans son sac et l'alluma avec un briquet en or. Elle portait un survêtement bleu pâle fermé par une fermeture Eclair, des ballerines dorées et un pull d'angora posé sur les épaules. Veronica se demanda comment elle trouvait le temps de se maquiller tous les jours. Cette réflexion était pleine d'admiration. Veronica, elle, portait une vieille jupe plissée et des tennis. Elle eut brusquement conscience de la nudité de son visage.

La mère de Nigel demandait des nouvelles de Sally.

– Elle est retournée en pension la semaine dernière.

– Je suppose qu'elle vous quittera bientôt.

– Elle n'a que quatorze ans.

– Quatorze ans ! On a peine à le croire.

– Le train arrive, dit James.

Ils se tournèrent vers le train comme s'il s'agissait d'un ennemi. La machine tonna, ralentit en abordant le dernier virage, vint s'arrêter le long du quai et cacha le soleil. Le bruit envahit la petite gare. Des portes s'ouvrirent et des gens descendirent. La mère de Nigel se précipita à la recherche d'un wagon non-fumeurs. Veronica et les deux garçons la suivaient doucement.

– Ah ! Voilà. Allez-y.

Ils montèrent dans le train, se trouvèrent des places et revinrent sur le quai pour y prendre leurs bagages et leurs manteaux.

– Au revoir, mon chéri, dit la mère de Nigel.

Elle prit son fils dans ses bras et l'embrassa sur les deux joues, laissant des traces de rouge à lèvres qu'il essuierait un peu plus tard avec son mouchoir.

Par-dessus leurs deux têtes, James et sa mère se regardaient. Le chef de gare vint presser le mouvement et fermer les portières, car l'express ne s'arrêtait que quelques minutes. Enfermés, prisonniers, les garçons baissèrent la vitre et se penchèrent. Nigel était devant et James un peu en retrait, se ménageant juste assez d'espace pour apercevoir le visage de sa mère. Le chef de gare agita un drapeau vert, le train s'ébranla.

Je t'aime, songea-t-elle, et elle eut l'espoir qu'il l'entendait.

– Bon voyage !

Il hocha la tête.

– Envoie-moi une carte postale dès que tu seras arrivé.

Il hocha de nouveau la tête. Le train prit de la vitesse. Nigel se pencha, agita la main, occupant toute la place à la fenêtre. Mais James avait déjà disparu. Il n'aimait pas prolonger la souffrance. Veronica savait qu'il avait déjà rejoint son siège et ouvert un livre de bandes dessinées, s'arrangeant du mieux qu'il pouvait d'une situation intolérable.

Les deux mères retournèrent ensemble à leurs voitures. La Jaguar blanche et le vieux break vert étaient garés côte à côte.

– Et voilà, dit la mère de Nigel. Enfin, ça va nous permettre de respirer. Roger et moi pensons partir quelques jours. Tout de même, la maison va paraître bien vide. Vous ne trouvez pas ?

Elle sembla comprendre qu'elle avait parlé mal à propos en se rappelant que la maison de Veronica, à part le chien Toby, était absolument vide.

– Pourquoi ne venez-vous pas dîner à la maison un de ces soirs ? dit-elle très vite – car elle avait bon cœur. Je vous appelle.

– Oui, excellente idée, ce sera avec plaisir. Au revoir.

La Jaguar blanche passa la première, monta à l'assaut du chemin en pente et tourna à gauche sur la grand-route, en direction de la ville. Veronica conduisait plus lentement. Sa voiture cala en haut de la côte ; elle fit redémarrer le moteur et laissa passer une camionnette. Quelle importance, elle n'était pas pressée. Le reste de la journée, le lendemain et le jour suivant profilaient leur perspective, interminables, vides et oisifs, pause nécessaire avant qu'elle reprenne des occupations qui n'avaient rien à voir avec ses enfants. Elle repeindrait la cuisine, planterait des roses, organiserait des fêtes de charité et commencerait à penser à Noël.

Noël. Quelle idée ridicule par cette journée qui rappelait le plein été ! Les arbres n'avaient pas perdu leurs feuilles et le ciel était d'un bleu sans nuages. Veronica prit la petite route qui menait au village, remplie d'ombre et de lumière qui filtrait à travers les feuilles des grands ormes. Elle arriva à une croisée de chemins et s'arrêta. Un homme menait un troupeau de vaches à la traite. Tandis qu'elle patientait, elle jeta un coup d'œil distrait au rétroviseur. *Tu as l'air d'une gamine*, se dit-elle avec colère. *Une vieille gamine au visage tanné par le soleil, sans maquillage, et tes cheveux sont aussi peu soignés que ceux de ta fille*. Elle se rappela la mère de Nigel, ses cils passés au mascara, ses paupières fardées. Elle songea : *J'aurai au moins le temps d'aller chez le coiffeur. Je m'épilerai les sourcils. Et je me ferai faire peut-être un soin du visage.* Un nettoyage de peau était bon pour le moral. Un teint bien net la remettrait en forme.

Le troupeau de vaches passa. Le paysan fit un signe avec son bâton. Veronica le salua de la main, poursuivit sa route jusqu'au bout de la colline, et entra dans le village. Passé le monument aux morts, elle prit le chemin qui conduisait à la mer. Il n'y avait plus d'arbres. Les champs s'inclinaient jusqu'à la mer verte et bleue, veinée de violet, où couraient des moutons blancs. Elle arriva à une grande haie de fuchsias, recula et prit un virage en épingle à cheveux; elle franchit une barrière blanche. La vieille maison était grise, carrée, solide, et Veronica était soulagée d'être rentrée.

Nulle surprise ne l'attendait à l'intérieur. Les secondes s'égrenaient lentement à la pendule de l'entrée. Toby se leva dans un aboiement car il reconnaissait les membres de la famille. Ses griffes cliquetèrent sur le parquet ciré de la cuisine et il apparut dans l'embrasure de la porte. Il vint saluer sa maîtresse, chercha James, et ayant constaté son absence, retourna avec dignité à sa sieste.

Il faisait frais dans la maison. Ses murs épais sentaient l'ancien, tout comme les meubles qui fleuraient bon le magasin d'antiquaire bien entretenu. Le calme régnait. Quand Toby se fut réinstallé, on n'entendit plus que la pendule, le bourdonnement du réfrigérateur et le goutte à goutte d'un robinet mal fermé.

Il n'est que trois heures et demie, songea Veronica, *mais je vais faire du thé. Et puis je rentrerai la lessive. J'ai du repassage en retard. Et je rangerai la chambre de James.* Elle aperçut les jeans usés et froissés qui portaient encore la forme de son corps, les chaussettes grises, les sandales en triste état et le tee-shirt de Superman qui était son préféré. Il les portait ce matin avant qu'ils n'aillent à la plage pour se baigner une dernière fois, abandonnant la vaisselle, les lits défaits et la maison en désordre. Veronica lui avait ensuite préparé son plat favori, des côtes d'agneau avec des haricots blancs. Ils avaient déjeuné et partagé un dernier moment d'intimité.

Elle posa son sac, traversa le hall, pénétra dans le salon, sortit par la porte-fenêtre et descendit les deux marches en pierre qui menaient à la pelouse. Là, elle se laissa tomber sur une vieille chaise longue, prise d'une soudaine apathie qui la paralysait. Elle posa un bras replié sur ses yeux pour se protéger du soleil éblouissant. Des sons l'assaillirent. Les enfants sortaient de l'école du village. Les cloches de l'église, toujours un peu en retard, sonnèrent la demie. Une voiture monta la route, tourna devant la grille et fit crisser le gravier devant la deuxième porte d'entrée, de l'autre côté de la maison.

Elle songea, paresseusement, *le Professeur est rentré.*

Elle avait perdu son mari il y avait deux ans de cela. Avant, elle vivait dans un appartement spacieux près d'Albert Hall à Londres mais après sa mort, et sur les conseils de leur avocat Frank Kirdy qui était aussi leur meilleur ami, elle était retournée habiter dans la maison de son enfance. Cela lui semblait la meilleure solution. Les enfants adoraient la campagne, la plage, la mer. Elle était entourée de voisins et de gens qu'elle connaissait depuis toujours.

Elle avait émis, cependant, une ou deux objections :

– La maison est si grande, Frank. Bien trop grande pour moi et les deux enfants.

– Pourquoi ne pas la diviser en deux ? Tu louerais l'autre partie.

– Mais le jardin...

– Tu n'as qu'à planter une haie, et tu auras deux belles pelouses.

– Mais qui viendrait vivre ici ?

– Regarde autour de toi. Il doit bien y avoir quelqu'un.

Et il lui trouva un locataire. Le professeur Rydale.

– Qui est le professeur Rydale ? avait-elle demandé.

– J'étais à Oxford avec lui, Frank. C'est un archéologue, entre autres choses. Il enseigne à l'université de Brookbridge.

– Mais s'il vit à Brookbridge, pourquoi viendrait-il en Cornouailles ?

– Il prend une année sabbatique pour écrire un livre. Ne fais pas cette tête, Veronica. Il est célibataire et très indépendant. Il trouvera une femme accueillante dans le coin pour venir prendre soin de son ménage et tu ne t'apercevras même pas de sa présence.

– Mais s'il ne me plaît pas ?

– Chérie, Marcus Rydale peut se montrer exaspérant, amusant ou fascinant, mais tout le monde l'aime.

– Alors d'accord, avait-elle concédé à regret.

Comme convenu la maison fut divisée en deux, ainsi que la pelouse, et l'on avertit le Professeur qu'il était libre d'emménager quand bon lui semblerait. Quelque temps plus tard, Veronica reçut une carte postale illisible et non timbrée, qui une fois déchiffrée lui annonça qu'il arriverait le dimanche. Dimanche, lundi et mardi s'écoulèrent. Le mercredi au milieu du déjeuner, le Professeur arriva au volant d'une voiture de sport qui donnait l'impression d'avoir été assemblée avec du sparadrap. Il portait des lunettes, un chapeau en tweed assorti d'un vieux costume du même tissu et oublia de s'excuser.

Veronica, déjà amusée et exaspérée à la fois, lui remit les clefs. Les enfants, fascinés, lui tinrent compagnie tandis qu'il s'installait. Puis il s'éclipsa aussi vite qu'il était arrivé et on ne le vit pratiquement plus. Deux jours plus tard, Mme Thomas, la femme du facteur, entrait et sortait, s'occupait de son ménage et de ses repas et lui confectionnait même des cakes appétissants. La semaine ne s'était pas écoulée qu'ils avaient presque oublié son existence. Au cours des mois qui suivirent, il se montra aussi discret qu'un écureuil. Seul le bruit de la machine à écrire, parfois au beau milieu de la nuit, venait rappeler sa présence, ainsi que le rugissement de sa petite voiture de sport quand il se rendait au village – ou disparaissait, plusieurs jours d'affilée, pour de mystérieuses destinations.

De temps en temps, il entrait en contact avec les enfants. Sally tomba de bicyclette alors qu'il passait par là. Il s'arrêta pour la sortir du fossé, redressa sa roue de devant qui était voilée et lui prêta un mouchoir pour nettoyer son genou plein de sang.

– Il a été tellement gentil, maman, je t'assure, et il a fait comme s'il ne voyait pas que je pleurais. Tu ne trouves pas qu'il est très bien élevé ?

Veronica aurait voulu le remercier mais trois semaines s'écoulèrent sans qu'elle l'aperçût, et elle pensa qu'il avait déjà oublié l'incident. Une autre fois, James arriva pour le dîner avec une fourche de noisetier et un tas de petites branches dangereusement aiguisées.

– Qu'est-ce que c'est que ça ?

– Un arc et des flèches.

– Ce n'est pas dangereux? Où les as-tu trouvés ?

– C'est le Professeur qui me les a fabriqués. Quand tu veux t'en servir, tu plies un peu la branche et tu lui passes la ficelle... là ! Tu vois ? C'est génial. Tu peux viser à des kilomètres.

– Ne vise personne, surtout ! dit Veronica, inquiète.

– Même si c'était quelqu'un que je déteste, je ne le ferais pas. Maintenant, il faut que je me fabrique une cible.

James fit vibrer la ficelle qui résonna comme une corde de harpe.

– Eh bien, j'espère que tu l'as remercié, dit sa mère.

– Oui, bien sûr. Tu sais, il est super-gentil. Pourquoi est-ce que tu ne l'invites pas à dîner ou à boire un verre ?

– Oh, James, ça lui déplairait sûrement. Il travaille et ne veut pas être dérangé. Je crois qu'il serait terriblement embarrassé.

– Oui, peut-être.

James fit à nouveau résonner son arc puis monta le mettre à l'abri dans sa chambre.

Veronica entendit le bruit d'une fenêtre que l'on refermait à l'intérieur de la maison, côté Professeur. Celui-ci ouvrit la porte-fenêtre de son salon – autrefois la salle à manger quand la maison n'était pas divisée – et il sortit dans le jardin. L'instant d'après, son visage chaussé de lunettes apparut par-dessus la haie.

– Ça vous dirait, une tasse de thé ?

Durant un instant de confusion, Veronica crut qu'il parlait à quelqu'un d'autre. Elle jeta un coup d'œil affolé autour d'elle mais il n'y avait personne. Il l'invitait à prendre une tasse de thé. S'il l'avait priée de lui accorder une valse sur la pelouse, elle n'aurait pas paru plus étonnée. Elle le regarda fixement. Il ne portait pas de chapeau et elle remarqua que ses cheveux se dressaient en épis, comme ceux de James.

– Je viens juste d'en faire, insista-t-il. Je pourrais l'apporter chez vous.

Elle sortit de son apathie.

– Excusez-moi, j'étais ailleurs. Oui, avec plaisir.

Elle tenta maladroitement de s'extraire de sa chaise longue mais le Professeur l'arrêta.

– Surtout, ne bougez pas. Détendez-vous, j'arrive tout de suite.

Elle obéit. Il disparut. Veronica sourit de sa réaction et de l'absurdité de la situation. Elle tira sur sa jupe et essaya de se composer une attitude. Elle se demanda de quoi ils allaient bien pouvoir parler.

Le Professeur réapparut par un trou au bout de la haie et elle constata qu'il était remarquablement organisé. Alors qu'elle s'attendait à une simple tasse de thé, elle vit qu'il avait apporté un plateau et portait une couverture pliée sur l'épaule. Il posa le plaid sur l'herbe, près de Veronica, et s'y assit, repliant son long corps anguleux comme un couteau de poche. Son pantalon de velours était rapiécé aux genoux et il manquait un bouton au col de sa chemise à carreaux, mais il n'inspirait pas du tout la pitié... Il ressemblait plutôt à un gitan plein de vie. Elle se demanda d'où lui venait ce teint bronzé alors qu'il semblait passer la plus grande partie de son temps à l'intérieur.

– Et voilà, dit-il d'un air satisfait. A vous de verser le thé.

Les tasses et les soucoupes étaient désassorties mais il n'avait rien oublié, et il avait apporté un des délicieux cakes aux fruits de Mme Thomas.

– C'est magnifique. Généralement, je saute l'heure du thé. Enfin, quand je suis seule.

– Les enfants sont partis.

C'était une affirmation.

– Oui...

Veronica se pencha sur la théière.

– Je viens d'accompagner James au train.

– A-t-il loin à aller ?

– Non. A Carmouth. Vous prenez du sucre ?

– Oui. Quatre bonnes cuillerées à café.

– Je préfère que vous vous serviez.

Elle lui tendit sa tasse et il y versa une copieuse quantité de sucre.

– Je ne vous ai jamais remercié pour l'arc et les flèches que vous lui avez fabriqués.

– Je craignais que vous ne m'en vouliez de lui avoir donné un jouet aussi dangereux.

– Il est très raisonnable.
– Je sais. Sinon, je me serais abstenu.
– Et...
Elle fit tourner la tasse dans ses mains. Décorée de roses, elle semblait lui avoir été offerte par une vieille parente.
– Vous avez pris soin de Sally le jour où elle est tombée de bicyclette. Je voulais vous témoigner ma gratitude mais... on ne se croise jamais.
– Sally m'a remercié elle-même. On s'entend très bien.
– Ça me fait plaisir.
– C'est tranquille sans eux.
– Oh ! mon Dieu... ils vous ont dérangé ?
– Juste un peu et ça me plaisait. Ils me tenaient compagnie pendant que je travaillais.
– Ils ne vous distrayaient pas ?
– Je vous ai dit que cela me plaisait.
Il se coupa un morceau de gâteau et dit brusquement :
– James est bien jeune. Un tout petit bonhomme. Vous êtes obligée de l'envoyer en pension ?
– Non, pas vraiment.
– Vous ne préféreriez pas qu'il reste avec vous ?
– Si, bien sûr.
– Mais alors ?
Veronica le regarda, et se demanda pourquoi elle ne se sentait pas irritée par son insistance. Pourquoi elle savait d'emblée que ses questions naissaient d'un intérêt profond et non de la simple curiosité. Les yeux sombres et bienveillants du Professeur n'étaient pas le moins du monde intimidants.
– Cela peut sembler ridicule mais c'est pour une raison très simple, dit-elle. Il est mon fils unique et aussi le plus jeune. Nous avons toujours été très proches. J'adore Sally mais c'est une nature indépendante. Voilà pourquoi nous nous entendons si

bien. James et moi, c'est différent, nous sommes comme deux branches du même arbre. Après que...

Elle se pencha pour reposer sa tasse, cherchant du même coup à cacher son visage derrière ses cheveux. Même aujourd'hui, il lui arrivait de pleurer en prononçant son nom.

– ... après la mort de mon mari, James n'avait plus que moi.

Elle rejeta ses cheveux en arrière et regarda le Professeur à nouveau, souriante.

– J'ai toujours eu en horreur les mères et les fils qui ne parviennent pas à se séparer.

Il la regardait pensivement, sans répondre à son sourire.

– C'est une excellente école, reprit-elle d'un ton brusque. Peu d'élèves, un minimum de discipline... James y est très heureux.

C'était la vérité. Elle le savait. Ce qui ne l'empêchait pas d'être rongée par le doute. Après la souffrance infligée par cette matinée, ce déjeuner, le trajet jusqu'à la gare et leurs adieux, la seule pensée de repasser par une telle épreuve lui semblait insurmontable. Elle demeurait hantée par le petit visage pâle de James, à moitié dissimulé par Nigel et bientôt emporté par le train...

– Peut-être, dit le Professeur, si vous habitiez ailleurs, trouveriez-vous une école du même genre où il fréquenterait d'autres garçons et pourrait vivre sa vie...

– C'est le père, dit Veronica sans réfléchir. C'est quelque chose qui a à voir avec le fait qu'il n'ait pas de père.

– Sans vos enfants vous devez vous sentir bien seule.

– La solitude comporte aussi une part d'égoïsme... Et maintenant, si nous parlions d'autre chose ?

– Très bien, répliqua le Professeur d'un ton léger. De quoi voulez-vous que l'on parle ?

– Votre livre ?
– Il est terminé.
– Déjà ?
– Oui. Tapé, corrigé et retapé. Pas par moi. Il a même été relié et envoyé à un éditeur qui a accepté de le publier.
– Mais c'est formidable. Quand l'avez-vous appris ?
– Aujourd'hui même. On me l'a annoncé par téléphone et j'ai reçu un télégramme de confirmation.
Il le sortit de la poche de sa veste et l'agita d'un air triomphant.
– C'est écrit noir sur blanc, donc cela prouve que je n'ai pas rêvé.
– Oh, j'en suis très heureuse pour vous. Et maintenant ?
– Il me reste trois mois avant de retourner prendre mon poste à Brookbridge.
– Qu'allez-vous faire de ces trois mois ?
– Je l'ignore.
Il lui sourit.
– Peut-être aller à Tahiti me dorer au soleil. Ou rester ici. Vous y voyez un inconvénient ?
– Mais non, pourquoi ?
– Je pensais que vous m'aviez peut-être trouvé mal élevé et hostile et que vous ne supporteriez plus ma présence. Le problème, c'est qu'entretenir des relations sociales et organiser des réceptions me déconcentre. Quand j'entreprends quelque chose, je m'y implique totalement. Surtout quand j'écris un livre d'archéologie. Vous me comprenez ?
– Bien sûr. Je ne vous ai jamais pris pour une personne mal élevée. Et puis, moi aussi je suis un peu sauvage. James voulait que je vous invite à dîner. J'ai répondu que cela ne vous intéresserait pas, que vous seriez sans doute trop occupé.
– Il n'avait pas tout à fait tort.

Il parut un peu embarrassé, se passa la main dans les cheveux pour tenter de les domestiquer.

– Hier soir, James est venu me dire au revoir. Vous étiez en train de préparer le dîner. Vous le saviez ?

Veronica fronça les sourcils.

– Ah bon ? Non, il ne m'en a rien dit.

– Il m'a alors raconté que vous ne m'aviez pas invité à dîner parce que vous pensiez que je refuserais.

– Il n'aurait pas dû.

– Et il a ajouté, sur le ton de la confidence entre hommes, que ce serait peut-être une bonne idée si moi je vous invitais à dîner.

– Hein ?

– Il était inquiet à l'idée de vous laisser seule. Il sait à quel point il vous manque, ainsi que Sally. Surtout ne lui en veuillez pas. Je n'ai jamais été l'objet de démarche plus charmante.

– Mais de quoi se mêle-t-il ?

– Il est votre fils, après tout.

– Mais...

– Je lui ai promis de le faire. J'ai même retenu une table dans un nouveau restaurant de Porthkerris. Pour huit heures. Si vous refusez, il me faudra annuler et affronter la colère du maître d'hôtel... Vous n'allez pas dire non, n'est-ce pas ?

Elle était sans voix. En le regardant, elle se souvint de ce que Frank lui avait dit à son sujet. La gêne et le ressentiment furent balayés. *Marcus Rydale exaspère les gens, il les amuse... Mais il est impossible de ne pas l'aimer.* Elle songea – cette pensée la prit par surprise – qu'il était l'homme le plus charmant qu'elle eût rencontré depuis des années. Et ils avaient partagé cette maison pendant des mois. Et elle ne s'en était jamais doutée. Les enfants, eux, l'avaient deviné. Ils savaient. James le savait depuis le premier instant.

Elle se mit à rire, vaincue par les circonstances.

– Non, je ne dirai pas non.
– D'ailleurs vous n'en avez pas envie.
Une affirmation qui ne révélait pas l'ombre d'un doute.

Traduit par Hélène Prouteau

Fin et commencement

– Tu pourrais m'accompagner ce week-end, suggéra Tom sans trop de conviction.

– Chéri ! tu m'imagines en train de grelotter dans un château du Northumberland ? répondit Elaine avec un rire de dérision.

– Pas vraiment, reconnut-il.

– En plus, je ne suis même pas invitée.

– Ça, c'est sans importance. Tante Mabel adore voir des visages nouveaux. Surtout des beaux visages comme le tien.

Elaine s'efforça de dissimuler sa satisfaction. Elle adorait les compliments, qu'elle absorbait comme le papier buvard boit l'encre.

– Inutile de me faire le coup de la flatterie. En outre, je suis très contrariée. Tu devais venir passer le week-end avec moi chez les Stainforth. Qu'est-ce que je vais leur raconter ?

– La vérité. Que je dois me rendre dans le Nord chez ma tante Mabel qui fête ses soixante-quinze ans.

– Pourquoi te sens-tu obligé d'y aller ?

– Parce qu'il faut bien que quelqu'un se dévoue, que mes parents sont à Majorque et ma sœur à Hong Kong avec son mari. Ça fait au moins trois fois que je te le dis.

– Peut-être, mais je ne vois toujours pas pourquoi tu me laisses le bec dans l'eau. C'est très désagréable. (Elle le gratifia de son sourire le plus enjôleur.) D'autant que tu ne m'as pas habituée à ce traitement.

– Moi, te faire faux bond ? S'il ne s'agissait pas de tante Mabel, je t'assure que je t'aurais accompagnée. Mais c'est un cas, tu sais, cette femme. Son mari, Ned, est mort il y a quelques années et elle n'a pas d'enfants. Quand nous étions gamins, elle a toujours été formidable avec nous. Et elle a dû se donner un mal de chien pour organiser cette petite fête. C'est une force de la nature. Ce serait moche de ma part de me dérober. En outre, j'ai envie d'y aller. Tu n'as qu'à m'accompagner.

– Mais je ne connais personne.

– Je ne te donne pas cinq minutes pour faire la connaissance de tout le monde.

– Tu sais que j'ai horreur du froid.

Là, il renonça à la convaincre. C'était toujours un plaisir d'emmener Elaine chez les uns et chez les autres, de la présenter à ses parents et amis estomaqués. Elle avait tellement d'allure, elle était si belle qu'à chaque fois l'amour-propre de Tom en ressortait grandi. Le revers de la médaille, c'est que lorsqu'elle s'ennuyait, elle ne faisait pas le moindre effort pour le dissimuler.

Accepter l'hospitalité de tante Mabel n'allait pas sans risques, le bien-être et le confort des visiteurs dépendant pour une bonne part de la météo. Si jamais le froid et la pluie s'avisaient d'être au rendez-vous, Elaine – fleur de serre habituée au climat de Londres – risquait de se montrer d'une humeur massacrante.

Tom lui tapota la main.

– Très bien, je m'incline. Rien ne t'oblige à me suivre. Je te téléphonerai à mon retour pour tout te raconter en détail. Tu m'excuseras auprès des Stainforth.

Le lendemain était un vendredi. Tom, qui avait déjà tout arrangé avec son patron, quitta le bureau à l'heure du déjeuner et prit l'autoroute en direction du nord. Tout en conduisant, il laissa ses pensées vagabonder. Evidemment, il se mit à songer à Elaine.

Il y avait maintenant trois mois qu'il la connaissait et bien qu'il la jugeât souvent exaspérante, c'était néanmoins la fille la plus intéressante qu'il eût rencontrée depuis des années. Le fait qu'elle fût complètement imprévisible le stimulait ; en outre elle avait le don de le faire rire. Pour ces deux raisons, il l'avait invitée à passer deux longs week-ends chez lui, bien loin de s'attendre à ce que sa mère la trouve elle aussi à son goût.

– Elle est absolument charmante, ne cessait-elle de répéter.

Et en mère modèle qu'elle était, elle réussissait – au prix d'un coûteux effort – à ne pas en dire plus.

Tom n'était pas dupe et savait très bien ce qu'elle avait en tête. Il approchait de la trentaine. Il était temps pour lui de se ranger, de se marier et de donner à sa mère les petits-enfants dont elle avait tellement envie. Seulement, désirait-il vraiment épouser Elaine ? La question le tracassait depuis un moment. Une courte séparation l'aiderait peut-être à y voir plus clair, lui permettrait de prendre du recul pour mieux étudier la question et mettre les choses en perspective. Pour y parvenir, il fallait cesser de penser à elle. Aussi chassa-t-il Elaine de son esprit et se concentra-t-il sur le week-end qui s'annonçait.

Le Northumberland. Kinton. La soirée de tante Mabel. Qui serait présent ? Tom était le seul représentant de cette branche de la famille. Mais ses autres cousins ? Ceux qui avaient formé la petite bande d'enfants qui faisait les quatre cents coups à Kinton quand ils étaient en culotte courte ? Il fit mentalement courir son doigt le long de la liste.

Roger était à l'armée. Anne, mariée et mère de famille. Le jeune Ned était en Australie. Kitty... Accélérant pour doubler un camion rugissant, Tom ne put s'empêcher de sourire. Kitty était la petite-nièce de Ned. Kitty la rebelle, elle qui menait tout le monde par le bout du nez. Kitty, qui était tombée de la cabane nichée dans les arbres. Kitty qui les avait emmenés patiner sur le lac gelé. Kitty qui, relevant le défi, dormait sur les remparts, persuadée qu'elle réussirait à apercevoir un fantôme.

Au fil des années, les autres étaient plus ou moins rentrés dans le rang. Après avoir pris des cours de dactylographie, les filles étaient devenues secrétaires. Les garçons s'étaient engagés dans l'armée. Kitty, elle, ne s'était pas coulée dans le moule. En désespoir de cause, ses parents l'avaient expédiée à Paris comme fille au pair dans une famille française. Hélas, la maîtresse de maison l'avait surprise dans les bras de son entreprenant mari et Kitty avait été congédiée comme une malpropre.

« Rentre à la maison », lui avait télégraphié sa mère au bord de l'hystérie. Mais au lieu d'obtempérer, Kitty était descendue en stop sur la Côte d'Azur où elle avait rencontré un type impossible. Sur ce point, du moins, tout le monde était d'accord.

Il s'appelait Terence. C'était un Irlandais un peu cinglé, originaire du comté de Cork, qui faisait de la location de yachts à Saint-Tropez. Pendant un moment, Kitty avait travaillé dans son affaire ; puis elle l'avait ramené en Angleterre pour le présenter à ses parents. Là, l'opposition familiale avait été tellement massive que l'inévitable s'était produit : Kitty l'avait épousé.

– Mais pourquoi ? avait demandé Tom à sa mère lorsqu'il avait appris cette nouvelle stupéfiante.

– Aucune idée. Si quelqu'un doit le savoir, c'est toi. Tu connais Kitty mieux que moi.

– C'est une fille qu'il ne faut surtout pas brusquer ni contrarier, lui avait expliqué Tom.

Une fois, en regagnant Londres après un week-end dans le Sussex, il était passé voir Kitty et son mari. Ceux-ci habitaient une péniche. Kitty était enceinte. Le bateau et Kitty étaient dans un état si lamentable que Tom, spontanément, avait emmené Kitty et son mari dîner dehors. La soirée avait été un désastre. Terence avait bu jusqu'à l'ivresse. Kitty avait jacassé sans discontinuer, telle une mécanique remontée à bloc. Et Tom avait à peine desserré les dents. Il s'était contenté d'écouter, de payer l'addition et d'aider Kitty à ramener Terence à bord. Puis il l'avait laissée là et était rentré à Londres. Plus tard, il avait appris qu'elle avait eu un garçon.

Un jour, alors qu'il n'était encore qu'un tout jeune homme, Mabel avait dit à Tom qu'il devait épouser Kitty. Il avait écarté cette idée, d'une part parce qu'il considérait Kitty comme une sœur, de l'autre parce que, à dix-neuf ans, il ne se sentait pas très à l'aise pour parler de ce genre de choses.

– Qu'est-ce qui te fait dire ça ? avait-il demandé à Mabel.

– Tu es le seul qu'elle ait jamais écouté. Si tu lui disais de faire telle chose ou de ne pas la faire, je crois qu'elle obéirait. Ses parents n'ont jamais su comment s'y prendre avec elle, c'est l'évidence.

– Mais Kitty est un vrai chien fou, elle ne tient pas en place. Elle est trop fatigante, avait répondu Tom.

Il s'apprêtait à rejoindre Cambridge et les jeunes filles de seize ans comme Kitty n'avaient aucune place dans ses projets.

– Elle ne sera pas toujours un chien fou, avait souligné tante Mabel. Tu verras comme elle sera belle, un jour.

La route se déroulait tel un long ruban gris derrière lui. Il avait traversé Newcastle et se trouvait maintenant au cœur du Northumberland. Il quitta l'autoroute et prit la direction de la campagne, traversant des landes et de petits villages de pierre, filant le long des rangées de hêtres. L'après-midi touchait maintenant à sa fin. Le soleil se couchait dans un éblouissement de tons roses, jetant des ombres pêche sur les gros nuages gris annonciateurs de pluie.

Enfin il atteignit Kinton, contourna l'église trapue avec sa tour carrée, et aperçut la grand-rue. Celle-ci n'avait absolument rien de remarquable. Deux rangées de petites maisons, des commerces et un pub : il aurait pu se trouver n'importe où ailleurs. A cette différence près qu'au bout de la rue une rampe pavée donnait accès – par-delà l'arche d'un corps de garde – à une immense cour enclose de murs, de la taille d'un terrain de rugby. De l'autre côté de cette cour se dressait le château. Quatre étages, carré, hérissé de tourelles agrémentées de poivrières. Romantique, surprenant, incongru.

C'était là qu'habitait la redoutable tante Mabel. La sœur aînée du père de Tom. Elle était folle de chevaux, tannée comme du vieux cuir, et possédait un solide bon sens. Personne n'avait cru qu'elle pût dénicher un mari. Pourtant, alors qu'elle approchait de la trentaine, l'amour ou un sentiment qui y ressemblait fort avait fait irruption dans sa vie. Elle avait épousé Ned Kinnerton peu de temps après avoir fait sa connaissance.

Les membres de sa famille avaient été partagés entre la joie et l'incrédulité.

– N'est-ce pas merveilleux qu'elle ait enfin trouvé chaussure à son pied ?

– Ned est deux fois plus vieux qu'elle.

– Et il va falloir qu'elle aille vivre dans un énorme château non chauffé du Northumberland !

Mabel aimait Kinton autant que Ned. Les Kinnerton n'avaient pas eu d'enfants mais accueillaient volontiers pendant les vacances scolaires une ribambelle de neveux et de nièces. Mabel se moquait éperdument de ce qu'ils faisaient dès lors qu'ils ne maltraitaient pas les animaux. Ainsi, en toute liberté, les enfants escaladaient les remparts, passaient la nuit dehors sous des tentes improvisées, déversaient sur d'imaginaires assaillants un simulacre d'huile bouillante par la meurtrière surmontant la porte massive, nageaient dans le lac plein de roseaux, confectionnaient des arcs et des flèches, grimpaient aux arbres et en dégringolaient.

Après la mort de Ned, la famille pensa que Mabel s'empresserait d'abandonner Kinton. Mais le seul parent de sexe masculin qui aurait pu assumer l'écrasante responsabilité du château avait filé en Australie où il menait joyeuse vie. Aussi Mabel resta-t-elle. « Inutile de chauffer toutes les pièces », déclara-t-elle avant de condamner les greniers à l'aide de couvertures épaisses qu'elle avait accrochées en haut de l'escalier. A ce détail près, la vie se poursuivit donc comme avant. Le château recevait toujours des kyrielles d'enfants qui étaient maintenant dans l'adolescence et poussaient à vue d'œil. Les repas rassemblaient une véritable foule autour de la longue table en acajou de la salle à manger. Il y avait des chiens partout, des feux qui se mouraient lentement dans les cheminées, des photos écornées, glissées dans les cadres des glaces.

Kinton. Tom était arrivé. Il franchit doucement la rampe puis l'arche du corps de garde.

De l'autre côté, s'étalait une immense pelouse. L'allée la contournait pour aboutir devant la porte d'entrée monumentale. Les murs qui enserraient l'édifice dataient de l'origine du château ; çà et là, des crevasses entre les pierres, jaillissaient de la valériane sauvage et d'autres petites fleurs.

Tom se gara et descendit de voiture. L'air du soir était doux pour la région mais froid comparé à celui de Londres. Il gravit les marches et actionna la poignée massive de fer forgé. La porte s'ouvrit lentement sur le hall immense et glacial avec un léger craquement digne des films d'horreur. Le sol était dallé de pierre, la gigantesque cheminée flanquée d'armures poussiéreuses et surmontée de vieilles épées. Tom traversa le vestibule, franchit une autre porte et là ce fut comme s'il avait quitté le Moyen Age pour déboucher dans la Renaissance italienne. La première fois que, petit garçon, il était venu à Kinton, il s'était attendu à découvrir des escaliers en colimaçon et des passages secrets, à trouver des pièces petites, lambrissées de bois foncé. Aussi avait-il été déconcerté par cette opulence. Lui qui avait espéré vivre dans un château médiéval, il s'était senti floué. Répondant à ses questions, Ned lui avait expliqué que l'un de ses ancêtres avait pris pour femme, à l'époque victorienne, une dame extrêmement fortunée qui avait accepté de l'épouser à condition qu'elle puisse réaménager le château à sa guise. A la suite de quoi elle avait consacré cinq ans et dépensé des sommes folles pour transformer Kinton en un château dans le goût de la Renaissance. Après avoir, sur ses ordres, fait tomber un maximum de cloisons, les architectes avaient conçu l'énorme escalier, les couloirs larges et lambrissés, les fenêtres délicatement cintrées.

Un Italien qu'elle avait fait venir de Florence à grands frais avait décoré les plafonds et transformé le mur de son boudoir en y peignant en trompe-l'œil une terrasse méditerranéenne où ne manquaient pas même des jardinières de plâtre regorgeant des géraniums écarlates.

Ces gros travaux terminés, il avait fallu encore six mois au jeune couple pour prendre possession des lieux. Le temps de choisir des papiers peints, accrocher des rideaux, disposer des tapis neufs dans toutes les pièces. Les portraits de famille avaient été suspendus dans la salle à manger, les bibelots et souvenirs exposés dans des vitrines.

Mais depuis ces jours lointains de dépenses prodigues, rien ou presque n'avait été fait à Kinton. Rien n'avait été changé ou réparé. Même si de temps en temps on recollait, réparait, repeignait ou rafistolait tel ou tel objet.

Des feux couvaient dans les cheminées des salons, mais dans les couloirs et les chambres la température était absolument glaciale.

Tom perçut soudain l'odeur de renfermé chère à son cœur. Il se précipita dans l'escalier, montant les marches quatre à quatre, sa main effleurant la rambarde d'acajou que des générations de petites mains avaient polie tel un miroir. Arrivé en haut de l'escalier, il marqua une pause sur le vaste palier et tendit l'oreille. Pas le moindre bruit. Mais il était persuadé que Mabel était dans les parages.

Il la découvrit dans la bibliothèque, en tablier et chapeau, entourée de son armée habituelle de vieux chiens fidèles ainsi que de papier journal et de branches. Elle était en train d'arranger des fleurs dans un vieux vase chinois.

– Ah, te voilà, mon petit.

Posant son sécateur, elle serra Tom contre sa poitrine, ce qui constituait en soi une performance car si elle était aussi grande que lui, elle était en revanche deux fois plus large. Puis elle recula, le tenant à bout de bras.

Le visage de Mabel était un visage d'homme. Traits énergiques, nez affirmé, menton carré. Ce côté masculin était accentué par sa coiffure ; ses cheveux gris étaient en effet tirés en arrière en un chignon sans concession.

– Quelle mine superbe ! Tu as fait bon voyage ? C'est formidable que tu sois venu. Regarde un peu, regarde donc. J'essaie de rendre cet endroit présentable. Quel travail... Eustace – tu te souviens de mon vieux jardinier – m'a donné un sérieux coup de main. À nous deux, nous avons poussé les meubles. Quant à sa femme, elle a tout astiqué, récuré, briqué, y compris les gamelles des chiens. La cuisine est pleine de traiteurs. Je ne reconnais plus la maison. Comment vont tes parents, mon grand ?

Reprenant son sécateur, elle se remit à son bouquet tandis que Tom, appuyé du dos contre une table, les mains dans les poches, lui donnait quelques nouvelles.

– On n'a pas idée, remarqua Mabel, de partir pour Majorque à un moment pareil. J'aurais tellement voulu qu'ils soient de la partie. Et voilà, c'est fini !

Elle piqua la dernière fleur et se recula pour juger du résultat.

– Tante Mabel, est-ce que ce n'est pas un peu trop lourd pour toi, ces préparatifs ?

– Non, je me contente de donner des ordres. Mes gens exécutent. On appelle cela déléguer ! Et puis, il n'y aura pas de véritable orchestre : personne ne valse plus de nos jours. J'ai fait appel à de charmants jeunes gens qui vont monter une mini-discothèque.

– Où ça ?

– Dans la nursery. On l'a débarrassée des jouets, de la maison de poupée et des livres. Et Kitty s'occupe de la décoration. Elle va la transformer en jungle.

Au bout d'un moment, Tom reprit :

– Kitty ?

– Oui, Kitty.
– Elle est là ?
– Bien sûr qu'elle est là.
– Mais la dernière fois que je l'ai vue... elle vivait sur une péniche.
– Oh, tu retardes, mon petit Tom. Le mariage n'a pas tenu le coup. Elle a divorcé.
– Qu'est devenu Terence ?
– Je crois qu'il est retourné dans le midi de la France.
– Et leur petit garçon ?
– Il est avec Kitty.
– Elle habite ici ?
– Non, à Caxford. (Caxford était un village situé à quelques kilomètres de Kinton, près de la lande.) Elle est venue se réfugier ici après son divorce et puis elle a acheté un cottage en ruine. Avec quel argent, mystère. Parce qu'on se demande comment elle arrive à joindre les deux bouts. Enfin, quoi qu'il en soit, elle s'est portée acquéreur et a décidé de le retaper afin de s'y installer. C'est là-bas qu'elle a pris ses quartiers, dans une caravane qu'elle partage avec Crispin.
– Crispin ?
– Son petit garçon. Un gamin adorable.
– Mais qu'est-ce qu'elle va faire ? voulut savoir Tom.
– Ça alors, je l'ignore. Tu te souviens de Kitty, tu sais comment elle est, pas moyen de lui faire entendre raison. Est-ce que tu veux du thé ?
– Non, merci.
– Je t'offrirai un verre plus tard.
Elle commença à mettre de l'ordre, rassemblant fleurs abîmées et branchages pour les jeter. Alors qu'elle était ainsi occupée, on frappa à la porte et une tête inconnue se montra.
– Madame Kinnerton, où faut-il mettre la verrerie qu'on vient de livrer ?
– Doux Jésus, c'est reparti ! Quand ce n'est pas

ça, c'est autre chose ! Occupe-toi de ces tiges, tu veux bien, Tom ? Et remets une bûche dans le feu.

Sur ces mots, elle s'éclipsa.

Tom se retrouva seul dans la pièce vide. Il jeta les tiges dans le feu, ajouta quelques bûches et partit à la recherche de Kitty.

La nursery était située à bonne distance des pièces principales et séparée d'elles par une porte battante doublée de feutre rouge. Elle avait été installée à l'intérieur d'une des nombreuses tours du château et sa rondeur, ajoutée aux deux fenêtres basses qui l'éclairaient, en faisait un endroit particulièrement fascinant pour les enfants. Pour le moment, elle était inutilisée. Le plafond et les murs disparaissaient sous des flots de filets retenus par un piton au plafond. Dans les mailles des filets, on avait fixé des guirlandes de lierre et de petites branches de sapin.

Il y avait également dans la pièce un escabeau assez haut au sommet duquel, pince entre les dents, ficelle verte à la main, se tenait une grande fille toute mince, les cheveux blonds réunis en queue de cheval et l'air concentré, qui se débattait avec une branchette de sapin récalcitrante.

Alors que Tom entrait, elle retira la pince de sa bouche et, sans le regarder, bougonna :

– Si quelqu'un voulait bien m'enlever ce lierre de la figure...

– Bonjour Kitty, fit Tom.

Elle pivota et le fixa du haut de son perchoir. La branche de sapin tomba par terre et le lierre s'enroula autour de son cou mince telle une guirlande païenne. Après quelques secondes de silence, elle murmura :

– Tom.

– Tu t'amuses bien, on dirait.

– Détrompe-toi. Impossible de fixer ces végétaux.

– Ça a l'air très bien, ta déco.

Avec prudence, elle se dégagea du lierre, l'accrocha dans les mailles du filet et s'assit en haut de l'escabeau, sans quitter Tom du regard.

– Je savais que tu venais. Tante Mabel m'avait prévenue.

– J'ignorais que tu étais là.

– C'est une surprise agréable ?

– Tu es mince comme un fil. Ça te va bien.

– C'est à cause des travaux. Tu es au courant, pour ma maison ?

– Mabel m'en a touché un mot. Elle m'a aussi parlé de ton divorce. Je suis désolé.

– Pas moi. C'était une erreur que je n'aurais jamais dû commettre. (Elle haussa les épaules.) Mais tu me connais, Tom. Dès qu'il s'agit de faire une bêtise, je fonce tête baissée.

– Où est ton fils ?

– Quelque part par là.

Elle portait un jean crasseux et des tennis bleus. Son pull était si usé qu'il ressemblait à une guenille. Il y avait un trou dans une manche et par ce trou son coude pointait. En la regardant, Tom s'aperçut à quel point elle avait changé. Là où jadis les joues pleines s'épanouissaient au-dessus du menton têtu, le visage s'était creusé. Elle avait des rides autour des lèvres mais l'expression de sa bouche était demeurée telle que dans son souvenir : prête au sourire, l'adorable fossette ne demandant qu'à apparaître.

Précisément, elle sourit. Ses yeux étaient d'un bleu intense. Tom s'obligea à détourner le regard et à chercher un autre sujet de conversation. Contemplant le filet et la végétation, il demanda :

– Tu as installé ça toute seule ?

– Presque, oui. Eustace m'a aidée à mettre le filet en place. La nursery doit servir de discothèque. Tu ne trouves pas que Mabel est étonnante ? Une discothèque pour ses soixante-quinze ans !

– Tu t'es drôlement bien débrouillée. Ça fait tout à fait night-club.

– Et Londres, au fait ?

– Toujours pareil.

– Tu as toujours ton boulot à la compagnie d'assurances ?

– Jusqu'à maintenant, oui.

– Tant mieux. Et où en est ta vie sentimentale ? Tu ne crois pas qu'il serait temps de songer à te marier ? Non que je sois un exemple à suivre, note bien.

– Ma vie sentimentale ? Ça roule, je te remercie.

– Ravie de l'apprendre. Tiens !

Il attrapa au vol la pince qu'elle lui lançait, ainsi que la pelote de ficelle, et tint l'escabeau pour qu'elle puisse en descendre.

– Si tu me parlais un peu de ton cottage ?

– Y a pas grand-chose à dire. On habite dans une caravane pour le moment.

– Tu me le montreras ?

– Bien sûr. Tu n'as qu'à passer me voir demain. Je te trouverai de quoi t'occuper.

– Tu crois que si on se manifestait, quelqu'un consentirait à nous faire une tasse de thé ?

Ils éteignirent la lumière, traversèrent le palier et franchirent la grande porte donnant accès à la cuisine. Deux dames d'un gabarit impressionnant s'activaient à préparer toutes sortes de bonnes choses pour la réception du lendemain. Une dinde rôtie sortait du four. Le mixer montait des blancs en neige. Du potage fumait dans une énorme casserole. Au milieu de tout ce remue-ménage, assis au bout de la longue table, grignotant des morceaux de gâteau, se trouvait Crispin. Il ressemblait à Kitty comme deux gouttes d'eau.

– Je te présente Tom, dit-elle à son fils. C'est une sorte de cousin. Je ne sais pas si tu dois l'appeler Tom, oncle Tom ou cousin Tom.

– Tom tout court, trancha l'intéressé, tirant une chaise et s'asseyant.

Kitty avait rejoint les corpulentes cuisinières à l'autre bout de la cuisine.

– On habite dans une caravane, dit Crispin.

– Je sais.

– Après, on vivra dans une maison.

– J'en ai entendu parler. Je vais venir la voir.

– T'as pas le droit de marcher sur le plancher. Ça colle. Maman vient de le vernir.

– Le temps que je vienne, il aura séché.

Kitty revint et leur dit qu'on leur avait apporté le thé dans la bibliothèque. Ils se dirigèrent de concert vers la bibliothèque où ils trouvèrent tante Mabel assise près du feu et distribuant du pain d'épices à quatre chiens qui s'agitaient joyeusement.

Tom dormit cette nuit-là dans un lit de cuivre, dans une chambre qui n'était éclairée que par une ampoule glauque et où circulait un courant d'air meurtrier. En y regardant de plus près, il constata qu'il y avait un trou dans le toit d'une des petites pièces voisines ; des patères et quelques cintres métalliques indiquaient que c'était une penderie. Tom défit sa valise, suspendit là ses vêtements puis enfila son pyjama et entreprit, muni de sa brosse à dents, le long voyage qui devait le mener à la salle de bains. Il revint pour se mettre au lit quelques instants plus tard. Les draps étaient en lin, reprisés et glacés, l'oreiller richement brodé. Le lendemain au réveil, il aurait sûrement le dessin des broderies imprimé sur la joue.

Dans la nuit, il y eut une averse. Il se réveilla et écouta tomber la pluie ; d'abord quelques gouttes sporadiques, puis un pianotement régulier sur le toit et enfin un lourd *ploc-ploc-ploc* dans la pièce voisine. Allongé dans son lit, il songea à son smoking qui s'y trouvait suspendu et se demanda s'il devait se lever pour le changer de place. Mais il finit par se dire qu'il ferait aussi bien de ne pas bouger. Il songea à Mabel et essaya d'imaginer combien de temps encore elle pourrait vivre dans cet immense château dénué de tout confort. Il songea à Kitty et à Crispin, qui étaient bien au chaud dans leur caravane. Il songea à Elaine et fut soulagé, compte tenu des circonstances, qu'elle ait décidé de rester à Londres. Il songea de nouveau à Kitty. Ce visage... sa bouche, sa fossette. L'esprit plein d'elle, il se rendormit, bercé par le bruit paisible de la pluie.

Le lendemain matin, la pluie avait cessé. Tom se réveilla tard et descendit à la cuisine. Il y trouva, dans le four, une assiette d'œufs au bacon qui l'attendait. Une activité fébrile régnait partout. On déplaçait des chaises, on montait des caisses de verres, on disposait des tables qu'on drapait d'immenses nappes damassées restées enfouies dans les armoires pendant des années. Des fourgonnettes faisaient irruption dans la cour, se garaient devant la porte d'entrée et déchargeaient plantes en pot, piles d'assiettes, caisses de vin, plateaux, corbeilles de petits pains tout chauds.

D'une camionnette en piteux état jaillirent bientôt deux jeunes gens chevelus et le matériel destiné à la discothèque. Tom les laissa, au milieu des fils électriques, monter haut-parleurs et sono. Il demanda ailleurs s'il pouvait se rendre utile et se vit confier la lourde tâche de transporter des sacs de bûches à l'étage.

Tante Mabel était partout avec ses grands pieds, enveloppée dans un tablier de jardin en toile de jute, infatigable. Alors qu'il effectuait son quatrième voyage pour transporter les bûches, Tom la croisa sur le palier de la cuisine. Elle préparait le dîner de sa meute de chiens comme s'il s'agissait de la chose la plus importante de la journée.

Reposant son sac, Tom se redressa, les épaules endolories.

– C'est pire que la mine de sel. Je vais devoir en monter encore combien, comme ça ?

– Oh, mais ça suffit, mon petit. Je ne m'étais même pas rendu compte que tu continuais à transbahuter du bois. Je croyais que tu avais cessé.

– Personne ne m'a dit d'arrêter.

– Eh bien, je te le dis, moi. Souffle un peu. On commence sérieusement à en voir le bout, de ces préparatifs. Si jamais il restait une ou deux corvées, quelqu'un d'autre que toi s'en chargera. (Elle consulta son énorme montre-bracelet.) Va donc boire un pot au pub. Et mange un morceau pendant que tu y es. Le traiteur n'a rien prévu pour le déjeuner et je n'ose pas me risquer dans la cuisine. Je suis sûre de me faire virer si j'y mets les pieds.

– Je pourrais aller voir Kitty d'un coup de voiture, fit Tom.

– Excellente idée ! Tu n'auras qu'à l'emmener déjeuner. Je suis sûre que cette petite ne mange pas à sa faim. Je me demande même s'il lui arrive de se mettre quelque chose sous la dent. C'est sûrement pour ça qu'elle est maigre à faire peur. Quant au petit Crispin, à peine arrivé ici, il se précipite sur la boîte à biscuits. Cet enfant est affamé, c'est évident. (Elle sourit à ses chiens.) Alors, mes mignons, vous êtes prêts pour faire miam-miam ?

Caxford était au bord de la lande, à quelque distance de la mer du Nord. Tom aperçut d'abord une belle petite église entourée d'arbres qui, sous l'effet du vent dominant, avaient tous fini par pencher du même côté. La maison de Kitty était au bout de la grand-rue, un peu à l'écart de la dernière rangée de cottages. Tom s'arrêta au bord de la route, descendit de voiture, respira le parfum si caractéristique de la lande, entendit au loin bêler des moutons. Il découvrit alors la petite maison, les vieux murs, le toit tout neuf, et le jardin de devant sens dessus dessous, transformé en chantier.

Il poussa avec précaution la barrière en bois qui s'affaissait et remonta une allée dallée de pierre qui contournait la maison. Sur l'arrière, s'étendait un autre morceau de terrain. Il regarda autour de lui avec intérêt, examinant la haie de chèvrefeuille, les bâtiments abandonnés qui avaient dû être des porcheries ; devant ces quasi-ruines se trouvaient la caravane de Kitty – où elle s'était installée en attendant que les travaux de rénovation du cottage soient terminés – ainsi qu'une voiture cabossée, une bétonnière et un assortiment de pelles et de brouettes.

Pataugeant dans la boue, Tom s'approcha de la façade arrière. Une aile supplémentaire avait été ajoutée à la construction d'origine et le toit de tuile flambant neuf épousait la pente de l'ancien. Là, des planches permettaient d'éviter la gadoue et conduisaient à la porte d'entrée, qui était ouverte. C'était une magnifique porte en pin soigneusement décapée, de derrière laquelle lui parvint de la pop music.

Il franchit la planche et tambourina au battant.

– Kitty !

La musique cessa. Kitty avait éteint son transistor. Quelques instants plus tard elle apparut, semblable à la Kitty de la veille à ceci près qu'elle avait une trace de vernis brun sur une joue.

– Tom ! Je ne me doutais pas que tu viendrais aujourd'hui.

– Pourtant je te l'avais dit.

– Oui, mais je pensais que tu serais trop occupé à donner un coup de main à Mabel.

– Tais-toi, j'ai travaillé comme un forçat. Mais Dieu merci, elle m'a chassé du château et conseillé de t'inviter à déjeuner. (Il se planta sur le seuil et observa la pièce avec intérêt.) Qu'est-ce que tu fabriques ?

– Je viens de terminer le plancher de la chambre de Crispin.

– Où est Crispin ?

– Chez l'instituteur. Ce sont des gens très gentils. Des amis, vraiment. Sa femme me le gardera ce soir ; elle m'a en outre proposé de prendre un bain et de me changer chez elle. Ce n'est pas très commode de se pomponner quand on vit à l'étroit dans une caravane.

– En effet. Quand est-ce que tu emménages ?

– Ça devrait être prêt dans deux semaines.

– Tu as des meubles ?

– Assez pour nous deux, oui. Pour commencer, ça suffira. Ce n'est qu'un cottage. Rien de grandiose.

– Ah, bon ? Ta porte d'entrée est absolument superbe en tout cas.

Kitty eut l'air enchanté.

– N'est-ce pas qu'elle est belle ? Je l'ai trouvée chez un type qui récupère des matériaux. Les autres portes aussi. Les gens démolissent ces adorables vieilles maisons parce qu'elles tombent en ruine ou que quelqu'un décide de construire une usine dans le jardin. Parfois, il arrive qu'ils aient la bonne idée de conserver les portes et les châssis de fenêtres ainsi que les persiennes. Celle-là m'a tellement plu que j'ai décidé d'en faire ma porte d'entrée.

– Qui l'a décapée ?

– C'est moi. J'ai fait pas mal de travaux moi-même, tu sais. Les maçons ont fait le gros œuvre, bien sûr ; mais ils sont adorables et apparemment ça ne les gêne pas que je traîne dans leurs pattes. Tu sais, faire décaper des portes par des professionnels, ça coûte les yeux de la tête. Et comme tu peux t'en rendre compte, je ne roule pas sur l'or. Enfin, viens jeter un coup d'œil. Là, c'est la cuisine. C'est également le coin repas. Autrement dit, ça sera une cuisine-salle à manger...

Prenant leur temps, ils inspectèrent la maison, passant de pièce en pièce, et Tom sentit grandir en lui une sorte d'admiration pour Kitty qui avait réussi à faire jaillir de ce cottage à l'abandon la maison de ses rêves. Chaque pièce comportait un détail inattendu, plein de charme : une petite fenêtre de dimensions bizarres, une niche pour les livres, un plafond bas ou encore une fenêtre à tabatière.

La cuisine était dallée d'un carrelage rouge ; un escalier conduisait à la chambre de Crispin qui avait été aménagée au grenier. Cette pièce était dotée d'une longue fenêtre basse devant laquelle le lit du petit garçon était placé de façon qu'il puisse regarder le soleil se lever le matin.

La salle à manger bénéficiait non seulement d'une petite cheminée d'époque victorienne, mais d'une mezzanine à laquelle on accédait au moyen d'une échelle que Kitty avait fait fixer au mur.

– Ça, ce sera le coin télévision de Crispin. Comme ça il pourra s'isoler et s'occuper à son idée quand j'aurai des amis.

Une flambée crépitait dans l'âtre.

– J'ai fait un feu pour voir si la cheminée tirait correctement.

– C'est la cheminée d'origine ?

– Non, c'est de la récupération, comme les portes, et j'ai posé des carreaux bleu et blanc tout autour. Je trouve que comme ça elle est parfaite. Ce n'est pas ton avis ?

Elle lui montra un vaisselier en pin qu'elle avait chiné et où elle allait ranger ses assiettes. Elle lui montra également un siège qu'elle avait confectionné elle-même à partir d'un tonneau scié en deux. Et elle lui fit visiter sa chambre au rez-de-chaussée, laquelle était dotée de portes-fenêtres permettant d'accéder à la future terrasse. Il regarda pensivement la boue et les briques empilées dans la cour.

– Qui est-ce qui va remettre le jardin en état ?

– Moi. Il va falloir que je bêche parce qu'il y a toutes sortes de trucs horribles là-dessous. J'avais pensé louer un motoculteur mais je crois que le malheureux aurait vite fait de rendre l'âme dans ces conditions.

– Tu vas t'installer dans ce cottage avec Crispin ?

– Bien sûr. Que veux-tu que je fasse d'autre ?

– Le vendre. Faire un bénéfice énorme dessus. T'installer ailleurs.

– Je ne pourrais pas le vendre. J'ai trop investi dedans. Trop payé de ma personne.

– Il me paraît bien isolé.

– Ça ne me dérange pas.

– Et Crispin ? Qu'est-ce qu'il va faire ? Où ira-t-il à l'école plus tard ?

– Ici, au village.

Tom se retourna vers elle.

– Kitty, tu es sûre que tu ne t'es pas attaquée à un trop gros morceau cette fois ?

L'espace d'un instant, elle croisa son regard ; ses yeux d'un bleu éclatant paraissaient immenses dans son visage menu. Puis elle se détourna.

– Regarde, Tom, voilà les placards, tu as vu comme ils sont vastes ? Et je n'ai qu'un jean et une robe à y ranger. Tu vois, les portes ont été faites avec des persiennes anciennes. N'est-ce pas que c'est joli ?

Elle effleura de la main le bois satiné couleur miel comme elle aurait caressé une créature vivante.

– Et puis il y a une jolie moulure en plâtre. Dans un premier temps, j'ai cru que c'était du bois sculpté et j'ai failli l'enlever...

Il regarda ses mains aux ongles abîmés, à la peau rougie et noire de crasse.

– Kitty, tu es sûre que c'est ce que tu veux ?

Elle ne répondit pas tout de suite. Il attendit et au bout d'un moment, elle dit :

– Je te vois venir, Tom. Est-ce que tu vas t'y mettre, toi aussi ? « Kitty, tu ne vas pas vivre ici ! » Des mises en garde. C'est ce qu'on m'a seriné toute ma vie. « Kitty, tu ne vas pas monter ce cheval ! » « Kitty, tu ne vas pas acheter cette vieille bicyclette ! » « Kitty, tu ne vas pas mettre cette horrible robe ! » Dès que je voulais entreprendre quelque chose, mes parents essayaient de m'en dissuader. Je ne me suis même pas fatiguée à leur dire que je n'avais aucune envie d'aller à Paris pour faire la fille au pair. Si j'avais refusé d'obéir, ils m'auraient envoyée dans un établissement sinistre pour y apprendre à cuisiner, taper à la machine et bricoler des bouquets. Les arts ménagers, très peu pour moi. C'est pourquoi, quand j'ai été chassée de cette famille à Paris – je n'y étais pour rien, le mari n'arrêtait pas de me cavaler après et sa femme l'a surpris en pleine action ; mais évidemment c'est moi qui ai écopé –, je n'ai pas voulu remettre les pieds en Angleterre. Je savais que si je ne m'échappais pas à ce moment-là, je ne le ferais jamais. Quant à Terence, mon ex-mari, si au lieu de me harceler à son sujet on m'avait fichu la paix, je ne l'aurais jamais épousé. Seulement à peine avaient-ils posé les yeux sur lui que les commentaires ont commencé à fuser. L'éternelle rengaine. « Kitty, tu ne vas pas passer ton temps avec un homme comme ça ! Et sur une péniche, en plus. » « Kitty, tu ne vas tout de même pas l'épouser ! » Tant et si bien que je me suis jetée à l'eau. C'est aussi simple et aussi bête que cela.

Tom s'appuya contre les portes-fenêtres et fourra les mains dans ses poches. Il attaqua prudemment :

– Je ne me hasarderais pas à te dicter ta conduite. Toi seule sais ce que tu dois faire. Mais je ne voudrais pas que tu t'embarques dans une situation ingérable.

– Toute ma vie j'ai fait des erreurs, je le

reconnais ; mais il faut qu'on me laisse mener ma barque comme je l'entends. J'ai Crispin et je n'ai pas de gros besoins d'argent. Et puis, cet endroit me plaît. Je suis contente d'habiter près de Mabel. Près de Kinton. Ça me rappelle tous les bons moments que nous avons passés là-bas quand nous étions enfants.

– Je t'admire, j'en reste sans voix, dit Tom. Franchement, je n'en reviens pas de voir tout ce que tu as fait, Kitty. Mais ça me fait mal de penser que tu vas continuer à te bagarrer comme ça, toute seule, éternellement...

– Tu parles des travaux ? Eh bien, tu sais, ç'a été une forme de thérapie pour moi. En tout cas, ça m'a permis d'oublier Terence. (Elle ferma les portes des placards et donna un tour de clef, comme pour y enfermer définitivement Terence.) Tu sais, Tom, quand j'ai su que tu venais ce week-end, je me suis surprise à souhaiter que tu te décommandes. Je ne voulais pas me souvenir de cette soirée épouvantable où tu nous avais invités à dîner et où Terence avait bu comme un trou. Rien que d'y penser, j'étais morte de honte. Personne n'aime avoir honte. Ni se sentir coupable.

– Tu n'as pas à te sentir coupable de quoi que ce soit. Je crois que tu as traversé un long tunnel, et que tu es sortie entière de l'expérience. Et maintenant tu as Crispin. Terence, c'est de l'histoire ancienne.

– Alors le cottage n'est pas une erreur ?

– Il n'y a que ceux qui ne font rien qui ne se trompent jamais. Et puis même si c'est une erreur, elle est magnifique. Je te le répète, je suis baba d'admiration.

– Ne dis pas ça. C'est trop gentil.

Un peu surpris, il se rendit compte qu'elle était au bord des larmes. Il ne se souvenait pas d'avoir vu Kitty pleurer.

– Je n'ai pas l'habitude qu'on soit gentil avec moi, reprit-elle.

– Kitty...

– Ça va passer... Même Mabel est persuadée que je ne suis pas bien dans ma tête. Il y a des années que je n'ai réussi à parler vraiment à qui que ce soit.

– Il ne faut pas pleurer.

– Je sais, mais c'est plus fort que moi.

Elle chercha sans le trouver un mouchoir. Alors Tom lui prêta le sien. Elle se moucha et s'essuya les yeux.

– Il y a tellement de choses qui clochent dans ma vie que parfois – comme cet hiver, par exemple –, quand je suis crevée, que la voiture refuse de démarrer, que la caravane est glaciale et que Crispin n'a pas le moindre petit coin à lui pour jouer... je perds toute confiance en moi. Alors je commence à me demander si je ne suis pas l'irresponsable que mon entourage se plaît à dépeindre. « Kitty, tu ne vas pas t'enterrer dans le Northumberland ! » « Kitty, il faut que tu penses à Crispin. » « Kitty, en te coupant de ta famille, tu agis en égoïste. » « Kitty, comment comptes-tu mener ta barque ? »

Tom ne put en supporter davantage. Il fit quelques pas pour se rapprocher d'elle, et la prit dans ses bras. Il sentit ses côtes sous la laine du pull ; les cheveux soyeux de la jeune femme frôlèrent son menton.

– Ne pleure plus, dit-il. Les larmes, ce n'est pas toi. A te voir pleurer, j'ai l'impression que le monde s'écroule.

– Je ne fais pas exprès d'être aussi stupide.

– Tu n'es pas stupide. Tu es fantastique. Tu es belle, tu as survécu à un mariage désastreux, et tu as un fils adorable. Voilà comment je vois les choses, moi. Et cela dit, j'aurais bien besoin d'un verre. Allons au pub, on s'installera près du feu et on parlera de choses plus gaies. De l'été qui arrive, de la soirée de tante Mabel. Après, quand on aura mangé, je t'emmènerai faire une promenade; on marchera dans la lande. Ou alors on descendra sur la plage et on jettera des galets dans la mer. Ou bien si tu préfères, on ira en ville chez un antiquaire et je t'achèterai quelque chose pour ta maison. Choisis, Kitty, on fera ce que tu voudras.

Il regagna Kinton au crépuscule. Les premières lumières s'allumèrent lorsqu'il tourna le coin de la grand-rue du village. Le château se profila devant lui sur fond de ciel turquoise.

Il avait du mal à réaliser que ce soir, pour la dernière fois peut-être, Kinton serait en fête. Les lumières étincelleraient, la musique retentirait. Les voitures franchiraient le porche cintré du corps de garde, leurs phares illuminant les murailles. Les pièces vieillottes, pleines de fleurs, éclairées à la bougie, résonneraient des éclats de voix et des rires.

Mais ce serait la dernière fois. C'était un miracle que ce mode de vie ait pu durer si longtemps. Kinton était un anachronisme ridicule, peut-être, mais pas plus anachronique que Mabel elle-même. C'était elle qui avait accompli tout ce travail conformément à ses croyances; parce qu'elle savait ce qu'elle voulait; qu'elle était prête à payer le prix. Elle avait transformé l'austère château en un foyer accueillant, l'avait rempli d'enfants et n'avait vu que beauté dans ces pièces glaciales. Elle s'était occupée du jardin, avait promené les chiens, réuni des amis près du feu. A force d'entêtement elle avait réussi à empêcher les tapis usés jusqu'à la trame de se désagréger complètement, les chaudières récalcitrantes de cesser de fonctionner et les murs croulants de s'effondrer. Bref, au long des années, elle s'était montrée intraitable.

Remontant lentement la rampe et passant sous le porche du corps de garde, Tom songea à ce mot : indomptable. Et il songea que Kitty et Mabel avaient décidément beaucoup de points communs. Toutes deux étaient non conformistes au point de passer pour excentriques, et leurs faits et gestes dépassaient l'entendement des êtres ordinaires. Mais elles étaient aussi, en quelque sorte, des survivantes. Et son instinct lui disait qu'elles survivraient toutes les deux. Quoi qu'il arrive.

Il était dans sa chambre devant la coiffeuse et essayait tant bien que mal de faire son nœud papillon – la lumière étant faiblarde – lorsqu'on frappa à la porte.

– Tom.

Il pivota et se trouva face à Mabel. Elle était superbe dans une longue robe marron passée de mode, les diamants de la famille aux oreilles, les perles offertes par Ned pour leur mariage autour du cou. Tom lâcha son nœud papillon.

– Tu es sublime, fit-il du fond du cœur.

Ayant refermé la porte, Mabel s'approcha.

– Tu sais, Tom, je me sens merveilleusement bien. Jeune, prête à m'amuser. Veux-tu que je te donne un coup de main pour ton nœud ? Je faisais toujours celui de Ned, le pauvre. Il n'y arrivait jamais.

Tom, qui était sur le point d'y parvenir, resta sagement debout tandis que Mabel prenait l'affaire en main.

– Voilà, dit-elle en donnant au nœud papillon une chiquenaude en guise de touche finale. Parfait.

Ils restèrent à se regarder, souriants.

– Le moment n'est peut-être pas mal choisi pour te donner ton cadeau, dit-il.

Il alla le chercher sur la coiffeuse. C'était un grand paquet plat, laborieusement enveloppé dans du papier blanc et orné de bolduc doré.

– Oh Tom, tu es un amour. Tu pouvais venir les mains vides. Ta présence suffit à me combler.

Elle emporta le paquet jusqu'au lit, s'y assit et se mit en devoir de défaire l'emballage. Tom vint s'asseoir près d'elle. Le ruban et le papier se défirent ; la gravure ancienne apparut dans son cadre.

– Tom ! Mais c'est Kinton ! Où l'as-tu trouvée ?

– Tout à fait par hasard, chez un antiquaire de Salisbury. Il y en avait deux ou trois. C'était une sorte de lot.

Il se souvenait du plaisir qu'il avait eu à l'acheter, à dénicher un cadeau aussi judicieux pour Mabel.

– Je l'ai rapportée à Londres où je l'ai fait encadrer, poursuivit-il.

Mabel examina la gravure, plissant les yeux parce qu'elle n'avait pas ses lunettes.

– Cette gravure est sûrement très ancienne. Elle a au moins deux cents ans. Comme c'est gentil à toi ! Je l'emporterai avec moi...

– Tu l'emporteras ?

– Oui. (Elle posa la gravure sur le lit et se tourna vers lui.) Je ne voulais pas t'en parler ce soir, mais finalement... c'est bien que tu sois le premier à être au courant. Voilà, je vais quitter Kinton. Je ne m'en sors plus. C'est trop vaste et trop vieux. (Elle éclata de rire.) Comme moi.

– Où iras-tu ?

– Dans une petite maison que j'ai repérée dans la grand-rue du village. Ça fait un moment que je la lorgne. Je la ferai rénover, je ferai mettre le chauffage central et mes chiens et moi nous nous y installerons le plus vite possible pour y passer le reste de notre vie, flanqués d'un côté du charcutier et de l'autre du marchand de journaux.

Tom ne put s'empêcher de sourire.

– Ça ne m'étonne pas. Je suis triste, mais pas surpris. En rentrant ce soir, et en considérant le château, je me suis dit que ça n'allait pas pouvoir durer comme ça très longtemps.

– J'aurais aimé y finir mes jours. Mais tu me vois souffrante et vieille dans cette bâtisse ? Tu imagines les ennuis que je causerais à mes amis et parents en restant là ?

– Tu as encore des années à vivre.

– Je ne suis pas triste, tu sais. Il vient un moment dans la vie où il faut mettre un terme à toute chose. C'est comme quitter une fête quand on s'amuse bien. Et puis, nous avons passé d'excellents moments ici. Cet endroit est si chargé de souvenirs heureux que vraiment, je n'aimerais pas y vieillir et les laisser se gâter.

– Que va devenir Kinton, alors ?

– Aucune idée. Peut-être que quelqu'un l'achètera pour y installer une école ou un hôpital, mais j'en doute. Peut-être que la Caisse des monuments historiques voudra bien s'en occuper. Ou peut-être que ce pauvre château tombera en ruine. Il n'en est pas si loin.

Elle éclata de rire et lui donna affectueusement un petit coup sur le genou. Tom joignit son rire au sien.

– Si tu as des travaux à faire dans ta future maison, pourquoi ne pas demander à Kitty de t'aider ?

– Bien sûr, dit Mabel. Je pensais bien que tu allais me parler d'elle tôt ou tard.

– Son petit cottage... J'étais muet d'admiration. Le travail qu'elle a effectué là-bas dépasse l'entendement.

– Je sais. Elle est têtue comme une bourrique mais je lui tire mon chapeau.

– Elle n'est pas si coriace qu'elle voudrait le faire croire.

– Non. Elle a traversé de sales moments. Après son divorce, je lui ai demandé de venir habiter chez moi avec Crispin mais elle a refusé. Elle a prétendu qu'elle avait besoin de mettre de l'ordre dans ses affaires toute seule.

Elle se tut. Tom, relevant la tête, se trouva face à son regard pensif et inquisiteur.

Sans lui laisser le temps d'ouvrir la bouche, Mabel lui demanda :
– Qu'est-ce que vous avez fait, Kitty et toi, aujourd'hui ?
– On a visité la maison. Déjeuné à Caxford, fait un saut en ville pour un peu de shopping. Je lui ai acheté des assiettes de Spode, bleu et blanc, pour mettre dans son vaisselier. Puis je l'ai ramenée.
– Tu as toujours été très proche de Kitty. Tu étais peut-être le seul à vraiment la comprendre.
– Tu m'as dit une fois que je devrais l'épouser.
– Et tu m'as répondu que ce serait un inceste parce qu'elle était comme une sœur pour toi.
– Et toi, tu as ajouté qu'un jour elle serait belle.
– Et tu m'as dit que tu pouvais attendre.
– J'ai attendu, dit Tom.
Mabel resta assise, se demandant s'il allait en dire davantage. Comme il restait muet, elle se contenta de laisser tomber :
– N'attends pas trop longtemps.
Des profondeurs du château jaillit soudain de la musique. Ils tendirent l'oreille. Par égard sans doute pour la propriétaire des lieux, les jeunes organisateurs de la discothèque avaient pour démarrer la soirée choisi de passer des valses de Strauss. Mabel fut ravie.
– C'est merveilleux ! Mais je croyais, ajouta-t-elle, comme si le système de stéréo sophistiqué était un véritable instrument de musique pour les deux jeunes gens, qu'ils ne pouvaient jouer que du rock and roll.
Tom allait répondre, lorsqu'on frappa de nouveau à la porte.
– Mabel !
– Je suis là, entre.
La porte s'ouvrit lentement et Kitty pointa le bout de son nez. Tom se leva d'un bond.
– Mabel, je te cherche partout. Il faut que tu te dépêches. Les premières voitures arrivent. Il faut que tu sois en bas pour accueillir tes invités.

– Juste ciel ! fit Mabel, se levant du lit, arrangeant son chignon et lissant le devant de sa jupe. Je ne me doutais pas qu'il était si tard. (Elle regarda Kitty.) Tu es là depuis longtemps ?

– Environ cinq minutes. Oh, Mabel, tu as une allure folle ! Mais dépêche-toi, il faut que tu sois là.

– J'arrive, dit Mabel.

Elle prit la gravure, le papier cadeau et le ruban doré. Elle embrassa Tom sur la joue et se dirigea vers la porte, embrassant Kitty au passage, puis disparut, le dos bien droit, ses diamants étincelant à ses oreilles, la dentelle marron de sa jupe frôlant le tapis usé jusqu'à la trame.

De part et d'autre de la pièce, Tom et Kitty se sourirent.

– Mabel n'est pas la seule à avoir une allure folle.

Kitty, dans une robe romantique et féminine, était presque méconnaissable. La robe était en satin blanc et bleu ciel avec une jupe qui ondulait lorsqu'elle bougeait et un décolleté révélant ses épaules délicates et son cou de cygne. Ses épais cheveux blonds encadraient son visage ; et elle portait des perles aux oreilles ainsi qu'une petite montre à l'un de ses poignets minces.

– Où diable as-tu trouvé cette robe ? Elle est exquise.

– C'est une antiquité. Elle date de mes dix-huit ans et de l'époque où maman essayait de faire de moi une débutante.

– Entre et ferme la porte, fit Tom avec un sourire. Je ne suis pas encore prêt mais je n'en ai que pour un instant.

Elle obtempéra et vint s'asseoir sur le lit, là où Mabel s'était assise quelques instants plus tôt. Elle regarda Tom se chausser, prendre sa veste et l'enfiler, mettre dans ses poches argent, clefs et mouchoir.

– Qu'as-tu offert à Mabel pour son anniversaire ?
– Une gravure représentant Kinton. Elle m'a dit qu'elle l'emporterait avec elle.
– Où ça ?
– Dans la petite maison qu'elle va habiter, au village. Elle va quitter le château.
– Je m'en doutais, dit Kitty après un instant.
– Je ne sais pas si j'étais censé te le dire. Tu n'es pas obligée de le répéter.
– Je n'en reviens pas qu'elle ait réussi à supporter tout ça – je veux dire à vivre ici – si longtemps. Je suis... heureuse qu'elle parte malgré tout.
– Moi aussi. C'est mieux de quitter la fête quand elle bat encore son plein. Et elle ne veut pas, en tombant malade ou devenant infirme, être un souci pour ses amis.
– Si jamais elle devient infirme, dit Kitty, je m'occuperai d'elle.
– J'en suis sûr, fit Tom.

D'en bas, la musique continuait de se faire entendre. Mais maintenant, ils percevaient également des bruits de voiture et le brouhaha des voix.
– On devrait descendre pour assister Mabel.
– C'est vrai, fit Kitty.

Elle se leva, lissant sa jupe comme l'avait fait Mabel. Tom lui prit la main et ils sortirent ensemble de la pièce, s'engagèrent dans le long couloir menant à l'escalier.

La musique se faisait de plus en plus audible. Côte à côte, ils descendirent les marches. Alors qu'ils étaient encore dans l'escalier, le salon leur apparut, éclairé à la bougie et au feu de bois, les flammes vacillantes se reflétant sur les douzaines de flûtes à champagne alignées sur une table.

Soudain Tom comprit l'importance de ce moment. Il lui fallait le savourer, le graver dans sa mémoire. S'arrêtant, il retint Kitty.
– Attends.

Elle se tourna vers lui.

– Pourquoi ? Qu'y a-t-il, Tom ?

– Jamais plus il n'y aura d'instant comme celui-ci. Tu le sais, n'est-ce pas ? Alors pourquoi se presser ?

– Que veux-tu qu'on fasse ?

– Le savourer, l'apprécier.

Il s'assit sur l'une des marches de pierre et attira la jeune femme près de lui. Kitty s'assit dans un froufroutement de satin, et passa ses bras autour de ses genoux. Elle souriait à Tom. Il fut persuadé qu'elle comprenait.

Kitty, qu'il avait pratiquement toujours connue et qu'en même temps il n'avait pas assez connue. Elle faisait partie de tout. Partie de cette soirée. Partie de Kinton. Tom regarda autour de lui le plafond peint, la splendeur de la fenêtre cintrée, la courbe parfaite de l'escalier sur lequel ils étaient assis tous les deux. Puis regarda Kitty et tout à coup se sentit empli de joie.

– Quand vas-tu quitter ta caravane pour emménager dans le cottage ?

Kitty se mit à rire.

– Qu'est-ce qu'il y a de si drôle ?

– Toi. Je pensais que tu allais me sortir un compliment ou une phrase romantique.

– Ça, ce sera pour plus tard. Pour le moment, restons pratiques.

– Très bien, comme tu voudras. J'emménage dans deux semaines.

– Je réfléchissais à un truc. Si tu pouvais attendre un mois, ce serait mieux. Je vais avoir quelques jours de vacances. Je pensais les passer en Espagne, mais je préférerais venir te donner un coup de main pour le déménagement. Enfin, si tu es d'accord.

Kitty avait cessé de rire. Ses yeux immenses et très bleus ne cillaient pas.

– Tom, ta pitié, tu peux la garder.

– De la pitié ? Pour une fille comme toi ? Je peux t'admirer, être jaloux de toi, me mettre en colère à cause de toi, mais m'apitoyer sur ton sort, jamais. Pas question.

– Tu ne crois pas qu'on se connaît depuis trop longtemps ?

– Justement, j'ai l'impression qu'on ne se connaît pas, au contraire.

– J'ai Crispin.

– Je sais.

– Si tu venais me donner un coup de main, ce qui me ferait vraiment très, très plaisir, et qu'après ça tu décides de... d'arrêter... je ne veux pas que tu aies l'impression que je suis incapable de vivre seule... d'être indépendante.

– Tu veux que je te dise quelque chose ? Je crois que tu es en train de tout compliquer.

– Tu ne comprends pas.

– Oh si, je comprends parfaitement.

Il lui prit la main et la regarda. Il songea à Mabel et à Kinton. Kinton en ruine, Mabel et les chiens dans une petite maison avec chauffage central, au chaud vraisemblablement pour la première fois de leur vie. Il se souvint de Kitty enfant, dormant sur les remparts par défi, têtue et courageuse. Il songea à son fils allongé dans le lit de la nouvelle maison et regardant par la fenêtre le lever du soleil.

La main de Kitty était tout écorchée, ses ongles abîmés, mais Tom la trouva magnifique. Il la porta à ses lèvres, posa un baiser au creux de la paume et lui replia tout doucement les doigts.

– Pourquoi ? demanda-t-elle.

– Pour la fin, lui dit-il en souriant. Et pour le commencement.

Traduit par Dominique Wattwiller

Gilbert

Demi-sommeil. Sans ouvrir les yeux, il eut conscience de la lumière du soleil et d'une bande de chaleur en travers du lit. Bill Rawlins fut pénétré d'un merveilleux sentiment de contentement et de bien-être. Des pensées plaisantes lui traversèrent l'esprit. C'était dimanche, donc il n'avait pas besoin d'aller travailler. La journée serait belle. Le corps doux et chaud de sa femme reposait près de lui, sa tête nichée dans le creux de son bras. Il était, selon toute probabilité, un des hommes les plus heureux de la terre.

Enorme lit moelleux. Une vieille tante de Bill le lui avait offert comme cadeau de mariage quand il avait épousé Clodagh, deux mois auparavant. Elle lui avait annoncé avec une satisfaction évidente que c'était son lit de femme mariée et pour rendre le cadeau plus présentable, l'avait assorti d'un superbe matelas neuf et de six paires de draps brodés en toile de lin.

C'était à peu près la seule chose qui appartenait à Bill dans la maison, en dehors de son bureau et de ses vêtements. Epouser une veuve entraînait quelques complications ; mais le choix du domicile conjugal s'était imposé de lui-même : il était hors de question que Clodagh et ses deux filles viennent vivre dans le deux-pièces de Bill, et c'était un peu idiot de se lancer dans l'achat d'une nouvelle maison alors que celle-ci convenait parfaitement. Certes, son appartement en ville lui permettait de se rendre à son travail à pied; mais cette maison en pleine campagne et à deux kilomètres du centre avait un grand jardin très reposant. Et puis, comme l'avait fait remarquer Clodagh, c'était le territoire des petites avec ses cachettes secrètes, la balançoire dans le sycomore, la salle de jeux dans le grenier.

Bill n'avait pas besoin qu'on l'en convainque. Cela lui paraissait évident.

– Tu vas t'installer chez Clodagh ? s'exclamèrent ses amis d'un air surpris.

– Pourquoi pas ?

– Un peu gênant, non ? C'est là qu'elle vivait avec son premier mari.

– Oui, et elle y a été très heureuse, ajouta Bill. Et j'espère bien qu'il en sera de même avec moi.

Le mari de Clodagh, le père de ses deux petites filles, s'était tué dans un tragique accident de voiture trois ans auparavant. Bill, qui travaillait et vivait dans le coin depuis quelques années, ne l'avait rencontrée que deux ans plus tard, alors qu'il avait été invité à la dernière minute dans un dîner. Il s'était retrouvé assis près d'une jeune femme mince et distinguée, dont la lourde chevelure blonde était ramenée en chignon sur le haut de la tête.

Il admira tout de suite son visage à l'ossature fine et bien dessinée. Ses yeux étaient graves, sa bouche frémissante. Cette mélancolie émut le cœur de Bill. La nuque fragile, révélée par une coiffure démodée, semblait aussi vulnérable que celle d'un enfant. Il avait quand même réussi à faire rire la jeune femme et quand leurs sourires s'étaient rencontrés il était tombé éperdument amoureux, comme un adolescent.

– Tu vas l'épouser ? avaient demandé ces mêmes amis d'un air étonné. Epouser une veuve, c'est une chose ; épouser une famille déjà constituée, c'en est une autre.

– Moi, j'en suis ravi.

– Tant mieux si tu le crois, mon vieux. Tu as l'habitude des enfants ?

– Non, mais il y a un début à tout.

Clodagh avait trente-trois ans et Bill trente-sept. Célibataire endurci. C'était ainsi qu'on le connaissait. Un homme cordial et bien de sa personne, qui jouait honorablement au golf et se débrouillait au tennis, mais le type même du célibataire endurci. Comment allait-il faire ?

Il avait résolu le problème en traitant les deux petites comme des adultes. Elles s'appelaient Emily et Anna. Emily avait huit ans et Anna six. Elles avaient une façon de le fixer qui, en dépit de sa détermination à ne pas se laisser impressionner, l'irritait. Toutes deux étaient blondes avec de longs cheveux, et possédaient des yeux bleus d'un éclat inhabituel. Ces deux paires d'yeux le surveillaient constamment, le suivaient quand il se déplaçait dans une pièce et ne lui montraient ni hostilité ni affection particulières.

Emily et Anna étaient très polies. A l'époque où Bill courtisait leur mère, il leur offrait de petits cadeaux. Des bonbons, des puzzles, des jeux. Anna, la moins compliquée des deux, les ouvrait tout de suite et manifestait son plaisir par des sourires et un câlin à l'occasion. Mais Emily n'était pas taillée du même bois. Elle remerciait poliment et disparaissait avec son paquet pour aller l'ouvrir sans témoins et juger en privé s'il lui plaisait ou non.

Bill avait réussi une fois à réparer l'Action Man d'Anna – qui n'aimait pas les poupées –, à la suite de quoi ils avaient établi un semblant de relation. Mais Emily n'accordait son affection qu'à ses animaux familiers. Elle en avait trois. Un horrible chat, chasseur féroce qui n'éprouvait aucun état d'âme à voler la nourriture passant à portée de sa patte, un vieil épagneul puant qui revenait crotté après chaque promenade, et un poisson rouge. Le chat s'appelait Breeky, le chien Henry et le poisson rouge Gilbert. Breeky, Henry et Gilbert étaient trois des multiples raisons qui avaient convaincu Bill d'emménager dans la maison de Clodagh. Il ne pouvait imaginer ces trois exigeantes créatures domiciliées ailleurs.

Pour le mariage, Emily et Anna étaient vêtues de robes blanches à rubans roses. Tout le monde les trouva angéliques mais au cours de la cérémonie, Bill sentait leurs prunelles bleues et froides lui vriller la nuque. Quand tout fut terminé, elles jetèrent avec application des poignées de confettis et mangèrent une part de pièce montée avant de s'en aller avec la mère de Clodagh, abandonnant la jeune femme et Bill à leur lune de miel.

Il l'emmena à Marbella. Ce fut un enchantement. Les journées gorgées de soleil se succédaient, ponctuées de fous rires et de confidences. Les nuits étoilées les voyaient faire l'amour bercés par le murmure des vagues, les fenêtres de leur chambre ouvertes sur l'obscurité veloutée.

Puis Clodagh eut hâte de rejoindre ses enfants. Elle était triste en quittant Marbella, mais Bill savait que cela ne l'empêchait pas d'être ravie de rentrer. Quand ils remontèrent l'allée qui conduisait à la maison, Emily et Anna les attendaient avec une banderole proclamant, en lettres d'imprimerie maladroites, qu'ils étaient *Welcome Home*.

Bienvenue à la maison. Maintenant, c'était chez lui. Il remplissait non seulement le rôle d'un mari mais aussi celui d'un père. Quand il se rendait au bureau, il avait deux petites filles sur son siège arrière qu'il débarquait sur le trottoir devant l'école. Le week-end il ne jouait plus au golf mais tondait la pelouse, plantait des laitues et passait son temps à bricoler. Une maison sans homme semble vite à l'abandon et cette maison en était privée depuis trois ans. Bill ne voyait plus la fin des portes qui grinçaient, des grille-pain en panne et des tondeuses récalcitrantes. Dehors, les portails s'effondraient, les clôtures s'affaissaient et les appentis avaient un besoin urgent de créosote.

Sans compter les animaux d'Emily, qui provoquaient toutes sortes de drames et de coups de théâtre. Le chat s'évanouissait dans la nature pendant trois jours et était donné pour mort, puis il réapparaissait avec une oreille déchirée et une horrible blessure au flanc. À peine l'avait-on emmené en urgence chez le vétérinaire que le vieux chien mangeait quelque chose d'innommable et était malade pendant quatre jours, couché dans son panier, fixant Bill de ses yeux sanguinolents et pleins de reproche, comme s'il y était pour quelque chose. Seul Gilbert, le poisson rouge, affichait une santé insolente, tournant sans fin dans son bocal ; mais aussi nécessitait une attention constante : il fallait nettoyer le bocal et lui acheter une nourriture spéciale dans une boutique pour animaux.

Bill faisait de son mieux, s'appliquait à rester aimable et patient. Quand des crises et des bagarres éclataient – qui se concluaient généralement par des « C'est pas juste ! » accompagnés d'une porte qui claquait à faire trembler les murs –, il laissait le champ libre à Clodagh, terrifié à l'idée d'être impliqué dans la dispute et de ne pas se montrer à la hauteur.

– De quoi s'agissait-il ? demandait-il ensuite à une Clodagh exaspérée, amusée ou épuisée mais toujours indulgente.

Et elle essayait de le lui expliquer, mais ne parvenait jamais au bout de ses explications. Car il la prenait dans ses bras et il est très difficile de parler à quelqu'un et de l'embrasser en même temps. Il était littéralement ébahi de découvrir que malgré ces hauts et ces bas domestiques, la magie de Marbella continuait d'opérer. Chaque jour les voyait plus heureux et il aimait sa femme de tout son cœur.

Et maintenant on était dimanche matin. Soleil tiède, lit tiède, femme tiède. Il tourna la tête et enfouit son visage dans son cou, respira sa chevelure soyeuse et parfumée. Soudain, une note dissonante résonna dans sa tête. On l'observait. Il se retourna et ouvrit les yeux.

Emily et Anna se tenaient là en chemise de nuit, leurs longs cheveux ébouriffés, assises sur le montant en cuivre du lit, et elles l'observaient. Huit et six ans. Sûrement trop jeunes pour les cours d'éducation sexuelle à l'école. Du moins il l'espérait.

– Salut.

– On a faim, dit Anna.

– Il est quelle heure ?

La petite fit des yeux ronds.

– Je sais pas.

Bill tendit la main vers sa montre.

– Il est huit heures.

– On est réveillées depuis un bout de temps et on meurt de faim.

– Votre mère dort encore. Je vais vous préparer le petit déjeuner.

Elles ne bougèrent pas d'un pouce.

Il dégagea son bras qui soutenait Clodagh et s'assit. En découvrant sa nudité, leurs visages exprimèrent la réprobation.

– Vous allez vous habiller et vous laver les dents, et dès que vous aurez terminé votre toilette, le petit déjeuner vous attendra sur la table de la cuisine.

Elles sortirent de la pièce, accompagnées du petit bruit de leurs pieds nus sur le parquet ciré.

Quand Bill fut certain d'être seul, il se leva, enfila sa robe de chambre, sortit en refermant doucement la porte derrière lui et descendit à la cuisine. Henry ronflait dans son panier. Bill le réveilla du bout du pied et le vieux chien bâilla, se gratta énergiquement et daigna enfin sortir de sa couche. Bill l'escorta jusqu'à la porte de derrière et Henry sortit dans le jardin en trottinant. C'est alors que Breeky apparut comme par enchantement, plus félin et cabossé que jamais, fila entre les jambes de Bill et entra dans la cuisine. Il tenait dans sa gueule une grosse souris morte qu'il lâcha au beau milieu de la pièce avec l'intention de la dévorer à belles dents.

Il était trop tôt pour une telle scène de cannibalisme. Au péril de sa vie, Bill s'empara de la souris et la jeta dans la poubelle sous l'évier. Furieux, Breeky poussa des miaulements indignés que Bill dut calmer avec une soucoupe de lait. Breeky s'empressa d'en mettre partout et dès qu'il eut terminé, il sauta sur l'appui de la fenêtre, plissa ses yeux jaunes et entreprit une petite toilette.

Bill essuya le lait sur le lino, alluma sous la bouilloire et sortit la poêle, le bacon et les œufs. Il glissa du pain dans le grille-pain et mit le couvert sur la table en bois clair. Comme les filles n'étaient pas réapparues, il retourna s'habiller. Alors qu'il enfilait une vieille chemise en coton, il les entendit descendre à la cuisine en bavardant de leurs voix haut perchées. Elles avaient l'air très contentes mais un instant plus tard, firent entendre un hurlement de désespoir qui lui glaça le cœur.

Il se précipita sur le palier, sa chemise à moitié boutonnée.

– Que se passe-t-il ?

Nouveau hurlement. Il fonça jusqu'à la cuisine, imaginant le pire. Emily et Anna avaient les yeux rivés sur le bocal du poisson. Les yeux d'Anna étaient remplis de larmes mais Emily semblait trop choquée pour pleurer.

– Que se passe-t-il ?
– C'est *Gilbert* !
Bill les rejoignit et regarda le bocal. Un œil sans vie tourné vers la surface, le poisson rouge flottait entre deux eaux.
– Il est mort, dit Emily.
– Tu en es sûre ?
– Oui.
Il avait bien l'air mort.
– Peut-être qu'il dort ? suggéra Bill sans y croire.
– Non. Il est mort. Il est *mort*.
Sur ce, les deux petites éclatèrent en sanglots déchirants. Bill offrit un bras à chacune d'elles pour les consoler. Anna enfonça sa figure dans son ventre, les bras agrippés à sa cuisse, mais Emily se tenait toute droite, secouée par les sanglots, ses petits bras croisés sur sa poitrine osseuse, comme pour s'empêcher de s'effondrer.
C'était terrible. La première pensée de Bill fut de se libérer pour se précipiter au pied de l'escalier et appeler à l'aide. Clodagh saurait certainement quoi faire...
Et puis il réfléchit. Il tenait l'occasion de prouver de quoi il était capable et de vaincre leurs défenses. Il se débrouillerait seul et gagnerait leur confiance.
Il parvint enfin à les calmer. Il trouva une serviette de table propre qui servit de mouchoir et les fit asseoir sur des chaises, l'une à sa droite et l'autre à sa gauche.
– Ecoutez-moi.
– Il est mort. Gilbert est mort.
– Oui, je sais, il est mort. Mais quand des gens ou des animaux familiers que nous aimons meurent, on leur fait un enterrement décent, on leur organise de belles funérailles. Pourquoi n'allez-vous pas dans le jardin pour y chercher un endroit tranquille où vous pourrez creuser un joli

trou ? Et moi je vous trouverai une vieille boîte de cigares qui servira de cercueil à Gilbert. Et vous tresserez des guirlandes de fleurs pour les déposer sur sa tombe ; vous pourriez peut-être même y planter une petite croix.

Les larmes n'avaient pas encore séché sur leurs joues que déjà un intérêt intense se lisait dans leurs deux paires d'yeux bleus plus attentifs que jamais. Cette cérémonie funèbre les captivait et elles lui trouvaient de plus en plus de charme.

– Quand Mme Donkins est morte, au village, le chapeau de sa fille avait un voile noir, se souvint Emily.

– Votre mère pourrait vous trouver ça.

– Il y en a un dans la boîte à déguisements.

– Eh bien voilà, tu n'auras qu'à le porter.

– Et moi, qu'est-ce que je vais mettre ? s'inquiéta Anna.

– Je suis sûre que maman te trouvera quelque chose.

– Je veux faire la croix.

– Non, c'est moi.

– Mais...

– Première chose, repérer l'endroit, dit Bill très vite. Filez pendant que je prépare le petit déjeuner. Ensuite...

Mais elles n'écoutaient déjà plus, elles s'étaient précipitées vers la porte de derrière. Au dernier moment, Emily s'arrêta.

– Nous avons besoin d'une bêche, dit-elle d'un ton très pragmatique.

– Vous trouverez une truelle dans la cabane à outils.

Elles s'éclipsèrent dans le jardin, débordantes d'enthousiasme, tout chagrin envolé à l'idée d'un véritable enterrement comme pour les grands, avec des voilettes noires à leurs chapeaux. Bill les regarda s'éloigner, en proie à des sentiments mitigés. Cette scène lui avait aiguisé l'appétit. Il retourna à la cuisinière et mit le bacon à frire avec le sourire aux lèvres.

Des pas légers lui parvinrent de l'escalier et sa femme apparut dans l'embrasure de la porte, une robe de chambre en voile de coton attachée négligemment sur sa chemise de nuit. Ses cheveux lui tombaient sur les épaules, ses pieds étaient nus et ses yeux gonflés de sommeil.

– Qu'est-ce que c'était que toute cette agitation ? demanda-t-elle en étouffant un bâillement.

– Bonjour, ma chérie. On t'a réveillée ?

– J'ai cru entendre des pleurs et des grincements de dents.

– Emily et Anna. Gilbert est mort.

– Gilbert ? C'est pas possible !

Il alla l'embrasser.

– Je crains qu'il ne faille se résigner.

– Oh, pauvre Emily.

Elle le repoussa.

– Il est vraiment mort ?

– Regarde toi-même.

Clodagh se dirigea vers le bocal et y jeta un coup d'œil.

– Mais enfin, *pourquoi* ?

– Je n'en sais rien. J'ignore tout des poissons rouges. Peut-être a-t-il mangé quelque chose qui l'a contrarié ?

– Ce n'est pas une raison pour mourir, là comme ça.

– Tu connais beaucoup mieux les poissons rouges que moi.

– A l'âge d'Anna, j'avais deux poissons rouges. Ils s'appelaient Sambo et Goldy.

– Très original.

Ils observèrent en silence Gilbert, inanimé.

Puis Clodagh dit d'une voix songeuse :

– Je me souviens qu'une fois, Goldy s'était comporté exactement de la même façon. Mon père lui avait alors donné une goutte de whisky et il avait recommencé à nager en rond. Et puis quand les poissons sont morts, ils flottent à la surface.

Bill ne prêta aucune attention à cette dernière remarque.

– Une goutte de *whisky* ? dit-il.

– Est-ce que tu en as ?

– Oui. Une excellente bouteille que je garde pour mes meilleurs amis. Je suppose que Gilbert en fait partie, et si tu veux, tu peux essayer. Mais enfin, verser du whisky sur un poisson mort me semble un peu vain. C'est un peu comme donner des perles à un cochon.

Clodagh ne répondit rien. Elle retroussa une de ses manches, plongea la main dans le bocal et effleura la queue de Gilbert. Rien. C'était sans espoir. Bill retourna vers la poêle où grésillait le bacon. Peut-être était-il un peu radin en ce qui concernait le whisky.

– Si tu veux, tu peux...

Il n'eut pas le temps de terminer.

– Il a bougé la queue !

– Ah bon ?

– Il va très bien. Il nage... oh ! chéri, regarde.

Effectivement, Gilbert nageait. Il s'était redressé, avait secoué ses petites nageoires dorées et était reparti avec la régularité d'une horloge.

– Clodagh, tu as fait un miracle. Regarde-le.

Au passage, le regard de Gilbert croisa celui de Bill qui eut un mouvement de mauvaise humeur.

– Crétin de poisson rouge, me faire une peur pareille.

Puis il sourit, sincèrement soulagé.

– Emily sera ravie.

– Où est-elle ?

Il se rappela l'enterrement.

– Dans le jardin avec Anna.

Pour une raison ou pour une autre, il ne dit rien à Clodagh de leurs projets. Il demeura muet sur leurs occupations.

Leur mère sourit.

– Maintenant que ce petit problème est résolu, je vais prendre un bain. Je te laisse leur annoncer la bonne nouvelle.

Elle lui envoya un baiser et monta à l'étage.

Quelques minutes plus tard, alors que le bacon était en train de frire et que le café passait, les deux petites firent irruption par la porte de derrière, folles d'excitation.

– Bill, on a trouvé un endroit formidable, sous le rosier, dans le parterre de maman, et on a creusé un gros trou...

– Et on a fait une couronne de marguerites...

– Et on a trouvé deux bouts de branches mais j'aurais besoin d'une ficelle ou d'un clou pour les faire tenir ensemble...

– Et on va chanter un *hymne*.

– Oui, on va chanter « Tout sera beau et lumineux ».

– Et on a pensé...

– Non, c'est *moi* qui lui raconte...

– On a *pensé*...

– Ecoutez, les filles.

Il dut élever la voix avant d'obtenir enfin le silence.

– Ecoutez-moi une minute. Regardez.

Il les conduisit vers le bocal.

– Regardez !

Et elles virent Gilbert qui nageait sans but, comme d'habitude, agitant sa queue translucide et fragile, ses yeux ronds à peine plus vifs que lorsqu'il était présumé mort.

Il y eut un instant de profond silence.

– Vous voyez ? Il n'était pas mort. Juste un coup de barre. Maman l'a chatouillé un peu et ça lui a remis les idées en place.

Le silence se prolongeait.

– C'est pas formidable ?

Il avait conscience que son enthousiasme semblait un peu forcé. Les petites ne pipaient mot. Bill attendit. Finalement, ce fut Emily qui prit la parole.

– On n'a qu'à le tuer, dit-elle.

Il fut partagé entre l'hilarité et l'épouvante, hésitant un dixième de seconde entre la claque et les hurlements de rire. Puis il fit un effort surhumain sur lui-même et ne céda à aucune de ces deux tentations. Il y eut un lourd silence avant qu'il ne déclare, avec un calme olympien :

– Oh, je ne pense pas que ce soit la solution.

– Pourquoi ?

– Parce que... c'est mal de tuer une créature vivante.

– Et pourquoi ?

– C'est un don de Dieu. C'est sacré.

En prononçant ces paroles il se sentit légèrement mal à l'aise. Bien qu'il eût épousé Clodagh à l'église, Dieu n'était pas intervenu dans sa vie quotidienne depuis de nombreuses années, et maintenant il se sentait vaguement coupable, comme s'il invoquait en vain le nom d'un ami.

– C'est mal de tuer, même s'il ne s'agit que d'un poisson rouge. Et puis tu aimes Gilbert. Il est à toi. On ne peut pas tuer ce que l'on aime.

Emily fit la moue.

– Je veux l'enterrement. Tu avais promis.

– D'accord, mais on va enterrer quelqu'un d'autre. Pas Gilbert.

– Hein ? Mais alors qui ?

Anna connaissait bien sa sœur.

– Pas mon Action Man, précisa-t-elle d'une voix ferme.

– Non, bien sûr, pas ton Action Man.

Bill se creusait la tête pour trouver une idée et fut pris d'une inspiration subite.

– Une souris. Une pauvre souris morte. Regardez...

Tel un prestidigitateur, il appuya avec l'orteil sur le bouton qui actionnait le couvercle de la poubelle et fit apparaître avec un grand geste du bras le trophée de chasse de Breeky, un petit corps raide qu'il tenait par la queue.

– Breeky l'a amenée ce matin et je la lui ai enlevée. Vous ne voudriez tout de même pas que cette pauvre vieille souris finisse dans une poubelle ? Je pense qu'une petite cérémonie serait la bienvenue, non ?

Les deux petites fixaient l'offrande.

– Et on pourra la mettre dans la boîte à cigares, comme tu nous l'avais promis ? demanda Emily.

– Bien sûr.

– Et chanter des hymnes et tout et tout ?

– Mais oui. Toutes les Créatures Grandes et Petites. On ne trouvera rien de plus petit que ça.

Il prit une serviette en papier, la mit sur le vaisselier et y déposa délicatement le corps de la souris. Puis il se lava les mains, les sécha et se tourna vers les petites.

– Alors ?

– On peut y aller tout de suite ?

– On mange d'abord. Je meurs de faim.

Anna alla aussitôt s'asseoir. Emily traîna encore un peu pour s'assurer que Gilbert allait bien. Elle écrasa son nez sur le bocal et suivit ses circonvolutions du doigt. Bill attendait patiemment. Elle se tourna vers lui. Ils échangèrent un long regard muet.

– Je suis contente qu'il ne soit pas mort.

– Moi aussi.

Il sourit. Elle sourit à son tour. Il lui trouva tout à coup une telle ressemblance avec sa mère que sans y penser il lui ouvrit les bras. Elle vint à lui et ils s'étreignirent sans un mot. Les mots étaient inutiles. Il se pencha, l'embrassa sur les cheveux et elle ne gigota pas, n'essaya pas de se libérer de cette étreinte timide.

– Tu sais, Emily, tu es une gentille petite fille.
– Toi aussi, tu es gentil.

Son cœur se remplit de gratitude. Grâce à Dieu il n'avait pas commis d'impair. C'était un début. Juste un début.

– Très, très gentil, insista Emily.

Très, très gentil. Dans ce cas, peut-être avait-il déjà accompli la moitié du chemin. Heureux et soulagé, il la serra fort et ils purent enfin prendre place autour de la table du petit déjeuner, heureux prélude aux funérailles de la souris.

Traduit par Hélène Prouteau

Jonquilles sous la pluie

Avançant au milieu du brouillard et d'un vent d'est glacial, l'autocar, après de multiples arrêts, attaqua enfin la dernière côte avant le village. Nous avions quitté Relkirk une heure plus tôt et tandis que la route en zigzag serpentait à travers les collines, le temps s'était gâté ; voilé mais encore sec en début d'après-midi, il était à présent franchement pluvieux.

– Un temps à pas mettre le nez dehors, dit le chauffeur en faisant payer son billet à une solide campagnarde qui portait deux sacs pleins d'achats effectués le matin même.

Son accent me ramena brusquement en arrière ; j'étais de retour chez moi.

Je frottai la vitre embuée par la condensation et regardai dehors, pleine d'espoir. J'aperçus des murs de pierre, les formes floues des bouleaux blancs et des mélèzes. De petites routes latérales menaient à des fermes invisibles, cachées par la brume. Mais maintenant je reconnaissais la route et je savais que nous n'allions pas tarder à traverser le pont et à nous engager dans la rue principale du village.

– Excusez-moi, dis-je à l'homme assis à côté de moi. Je descends au prochain arrêt.

Il quitta son siège et resta debout dans le couloir pour me laisser passer.

– Oh ! là là ! dit-il. On ne peut pas dire qu'il fasse beau.

– Non. C'est horrible.

Je me dirigeai vers l'avant du car. Nous traversâmes le pont et, l'instant d'après, le car s'arrêta le long du trottoir en face de la boutique de Mme McLaren.

Effie McLaren
Grand Magasin de Lachlan
Bureau de poste

annonçait l'enseigne au-dessus de la porte qui, aussi loin que je m'en souvienne, avait toujours été la même. La porte du car s'ouvrit. Je remerciai le chauffeur et descendis avec deux autres passagers. Nous nous dîmes encore, tous les trois, que c'était vraiment une journée épouvantable.

Ils partirent chacun de leur côté et je restai là, debout sur le trottoir à côté de l'arrêt du bus. J'attendis que le car ait démarré et que le bruit grinçant de son moteur se soit éteint après qu'il eut disparu derrière le tournant en haut de la côte. Le silence me révéla alors d'autres bruits. Le clapotis de la rivière. Le bêlement de moutons que je ne voyais pas. Le murmure du vent dans les pins à flanc de coteau. Des sons agréablement familiers. Qui demeuraient inchangés.

Mes trois frères et moi étions venus pour la première fois à Lachlan avec nos parents pendant les vacances de Pâques, alors que j'avais dix ans. Ensuite, nous y étions revenus tous les ans. Nous habitions Edimbourg où mon père était professeur. Mes parents aimaient pêcher et louaient chaque année le même petit cottage à Mme Farquhar, qui vivait elle dans ce que tout le monde s'accordait à appeler la « Grande Maison ».

Nous passions là de merveilleux moments. Pendant que mon père et ma mère étaient assis près de la rivière, ou passaient leur temps dans un bateau au milieu du loch, nous, les enfants, étions livrés à nous-mêmes. Nous courions dans les collines couvertes de bruyères, nagions dans les étangs glacés, pêchions la truite à la main ou, havresac au dos, marchions jusqu'à un site touristique éloigné. Nous étions aussi plongés dans la vie du village. Le dimanche matin, mon père jouait parfois de l'harmonium à l'église presbytérienne. On demanda à ma mère de faire une démonstration de ouatinage à l'italienne devant les femmes du Foyer rural. Mes frères et moi participions aux sorties ou aux concerts de l'école.

Mais le plus beau de tout – ce qui rendait particulièrement fascinants nos séjours annuels – c'était l'hospitalité sans bornes de Mme Farquhar. Veuve d'un certain âge, elle aimait les gens et s'entourait toujours d'amis, d'enfants, de neveux et nièces, parfois d'un ou deux filleuls, qui séjournaient chez elle.

Plus son petit-fils, le seul fils de son fils unique.

Dès le début, nous nous trouvâmes associés à tous les passe-temps, qu'il s'agisse d'une partie de tennis, d'un thé, d'un jeu de piste ou d'un pique-nique. Je me souviens que la porte d'entrée de la Grande Maison était toujours ouverte ; la table mise dans la salle à manger pour le prochain repas qui ne manquerait pas d'être plantureux ; le feu toujours allumé dans le salon, avec ses flammes accueillantes. Je ne peux pas voir de jonquilles sans penser aussitôt à la Grande Maison de Lachlan à Pâques. Elles poussaient à foison dans le jardin non entretenu et la maison était pleine de bouquets qui embaumaient les pièces de leur parfum entêtant.

Quand j'avais téléphoné à ma mère pour lui annoncer que je partais travailler un mois à Relkirk, elle m'avait aussitôt dit :

– Je me demande si tu pourras aller à Lachlan.

– Je suis sûre qu'ils me donneront une journée de congé. Il faudra bien qu'ils me libèrent de temps en temps, sinon je vais flancher. Je pourrai toujours prendre le car et faire un petit tour là-bas. J'en profiterai pour rendre visite à Mme Farquhar.

– Oui... avait répondu ma mère, qui semblait en douter.

– Pourquoi ne pourrais-je pas aller la voir ? Tu crois qu'elle ne se souviendra plus de nous ?

– Bien sûr que si, ma chérie. Ta visite lui ferait certainement très plaisir. Seulement, je ne pense pas qu'elle aille très bien... J'ai entendu dire qu'elle avait eu une attaque, ou un infarctus. Mais sa santé s'est peut-être améliorée maintenant. De toute façon, tu peux toujours téléphoner avant.

Mais je n'avais pas téléphoné. À la faveur d'un jour de congé, je m'étais contentée de prendre le car à Relkirk. Et maintenant, je me retrouvais à Lachlan, immobile sous la pluie battante, comme si j'avais perdu la tête, et déjà trempée. Je traversai le trottoir et entrai à la poste. La cloche placée au-dessus de la porte tinta ; je fus accueillie par l'odeur familière de paraffine mélangée à celle des oranges, des clous de girofle et des sucreries.

Le magasin était vide. Comme toujours. Il n'y avait jamais personne sauf lorsque quelques clients s'y aventuraient pour acheter du chocolat ou des timbres, des boîtes de pêche ou encore du fil. Mme McLaren préférait passer ses journées dans l'arrière-boutique, derrière le rideau de perles, où elle buvait du thé et parlait à son chat. Je l'entendis lui demander : « Alors, Tiddle, qui cela peut-il être ? » Il y eut quelques pas traînants et elle apparut derrière le rideau de perles, vêtue d'une blouse à fleurs et coiffée d'un béret brun enfoncé jusqu'aux sourcils. Nous l'avions toujours vue portant ce béret. Et mon frère Roger soutenait qu'elle n'avait pas de cheveux dessous, qu'elle était aussi chauve que Kojak.

– Quel temps épouvantable nous avons aujourd'hui ! Que puis-je faire pour vous ?

– Bonjour, madame McLaren.

Debout derrière son comptoir, elle m'examina en fronçant les sourcils. Je retirai mon chapeau en laine et laissai mes cheveux reprendre leur place. Aussitôt, elle me reconnut. Sa bouche s'ouvrit de plaisir et elle leva les mains pour bien marquer son étonnement.

– Lavinia Hunter ! Quelle surprise ! Comme tu as grandi ! Cela fait combien de temps que tu es venue ici pour la dernière fois ?

– Cela doit faire cinq ans.

– Vous nous avez manqué, tous autant que vous êtes.

– Nous aussi, nous avons regretté Lachlan. Mais mon père est mort et ma mère est partie vivre dans le Gloucestershire, près de sa sœur. Quant à mes frères, ils habitent maintenant aux quatre coins du globe.

– Je suis navrée d'apprendre le décès de ton père. C'était un homme bien... Et toi, que deviens-tu ?

– Je suis infirmière.

– C'est formidable. Dans un hôpital ?

– Non. J'ai commencé dans un hôpital, mais maintenant je travaille à mon compte. Je suis dans une famille de Relkirk, pour un mois, je m'occupe d'un bébé qui vient de naître et de deux enfants plus âgés. Je serais bien venue vous voir avant mais je n'avais pas beaucoup de temps libre.

– Tu dois être très occupée.

– Oui. Mais je tenais à revoir Mme Farquhar.

– Oh... (L'expression de gaieté de Mme McLaren fit place à de la tristesse.) Pauvre Mme Farquhar... Elle a eu une légère attaque et, depuis, elle décline. Sa maison n'est plus la même, rien à voir avec l'ambiance d'avant quand vous étiez tous là pour les vacances. Il n'y a plus que la vieille dame couchée là-haut à l'étage et deux infirmières, une pour la journée, l'autre pour la nuit. Mary et Sandy Reekie sont toujours là. Elle s'occupe de la cuisine et lui, du jardin. Mais Mary m'a dit que ça lui donnait la chair de poule de cuisiner pour ces deux infirmières alors que cette pauvre Mme Farquhar mange à peine une tasse de nourriture pour bébé.

– Comme c'est triste ! Vous pensez que dans ces conditions, ça ne rime à rien d'aller la voir ?

– Pourquoi ? Elle a peut-être passé une bonne journée, et qui sait si ça ne lui fera pas du bien de voir un jeune visage enjoué ?

– Plus personne ne séjourne dans la maison ?

Quelle tristesse de songer que la Grande Maison était devenue aussi lugubre !

– A quoi cela servirait-il ? Mary Reekie m'a dit que la seule personne que Mme Farquhar aimerait voir, c'est Rory. Elle en a aussi parlé au pasteur et il lui a écrit. Mais Rory habite aux Etats-Unis, et je ne sais pas s'il a répondu à la lettre du pasteur.

Rory. Le petit-fils de Mme Farquhar. Qu'est-ce qui avait poussé Mme McLaren à prononcer son nom ? Je la regardai par-dessus le comptoir et essayai de déceler une lueur de cette intuition mystérieuse dont sont coutumiers les natifs des Highlands. Mais ses yeux clairs n'exprimaient aucune arrière-pensée et son regard demeurait impassible. Je me dis qu'elle ne pouvait pas deviner que les battements de mon cœur s'étaient accélérés à la seule mention de ce nom. Rory Farquhar. J'avais toujours pensé à lui en tant que « Rory » et c'est de cette façon que je le désignerai mais, en réalité, l'inconséquence du gaélique voulait que son nom s'épelle : R-u-a-r-a-i-d-h.

J'étais tombée amoureuse de Rory au cours d'un inoubliable printemps ensoleillé alors que j'avais seize ans et lui, vingt-deux. Jamais encore je n'avais été amoureuse et cela avait eu pour effet de me rendre non pas rêveuse mais extrêmement sensible à ce qui m'entourait. Des choses qu'auparavant je n'aurais pas remarquées devenaient soudain belles : les fleurs et les arbres, les meubles et la vaisselle de la Grande Maison, le feu qui crépitait dans la cheminée – tout était touché par la magie ensorcelante de la nouveauté comme si jamais encore je n'avais connu ces objets ordinaires.

Au cours de ce printemps, il y avait eu de nombreux pique-niques, des baignades dans le loch et des parties de tennis, mais les plus beaux moments étaient ceux où nous ne faisions rien et apprenions à nous connaître. Rester étendus sur la pelouse devant la Grande Maison, regarder quelqu'un pêcher au lancer avec un brin de laine de mouton au lieu d'une mouche pour lester sa ligne. Ou alors aller à pied chercher le lait à la ferme et aider la femme du fermier qui nourrissait au biberon un agneau abandonné, installé près de la cheminée.

A la fin de ces vacances, Mme Farquhar organisa une petite fête. Après avoir retiré les meubles de la vieille salle de billard, nous installâmes un tourne-disque et dansâmes des *reels*, les fameuses danses écossaises. Rory portait son kilt et une vieille chemise kaki qui avait appartenu à son père. Il me montra les pas et me fit tournoyer jusqu'à ce que je ne puisse plus respirer. Ce fut à la fin de cette soirée qu'il m'embrassa mais cela ne voulait pas dire grand-chose car, le lendemain matin, il devait repartir à Londres et je n'ai jamais su si c'était un baiser d'adieu ou une marque d'affection.

Après son départ, je vécus dans un monde imaginaire où je recevais des lettres et des coups de fil de lui et où il se rendait compte qu'il ne pouvait pas vivre sans moi. En réalité, il commença à travailler à Londres dans l'entreprise de son père et ne revint pas à Lachlan pour Pâques. Quand il prenait quelques jours de congé au printemps, Mme Farquhar m'expliquait qu'il était parti au ski et je l'imaginais entouré de filles riches et élégantes, avec des tenues de ski époustouflantes, ce qui me rendait malade de jalousie.

Je volai un jour une photo de Rory dans un vieil album qui se trouvait sur un des rayonnages de la bibliothèque de Mme Farquhar. Ce n'était pas à proprement parler du vol, car la photo s'était échappée de cet album défraîchi. Je la mis dans ma poche, et, plus tard, entre les pages de mon journal intime. Je l'ai toujours conservée bien que je n'aie jamais revu Rory et n'aie plus rien su de lui quand nous cessâmes d'aller à Lachlan après la mort de mon père.

Et maintenant que Mme McLaren venait de prononcer son nom, je revoyais le jeune Rory avec son kilt usé, son visage bronzé et ses cheveux noirs.

– Que fait-il aux Etats-Unis ? demandai-je.

– Il travaille à New York, dans je ne sais trop quelle branche. Lui aussi, il a perdu son père, tu sais.

– Je suppose qu'il est marié et qu'il a des tas d'enfants.

– Non, non. Rory ne s'est jamais marié.

Nous discutâmes encore un peu, puis j'achetai du chocolat, lui dis au revoir et, après avoir quitté sa boutique, pris la direction de la Grande Maison. J'ouvris l'emballage du chocolat et en croquai un morceau. Mangé comme ça, en plein air, il avait exactement le même goût que dans mon souvenir.

« Je vais juste aller voir, me dis-je. Je sonnerai à la porte et si l'infirmière m'envoie promener, tant pis. »

Une femme descendait la rue et venait à ma rencontre. Elle tenait un panier à provisions et portait l'uniforme des femmes de la campagne : écharpe sur la tête, jupe en tweed et veste sans manches molletonnée d'un horrible vert boueux.

J'étais en train de me dire : « Je ne peux pas avoir fait tout ce chemin sans essayer de voir Mme Farquhar », quand la femme s'arrêta à ma hauteur.

– Lavinia, dit-elle.

Je m'arrêtai moi aussi. Il était écrit qu'aujourd'hui tout le monde me reconnaîtrait !

– Bonjour, madame Felham, répondis-je à contrecœur.

Il *fallait* que je rencontre Stella Felham, la seule femme du village que ma mère n'avait jamais réussi à aimer. Le mari de Stella était avocat et ils avaient fait construire une maison à Lachlan où ils s'étaient installés à demeure après leur retraite. Lui était fou de pêche et disait toujours « Bonne pêche ! » au lieu de « A votre santé » quand il buvait un verre. Stella, quant à elle, dépensait une énergie considérable et la majeure partie de son temps à embrigader les femmes du village afin qu'elles assistent à des conférences philosophiques ou organisent des ventes de charité. Les dames du village acceptaient poliment mais, malgré l'enthousiasme de Stella, ces ventes ne rapportaient jamais beaucoup d'argent. Elle s'étonnait de ce peu de succès et les habitantes de Lachlan étaient trop gentilles pour lui en expliquer la raison.

– Quelle surprise ! s'exclama-t-elle. J'ai du mal à le croire. Que diable fais-tu ici ?

Je lui répétai ce que j'avais dit à Mme McLaren.

– Mais, ma chère, il faut absolument que tu passes à la maison. Lionel serait tellement heureux de te revoir. *(Bonne pêche !)* Aujourd'hui, il s'ennuie à mourir. Il devait aller pêcher, mais la sortie a été annulée.

– C'est très gentil de votre part, répondis-je, mais je comptais aller rendre visite à Mme Farquhar.

– Mme Farquhar ! (Sa voix monta d'une octave.) Mais personne ne t'a rien dit ? Elle est mourante.

Je l'aurais giflée avec grand plaisir.

– Elle a eu une attaque épouvantable il y a deux mois. Et depuis, ma chère, elle a besoin de deux infirmières. Ça ne sert à rien d'aller la voir, c'est un vrai légume. Nous avons fait tout ce que nous avons pu, bien entendu, mais je crains qu'une visite amicale soit une perte de temps. Quelle tristesse quand on pense à quel point elle était merveilleuse, et à tout ce qu'elle a fait pour le village. Et aussi pour Rory – qui reste bien tranquillement à New York et n'est jamais venu la voir. Alors qu'on se doute bien qu'il va hériter de la maison...

Je ne voulais pas que quiconque me parle de Rory, et surtout pas Stella Felham.

– Je suis désolée, dis-je. Il faut que je me remette en route. Sinon, je risque de rater le dernier car pour Relkirk.

– Tu vas quand même à la Grande Maison ? demanda Stella comme si je la bravais volontairement.

– Oui.

– Ça te regarde. Mais si tu as un moment avant de reprendre le car, profites-en pour faire un saut chez nous. Lionel t'offrira un verre.

– C'est très aimable...

Je repris ma route, la laissant sur le trottoir en train de me regarder comme si j'étais folle à lier. Ce qui était sans doute le cas.

Je ne pouvais pas imaginer que Rory reste « tranquillement » à New York alors que sa grand-mère était malade. S'il n'avait pas répondu à la lettre du pasteur et n'était pas venu à Lachlan, il devait y avoir une bonne raison. Je me mis à marcher d'un bon pas en direction de la crête de la colline, empruntant l'étroit sentier qui menait à la Grande Maison. Le portail de la propriété, visible malgré le brouillard, était grand ouvert. Au lieu d'emprunter l'allée principale, je coupai à travers le jardin non entretenu et couvert de jonquilles. Elles étaient encore en bouton et leurs corolles étaient fermées pour se protéger de la pluie. Je m'engageai sous les arbres et ouvris la haute barrière de l'enclos des biches. Je vis alors, tout au bout, des azalées et des rhododendrons, puis la pelouse qui montait jusqu'à la terrasse couverte de gravier.

La maison m'apparut à travers le brouillard. C'était une vieille bâtisse en pierres rouges plutôt laide, flanquée d'un côté par une serre, avec, au-dessus de la porte d'entrée, une tourelle en forme de poivrière. La porte extérieure était ouverte et, après avoir traversé la pelouse et la terrasse, je me dirigeai vers le porche et sonnai. Alors que la cloche résonnait encore au fond de la maison, j'ouvris la porte intérieure vitrée et entrai.

Le vestibule était très calme et parfaitement rangé. Pas de fleurs sur la table, pas de chien en train d'aboyer, aucune voix d'enfant pour troubler le silence. La pièce sentait le pin et l'encaustique et il y avait aussi une légère odeur de désinfectant que je remarquai aussitôt car elle me rappela l'hôpital. Debout au centre du vestibule, j'enlevai mon chapeau et jetai un coup d'œil à l'escalier.

– Il y a quelqu'un ? demandai-je, le moins fort possible.

Le silence fut rompu par des pas dans le couloir à l'étage supérieur. Non pas la démarche pressée d'une infirmière marchant sur des semelles en caoutchouc, mais des pas lourds et masculins. « Sandy Reekie, me dis-je. Il est venu réapprovisionner en bois le feu qui doit brûler dans la chambre de la malade. » J'attendis.

La personne qui se trouvait là-haut commença à descendre et s'arrêta à mi-étage sur le palier. Sa silhouette se profila dans la lumière de la fenêtre de l'escalier. Il ne s'agissait pas de Sandy Reekie, maigre et voûté dans mon souvenir, mais d'un homme de grande taille qui portait un kilt et un épais pull-over.

– Qu'est-ce que c'est ? demanda-t-il avant d'apercevoir mon visage levé vers le sien.

Nos regards se croisèrent. Il y eut un long silence. Puis, pour la troisième fois de la journée, quelqu'un prononça mon nom :

– Lavinia !

– Rory, me contentai-je de dire.

Il continua à descendre, sa main glissant sur la rampe, traversa le vestibule et me prit la main.

– Je n'arrive pas à y croire, dit-il avant de m'embrasser sur la joue.

– Moi non plus. Tout le monde m'a dit que tu étais à New York.

– J'ai pris l'avion avant-hier soir. Je ne suis là que depuis une journée.

– Comment va ta grand-mère ?

– Elle est mourante.

Il ne dit pas cela comme Stella Felham quelques instants plus tôt. Dans sa bouche, cette nouvelle semblait presque agréable et rassurante, comme s'il venait de m'apprendre que Mme Farquhar était sur le point de s'endormir.

– J'étais venue la voir, lui expliquai-je.

– D'où arrives-tu ?

– De Relkirk. Je travaille là-bas pour un mois en tant qu'infirmière. On m'a donné un jour de congé et j'ai pensé que je pourrais en profiter pour faire un tour à Lachlan. Ma mère m'avait dit que Mme Farquhar avait été malade, mais je pensais qu'elle allait peut-être mieux.

– Deux infirmières s'occupent d'elle vingt-quatre heures sur vingt-quatre. Mais l'infirmière de jour voulait faire des courses à Relkirk, je lui ai donc prêté la voiture et promis de veiller sur ma grand-mère.

Il se tut, hésitant, puis ajouta :

– Il y a un feu dans le salon. Nous allons nous y installer. Ce sera plus agréable. D'ailleurs, tu es trempée jusqu'aux os.

En effet, ce fut réconfortant. Rory ajouta des bûches dans le feu qui se mit à flamber. Après avoir retiré mon anorak tout mouillé, j'approchai des flammes mes mains rougies par le froid.

– Raconte-moi un peu où vous en êtes, ta famille et toi, me dit-il.

Quand j'eus fini de lui donner des nouvelles, je n'avais plus froid et comme la pendule sonnait quatre coups, il me laissa pour aller préparer du thé. Je restai dans le salon, confortablement installée près du feu et tout heureuse. Quand Rory revint avec un plateau sur lequel étaient posés une théière, des tasses et un morceau de gâteau au gingembre qu'il avait déniché dans une boîte en fer, je lui dis :

– Je t'ai parlé de ma famille. A toi de me raconter maintenant ce que tu as fait pendant toutes ces années.

– Il n'y a pas grand-chose à dire. J'ai travaillé un peu avec mon père et, quand il est mort, j'ai rejoint le bureau de New York. Je me trouvais à San Francisco quand ma grand-mère est tombée gravement malade et c'est pourquoi j'ai mis si longtemps à revenir.

– Le pasteur t'avait envoyé une lettre.

Il venait de servir le thé. Il s'installa dans un fauteuil et me regarda en souriant.

– Le téléphone arabe fonctionne toujours aussi bien à Lachlan... Qui t'a raconté ça ?

– Effie McLaren. J'ai aussi rencontré Mme Felham.

– Quelle peste, cette bonne femme ! Elle n'a pas arrêté de téléphoner, de prendre les infirmières à rebrousse-poil, de se mêler de tout, allant même jusqu'à expliquer aux Reekie ce qu'ils devaient faire.

– Elle m'a dit que Mme Farquhar n'était plus qu'un légume et qu'il était inutile de venir la voir.

– C'est parce que l'accès de la maison lui a été interdit et qu'elle est horriblement jalouse quand ma grand-mère a des visites.

– Elle est pleine de bonnes intentions. C'est en tout cas ce que disait toujours ma mère. Mais tu étais en train de me parler des Etats-Unis...

– Je n'ai reçu la lettre du pasteur qu'en arrivant à New York. Et je suis rentré par le premier vol.

– Et si... ta grand-mère meurt... que va-t-il se passer pour cette maison ?

– Elle va me revenir. J'ai beaucoup de chance. Mais d'un autre côté, que diable vais-je pouvoir en faire ?

– Tu pourrais cesser d'être un homme d'affaires influent, te retirer à la campagne et te lancer dans l'agriculture.

– Je risque de finir comme Lionel Felham et de dire « Bonne pêche ! » chaque fois que je bois un verre.

Je réfléchis un court instant avant de répondre :

– Ça m'étonnerait.

Cela le fit sourire.

– De nos jours, l'agriculture exige des compétences importantes, dit-il. Il faudrait que je recommence des études, que je reparte de zéro et que je me familiarise avec un nouveau secteur commercial.

– Beaucoup de gens font ça. Tu pourrais aller à Cirencester suivre les cours « gin tonic » comme ils les appellent. Ce sont des cours pour adultes, qui s'adressent à des officiers à la retraite ou à des gens de ce genre.

– Comment sais-tu tout ça ?

– Ma mère habite tout près de Cirencester.

Il éclata de rire et me sembla alors aussi jeune que dans mon souvenir.

– Comme ça, je vivrais à nouveau tout près de vous. C'est la plus grosse carotte que tu aies trouvée pour faire avancer l'âne ! Il faudra que je réfléchisse à ta proposition...

Retrouvant son sérieux, il ajouta :

– Rien ne me tient plus à cœur que de conserver cette maison. Que de bons moments nous y avons passés ! Et cela pourrait recommencer. Tu te souviens, quand nous allions chercher le lait à la ferme ou que nous nourrissions cet agneau au biberon ?

– Comme si c'était hier.

– Et le soir où nous avons dansé des *reels*...

Nous continuâmes à échanger nos souvenirs jusqu'à ce que la pendule sonne cinq coups. J'avais du mal à croire que le temps ait pu passer aussi vite. Je déposai ma tasse vide sur le plateau et me levai.

– Il faut que je parte, Rory. Sinon, je vais rater le dernier car.

– Je t'aurais bien raccompagnée. Mais l'infirmière a emprunté ma voiture et, de toute façon, je ne peux pas laisser ma grand-mère toute seule.

Il hésita puis me demanda :

– Veux-tu monter la voir ?

– Je ne veux pas jouer les Stella Felham, dis-je en le regardant dans les yeux. Je serais simplement heureuse de lui parler quelques instants. Et je suppose, maintenant, que je ne peux que lui dire adieu.

– Viens, répondit-il en me prenant la main.

Nous quittâmes le salon et nous engageâmes dans l'escalier, main dans la main. Au bout du couloir de l'étage, une porte était ouverte. L'odeur d'hôpital était plus forte maintenant. Nous entrâmes dans la grande et jolie chambre, à la tapisserie passée, où Mme Farquhar dormait depuis son mariage. Même s'il y avait des signes évidents de la présence des infirmières, la pièce restait accueillante et chaleureuse, une chambre très féminine avec ses brosses en argent sur la coiffeuse, ses photographies et ses rideaux à volants masquant la fenêtre.

Nous nous approchâmes du lit. Je contemplai le visage de la malade, serein et encore beau, ses yeux fermés, sa main ridée posée tranquillement sur le rabat du drap en lin. Je pris sa main dans la mienne. Elle était chaude et je sentis encore la forte pulsation de la vie. Mme Farquhar portait une liseuse en laine rose pâle bordée de mousseline de soie. Un ruban de satin était noué autour de son cou, aussi provocant que si elle l'avait mis là elle-même.

– Grand-mère, dit Rory.

Je pensais qu'elle dormait mais elle ouvrit les yeux et le regarda, puis, tournant la tête, elle me regarda à mon tour. Pendant un moment, ses yeux bleus n'exprimèrent rien qu'un peu d'étonnement ; puis, lentement, ils s'animèrent. Elle m'avait reconnue. Ses doigts se refermèrent sur les miens, sa bouche ridée ébaucha un sourire et, à voix basse mais distinctement, elle prononça mon nom :

– Lavinia.

Nous échangeâmes un mot ou deux jusqu'à ce que ses yeux à nouveau se ferment. Je me penchai alors rapidement vers elle et l'embrassai. Ses doigts se détendirent et, lui lâchant la main, je me relevai.

Je lui dis adieu, mais pas à voix haute. Puis Rory me prit par l'épaule et nous quittâmes la pièce, la laissant seule.

J'éclatai en sanglots dès que je fus dans le couloir. Comme je n'arrivais pas à trouver mon mouchoir, Rory sortit le sien de sa poche et me tamponna le visage. Je réussis à me calmer et nous regagnâmes le salon. Après avoir enfilé mon anorak et mis mon bonnet en laine, je lui dis :

– Merci de m'avoir laissée la voir.

– Ne sois pas triste.

– Il faut que je parte. Sinon je vais rater le car. Quand tu auras pris une décision, préviens-moi.

– Je n'y manquerai pas. Dès que je me serai décidé.

Dehors, il faisait plus froid et plus humide que jamais. L'air sentait la bruyère et la tourbe. Quelque part dans le ciel, par-delà les nuages, un huîtrier invisible lançait son chant solitaire.

– Ça va aller ? demanda Rory. Tu connais le chemin ?

– Bien sûr, répondis-je en souriant.

Je lui tendis la main.

– Au revoir, Rory.

Il prit ma main dans la sienne. Puis m'attira à lui et m'embrassa.

– Je ne vais pas te dire au revoir. Je préfère te dire à bientôt. C'est moins définitif. À bientôt, Lavinia.

J'acquiesçai. Il lâcha ma main, je lui tournai le dos et m'éloignai. Je traversai la pelouse, puis m'engageai dans le tunnel brumeux que formaient les arbres. Là étaient les azalées et les jonquilles, leurs corolles courbées par le vent, en attente du premier rayon de soleil, en attente de la chaleur du printemps.

Traduit par Catherine Pageard

La maison de poupée

Ouvrant les yeux, William sut tout de suite que c'était samedi : à la légèreté de l'air, à l'ambiance détendue. Du rez-de-chaussée, l'odeur du bacon en train de frire monta lui chatouiller les narines. Dans le jardin, Loden l'épagneul se mit à aboyer. William s'étira et tendit le bras vers sa montre : huit heures.

Rien d'urgent ne l'obligeant à se lever, il resta allongé un moment, songeant à la journée qui s'annonçait. On était en avril ; un losange de soleil décorait la moquette. Le ciel, par la fenêtre, était d'un bleu limpide traversé de nuages indolents. C'était une journée à rester dehors. Un jour comme celui-ci, son père aurait réuni toute la famille et, entassant son petit monde dans la voiture, les aurait tous emmenés au bord de la mer ou bien dans la lande pour y faire une longue promenade.

William s'efforçait le plus souvent de ne pas penser à son père. Mais parfois les souvenirs affluaient tels des instantanés, avec une grande netteté. Il le revoyait escalader une pente couverte de bruyère, Miranda sur ses épaules, parce que la montée était trop rude pour les petites jambes potelées de la fillette. Ou l'entendait, de sa voix bien timbrée, leur faire la lecture les soirs d'hiver. Ou bien encore assistait au manège de ses mains habiles qui réparaient une bicyclette ou s'attaquaient à des travaux plus minutieux, manipulant boîtes de fusibles ou prises électriques.

Se mordant la lèvre, William bougea sa tête sur l'oreiller, comme pour détourner son attention d'une douleur insupportable. Mais ce fut pire, parce qu'il se trouva soudain face à l'objet qui reposait, inerte et menaçant, sur la table à l'autre bout de la pièce. La nuit dernière, ses devoirs terminés, il s'était acharné dessus pendant plus d'une heure pour finalement se fourrer au lit avec un sentiment d'échec cuisant.

Son imagination travaillant, il eut la nette impression que l'abominable chose lui ricanait au nez.

« Si tu crois passer une bonne journée aujourd'hui, tu te trompes. Au lieu de te détendre, tu vas passer ton samedi à te colleter avec moi, mon vieux. Et quelque chose me dit que tu n'auras pas le dernier mot. »

Vingt livres. L'objet lui avait coûté vingt livres et ressemblait ni plus ni moins à un cageot d'oranges. Il y avait de quoi avoir le moral à zéro.

Au bout d'un moment, il sortit du lit et traversa la pièce afin de l'examiner de plus près dans l'espoir qu'il aurait meilleure allure que dans son souvenir. Malheureusement, ce ne fut pas le cas. Un plancher, un mur de fond, deux parois latérales ; une pile de minuscules morceaux de bois de la taille d'une lime à ongles ; une notice de montage d'une page, parfaitement ésotérique.

Coller la scotie au bord supérieur du panneau de devant. Fixer à l'aide d'un point de colle les chambranles des fenêtres aux tablettes.

C'était censé être une maison de poupée, un cadeau pour les sept ans de Miranda, dans deux semaines. Et c'était un secret. Même sa mère n'était pas au courant. Seulement, il n'arrivait pas à la terminer. Tout ça parce qu'il était trop maladroit, trop stupide.

Miranda avait toujours rêvé d'une maison de poupée. Leur père lui en avait promis une pour ses sept ans, et le fait qu'il ne fût plus là n'y changeait rien. Miranda était trop jeune pour comprendre, trop petite pour qu'on lui dise qu'il faudrait s'en passer.

– Je vais avoir une maison de poupée pour mon anniversaire ! ne cessait-elle de clamer à ses amies tandis qu'elles se déguisaient avec de vieilles robes, des plumes d'autruche et des chaussures bien trop grandes pour elles. On me l'a promis.

William, que cela préoccupait, en avait parlé avec sa mère alors qu'ils étaient tous les deux seuls en train de dîner. Avant la mort de son père, William mangeait vers six heures avec Miranda puis regardait la télévision ; à présent, âgé de douze ans révolus, il avait obtenu en quelque sorte une promotion. Tout en attaquant côtelette, brocolis et purée, il avait donc dit à sa mère :

– Miranda est persuadée qu'elle va l'avoir, sa maison de poupée. Il faut absolument qu'on lui en offre une. Papa le lui avait promis.

– Je sais. Et il n'aurait pas mégoté, il lui en aurait offert une magnifique. Malheureusement notre budget cadeaux est plutôt réduit maintenant.

– Pourquoi ne pas en acheter une d'occasion ?

– Je vais fouiner, c'est une idée.

Elle en avait déniché une chez le petit antiquaire du coin, qui coûtait hélas plus de cent livres. Un brocanteur lui en avait proposé une autre en si piteux état que l'offrir à Miranda revenait à se moquer de la petite. Ensemble, William et sa mère avaient écumé les magasins de jouets, mais les maisons de poupée qu'on leur avait montrées étaient d'horribles boîtes en plastique dotées de portes et de fenêtres qui ne s'ouvraient même pas.

– On devrait peut-être attendre l'année prochaine, finit par dire sa mère. Ça nous laisserait le temps de mettre de l'argent de côté.

Mais William savait qu'il fallait que ce soit cette année. S'ils décevaient Miranda maintenant, elle risquait de ne plus jamais faire confiance à un adulte. En outre, il estimait devoir cela à son père.

Alors il avait trouvé la solution. Tout à fait par hasard, il était tombé sur une petite annonce en dernière page du journal du dimanche.

Réalisez vous-même votre maison de poupée traditionnelle : achetez-la en kit. Le montage est d'une simplicité enfantine. Offre spéciale valable deux semaines seulement. Dix-neuf livres cinquante, port et emballage compris.

Il lut l'annonce, la relut avec soin. Evidemment, cela pouvait poser quelques problèmes. Pour commencer, la menuiserie n'était pas son fort. S'il était en tête de sa classe en anglais et en histoire, il ne savait pas planter un clou correctement. Par ailleurs, il y avait le problème du financement : il économisait sur son argent de poche pour s'offrir une calculette.

Mais nécessité fait loi. Le montage était d'une simplicité enfantine. Et il pourrait se passer encore quelque temps de la calculette. Sa décision prise, il remplit le bon de commande, se procura un mandat et l'envoya à la société dont il avait relevé les coordonnées.

Sans en souffler mot à sa mère.

Tous les matins, il se levait de bonne heure et se précipitait au rez-de-chaussée pour intercepter le facteur de peur qu'elle n'aperçoive le paquet. Lorsque enfin il arriva, il le monta en hâte dans sa chambre et le cacha sous son armoire. Ce soir-là, après avoir pris une profonde inspiration, il attrapa un marteau et se mit au travail.

Au début, il s'en sortit plutôt correctement et réussit à assembler le plus gros de la maison. Mais c'est alors que les problèmes commencèrent. Il y avait bien un schéma indiquant la marche à suivre pour mettre les fenêtres en place ; seulement la notice aurait aussi bien pu être rédigée en chinois.

William tourna le dos à l'horrible boîte qui le narguait, s'habilla et descendit manger.

Alors qu'il traversait le vestibule, le téléphone sonna. Il décrocha.

– Allô, William ?

– Oui, fit-il avec une grimace.

C'était Arnold Ridgeway. Et Arnold avait un faible pour la mère de William. William le comprenait mais il trouvait infiniment pénible la compagnie d'Arnold. Arnold était veuf, c'était un homme jovial et bruyant. Ces derniers temps, William avait commencé à le soupçonner de vouloir épouser sa mère ; il espérait que cela ne se produirait pas. Sa mère n'était pas amoureuse d'Arnold ; ça, William en était certain. Lorsqu'elle était amoureuse, elle rayonnait d'un merveilleux éclat qui avait disparu depuis la mort de son père. En tout cas, elle n'avait jamais l'air rayonnant quand elle était avec Arnold.

Evidemment, Arnold – qui était un tenace – était bien capable de l'avoir à l'usure. Elle accepterait peut-être de l'épouser pour le confort et la sécurité que sa situation pouvait lui procurer. Mais si elle s'y résolvait, ce serait avant tout pour lui et pour Miranda. Pas pour elle. Pour ses enfants, elle était prête à tous les sacrifices.

– Arnold à l'appareil ! Comment va ta maman ?
– Je ne l'ai pas encore vue.
– Quelle merveilleuse journée ! J'ai bien envie de vous emmener déjeuner quelque part. A Cottescombe, aux *Three Bells*. Après, on pourrait aller se promener dans le parc. Qu'est-ce que tu en dis ?
– C'est super, je vais vous passer maman. (Puis, se souvenant de la maison de poupée :) Malheureusement, je ne pourrai pas venir. J'ai du boulot, des devoirs à faire, tout ça...
– Dommage. Tant pis. Ce sera pour une autre fois. Va me chercher ta mère, tu seras gentil.
William posa le récepteur et fonça dans la cuisine.
– C'est Arnold, il veut te parler.
Sa mère était assise à la grande table et buvait du café tout en lisant le journal. Elle portait sa vieille robe de chambre en laine turquoise et ses somptueux cheveux roux flottaient telle de la soie sur ses épaules.
– Merci, mon grand.
Elle se leva, repoussant le journal, et lui caressa les cheveux au passage. Miranda mangeait son œuf à la coque.
– Salut, tête de chien, fit William en allant prendre son petit déjeuner, composé d'une saucisse et d'un œuf au bacon.
– Qu'est-ce qu'il veut, Arnold ? demanda Miranda.
– Nous inviter à déjeuner.
L'œil de la petite fille pétilla.
– Au restaurant ?
C'était une enfant sociable qui adorait manger dehors.
– C'est ça, oui.
– Super !
Leur mère revint dans la cuisine.
– Alors, on y va ? reprit la petite.

– Si tu veux, Miranda. Arnold pense que ce serait sympa d'aller à Cottescombe.
– Je ne peux pas venir, fit William.
– Oh, mais viens donc, mon chéri. Il fait tellement beau !
– J'ai des choses à faire. T'inquiète pas.

Elle n'essaya pas de le convaincre. Elle savait pertinemment qu'il avait un secret caché dans sa chambre. Ce secret était soigneusement dissimulé sous un morceau de tissu lorsqu'elle montait faire le lit ; William avait confiance en elle.
– Comme tu voudras, fit-elle avec un soupir. On va te laisser, comme ça tu seras tranquille toute la journée. (Elle reprit son journal.) Au fait, le manoir a été vendu.
– Comment tu le sais ?
– C'est dans le journal. L'acquéreur est un certain Geoffrey Wray. C'est le nouveau directeur de l'usine d'électronique de Tryford. Tiens, regarde.
Elle étendit le journal et William lut l'entrefilet avec intérêt. Le manoir avait toujours appartenu à Mme Pritchett et la maison dans laquelle William, sa mère et Miranda habitaient était l'ancien pavillon des gardiens. De ce fait, celui qui avait acheté la grande bâtisse serait bientôt leur plus proche voisin.
Mme Pritchett avait été une voisine adorable, leur permettant de traverser son jardin pour atteindre plus vite le pré communal et les collines, autorisant les enfants à cueillir des pommes et des prunes dans son verger. Mais Mme Pritchett était morte trois mois plus tôt, et depuis la maison était restée inhabitée.
Et voilà que maintenant le directeur de l'usine d'électronique... William fit la grimace.
Sa mère éclata de rire.
– Tu en fais une tête !

– Je parie que ce type ressemble à une machine à calculer.
– Plus question de passer par le jardin, maintenant. En tout cas pas avant d'y avoir été invités.
– Ça m'étonnerait qu'il nous y autorise.
– Tu as tort d'avoir des idées préconçues. Si ça se trouve, il est marié et il a des tas d'enfants qui deviendront tes copains.

William s'activa toute la matinée sur la maison de poupée. A midi, sa mère ayant frappé à la porte, il sortit de sa chambre après avoir soigneusement refermé la porte derrière lui.
– On s'en va, William. Il y a une tourte dans le four pour ton déjeuner. Emmène Loden faire une promenade si tu as une minute.
– D'accord.
– Mais ne traverse pas le jardin.
La porte d'entrée se referma, il se retrouva seul. Il retourna se mettre au travail en traînant les pieds. Il avait monté l'escalier, collant soigneusement les marches une à une, mais pour une raison qui lui échappait il n'arrivait pas à le mettre en place. Il se reporta pour la énième fois à la notice de montage.
Il l'avait suivie à la lettre et pourtant l'escalier – un peu trop large – ne trouvait pas sa place. Si seulement William avait eu quelqu'un à qui demander conseil... Mais la seule personne qui aurait pu l'aider était son prof de menuiserie, pour lequel il n'avait guère de sympathie.
Il songea soudain à son père. Lui aurait su exactement quoi faire. Il l'aurait rassuré, il aurait réussi à placer le petit escalier. Incapable de se sortir de cette impasse, découragé, William sentit une grosse boule monter et descendre dans sa gorge ; et devant ses yeux noyés de larmes, la maison de poupée inachevée et tous les petits mor-

ceaux de bois disparurent. Il y avait des années qu'il n'avait pas pleuré et cela l'épouvanta.

Il se moucha et essuya ses larmes. Par la fenêtre ouverte, il vit la belle journée de printemps qui lui faisait signe. « Et zut pour la maison de poupée ! » Il s'élança hors de sa chambre, dévala l'escalier et siffla Loden.

Il courut un bon moment et lorsque, pantelant et haletant, il eut un point de côté, il se sentit mieux. Rasséréné. Il se pencha en avant pour soulager son point de côté, prendre Loden dans ses bras et enfouir son visage dans les poils épais du chien.

Ayant retrouvé son souffle, il se redressa, et c'est alors qu'il se rendit compte qu'il avait oublié les instructions de sa mère. Pressé de s'échapper, il avait tout naturellement franchi le portail du manoir et remonté la moitié de l'allée. Il eut un instant d'hésitation ; mais à la pensée de rebrousser chemin et de devoir faire un détour pour rejoindre la route, il renonça. En outre, la maison venait d'être vendue. Il ne devait donc y avoir encore personne.

Il se trompait. Tandis qu'il abordait un tournant de l'allée, il aperçut une voiture garée devant la bâtisse. La porte d'entrée était ouverte et un homme de grande taille s'apprêtait à sortir, flanqué d'un chien. Mme Pritchett n'avait pas de chien et Loden considérait ce jardin comme le sien. Il dressa les oreilles.

Loden se mit à gronder sourdement mais son congénère bondissait déjà vers eux. C'était un labrador d'allure sympathique qui ne demandait qu'à jouer.

Loden gronda de nouveau. « Loden ! » William le secoua par son collier. Le chien se mit à gémir. Le labrador s'approcha et les deux animaux commencèrent à se renifler. Loden se calma et agita la queue. William le lâcha et les deux chiens partirent à folâtrer. Tout allait bien. Maintenant, il restait à amadouer le propriétaire du labrador. William releva la tête. L'homme s'approchait. Il était grand, avec le teint tanné. Le vent ébouriffait ses cheveux gris. Il portait des lunettes, un pull bleu et une planchette porte-documents.

– Bonjour, fit William.

L'homme regarda sa montre.

– Bon après-midi, plutôt. La journée est bien entamée, il est une heure et demie. Que faites-vous ?

– J'emmène mon chien se promener sur le pré communal et du côté des collines. Je passais toujours par là du temps de Mme Pritchett. J'habite le pavillon des gardiens au bout de la route.

– Comment vous appelez-vous ?

– William Radlett. Ce matin, dans le journal, j'ai lu que la maison avait été vendue. Je ne pensais pas y trouver quelqu'un.

– Je jette un œil, dit l'inconnu. Je relève des dimensions. Au fait, moi c'est Geoffrey Wray.

– Oh, alors... (William rougit.) Mais vous... (Il faillit dire : vous n'avez pas l'air d'une machine à calculer.) Désolé, je suis sur votre terrain.

– Aucune importance, fit M. Wray. Je n'ai pas encore emménagé. Je suis juste venu noter des dimensions.

Il pivota pour examiner la façade du manoir. William remarqua alors la peinture qui s'écaillait et la gouttière trouée.

– Il va sans doute falloir que vous fassiez des travaux, dit-il. La maison n'est plus toute jeune.

– C'est ce qui fait son charme, rétorqua le nouveau propriétaire. Quant aux travaux, je peux en faire une bonne partie moi-même. Ça prendra du temps, mais j'aime ça.

Les deux chiens, qui avaient sympathisé, tournaient à présent autour des rhododendrons en quête d'hypothétiques lapins.

– Ils ne vont pas tarder à devenir copains, observa M. Wray. J'allais pique-niquer. Ça vous dit de partager mon déjeuner ?

William se souvint de la tourte qui l'attendait à la maison et réalisa qu'il avait une faim de loup.

– Vous avez de quoi manger pour deux ?

– Je pense, oui. Allons voir ça de plus près.

Il prit un panier sur le siège arrière de la voiture et le porta jusqu'au banc de fer forgé qui se trouvait près de la porte d'entrée. Au soleil, à l'abri du vent, il faisait un temps délicieux. William accepta un sandwich au jambon.

– Il y a un cake, aussi, dit M. Wray. Ma mère les fait à la perfection.

– Vous vivez avec elle ? demanda William.

– Pour l'instant, oui. En attendant de m'installer ici.

– Vous allez habiter seul ici ?

– Je ne suis pas marié, si c'est ce que vous voulez dire.

– Ma mère pensait que vous auriez peut-être une femme et des enfants avec qui on aurait pu devenir copains.

– On ?

– Miranda et moi. Elle va avoir sept ans.

– Où est-elle ?

– Elle est allée déjeuner dehors avec maman.

– Votre père travaille en ville ?

– Je n'ai plus de père. Il est mort il y a presque un an.

– Désolé. (Il avait l'air vraiment désolé, mais Dieu merci pas le moins du monde gêné d'apprendre ça.) J'ai perdu mon père moi aussi quand j'avais votre âge. Rien n'est plus jamais pareil, après, n'est-ce pas ?

– C'est vrai.

– Un biscuit au chocolat ?

Il lui tendit un paquet.

William se servit puis, relevant la tête, croisa le regard de M. Wray. Et alors il lui sourit, sans raison particulière, si ce n'est qu'il se sentait en confiance, détendu et, pourquoi ne pas le dire, repu.

Le pique-nique terminé, ils allèrent visiter l'intérieur de la bâtisse. Dépouillé de ses meubles, imprégné d'une légère odeur d'humidité, plutôt glacial, le manoir aurait pu être déprimant ; mais tel n'était pas le cas, bien au contraire. Et William fut flatté que M. Wray, le considérant comme un interlocuteur à part entière, lui fasse part de ses projets.

– Je pensais faire tomber cette cloison, aménager une grande cuisine à l'américaine. Installer une cuisinière ici et construire des placards en pin dans ce coin.

L'enthousiasme de M. Wray eut raison de l'allure sinistre de la cuisine, qui sentait la crotte de souris.

– Quant à ce vieux cellier, je vais en faire un atelier. L'établi ira sous la fenêtre et j'aurai toute la place nécessaire pour accrocher les outils et ranger mon matériel.

– Mon père avait un atelier mais dans le jardin, dans un abri.

– C'est vous qui vous en servez maintenant ?

– Non. Je ne suis pas très adroit de mes mains.

– C'est fou ce qu'on est capable de faire quand on y est obligé, vous savez.

– C'est ce que je me disais, fit impulsivement William.

Il s'arrêta net.

– Qu'est-ce que vous vous disiez ? demanda M. Wray.

– Que j'arriverais sûrement à fabriquer un truc, vu que je n'ai pas le choix. Malheureusement, je n'y arrive pas. C'est trop difficile.

– Qu'est-ce que vous voulez fabriquer ?

– Une maison de poupée que j'ai achetée en kit pour l'anniversaire de ma sœur.
– Et alors, quel est le problème ?
– Je suis coincé. Rien ne marche comme prévu. Impossible de caser l'escalier. Impossible de monter les fenêtres.
– Vous ne m'en voudrez pas si je vous pose une question ? fit M. Wray. Si la menuiserie n'est pas votre fort, pourquoi vous être embarqué dans cette galère ?
– Mon père avait promis une maison de poupée à Miranda. Seulement ça coûte une fortune. Je me suis dit que j'arriverais à en monter une moi-même. Erreur. Et en plus, ça m'a coûté vingt livres !
– Votre mère ne peut pas vous donner un coup de main ?
– Non. Il faut que ce soit une surprise.
– Il n'y a personne à qui vous pourriez demander de l'aide ?
– Personne.
M. Wray pivota et s'appuya du dos contre le vieil évier, bras croisés.
– Et moi ?
William le considéra en fronçant les sourcils.
– Vous m'aideriez ?
– Pourquoi pas ?
– Cet après-midi ? Maintenant, tout de suite ?
– Encore une fois, pourquoi pas ?
William se sentit éperdu de reconnaissance.
– Vraiment, vous feriez ça ? Vous savez, ça ne prendrait pas plus d'une demi-heure...

Mais cela prit bien davantage. M. Wray étudia avec soin la notice de montage, passa le petit escalier au papier de verre et le mit en place. Puis, sur une grande feuille de papier journal, il déposa les pièces par ordre de grandeur et assembla cinq minuscules châssis de façon à les coller.

– D'abord, tu mets la vitre, ensuite le châssis qui maintient la vitre. C'est comme pour une fenêtre ordinaire.

– Oh, je vois.

C'était comme tout, une fois qu'on vous donnait des explications ça devenait lumineux.

Ils continuèrent à travailler et William était si absorbé qu'il n'entendit pas la voiture remonter la route et s'arrêter devant la grille. Il ne s'aperçut du retour de sa mère qu'en entendant la porte d'entrée s'ouvrir et une voix appeler :

– William !

Consultant sa montre, il fut sidéré de constater qu'il était déjà cinq heures.

D'un bond, il se mit debout.

– C'est maman.

– Je m'en doutais, figure-toi, sourit M. Wray.

– On ferait mieux de descendre. Vous ne lui direz rien ? Pas un mot ?

– Promis.

– Et merci de m'avoir dépanné.

Il sortit de la chambre et se pencha par-dessus la balustrade du palier. Sa mère et sa sœur étaient dans le vestibule, le visage tourné vers lui. Sa mère tenait un gros bouquet de jonquilles enveloppées dans du papier bleu ciel. Quant à Miranda, elle brandissait une poupée toute neuve.

– Vous vous êtes bien amusées ?

– Oui. Dis-moi, William, il y a une voiture dehors avec un chien dedans.

– C'est la voiture de M. Wray. Il est chez nous. (Il pivota tandis que Geoffrey Wray émergeait de la chambre, refermait la porte derrière lui et le rejoignait.) Tu sais bien, poursuivit William, le monsieur qui a acheté le manoir.

Le sourire de sa mère se figea quelque peu ; elle avait du mal à cacher sa surprise face à cet inconnu surgi de façon si inattendue. William se hâta de lui fournir des explications.

– On s'est rencontrés cet après-midi et il est venu à la maison me donner un coup de main pour...

– Oh... (Au prix d'un effort sur elle-même, elle parvint à retrouver son sang-froid.) Très aimable à vous, monsieur Wray.

– Mais ç'a été un plaisir, répondit-il tout en descendant l'escalier à sa rencontre. Après tout, nous allons être voisins.

Il lui tendit la main.

– Oui, bien sûr.

Un peu embarrassée, elle fit passer les jonquilles de sa main droite dans sa main gauche et serra la main qu'il lui tendait.

– Voilà donc Miranda.

– Arnold m'a acheté une poupée, annonça Miranda. Elle s'appelle Priscilla.

– Mais... (La mère de William semblait ne pas encore avoir très bien compris la situation.) Comment avez-vous rencontré William ?

Sans laisser à M. Wray le temps de répondre, celui-ci expliqua :

– J'avais complètement oublié qu'il ne fallait pas que je passe par le jardin, et M. Wray y était. On a pique-niqué ensemble.

– Et la tourte que je t'avais laissée dans le four ?

– Euh... Je l'ai oubliée aussi.

Cette remarque brisa la glace. Ils eurent tous en même temps le sourire aux lèvres.

– Est-ce que tu as pris ton thé, seulement ? questionna sa mère. Non ? Nous non plus, et je meurs d'envie d'en boire une bonne tasse. Venez, monsieur Wray, passons dans le séjour. Je vais mettre la bouilloire à chauffer.

– Je m'en occupe, dit William en descendant précipitamment l'escalier. C'est moi qui vais préparer le thé.

Une fois dans la cuisine, il disposa tasses et soucoupes sur un plateau, sortit des biscuits d'une boîte, remplit la bouilloire. Attendant que l'eau soit à la température voulue, il repassa les événements de sa journée, tout heureux. Le problème de la maison de poupée était réglé ; il savait dorénavant comment s'y prendre et il aurait largement le temps de terminer pour que la maison soit prête pour l'anniversaire de Miranda. Et puis, M. Wray allait s'installer au manoir ; et ce n'était pas du tout la machine à calculer que William redoutait, bien au contraire. C'était le type le plus sympa qu'il ait rencontré. Il y avait de fortes chances qu'il les autorise à traverser son jardin comme l'avait fait Mme Pritchett en son temps.

En réfléchissant à tout cela, William eut l'impression d'avoir un poids de moins sur la poitrine. La bouilloire se mit à siffler. Il remplit d'eau la théière, la posa sur le plateau et emporta le tout dans le séjour. De la petite pièce du fond lui parvint le son de la télévision que Miranda regardait ; du séjour venait le confortable murmure de deux voix.

– Quand allez-vous emménager ?

– Le plus tôt possible.

– Vous allez avoir beaucoup à faire.

– Oui. Mais j'ai beaucoup de temps devant moi. J'ai tout l'avenir devant moi.

William poussa la porte du pied. La clarté du soir illuminait la pièce et il y avait dans l'air quelque chose de presque tangible. De l'amitié, sans doute. Du bien-être. Mais aussi une certaine émotion.

« Tout l'avenir devant moi. »

Il se tenait près de la cheminée, à demi tourné vers les flammes ; William pouvait apercevoir le visage de sa mère qui se reflétait dans la glace. Soudain, elle éclata de rire sans qu'il sût pourquoi et rejeta en arrière sa ravissante chevelure rousse.

Il constata qu'elle avait ce regard... cet œil pétillant, cet éclat qu'il n'avait plus jamais revus depuis la mort de son père.

Son imagination s'emballa tel un cheval au galop et il dut en reprendre fermement les rênes. Il ne fallait pas faire de projets. Les choses devaient se faire naturellement, en leur temps.

– Le thé est prêt, dit-il en posant le plateau.

Il aperçut les jonquilles posées devant la fenêtre, là où sa mère les avait abandonnées. Le papier bleu était tout froissé et les pétales délicats commençaient à se faner. William songea à Arnold, et trouva dans son cœur le moyen de le plaindre sincèrement.

Traduit par Dominique Wattwiller

Jour de repos

Après un long voyage d'affaires à travers l'Europe – cinq capitales, sept déjeuners avec divers responsables et d'innombrables heures passées dans les salles d'attente des aéroports –, James Harner atterrit à Heathrow en provenance de Bruxelles, un mercredi après-midi au début du mois d'avril. Inévitablement, il pleuvait. Il ne s'était pas couché avant deux heures la nuit précédente et sa serviette pleine à craquer pesait comme du plomb au bout de son bras. Pour couronner le tout, il lui semblait bien qu'il avait attrapé un rhume.

Le visage lisse et rasé de près de Roberts, le chauffeur de l'agence de publicité qui l'attendait à sa sortie de l'avion, fut la première vision réconfortante de sa journée. Coiffé de sa casquette d'uniforme, Roberts s'avança, s'offrit à porter sa valise et déclara : « J'espère que vous avez fait bon voyage. »

Ils se rendirent directement au siège de l'agence et James, après avoir jeté un rapide coup d'œil sur son bureau et offert à sa secrétaire, qui le méritait amplement, le petit flacon de parfum acheté hors taxe, alla trouver son P.-D.G.

– James ! Content de te voir, mon vieux. Entre donc. Tout s'est bien passé ?

Sir Osborne Baske n'était pas seulement le directeur de l'agence mais aussi un vieil ami qu'il estimait. Nul besoin, par conséquent, d'échanger des civilités ou de menus propos. Une demi-heure plus tard, James l'avait plus ou moins mis au courant des résultats de son voyage : les entreprises qui s'étaient montrées intéressées, celles qui restaient réticentes. Il avait gardé le meilleur pour la fin – à savoir deux contrats importants qu'il avait déjà décrochés : une firme suédoise, d'abord, fabriquant des meubles en kit de bonne qualité à prix réduits, et une vieille maison danoise d'orfèvrerie, qui s'implantait prudemment dans tous les pays de la CEE.

Sir Osborne était aux anges et voulut annoncer au plus vite la bonne nouvelle à ses codirecteurs.

– Le conseil d'administration se réunit mardi. Peux-tu préparer un rapport complet avant cette date ? Pour vendredi, ou lundi matin au plus tard ?

– Si je peux m'y atteler toute la journée de demain, je devrais pouvoir le donner à ma secrétaire vendredi matin pour qu'elle le tape, et le distribuer vendredi après-midi.

– Splendide ! Ils pourront le consulter pendant le week-end entre deux parcours de golf. Et... (Avec tact, il marqua une pause pendant que James, soudain en proie à une irrépressible envie d'éternuer, fouillait dans ses poches à la recherche de son mouchoir, l'approchait de son nez, avant de succomber en une explosion retentissante et de se moucher.) ... tu as attrapé un rhume, mon vieux ?

On le sentait nerveux, comme si James avait déjà pu le contaminer. Il désapprouvait les rhumes tout autant que les tours de taille conséquents ou les attaques cardiaques.

– On dirait bien, fit James.

– Mmm... (Le président réfléchissait.) Voilà ce que l'on va faire : pourquoi ne restes-tu pas chez toi demain ? Tu as l'air assez crevé et puis tu auras plus de chances de rédiger ce rapport tranquillement si tu n'es pas continuellement interrompu. Tu pourras aussi être un peu avec Louisa après tout ce temps. Qu'est-ce que tu en dis ?

James répondit qu'il trouvait l'idée très bonne, ce qui était la vérité.

– Alors, c'est réglé.

Sir Osborne se leva, mettant brusquement un terme à l'entretien avant que d'autres germes puissent être libérés dans l'atmosphère stérile de son bureau luxueux.

– Si tu pars maintenant, tu as une chance d'éviter les bouchons de l'heure de pointe. A vendredi, mon vieux. Et si j'étais toi, je m'occuperais de ce rhume. Du whisky chaud avec du citron, juste avant de se coucher. Il n'y a rien de mieux.

Quatorze ans plus tôt, lorsque James et Louisa s'étaient mariés, ils avaient d'abord habité Londres, dans un appartement à l'entresol d'un immeuble de South Kensington. Mais lorsque Louisa fut enceinte du premier de leurs deux enfants, ils prirent la décision d'aller vivre à la campagne. Ils durent jongler avec leur budget pendant quelque temps mais parvinrent finalement à trouver un équilibre, et James n'eut jamais à le regretter. Les deux trajets quotidiens d'une heure, pour se rendre à son bureau et en revenir le soir, lui semblaient un faible prix à payer pour le sanctuaire offert par la vieille maison en brique rouge et son grand jardin. Ces déplacements, même lorsqu'ils s'effectuaient sur des routes encombrées, ne le dérangeaient pas. Au contraire, l'heure passée seul dans sa voiture devint un moment de relaxation qui lui permettait d'évacuer les problèmes de la journée.

En hiver, lorsqu'il rentrait chez lui et qu'il faisait noir, il s'engageait dans son allée et pouvait apercevoir, entre les arbres, la lumière qui éclairait sa porte d'entrée. Au printemps, le jardin se remplissait de myriades de jonquilles; en été il se réjouissait à l'avance de la longue et paresseuse fin de journée qui s'annonçait. Il prenait une douche rapide, revêtait un maillot et des espadrilles et prenait un verre sur la terrasse, sous le violet pâle de la glycine avec pour fond sonore les roucoulements des pigeons ramiers provenant du bois de hêtres au fond du jardin.

Les enfants faisaient du vélo autour de la pelouse et se balançaient sur l'échelle de corde attachée à l'arbre où ils avaient construit leur cabane. Le week-end, la maison était en général envahie par les amis – voisins ou londoniens – venus avec leurs familles et leurs chiens. Chacun se prélassait dans une chaise longue en lisant le journal du dimanche et pouvait se livrer à des tournois amicaux de golf miniature sur la pelouse.

Au cœur de tout ceci se tenait Louisa. Louisa qui ne manquait jamais d'étonner James, car lorsqu'il l'avait épousée, il était loin d'entrevoir quelle personne elle allait devenir. Douce et peu exigeante, elle avait montré, au cours des années, qu'elle possédait un sens aigu de sa fonction de maîtresse de maison. Si l'on avait demandé à James de définir ce mystérieux talent, il aurait été bien en peine de le faire. Il savait seulement que la maison dégageait une atmosphère paisible et accueillante en dépit des jouets, chaussures et dessins d'enfants qui si souvent jonchaient le sol. Leur intérieur semblait perpétuellement fleuri et gai et il y avait toujours assez de nourriture pour les amis qui décidaient de rester souper.

Le vrai miracle, cependant, résidait dans la discrétion avec laquelle tout cela était accompli. James avait séjourné dans des demeures où l'hôtesse semblait constamment soucieuse, passant son temps à nettoyer et à ranger, s'enfermant dans sa cuisine pour n'en sortir que deux minutes avant le début du repas, l'air épuisé et excédé. Non que Louisa ne mît jamais les pieds dans sa cuisine. Les gens, simplement, semblaient enclins à l'y suivre, verre ou tricot à la main, ne rechignant pas à effiler les haricots ou à tourner la mayonnaise lorsqu'elle le leur demandait. Les enfants, dans leurs allées et venues entre le jardin et la maison, s'arrêtaient, eux aussi, pour aider à écosser les petits pois ou confectionner de petits biscuits pâles à partir des restes de pâte de la tarte aux pommes.

Il arriva à James de penser que la vie de sa femme devait être bien terne comparée à la sienne. « Qu'as-tu fait aujourd'hui ? » lui demandait-il lorsqu'il rentrait le soir. « Pas grand-chose » était tout ce qu'elle eût jamais répondu.

Il pleuvait toujours, l'après-midi touchait à sa fin et la pénombre s'installait doucement. Il avait maintenant atteint Henborough, la dernière agglomération sur la route principale, avant l'embranchement pour le village. Le feu était au rouge et la voiture arrêtée devant un magasin de fleurs. James pouvait voir les pots de tulipes rouges, de narcisses et de freesias. Il lui vint à l'esprit d'en acheter pour Louisa mais le feu passa au vert. Il oublia les fleurs, démarra et suivit le flot de la circulation.

Il faisait encore jour lorsqu'il s'engagea dans l'allée menant à la maison, entre ses deux bosquets de rhododendrons. Il rentra la voiture dans le garage, coupa le contact, sortit ses bagages du coffre et entra chez lui par la porte de la cuisine. Rufus, le vieil épagneul couché dans son panier, émit un bref aboiement d'avertissement et la femme de James, assise à la table de la cuisine à boire du thé, leva les yeux.

– Chéri !

Qu'il était doux d'être ainsi accueilli !

– Surprise !

James posa sa valise, Louisa se leva et ils s'étreignirent longuement au milieu de la pièce. Il sentait les os fragiles de ses côtes sous son vieux chandail bleu. Elle exhalait un parfum merveilleux, auquel se mêlait une vague senteur de feu de bois.

– Tu es en avance.

– Je suis parti avant les bouchons de l'heure de pointe.

– Alors ? L'Europe ?

– Toujours là.

Il relâcha son étreinte.

– Il y a quelque chose qui ne va pas ici.

– Qu'est-ce qui pourrait ne pas aller ?

– A toi de me le dire. Pas de vélo au beau milieu du garage, pas de voix aiguës jacassant à tue-tête, pas de bandes de cow-boys et d'Indiens sillonnant le jardin. Pas d'enfants.

– Ils sont partis à Hamble, chez Helen. (Helen était la sœur de Louisa.) Tu savais qu'ils y allaient.

Il le savait. Il l'avait seulement oublié.

– J'ai cru que tu les avais zigouillés et enterrés sous le compost.

Louisa eut une moue soucieuse.

– Tu es enrhumé ?

– Oui. Un virus qui rôdait entre Oslo et Bruxelles et qui a jeté son dévolu sur moi.

– Mon pauvre chéri !

– Penses-tu ! Figure-toi que le « pauvre chéri », comme tu dis, n'ira pas à Londres demain. Eh oui, je resterai ici, en compagnie de mon épouse bien-aimée, et j'écrirai mon rapport sur la CEE sur la table de la salle à manger. (Il l'embrassa.) Tu m'as manqué, tu sais ? C'est incroyable ce que tu m'as manqué. Qu'est-ce qu'on mange ce soir ?

– Steak frites.

De mieux en mieux. Il le dit tout haut : « De mieux en mieux ! » Il ouvrit sa serviette, en sortit un flacon de parfum – légèrement plus grand que celui de sa secrétaire – et l'offrit à sa femme. Il reçut son baiser de remerciement puis monta à l'étage où il défit ses bagages, se déshabilla et alla se prélasser dans un bain chaud.

Le lendemain matin, James fut réveillé par le pâle soleil qui s'infiltrait dans la chambre, et le merveilleux silence que troublaient à peine les gazouillis d'oiseaux. Il ouvrit les yeux et s'aperçut que la place était vide à côté de lui. Seul un creux sur l'autre oreiller témoignait de la présence de sa femme. Il se rendit compte, avec une certaine surprise, qu'il était incapable de se souvenir de la dernière fois où il avait pris un jour de repos pendant la semaine. S'abandonnant à la paresse, il se sentait rajeuni, comme un écolier bénéficiant de vacances imprévues. Il fourra la main sous son oreiller à la recherche de sa montre. Il était huit heures et demie. Luxe, calme et volupté... Le whisky chaud au citron bu la veille au soir avait fonctionné à merveille et le rhume avait battu en retraite, vaincu. James se leva, se rasa et s'habilla puis descendit à la cuisine où sa femme buvait un café.

– Comment te sens-tu ? demanda-t-elle.

– Je renais à la vie ! Le rhume s'est envolé.

Elle s'approcha de la cuisinière.

– Des œufs et du bacon ?

– Ce sera parfait.

Il prit le journal sur la table. D'habitude, il ne lisait le journal du matin que le soir, une fois rentré chez lui. Etre à même de le lire à loisir, en prenant son petit déjeuner, lui semblait un luxe presque obscène. Il ouvrit le quotidien et parcourut les cours de la Bourse, le cricket et, pour finir, les gros titres. Louisa rangeait assiettes et couverts dans le lave-vaisselle. James leva les yeux.

– N'est-ce pas à Mme Brick de remplir le lave-vaisselle ?

Mme Brick était la femme du plombier du village. Elle faisait quelques heures de ménage de temps en temps pour aider Louisa. Ce qu'il y avait de bien le samedi matin, c'était que Mme Brick venait pour passer l'aspirateur dans toute la maison et l'imprégner de l'odeur de la cire à parquet.

– Mme Brick ne vient pas le jeudi. Et elle ne vient pas non plus le mercredi ou le lundi.

– Ah bon ? Ça ne lui est jamais arrivé ?

– Non, jamais. (Louisa posa les œufs au bacon devant lui et lui versa une grande tasse de café noir.) Je vais allumer le chauffage dans la salle à manger. Elle est glaciale.

Elle quitta la pièce, sans doute pour s'acquitter de cette tâche. Un instant plus tard, le vrombissement de l'aspirateur déchirait l'air matinal. *Travail.* Il lui semblait entendre ce mot sous le bruit de la machine. *Travail, travail.* James comprit l'allusion, alla chercher sa serviette et sa calculatrice, et se dirigea vers la salle à manger. Le soleil du matin se déversait dans la pièce à travers les portes-fenêtres. Il ouvrit sa serviette, en sortit ses divers documents et instruments de travail et les disposa soigneusement autour de lui. Impeccable, pensa-t-il en chaussant ses lunettes. Quel plaisir de travailler dans ces conditions : pas d'interruption, pas de coup de téléphone.

Le téléphone sonna au même instant. James leva la tête et entendit Louisa prendre l'appel. Un long moment plus tard, lui sembla-t-il, James entendit un déclic signalant que la communication était coupée. L'aspirateur se remit à vrombir et James à travailler.

Un nouveau bruit vint bientôt troubler la quiétude matinale. Un bouillonnement doublé d'un ronronnement. James, après mûre réflexion, estima qu'il s'agissait de la machine à laver le linge. Sur la feuille blanche, il inscrivit : *Nord de l'Angleterre, couverture publicitaire.*

Puis il y eut deux coups de téléphone en l'espace de quelques minutes. Louisa répondit à chaque appel mais lorsque l'appareil sonna une quatrième fois, elle ne décrocha pas. James tenta d'ignorer l'insistante sonnerie mais un instant plus tard, il recula sa chaise, exaspéré, et se rua dans le couloir jusqu'au salon.

– Oui ?

– Oh... Bonjour, répondit une voix timide.

– Qui est à l'appareil ? aboya James.

– Excusez-moi, j'ai dû faire une erreur. Vous n'êtes pas le 384 à Henborough ?

– Oui, c'est bien cela. James Harner à l'appareil.

– J'aurais aimé parler à Mme Harner.

– J'ignore où elle se trouve en ce moment.

– Ici Mlle Bell. Je téléphone à propos de fleurs pour l'église dimanche prochain. Mme Harner et moi-même arrangeons toujours les fleurs ensemble, voyez-vous, et je pensais que peut-être elle ne verrait pas d'inconvénient à le faire avec Mme Sheepfod ce dimanche. Pour la semaine d'après, je m'en occuperai avec la femme du pasteur. C'est à cause de ma nièce, voyez-vous...

Le moment semblait être venu de stopper ce flot de paroles.

– Ecoutez, mademoiselle Bell, restez en ligne un instant, je vais voir si je peux trouver Louisa. Je n'en ai pas pour longtemps...

Il posa le combiné et alla dans le couloir. « Louisa ! » Pas de réponse. Il entra dans la cuisine. « Louisa ! »

Une voix étouffée lui parvint par-delà la porte de derrière. Il sortit et finit par trouver sa femme dans un coin du jardin, étendant le linge. A en juger par la quantité de vêtements déjà suspendus, il aurait tout aussi bien pu se trouver dans une blanchisserie chinoise.

– Qu'y a-t-il ?

– Mlle Bell est au téléphone, dit James. (Amusé, il sourit et ajouta :) Dites-moi, madame Harner, comment faites-vous pour obtenir un linge si blanc ?

Du tac au tac, Louisa répliqua de la voix un peu geignarde des ménagères dans les publicités télévisées :

– Mais j'utilise Splash, tout simplement. Avec Splash, même les caleçons de mon mari sont d'une blancheur aveuglante et tout le linge sent si bon... Que voulait Mlle Bell ?

– Je crois qu'il s'agissait de la fille de sa sœur et de la femme du pasteur. Le téléphone n'a pas arrêté de sonner ce matin.

– Je suis désolée.

– Penses-tu, ce n'est pas grave. Mais je serais curieux de savoir pourquoi ma femme est si demandée !

– Eh bien, il y a d'abord eu Helen qui m'appelait pour me dire que les enfants étaient toujours vivants, et puis le vétérinaire, pour le rappel de vaccination de Rufus, et ensuite Elizabeth Thomson pour nous inviter à dîner, mardi en huit. Tu as dit à Mlle Bell que je la rappellerais ?

– Non, je lui ai dit de ne pas quitter. Elle attend.

– Oh, James ! (Louisa s'essuya les mains sur son tablier.) Pourquoi ne me l'as-tu pas dit plus tôt ?

Elle se hâta vers la maison. James s'essaya à étendre une chaussette ou deux, mais c'était ennuyeux et plutôt délicat. Il abandonna donc cette tâche ingrate et retourna à son bureau de fortune.

Il écrivit un autre titre qu'il souligna joliment à l'encre rouge. Il était maintenant presque dix heures et demie et il se demandait si Louisa penserait à lui apporter une tasse de café.

A midi, il ne put ignorer plus longtemps son besoin de rafraîchissement. Il posa son stylo, retira ses lunettes et se renversa sur sa chaise. Tout était calme. Il se leva, se rendit dans le vestibule et se tint au pied de l'escalier, tendant l'oreille, un peu à la manière d'un chien qui attend que l'on veuille bien le promener. « Louisa ! »

– Je suis là.

– Où ça, là ?

– Dans la salle de bains de la nursery.

James gravit les marches à la recherche de son épouse. La porte de la salle de bains de la nursery était fermée et lorsqu'il tenta de l'ouvrir Louisa l'avertit : « Fais attention. » Il passa la tête à la porte avec précaution et regarda à l'intérieur. Il y avait un vieux drap sur le sol et l'escabeau était déplié. Sa femme se tenait au sommet, occupée à repeindre la cantonnière de bois au-dessus de la fenêtre. Cette dernière était ouverte mais, malgré tout, l'odeur de peinture assaillit ses narines. Il faisait aussi extrêmement froid et il frissonna.

– Que diable es-tu en train de faire ?

– Je repeins la cantonnière.

– Je le vois bien, mais pourquoi ? Elle n'allait pas, cette cantonnière ?

– Tu ne l'as jamais vue avant parce qu'elle était recouverte d'un volant avec des pompons.

Il se souvenait du tissu à pompons.

– Et où est-il passé, ce volant ?

– Eh bien, puisque les enfants étaient chez Helen, j'ai décidé d'en profiter pour laver les rideaux de la salle de bains. J'ai aussi lavé le volant de la cantonnière mais il y avait une sorte d'armature en carton dans le tissu et c'est devenu tout collant. Les pompons commençaient à se détacher et, du coup, j'ai tout jeté à la poubelle. Maintenant je repeins la cantonnière de la même couleur que le reste de la salle de bains, pour que ça ne se voie pas.

James considéra un instant cet enchaînement de causes et d'effets puis répondit :

– Je vois.

– Tu voulais quelque chose ?

Elle semblait avoir hâte de se remettre au travail.

– Non, non ; pas vraiment. Je me disais juste qu'une tasse de café serait la bienvenue.

– Oh, excuse-moi. Je n'y ai pas pensé. Je n'en fais jamais pour moi à moins que Mme Brick ne soit là.

– Bon, eh bien, tant pis. (Plein d'espoir, il ajouta :) De toute façon, c'est bientôt l'heure du déjeuner.

Il commençait à avoir faim. Il retourna à son rapport, prenant une pomme au passage dans la coupe de fruits sur le buffet. Installé à nouveau devant sa règle et sa calculatrice, il espéra que le déjeuner serait chaud et consistant.

Plus tard, il entendit Louisa descendre lentement l'escalier, ce qui voulait dire qu'elle portait l'escabeau et le seau de peinture et, par voie de conséquence, qu'elle avait fini de repeindre la cantonnière.

Bientôt les tiroirs de la cuisine s'ouvrirent et se fermèrent, les casseroles s'entrechoquèrent, le mixeur bourdonna. Une odeur merveilleuse monta aux narines de James : les oignons que l'on fait revenir, la senteur piquante des poivrons verts, assez, en tout cas, pour faire saliver tout homme normalement constitué. Il termina son paragraphe, tira un autre trait bien net et décida de s'octroyer un petit verre.

Dans la cuisine, il s'approcha de Louisa, debout devant la cuisinière, passa les bras autour de sa taille et regarda par-dessus son épaule l'appétissante mixture qui mijotait dans la casserole.

– Il y en a assez pour un régiment ! Tu ne crois pas que c'est un peu trop pour deux personnes ?

– Qui a dit que c'était pour deux ? C'est pour vingt personnes.

– Tu veux dire que nous avons dix-huit invités pour le déjeuner ?

– Non, je veux dire que vingt personnes déjeuneront ici dimanche en huit.

– Alors tu prépares le repas deux semaines à l'avance ?

– Oui. C'est une moussaka. Lorsqu'elle sera terminée, je la mettrai au congélateur. Comme ça, je peux la décongeler le samedi pour le dimanche, et lorsque les invités seront là, il ne me restera plus qu'à la réchauffer.

– Mais aujourd'hui, quel est le menu pour le déjeuner ?

– Tu peux manger ce que tu veux. De la soupe, du pain, du fromage, un œuf dur.

– *Un œuf dur* ?

– Qu'est-ce que tu espérais ?

– Gigot d'agneau. Côtelettes. Tarte aux pommes.

– James, tu sais bien que nous ne déjeunons jamais aussi copieusement.

– Mais si ! Le week-end.

– Les week-ends c'est une autre histoire. On mange des œufs brouillés au dîner. En semaine, c'est le contraire.

– Pourquoi ?

– Pour que tu puisses faire un bon repas le soir, lorsque tu rentres du bureau fatigué et soucieux. Voilà pourquoi.

Elle n'avait pas entièrement tort. James soupira et regarda sa femme assaisonner la moussaka. Du sel, du poivre, une pincée d'herbes de Provence. Il recommençait à saliver et lui demanda :

– Est-ce que je peux en avoir un peu pour mon déjeuner ?

– Non, répondit Louisa.

Il la trouva très mesquine. Pour se consoler, il sortit les glaçons du réfrigérateur et se versa un gin tonic reconstituant. Verre en main, il se rendit dans le salon dans l'intention de finir de lire le journal auprès du feu en attendant que le déjeuner soit prêt.

Mais aucun feu ne brûlait dans la cheminée et un froid lugubre régnait dans la pièce.

– Louisa !

– Quoi donc ?

C'était peut-être son imagination, mais il crut déceler un soupçon d'impatience dans sa voix.

– Tu veux que j'allume le feu dans le salon ? Ça t'éviterait de le faire.

– Eh bien, si tu veux. Mais est-ce bien la peine puisque aucun de nous ne va y aller ?

– Tu ne viendras pas t'asseoir un peu cet après-midi ?

– Non, je ne pense pas, dit Louisa.

– A quelle heure allumes-tu le feu en général ?

– D'habitude, vers cinq heures. (Elle répéta :) Allume-le si tu veux.

Pourtant, par esprit de contradiction, il n'en fit rien. Il prit un plaisir masochiste à s'asseoir sur une chaise dans l'atmosphère glaciale du salon et à lire l'éditorial du journal d'un air emprunté.

En fin de compte, le déjeuner s'avéra bien meilleur qu'il ne l'espérait. Une épaisse soupe de légumes, du pain complet et croustillant, du beurre fermier, un peu de bleu de Stilton et une tasse de café. Pour couronner le tout, il alluma un cigarillo.

– Comment ça se passe ? lui demanda Louisa.

– Quoi donc ?

– Le rapport.
– J'en ai déjà écrit les deux tiers.
– Quel gars intelligent, mon mari ! Bon, je vais te laisser tranquille, comme ça tu pourras terminer sans être interrompu.
– Me laisser ? Et pour qui me laisses-tu ? Dis-moi le nom de ton amant !
– A vrai dire, je n'ai pas d'amant mais il faut que j'aille promener Rufus. J'en profiterai pour passer chez le boucher prendre le gigot qu'il m'a promis.
– Ah bon ? Et quand donc mangerons-nous du gigot ? L'année prochaine ?
– Ce soir. Mais si tu te sens d'humeur sarcastique, je peux le mettre au congélateur en attendant que tu sois en état de l'apprécier.
– C'est absolument hors de question. Et avec le gigot, qu'allons-nous manger ?
– Des pommes de terre nouvelles et des petits pois surgelés. Il t'arrive de penser à autre chose qu'à la nourriture ?
– Eh bien, je pense parfois à la boisson.
– Tu n'es qu'un goinfre.
– Non, un gourmet.
Il l'embrassa, réfléchit un instant et ajouta :
– Ça me fait drôle de t'embrasser pendant les repas. Ce n'est pas souvent que je te donne un baiser à table.
– C'est parce que les enfants ne sont pas là, dit Louisa.
– Nous devrions le faire plus souvent. Se débarrasser d'eux, je veux dire. Et si Helen, ta sœur, ne peut pas les prendre, on les mettra au chenil, voilà tout.

Cet après-midi-là, la maison, sans la présence de Louisa, du chien ou des enfants, vide d'invités ou de personnes s'y affairant, semblait morte. Il y régnait un silence assourdissant, aussi déconcertant qu'un bruit continu dont on ignore l'origine. De l'endroit où il travaillait, James n'entendait que le tic-tac étouffé de l'horloge du vestibule. Il pensa à Louisa, à ce silence dans lequel elle était le plus souvent plongée, avec les enfants à l'école et un mari qui travaillait à Londres. Sûrement, elle devait parler au chien.

Elle finit par revenir et le soulagement de James fut tel qu'il dut se retenir d'aller l'accueillir. Peut-être le sentit-elle, car, peu après, elle mit le nez à la porte et l'appela par son nom. Il affecta d'être surpris :

– Qu'y a-t-il ?

– Si tu as besoin de moi, je suis dans le jardin.

James avait espéré qu'elle allumerait le feu et s'assoirait à côté pour travailler sur sa tapisserie en attendant qu'il vienne la rejoindre. Il se sentit lésé.

– Que vas-tu donc faire dans le jardin ?

– Je vais nettoyer la plate-bande de rosiers. Cela fait longtemps que je dois m'en occuper et je n'ai jamais eu le temps jusqu'à maintenant... Si quelqu'un arrive en camionnette et sonne à la porte, peux-tu lui ouvrir ou venir me chercher ?

– Tu attends quelqu'un ?

– Le beau-frère de Mme Brick a dit qu'il passerait cet après-midi s'il pouvait se libérer.

Le beau-frère de Mme Brick était un parfait inconnu pour James.

– Qu'as-tu l'intention de faire avec lui ?

– Eh bien, il a une tronçonneuse, vois-tu. (James, totalement dérouté, la regardait avec des yeux ronds et Louisa s'impatienta.) Oh, James, je t'en ai parlé, *souviens-toi*. L'un des hêtres du petit bois a été déraciné par un orage et le propriétaire m'a dit que je pouvais prendre du bois de chauffage si je trouvais quelqu'un pour couper les branches. Alors, Mme Brick en a parlé à son beau-frère et elle m'a confirmé qu'il viendrait. Mais si, je t'en ai parlé. Le problème c'est que tu n'écoutes jamais un mot de ce que je te dis, et si par hasard tu écoutes, tu n'entends pas.

– Tu parles comme une femme acariâtre.

– Tu ne me laisses guère le choix. En tout cas, ouvre l'œil, ce serait rageant s'il venait et repartait en croyant qu'il n'y a personne.

James admit que ce serait rageant en effet. Louisa referma soigneusement la porte et sortit dans le jardin. Peu après, il l'aperçut, dans ses bottes en caoutchouc, arrachant les mauvaises herbes au milieu des rosiers. Rufus était assis à côté de la brouette et regardait sa maîtresse. *Quel chien stupide*, pensa-t-il, *il pourrait au moins l'aider.*

Le rapport réclamait à nouveau toute son attention. James, aussi loin qu'il s'en souvînt, n'avait jamais autant peiné pour terminer un travail mais il était enfin en train d'en rédiger la conclusion. Il s'efforçait depuis un moment déjà de mettre la dernière touche à une phrase particulièrement bien tournée, lorsque le silence fut brusquement rompu par l'approche de ce qui semblait être une antique guimbarde aux essieux grinçants. Le véhicule quitta la rue pour remonter l'allée et s'arrêter devant la porte de derrière, où il continua à trépider bruyamment pendant que son conducteur – qui à l'évidence ne voulait pas risquer de couper le contact avant d'être sûr qu'il resterait – carillonnait à la porte.

La phrase bien tournée s'envola pour ne plus revenir. James se leva pour aller répondre à ce qui ressemblait à des sommations. Sur le pas de la porte, il se retrouva nez à nez avec un homme de grande taille, aux cheveux blancs, au visage rubicond et à la belle prestance dans ses pantalons de velours et sa veste en tweed. Il y avait derrière lui, ronflant et vibrant sur le bitume de l'allée, un vieux camion bleu, couvert d'une généreuse couche de boue et de fumier, recrachant des nuages de fumée délétère.

L'homme possédait un regard d'un bleu exceptionnellement lumineux et ne cillait pas.

– Mme Harner ?

– Non, je ne suis pas Mme Harner. Je suis M. Harner.

– C'est Mme Harner que je suis venu voir.

– Vous êtes le beau-frère de Mme Brick ?

– C'est bien ça. Je m'appelle Redmay. Josh Redmay.

James se sentit quelque peu déconcerté. Voilà qui ne cadrait pas avec l'image qu'il avait de la famille de Mme Brick. Avec ses yeux bleus et ses manières de vieux loup de mer, l'homme ressemblait à un amiral à la retraite n'ayant pas pour habitude de s'adresser à d'obscurs gratte-papier.

– Mme Harner est dans le jardin de devant. Si vous voulez bien...

– J'ai apporté la tronçonneuse.

M. Redmay n'avait apparemment que faire des politesses.

– Où est l'arbre ? reprit-il.

Il aurait été plaisant de lui répondre « Objectif deux degrés ouest, à dix encablures » mais James se contenta de dire :

– Je ne connais pas l'endroit exact. Ma femme vous montrera.

M. Redmay jeta à James un long regard scrutateur que ce dernier parvint à soutenir en gonflant la poitrine et en relevant le menton. Puis il tourna les talons, s'approcha du véhicule couvert de boue, passa la main à l'intérieur et coupa le contact. Le camion eut un dernier hoquet et le silence retomba mais la forte odeur de gaz d'échappement demeura, montant désagréablement aux narines de James. M. Redmay sortit ensuite de l'arrière du camion une tronçonneuse et un bidon d'essence. A la vue de la lame, semblable à une mâchoire de requin couverte de dents acérées, James eut la vision cauchemardesque de Louisa agitant des mains sans doigts.

– Monsieur Redmay...

Le beau-frère de Mme Brick fit volte-face. James se sentit bête mais ne s'y arrêta pas.

– Ne laissez pas ma femme s'approcher trop de ce truc-là, voulez-vous ?

L'expression de M. Redmay demeura inchangée. Il hocha la tête en direction de James, hissa la tronçonneuse sur son épaule et disparut derrière la maison. *Au moins*, pensa James, *il ne m'a pas craché au visage.*

A cinq heures moins le quart, le rapport était terminé. Peaufiné, lu, relu, corrigé et agrafé. Satisfait, James le glissa dans sa mallette, qu'il referma d'un claquement. La secrétaire le taperait le lendemain et chaque chef de service aurait sa copie.

Fatigué, il s'étira et bâilla. On entendait toujours, à l'autre bout du jardin, la plainte stridulée de la tronçonneuse. James se leva et se rendit dans le salon. Il prit la boîte d'allumettes sur la cheminée et entreprit d'allumer un feu dans l'âtre. Il se dirigea ensuite vers la cuisine où il remplit la bouilloire et la mit à chauffer. Sur la table, il y avait un plein panier de linge attendant d'être repassé. Il aperçut un saladier de pommes vapeur et, sur la cuisinière, une casserole qui mijotait. Il en souleva le couvercle et aussitôt l'odeur de la soupe aux asperges – celle qu'il préférait – lui emplit les narines.

La bouilloire sifflait. Il prépara le thé, le versa dans un Thermos, rassembla des tasses, une bouteille de lait, du sucre en morceaux. Il découvrit dans l'une des boîtes à biscuits un grand cake aux fruits dont il découpa trois généreuses tranches. Puis il mit le tout dans un panier, enfila un vieux veston et sortit dans le jardin.

Dehors, l'après-midi s'achevait sous un ciel bleu et tranquille. L'air humide et frais sentait bon la terre et ce qui y pousse. James traversa la pelouse puis le pré, franchit la barrière avant de s'enfoncer dans le bois de hêtres. Le bourdonnement de la tronçonneuse se rapprochait ; il ne fut pas long à trouver Louisa et M. Redmay. Celui-ci s'était confectionné un chevalet à partir d'une souche et tous deux travaillaient ensemble, M. Redmay maniant la tronçonneuse et Louisa lui passant les branches qui se trouvaient transformées, en l'espace de quelques secondes, en une pile de bûches. L'odeur de la sciure de bois les enveloppait.

Ils paraissaient à la fois méthodiques et complices. James, pendant un court instant, en éprouva une pointe de jalousie. Un jour peut-être, lorsqu'il se serait retiré de la foire d'empoigne de la Cité, Louisa et lui passeraient le crépuscule de leur vie à couper du bois ainsi.

Sa femme leva les yeux et l'aperçut. Elle cria quelques mots à l'adresse de M. Redmay qui coupa le contact de la tronçonneuse. La plainte stridente alla en déclinant, jusqu'au silence. M. Redmay se redressa et regarda James.

Il s'avançait, son panier sous le bras, se sentant pareil à l'épouse d'un fermier, et annonça :

– J'ai pensé qu'une tasse de thé ne nous ferait pas de mal.

Ce fut un moment de convivialité, tous trois assis dans le bois que la nuit tombante assombrissait, buvant leur thé chaud, mangeant du cake et écoutant le vol des pigeons ramiers. Louisa semblait fatiguée, elle nicha sa tête contre l'épaule de James et dit avec satisfaction :

– Regarde-moi tout ce bois ! Je n'aurais jamais cru que nous allions tirer autant de bûches de ces quelques branches.

– Comment va-t-on les porter jusqu'à la maison ? demanda James.

– J'ai arrangé ça avec votre dame, dit M. Redmay en tirant sur sa cigarette. J'emprunterai un tracteur et une remorque et je vous apporterai les bûches. Peut-être demain. Pour le moment il commence à faire nuit, nous ferions mieux d'y aller.

Ils remirent tasses et ustensiles dans le panier et se dirigèrent vers la maison. Là, Louisa monta prendre un bain et James invita M. Redmay à prendre un verre, que ce dernier ne refusa pas. Ils s'installèrent dans le salon auprès du feu. Ils burent chacun deux whiskies et lorsque M. Redmay se leva pour prendre congé, ils étaient devenus les meilleurs amis du monde.

– Y a pas à dire, votre petite dame c'est une perle rare, dit-il. (Il grimpa dans la cabine de son camion et claqua la portière.) Si jamais vous vous en séparez, dites-le-moi. Pour quelqu'un de dur à la peine dans son genre, il y aura toujours du travail.

Mais James répondit qu'il ne voulait pas s'en débarrasser. Pas encore, en tout cas.

Une fois M. Redmay parti, James rentra chez lui et monta à l'étage retrouver Louisa. Elle était sortie de son bain et avait revêtu son peignoir de velours bleu dont elle avait serré la ceinture autour de sa taille menue. Elle était en train de se brosser les cheveux

– Je ne t'ai pas demandé comment cela s'était passé pour le rapport. Tu l'as terminé ? questionna-t-elle.

– Oui. J'ai fini.

Il s'assit au bord du lit et desserra sa cravate. Louisa vaporisa un peu de son nouveau parfum puis se leva et vint l'embrasser sur le sommet du crâne.

– Tu as travaillé dur, lui dit-elle.

Elle quitta la pièce et descendit. Il resta un moment assis sur le lit, puis il finit de se déshabiller et prit un bain. Lorsqu'il redescendit à la cuisine, le panier de linge avait disparu, mais l'odeur des vêtements fraîchement repassés flottait encore dans l'air. Il passa devant la salle à manger et aperçut Louisa, dressant la table de l'autre côté de la porte ouverte. Il s'arrêta pour la regarder. Elle leva les yeux, le vit qui l'observait et dit :

– Quelque chose ne va pas ?

– Tu dois être fatiguée.

– Pas spécialement.

Il lui demanda, comme il le faisait tous les soirs :

– Tu veux boire quelque chose ?

Et Louisa répondit comme à l'habitude :

– J'aimerais bien un petit verre de xérès.

Ils avaient repris leur routine habituelle.

Rien n'avait changé. Le lendemain matin, James partit travailler à Londres, passa la journée dans son bureau, déjeuna au pub avec l'un des jeunes rédacteurs de l'agence puis, le soir venu, retourna chez lui à la campagne, emporté par le flot compact de la circulation à l'heure de pointe. Mais il ne se rendit pas directement chez lui. En chemin il s'arrêta à Henborough, descendit de voiture et entra chez le fleuriste. Il acheta une pleine brassée de fragiles jonquilles, de tulipes rose pâle et d'iris violets pour Louisa. La vendeuse les enveloppa dans du papier de soie, James les paya, les emporta chez lui et les offrit à sa femme.

– James... (Elle semblait très surprise, et il y avait de quoi puisqu'il n'avait pas pour habitude de la couvrir de fleurs.) Qu'elles sont belles ! (Elle enfouit son visage dans le bouquet, humant le parfum des jonquilles, puis elle leva les yeux vers lui.) Mais pourquoi... ?

Parce que tu es ma vie. La mère de mes enfants, le cœur de ma maison. Tu es le cake dans la boîte à biscuits, les chemises propres dans la commode, les bûches dans la cheminée, les roses dans le jardin et puis les fleurs à l'église. Tu es l'odeur de peinture dans la salle de bains et la prunelle des yeux de M. Redmay. Et parce que je t'aime.

– Pas de raison particulière, dit-il.

Elle vint à lui et l'embrassa :

– La journée a été bonne ?

– Ça a été. Et toi, qu'est-ce que tu as fait aujourd'hui ?

– Oh, répondit Louisa. Pas grand-chose.

Traduit par Christian Salzedo

La maison sur la colline

Le village était minuscule. Oliver, en ses dix années d'existence, n'avait jamais vu d'endroit si petit. Il y avait six maisons de granit, un pub, une vieille église, un presbytère et une boutique devant laquelle était garé un vieux camion. Un chien aboya, mais à part lui, il semblait n'y avoir personne.

Muni d'un panier et de la liste de Sarah, Oliver ouvrit la porte du magasin à l'enseigne de JAMES THOMAS, ÉPICERIE, TABAC. Il descendit deux marches et se retrouva face à deux hommes séparés par un comptoir qui tournèrent la tête dans sa direction.

Il referma la porte.

– Je suis à toi tout de suite, dit le marchand, un homme chauve de petite taille et vêtu d'un gilet marron.

Probablement James Thomas. Un homme très ordinaire. On ne pouvait pas en dire autant de son client qui était en train de régler une énorme quantité d'achats. Il était si grand qu'il devait baisser la tête pour ne pas se cogner aux poutres apparentes du plafond. Il portait un blouson de cuir, des jeans rapiécés, de grandes bottes, et arborait une tignasse et une barbe rousses. Oliver, qui savait pourtant que c'était mal de fixer les gens, fut fasciné par ses yeux d'un bleu pâle qui lui rendaient son regard sans ciller. Mal à l'aise, il esquissa un vague sourire. L'homme ne broncha pas. M. Thomas lui tendit sa note :

– Sept livres cinquante, Ben.

L'homme prit une liasse de billets dans la poche arrière de son jean, paya, empila les deux cartons et les souleva sans le moindre effort. Oliver lui ouvrit la porte. En franchissant le seuil, le barbu baissa les yeux vers lui.

– Merci.

Sa voix résonna comme un coup de gong. *Ben*. On l'aurait facilement imaginé en train de hurler des ordres du haut de la dunette d'un bateau de pirates, ou à la tête d'une bande de redoutables naufrageurs. Oliver le regarda charger ses provisions sur la plate-forme arrière du camion et s'installer au volant. Le tacot démarra dans un crissement de gravier et disparut dans un nuage de poussière. Oliver referma la porte et revint vers le comptoir.

– Vous désirez, jeune homme ?

Oliver tendit sa liste au marchand.

– C'est pour Mme Rudd.

M. Thomas le regarda en souriant.

– Toi, tu es le jeune frère de Sarah. Elle m'a annoncé ta visite. Tu es arrivé quand ?

– Hier soir. Par le train. J'ai été opéré de l'appendicite et je suis venu passer deux semaines chez Sarah avant de retourner à l'école.

– Tu vis à Londres, non ?

– Oui. A Putney.

– Ça te fera du bien de changer d'air. C'est ta première visite, je crois ? La vallée te plaît ?

– Beaucoup. Je suis venu à pied de la ferme.

– Tu as croisé des blaireaux ?

– Des blaireaux ?

Il se demanda si M. Thomas se moquait de lui.

– Non.

– Promène-toi dans la vallée au crépuscule, tu les verras. Et en bas des falaises, tu trouveras des phoques. Sarah va bien ?

– Oui, elle va bien.

Du moins, il le supposait. Elle devait accoucher de son premier enfant dans deux semaines et Oliver avait eu un choc en voyant sa sœur habituellement mince comme un fil brusquement passer aux proportions d'une baleine. Elle était toujours jolie, mais vraiment énorme.

– Tu vas donner un coup de main à Will à la ferme ?

– Ce matin, je me suis levé tôt pour le regarder traire les vaches.

– On va faire de toi un vrai fermier. Voyons voir... Un kilo de farine, du café instantané, un kilo de sucre en poudre.

Il remplit le panier.

– Ça ne sera pas trop lourd ?

– Non, ça ira.

Oliver sortit l'argent du porte-monnaie de Sarah et l'épicier lui fit cadeau d'une barre de chocolat au lait.

– Merci beaucoup.

– Ça va te donner des forces pour grimper la colline. A la prochaine.

Le panier à la main, Oliver sortit du village, traversa la route et emprunta le sentier qui serpentait à travers la vallée jusqu'à la ferme de Will Rudd. C'était une promenade agréable. Un ruisseau accompagnait le chemin et quand le ruisseau bifurquait, on franchissait un petit pont de pierre qui permettait d'apercevoir, en se penchant un peu, des poissons et des grenouilles. La lande était couverte de fougères rousses et de robustes ajoncs. Sarah rapportait du petit bois de ses promenades au bord de la mer, avec lequel ils alimentaient la cheminée. En brûlant, le petit bois craquait et il sentait le goudron mais les ajoncs se consumaient doucement et donnaient une cendre blanche.

A mi-parcours, Oliver dépassa l'unique arbre, un très vieux chêne qui défiait le temps, fermement enraciné au bord de la petite rivière. Il avait traversé les siècles et les intempéries, difforme et tordu, et fini par atteindre sa pleine maturité. L'arbre était nu et se dressait sur un épais tapis de feuilles mortes. Oliver s'amusa d'abord à donner des coups de pied dedans avec ses bottes de caoutchouc. Puis s'arrêta net, pétrifié par la vue d'une carcasse de lapin à la fourrure déchiquetée, dont les horribles intestins sanguinolents sortaient par une blessure béante.

Peut-être avait-il surpris un renard en plein festin. Peut-être le renard l'épiait-il dans les fougères de ses petits yeux cruels ? Inquiet, Oliver jeta un coup d'œil autour de lui mais ne vit que les feuilles soulevées par le vent. La peur l'envahit. Il leva les yeux. Un faucon planait dans le ciel pâle de novembre, prêt à fondre sur sa proie. C'était magnifique et terrifiant à la fois. La nature était cruelle. La naissance et la mort, le combat pour la survie, tout était en train de se jouer, ici. Il suivit un moment le faucon des yeux et se remit en route en passant bien au large du lapin.

Il fut soulagé de retrouver la ferme. Otant ses bottes, il franchit le seuil de la cuisine où régnait une agréable chaleur. Will était déjà attablé, prêt pour le repas de midi. En voyant Oliver, il reposa son journal.

– On a cru que tu t'étais perdu.
– J'ai vu un lapin mort.
– C'est pas ça qui manque dans le coin.
– Et un faucon dans le ciel.
– Une petite crécerelle. Je l'ai vue moi aussi.

Debout devant la cuisinière, Sarah versait de la soupe dans des bols. Elle avait aussi préparé de la purée de pommes de terre et cuit une miche de pain complet. Oliver se coupa une tartine, la beurra, et sa sœur s'installa en face de lui, à une certaine distance de la table à cause de son gros ventre.

– Tu n'as pas eu de mal à trouver la boutique ?

– Non. J'y ai croisé un grand type roux, un barbu. Il s'appelle Ben.

– Ben Fox. Will lui loue une petite maison, là-haut sur la colline. Tu peux voir sa cheminée depuis ta chambre.

Pas très rassurant.

– Il fait quoi ?

– Sculpteur sur bois. Il s'est installé un atelier et il s'en sort plutôt bien. Il vit seul avec son chien et quelques poules. Comme il n'y a pas de chemin qui mène chez lui, il laisse son camion en bas de la colline et il transporte tout sur son dos. Même des objets très lourds. L'autre jour, c'était un motoculteur. Will lui prête le tracteur et en échange, il vient nous donner un coup de main pour les récoltes ou la tonte des moutons.

Tout en mangeant sa soupe, Oliver réfléchit à la situation. Tout cela était bien beau mais ne pouvait lui faire oublier le regard glacial et l'inquiétude que lui inspirait cet homme.

– Si tu veux, je t'emmènerai lui rendre visite, dit Will. Une de mes vaches adore aller brouter sur la colline, et elle y entraîne son veau. Justement, elle s'est sauvée ce matin et je dois aller la récupérer cet après-midi.

– Il faudra réparer le mur, dit Sarah.

– On va prendre quelques poteaux, du grillage et on verra ce qu'on peut faire.

Il sourit à Oliver.

– Ça te dit ?

Oliver ne répondit pas tout de suite. Il ressentait une certaine appréhension à l'idée de revoir Ben Fox, mais d'un autre côté cet homme le fascinait.

Et puis de toute façon, avec Will, il ne risquait rien.

– Oui, je veux bien t'accompagner.

Sarah sourit et lui resservit de la soupe.

Ils se mirent en route une demi-heure plus tard, escortés par le chien de Will. Oliver portait un rouleau de grillage et Will quelques solides poteaux. Un lourd marteau déformait la poche de sa salopette.

Ils traversèrent les pâturages pour monter vers la lande. Tout en haut, ils repérèrent l'endroit où le mur s'était écroulé. La vache fugueuse avait renversé des pierres pour se frayer un chemin. Ils déposèrent les poteaux, le marteau et le rouleau de grillage, puis escaladèrent le mur et se ménagèrent un passage à travers les ronces et les fougères. Un sentier étroit serpentait dans les broussailles, à peine visible ; ils arrivèrent bientôt au pied des grands cairns qui encerclaient la colline, aussi escarpés que des falaises. Ils passèrent entre deux amas rocheux par un chemin encaissé qui les guida jusqu'au sommet où le granit recouvert de lichen perçait par endroits sous le sol moussu. Oliver respira à pleins poumons l'air salin qui soufflait de la mer. Il vit l'océan au nord, la lande au sud... et enfin la maison sur la colline. Elle avait surgi alors qu'il ne s'y attendait pas. Elle se trouvait au fond d'une petite cuvette, tapie pour mieux lutter contre les éléments. Un panache de fumée montait de sa cheminée et un muret de pierres sèches protégeait son petit jardin. Près du mur, la vache de Will et son veau paissaient tranquillement.

– Stupide animal ! dit Will à la vache.

Ils poursuivirent leur chemin, contournèrent la maison et tombèrent sur un grand appentis au toit de tôle ondulée, qui servait d'atelier. La porte était ouverte. Le bruit d'une tronçonneuse et des aboiements féroces les assourdirent ; un grand chien noir et blanc bondit sur eux. Au grand soulagement d'Oliver, ce ne fut que pour leur souhaiter la bienvenue.

Will se baissa pour caresser l'animal. Le bruit de la tronçonneuse cessa brusquement et Ben Fox apparut sur le seuil du hangar.

– Will ? gronda la voix de basse. Tu es venu récupérer ta vache ?

– J'espère qu'elle n'a pas fait de dégâts.

– Pas que je sache.

– Je vais reboucher le trou.

– Mieux vaut qu'elle reste en bas, ici il pourrait lui arriver quelque chose.

Son regard se posa sur Oliver.

– Je te présente Oliver, le frère de Sarah.

– On s'est déjà rencontrés ce matin, je crois ?

– Oui, chez l'épicier.

– Je ne savais pas qui tu étais.

Il se tourna vers Will.

– Tu veux une tasse de thé ?

– Si tu en fais pour toi...

– Suivez-moi.

Ben referma l'atelier et ils le suivirent dans le jardin remarquablement entretenu, où les carrés de légumes voisinaient avec les pommiers. Ben retira ses bottes et baissa la tête pour entrer dans la maison. Ils découvrirent alors une pièce tellement inattendue qu'Oliver en resta bouche bée. Les murs étaient couverts de rayonnages où s'alignaient des centaines de livres. L'ameublement n'était pas moins surprenant. Un grand sofa confortable, un beau fauteuil recouvert de brocart, un matériel hi-fi haut de gamme avec des piles de trente-trois tours. Les tapis sur le parquet plurent beaucoup à Oliver et il imagina qu'ils étaient très précieux. Un feu brûlait dans la cheminée surmontée d'une pendule émaillée d'or et de turquoise, ses délicats rouages exposés aux regards sous un verre transparent.

Cet espace exigu et assez encombré était propre, rangé ; la précision des gestes de Ben Fox tandis qu'il branchait la bouilloire et allait chercher des tasses, du lait et du sucre s'accordait parfaitement à son intérieur. Quand le thé fut prêt, ils prirent place autour de la table et les deux hommes bavardèrent sans plus prêter attention à Oliver. Il se tint tranquille, sage comme une image, observant son hôte à la dérobée entre deux gorgées de thé brûlant. Il était déconcerté par son regard impénétrable ; le mystère ne se dissipait point.

Au moment de partir, il dit simplement :

– Merci.

Son unique contribution à la conversation. Il s'ensuivit un silence déroutant et il crut bon d'ajouter :

– Pour le thé.

– De rien, dit Ben Fox sans un sourire.

Will et Oliver récupérèrent la vache et son veau puis repartirent pour la ferme. Ben Fox les suivit un moment des yeux. Juste avant de s'engager dans le chemin encaissé, Oliver se retourna avec l'intention de le saluer. Mais le géant barbu avait déjà disparu, et son chien avec lui. Et tandis que Oliver amorçait avec précaution la descente, il entendit le bruit de la tronçonneuse qui se remettait en marche.

Oliver regardait Will s'affairer à réparer la clôture.

– Mais qui est ce type ? demanda-t-il.

– Ben Fox, je te l'ai dit.

– Tu ne sais vraiment rien de lui ?

– Non, et je n'y tiens pas, à moins qu'il ait envie de me faire des confidences. Chacun mène sa vie comme il veut. La sienne ne me regarde pas.

– Ça fait longtemps qu'il habite ici ?

– Deux ans.

Comment pouvait-on vivre tout ce temps à côté de quelqu'un sans rien savoir de lui ?

– C'est peut-être un criminel qui se cache. Pourquoi pas ? Il a l'air d'un pirate.

– Il ne faut pas juger les gens sur leur apparence, dit Will. C'est un artisan qui travaille dur, il gagne assez d'argent pour subvenir à ses besoins et il paye son loyer. Qu'est-ce que tu veux de plus ? Tiens-moi ce marteau une minute et ne laisse pas tomber le fil de fer...

Plus tard, il tenta sa chance auprès de Sarah mais sans plus de succès.

– Est-ce qu'il lui arrive de vous rendre visite ? demanda Oliver.

– Non. Nous l'avons bien invité pour Noël, mais il nous a répondu qu'il préférait rester seul.

– Il a des amis ?

– Des amis intimes, non. Mais il lui arrive d'aller au pub le samedi soir et les gens ont l'air de l'apprécier... C'est un homme réservé, voilà tout.

– Peut-être qu'il cache un secret ?

Sarah éclata de rire.

– Oui, comme nous tous.

C'est peut-être un assassin. Cette pensée lui traversa l'esprit mais elle était impossible à formuler à voix haute.

– Sa maison est remplie de bouquins et d'objets précieux.

– C'est sûrement quelqu'un de cultivé.

– Et s'il avait volé toutes ces choses ?

– Ça m'étonnerait beaucoup.

Décidément, Sarah lui portait sur les nerfs.

– Mais, Sarah, tu n'as pas envie de savoir ?

– Oh, Oliver...

Elle lui passa la main dans les cheveux.

– Laisse ce pauvre Ben Fox vivre sa vie.

Le soir, alors qu'ils étaient assis autour du feu, le vent se leva. Il siffla, gémit, puis hurla dans la vallée et vint fouetter les murs épais de la ferme, faisant trembler les vitres et même bouger les rideaux. Oliver alla se coucher et resta les yeux grands ouverts dans le noir, abasourdi par le déchaînement de cette violence. Entre deux rafales, il entendait le bruit des vagues qui se brisaient sur les falaises.

Il imagina les énormes lames de fond, il pensa au cadavre du lapin, au faucon dans le ciel et à toutes les terreurs ancrées dans cette terre primitive. Il songea à la maison au sommet de la colline exposée à tous les vents, à Ben Fox qui s'y terrait avec son chien, ses livres, son regard glacé et son secret. *C'est peut-être un assassin.* Il frissonna et se coucha en chien de fusil en ramenant les couvertures sur sa tête ; mais rien n'arrêterait le bruit du vent.

Le lendemain matin, la tempête ne s'était pas calmée. La cour de la ferme était jonchée de débris, il y avait même quelques tuiles arrachées du toit. Les dégâts étaient encore impossibles à évaluer car la pluie venue s'ajouter au vent brouillait toute visibilité. On avait l'impression d'être perdu dans un nuage.

– Sale temps, dit Will au petit déjeuner.

Il avait mis son costume des dimanches, une chemise et une cravate, car il se rendait au marché. Oliver sortit pour le regarder partir dans son camion. La voiture restait dans la cour, à la disposition de Sarah. Le véhicule franchit la grille et disparut, avalé par la grisaille. Oliver referma la porte et retourna dans la cuisine.

– Qu'est-ce que tu veux faire, aujourd'hui ? lui demanda Sarah. J'ai acheté du papier à dessin et des feutres neufs, au cas où il pleuvrait.

Mais il n'avait pas très envie de dessiner.
– Et toi, qu'est-ce que tu vas faire ?
– De la pâtisserie.
– Un cake ?
Oliver adorait les gâteaux de sa sœur.
– Je n'ai plus de fruits secs.
– Je pourrais aller t'en chercher à l'épicerie.
Elle lui sourit.
– Ce sale temps ne te fait pas peur ?
– Non, non.
– Comme tu veux. Mais alors mets ton ciré et tes bottes.

Son ciré boutonné jusqu'au cou et le porte-monnaie de Sarah au fond de sa poche, Oliver partit à l'aventure. Il se voyait comme un explorateur ragaillardi par la tempête et marchait courbé contre le vent qui couchait les fougères. Ses cheveux étaient trempés et un filet d'eau lui coulait dans le cou. Le sol spongieux s'enfonçait sous ses pieds. Arrivé au premier pont, il se pencha et vit un torrent boueux qui dévalait vers la mer.

Fatigué par cette lutte contre les éléments, il songea au plaisir du retour quand le vent le pousserait dans le dos. Peut-être M. Thomas lui aurait-il donné une barre de chocolat.

Mais ses projets furent brutalement contrariés. Arrivant dans le virage où se dressait le chêne, il vit que la route était coupée. Le vieil arbre plusieurs fois centenaire avait fini par succomber aux intempéries. Déraciné, il gisait à terre, ses branches inextricablement mêlées aux fils brisés de la ligne téléphonique.

C'était un spectacle impressionnant. Ce désastre remontait à très peu de temps puisque le camion de Will était passé sans encombre. *Il aurait pu me tomber dessus*, songea soudain Oliver. Il s'imagina sans vie, comme le lapin, piégé sous cet énorme tronc car aucun être vivant ne pouvait survivre à un pareil coup du sort. La bouche sèche, il avala sa salive. Il se sentit frissonner de la tête aux pieds et prit ses jambes à son cou.

– Sarah !

Elle n'était pas dans la cuisine.

Il retira ses bottes et ses doigts tremblaient en déboutonnant son ciré.

– Je suis dans la chambre !

Il fonça en chaussettes jusqu'au premier étage.

– Sarah, le chêne est tombé sur la route. Je n'ai pas pu arriver jusqu'au village et...

Il s'arrêta net. Quelque chose n'allait pas. Sarah, très pâle, était allongée tout habillée sur le lit, une main sur les yeux.

– Sarah ?

D'un geste lent, elle retira sa main et son regard croisa celui d'Oliver. Elle parvint à esquisser un sourire.

– Sarah ? Que se passe-t-il ?

– Je... j'étais en train de faire le lit et... Oliver, je crois que je vais avoir mon bébé.

– Hein ? Mais il n'était pas prévu avant deux semaines.

– Oui, je sais.

– Tu es sûre de ce que tu dis ?

– Absolument. Je pense que nous devrions prévenir l'hôpital.

– Mais c'est impossible. L'arbre a arraché les lignes téléphoniques.

La route était bloquée, le téléphone coupé, et Will qui était parti à Truro... Un pesant silence s'abattit sur la pièce, lourd d'angoisse et d'appréhension.

Oliver ne pouvait pas rester sans rien faire.

– Je vais aller au village. J'escaladerai l'arbre ou alors je passerai par la lande.

– Non.

Sarah s'était reprise et paraissait à nouveau maîtresse de la situation.

– Ce serait trop long.

– Le... le bébé est déjà en train d'arriver ?

Elle se força à sourire.

– Non. Ça nous laisse un peu de temps, mais il faut faire vite.

– Dis-moi ce que je dois faire.

– Va chercher Ben Fox. Tu connais le chemin, tu es allé là-haut avec Will hier. Dis-lui qu'on a besoin de lui et surtout qu'il n'oublie pas sa tronçonneuse pour dégager la route.

Aller chercher Ben Fox. Horrifié, Oliver regarda sa sœur. Aller chercher Ben Fox... Partir seul, gravir la colline, traverser le brouillard, pour aller chercher Ben Fox. Se rendait-elle compte de ce qu'elle lui demandait ? C'est alors qu'elle se leva avec difficulté, une main posée sur le ventre, et Oliver éprouva un étrange sentiment protecteur, une véritable réaction d'adulte.

– Tu crois que ça ira ? demanda-t-il.

– Oui. Je vais me faire une tasse de thé et m'asseoir un moment.

– Je me dépêche. Je reviens aussi vite que possible.

Il pensa bien emmener le chien de Will, mais celui-ci n'obéissait qu'à son maître et refuserait certainement de quitter la cour de la ferme. En dépit de la visibilité désastreuse, Oliver chemina assez vite et ne tarda pas à se retrouver devant le mur qu'il avait réparé avec Will au moyen d'une clôture improvisée. Mais une fois franchi le mur, les choses se gâtèrent. Les buissons de ronces, la pluie et le vent de plus en plus glacé rendaient sa progression difficile. Il avait du mal à voir au-delà d'un mètre ou deux. Il perdit ses repères et la notion du temps. Il trébuchait sur des racines, des épines lui égratignaient les mollets, il tombait dans la boue, s'écorchant les genoux. Mais il continua. Il se disait que tout ce qu'il avait à faire était d'atteindre le sommet. Après, tout serait plus facile. Il trouverait la maison de Ben Fox. Il la trouverait.

Après ce qui lui sembla une éternité, il arriva au pied des grands cairns. Il s'appuya un instant aux parois de granit humides et froides, aussi abruptes que celles d'une falaise. Il ne retrouvait pas le sentier. Il fallait absolument le retrouver. Oui, mais comment ? Le souffle court, plongé dans la végétation jusqu'à la taille, écrasé par sa solitude et l'urgence désespérée de la situation, il fut saisi de panique. Il s'entendit gémir comme un enfant. Il se mordit la lèvre, ferma les yeux pour mieux se concentrer, et longea le bloc de granit. Au bout d'un moment il sentit le rocher s'incurver et, en levant les yeux, il vit les deux parois abruptes des cairns qui se dressaient vers le ciel bas.

Il poussa un soupir de soulagement et entreprit de grimper à quatre pattes le chemin escarpé. Il était sale, boueux, trempé, perclus de douleurs, mais à nouveau dans la bonne direction. Arrivé au sommet, il ne parvint pas à voir la maison mais fut sûr d'être sur la bonne voie. Il se mit à courir, tomba, se releva. Soudain il entendit un chien aboyer. Puis un toit, une cheminée et une fenêtre allumée émergèrent du brouillard.

Il était arrivé devant la grille du jardin. Il se battit avec le loquet, la porte s'ouvrit, la lumière fut éblouissante ; le chien se précipita à sa rencontre.

Ben Fox apparut.

– Qui est-ce ?

Oliver remonta l'allée.

– C'est moi.

– Que se passe-t-il ?

A bout de souffle, soulagé mais épuisé, Oliver se mit à bafouiller des paroles inintelligibles.

– Respire, prends ton temps, tout va bien.

Ben le saisit par les épaules et se baissa pour le regarder dans les yeux.

– Parle, maintenant.

Oliver avait repris son souffle. Il fit un compte rendu des événements. Quand il eut terminé, Ben ne montra aucun signe de précipitation, ce qui le surprit.

– Et tu as trouvé le chemin tout seul ?

– Je me suis perdu, j'ai pas arrêté de me perdre mais j'ai fini par retrouver le chemin entre les cairns, et à partir de là c'était plus facile.

– Tu es un brave garçon.

Ben lui donna une petite tape sur l'épaule.

– Attends-moi là, je vais chercher un manteau et ma tronçonneuse.

Le retour à la ferme, main dans la main avec Ben Fox, tous deux escortés par le chien noir et blanc qui bondissait autour d'eux, fut si rapide qu'Oliver avait peine à se souvenir qu'il avait tant souffert à l'aller. Sarah les attendait près du feu. Elle paraissait calme et apaisée, une tasse de thé à la main. Elle avait posé sa valise près de la porte.

– Oh, Ben !

– Est-ce que ça va ?

– Oui. J'ai eu des contractions. Je crois qu'elles sont espacées d'une demi-heure environ.

– Bon, ça nous laisse le temps de t'emmener à l'hôpital. Je me charge de l'arbre.

– Je suis désolée.

– Il ne faut pas, et à ta place, je serais fière de ton frère. Il a fait ce qu'il fallait pour me trouver.

Il se tourna vers Oliver.

– Tu viens ou tu restes ?

– Je viens.

Il avait oublié sa fatigue, ses mains et ses genoux écorchés.

– Je me rendrai utile.

Ils s'y mirent tous les deux. Ben Fox sciait les branches qui avaient arraché les fils du téléphone tandis que Oliver les traînait sur le bas-côté. A force de travail acharné, ils finirent par libérer un espace suffisant entre la route et le torrent pour permettre au véhicule de passer. Puis ils revinrent prendre Sarah à la ferme.

Elle s'inquiéta à la vue du chêne.

– On ne passera jamais.

– On va essayer quand même, dit Ben.

Il se dirigea droit sur la brèche. Il y eut un bruit terrible de frottements, de grincements et de coups sourds mais ils réussirent à franchir l'obstacle.

– Will va râler quand il verra sa voiture, soupira Sarah.

– Il aura d'autres choses en tête. Par exemple la naissance d'un bébé.

– Ils vont être surpris à l'hôpital. Ils ne m'attendent pas avant deux semaines.

– Ce n'est pas grave.

– Et Will ? Il faut lui téléphoner.

– Je m'en charge. Et maintenant, respirez bien et accrochez-vous, je vais mettre les gaz. Dommage que nous n'ayons pas une sirène de police.

L'épais brouillard le ralentissait mais compte tenu des circonstances, il parcourut le trajet en un temps record. Ils franchirent bientôt l'arche de brique rouge qui donnait accès au petit hôpital de campagne. Ben gara sa voiture dans la cour.

Il aida Sarah à s'en extraire et s'empara de sa valise. Oliver voulut les accompagner mais ils lui dirent d'attendre.

– Pourquoi ? se plaignit Oliver qui ne voulait pas rester seul.

– Fais ce qu'on te dit, répliqua Sarah.

Elle l'embrassa et il la serra dans ses bras, puis il la regarda partir et se renversa sur son siège, les larmes aux yeux. Il ne ressentait ni fatigue ni douleur, mais était rongé par l'inquiétude. A cause de sa sœur. C'était peut-être dangereux qu'un bébé arrive avec deux semaines d'avance. Et s'il n'était pas tout à fait normal ? Il l'imagina avec un orteil en moins, des yeux qui louchaient... La pluie n'arrêtait pas de tomber et cette matinée avait duré une éternité. Il regarda sa montre et vit avec stupéfaction qu'il n'était pas encore midi. Il lui tardait que Ben revienne.

Il réapparut enfin, traversant la cour à grandes enjambées, plus incongru que jamais dans le cadre de cet hôpital aux grands bâtiments réguliers. Ben s'installa au volant et claqua la portière. Il resta un long moment silencieux et Oliver se demanda s'il n'allait pas lui annoncer la mort de Sarah.

Sa gorge se serra.

– Ça... ça les a embêtés qu'elle soit venue plus tôt ?

Sa voix sonnait bizarre.

Ben passa la main dans sa tignasse rousse.

– Non. Ils avaient un lit pour elle et en ce moment elle doit être en train d'accoucher. Tout est très bien organisé.

– Pourquoi êtes-vous parti si longtemps ?

– Il fallait que je joigne Will. J'ai appelé le marché de Truro. Ils ont mis du temps à le trouver mais il est en route.

– Est-ce que...

C'était impossible de parler à quelqu'un qui vous tournait le dos ; Oliver grimpa sur le siège avant.

– Est-ce que ça change quelque chose si le bébé arrive avec deux semaines d'avance ? Je veux dire : il sera normal ?

Ben se tourna vers lui ; Oliver vit que son regard avait changé : ses yeux avaient perdu leur dureté, ils étaient empreints de douceur, comme le ciel d'un clair matin de printemps.

– Tu te fais du souci pour elle ?
– Un peu.
– T'inquiète pas. C'est une fille robuste et la nature fait bien les choses.
– Moi, ça me fait peur, dit Oliver.
Ben attendait qu'il continue et il lui parut brusquement facile de parler à cet homme, de lui raconter des choses qu'il n'aurait jamais confiées à quiconque, pas même à Will.
– Le monde est cruel, reprit-il. Je n'avais jamais vécu à la campagne. Je n'avais jamais vraiment compris. Mais la vallée et la ferme... C'est rempli de renards et de faucons, hier j'ai vu un lapin mort sur la route. La nuit dernière, le vent soufflait si fort... j'entendais le rugissement de la mer et j'ai pensé aux naufrages, aux marins qui se noient. Pourquoi ? Et puis je tombe sur cet arbre déraciné, et voilà le bébé qui arrive en avance...
– Ne t'inquiète pas pour le bébé. Il est un peu impatient, voilà tout.
Oliver ne semblait pas convaincu.
– Comment pouvez-vous savoir ?
– Je sais, lâcha Ben d'un ton sans réplique.
– Vous avez déjà eu un bébé ?
Il avait posé la question sans réfléchir et il le regrettait déjà. Ben s'était détourné et il ne voyait que son profil, la pommette saillante, les rides du coin de l'œil et la barbe rousse.
Oliver ne supportait plus son silence.
– Alors, vous en avez eu un ? insista-t-il.
– Oui.
Il regarda Oliver droit dans les yeux.
– Il n'a pas survécu et j'ai perdu ma femme peu de temps après. Tu vois, elle avait une santé fragile. Les médecins lui avaient déconseillé d'avoir un enfant. Moi, j'étais d'accord, mais elle insistait pour prendre le risque. Elle prétendait qu'un couple sans enfants n'est pas un vrai couple et je me suis laissé convaincre.

– Sarah est au courant ?

Ben Fox secoua la tête.

– Non. Ici, personne ne sait. Nous vivions à Bristol. J'étais professeur de littérature à l'université. Après la mort de ma femme, j'ai su qu'il fallait que je parte. J'ai quitté mon travail, vendu ma maison, et je suis venu m'installer ici. J'ai toujours travaillé le bois, c'était mon passe-temps favori et j'en ai fait mon métier. J'aime bien vivre là-haut, sur la colline, les gens sont sympathiques. Ils me laissent tranquille et ne me posent jamais de questions.

– Vous n'aimeriez pas avoir des amis ? demanda Oliver. Pour discuter avec eux ?

– Sans doute. Un jour.

– Vous me parlez bien, à moi.

– Parce que toi aussi, tu me parles.

– Je croyais que vous étiez en fuite.

Il décida d'aller jusqu'au bout.

– Je croyais que vous vous cachiez et que la police vous recherchait. Que vous aviez peut-être tué quelqu'un et qu'alors vous étiez obligé de fuir.

– C'est moi-même que je fuyais.

– Et maintenant, vous croyez que c'est fini tout ça ?

– Peut-être, dit Ben Fox. C'est bien possible.

Brusquement, il sourit. Pour la première fois Oliver vit ses yeux s'animer, ses dents blanches et régulières. Il passa sa main épaisse dans ses cheveux.

– Il faudrait peut-être que moi j'arrête de fuir, et que toi tu affrontes la vie. Ce n'est pas facile. Il faut relever les défis l'un après l'autre, un peu comme dans une course de haies. Jusqu'au jour où l'on meurt, je suppose.

– Oui, sans doute, dit Oliver.

Ils demeurèrent là un instant, dans un silence détendu et amical. Ben Fox regarda soudain sa montre.

– Qu'est-ce qu'on fait, mon garçon ? On reste là à attendre Will ou on va manger quelque chose ?

Oliver commençait à avoir faim.
– J'ai bien envie d'un steak.
– Moi aussi.
Ben mit le contact, repassa l'arche de l'hôpital et se dirigea vers le centre de la petite ville.
– Et puis notre présence risque de déranger Will, fit remarquer Oliver. Il préfère sûrement rester seul avec Sarah.
– Ça, c'est une parole d'homme, répondit Ben. Une parole d'homme, mon grand.

Traduit par Hélène Prouteau

Christabel

Mme Lowyer s'éveilla, comme à son habitude, à huit heures et demie du matin, et prêta l'oreille au vrombissement de la moissonneuse-batteuse dans le champ d'orge. Elle se dit que c'était un bruit bien agréable par une belle matinée de fin d'été. Elle avait toujours aimé cette époque de l'année, les précieux rayons de soleil de l'été indien, l'éclat des sorbiers chargés de fruits, le goût des premières mûres. Elle s'était mariée en septembre, il y avait de cela fort longtemps – et Paul, son fils unique, était né l'année suivante à la même époque. A présent, la fille de Paul allait se marier dans une semaine. Toujours allongée dans son lit, Mme Lowyer contempla le ciel à travers la fenêtre (elle n'avait jamais supporté de dormir les rideaux fermés). Il était du même bleu que les œufs de rouge-gorge et traversé par de légers nuages paresseux.

Elle se leva au bout d'un moment, enfila sa robe de chambre et ses pantoufles et s'approcha de la fenêtre. Celle-ci donnait sur un bout de jardin, à l'arrière de la petite maison. On apercevait, au-delà de la clôture, l'immense champ d'orge dorée, et, après ce champ, Shadwell, la vieille maison qu'habitaient maintenant son fils et sa belle-fille et où elle-même avait vécu pendant trente ans.

La moissonneuse-batteuse se trouvait dans le fond du champ. Un énorme monstre écarlate qui, au fur et à mesure de son avancée, avalait l'orge haute de près d'un mètre. Mme Lowyer était trop loin pour distinguer le visage du conducteur, mais elle savait que ce ne pouvait être que Sam Crichtan. Il s'occupait de la ferme en faisant appel de temps à autre à de la main-d'œuvre extérieure, se gardant de confier cette moissonneuse qui avait coûté une fortune à qui que ce soit. Depuis combien de temps travaillait-il ? Sans doute depuis le lever du soleil. Il ne s'arrêterait que quand il ferait trop sombre pour continuer. C'était comme cela sept jours sur sept.

Mme Lowyer soupira. Elle pensait à Sam, au temps qui passe, au fait qu'à soixante-sept ans, elle était trop âgée pour pouvoir lui donner un coup de main. Il y avait aussi pour une autre raison, moins précise, à ce soupir, mais à laquelle elle refusa de prêter attention. Elle ferma la fenêtre et descendit au rez-de-chaussée. Après avoir ouvert la porte à Lucy, sa petite chienne teckel, pour qu'elle aille faire sa promenade matinale, elle remplit d'eau la bouilloire et alluma le gaz.

A dix heures, habillée et restaurée, elle sortit dans le jardin, coupa des roses fanées, arracha quelques mauvaises herbes et entreprit de placer des tuteurs dans un massif de marguerites d'automne dont les longues tiges retombaient en désordre. La moissonneuse avait coupé un large andain à la limite du champ et, alors que Mme Lowyer s'activait avec ses ciseaux et sa ficelle, l'engin surgit en haut de la pente et se dirigea vers la clôture de son jardin. Elle abandonna ses fleurs et s'approcha pour saluer Sam au passage. Au lieu de continuer, celui-ci arrêta l'énorme machine et coupa le contact. Le cliquetis grinçant et le bruit du moteur cessèrent instantanément, laissant place à un bienfaisant silence. Sam ouvrit la porte de la cabine et sauta sur le sol. D'une démarche raide et fatiguée, il traversa l'éteule et se dirigea vers Mme Lowyer.

– Je ne voulais pas que vous vous arrêtiez, dit-elle. Je vous disais simplement bonjour.

– Dommage. J'espérais que vous alliez m'offrir une tasse de thé. J'ai oublié d'emporter un Thermos et j'ai la gorge sèche comme de l'amadou.

– Bien sûr que je vais vous offrir une tasse de thé. (Et aussi quelque chose à manger, se dit-elle.) Elle poursuivit : Comment allez-vous vous débrouiller pour passer par-dessus la clôture ?

– Rien de plus facile, dit Sam.

Il prit appui d'une main sur un poteau et sauta d'un bond dans le jardin.

– C'est fou ce qu'on est capable de faire quand il y a une tasse de thé à la clef.

Mme Lowyer sourit. Sam lui avait toujours plu. Il était régisseur à Shadwell depuis dix ans et elle l'avait vu, à force de détermination opiniâtre et de travail acharné, transformer ce qui n'était à son arrivée qu'une propriété négligée et non rentable en une affaire viable. La ferme et ses dépendances avaient été restaurées, les clôtures réparées et les bénéfices de l'exploitation – maigres au début, elle le savait – réinvestis sans cesse dans la terre. Elle ne se souvenait pas que Sam ait jamais pris de vacances, même pendant les premières années quand il avait encore deux hommes pour l'aider. Maintenant, grâce aux méthodes modernes plus rationnelles et aux nouveaux engins, il avait décidé de mener les terres pratiquement seul. Et Mme Lowyer s'étonnait qu'il ne soit pas encore mort de fatigue ou devenu amer et dur. Rien de tel ne lui était arrivé mais il était extrêmement maigre et paraissait plus que ses trente-deux ans. Parfois, il était si fatigué qu'elle n'aurait pas été surprise de le voir s'endormir debout.

– Venez vous asseoir, proposa-t-elle.

– Je ne pourrai pas rester plus d'une dizaine de minutes. Il faut que j'aie fini le champ ce soir. Les prévisions météo pour demain ne sont pas très bonnes.

– Un peu de pluie ne ferait pas de mal... A condition que nous ayons beau temps samedi prochain.

– C'est aussi pour ça que je coupe l'orge aujourd'hui. Paul veut utiliser le champ comme parking. Il a prévu de construire une passerelle qui permettra aux invités d'aller de leur voiture à la grande tente.

Ils étaient arrivés à la porte de derrière; Sam s'arrêta pour enlever ses bottes en caoutchouc pleines de boue. Il y avait des trous dans ses chaussettes mais Mme Lowyer fit comme si elle n'avait rien vu. Elle le conduisit dans la minuscule cuisine et mit de l'eau à chauffer dans la bouilloire pendant qu'il retirait sa veste tachée d'huile et s'asseyait à la table avec un soupir de soulagement.

– A quelle heure vous êtes-vous levé, ce matin? demanda Mme Lowyer.

– Six heures.

– Vous devez avoir l'impression d'avoir déjà fait une journée de travail.

Sans lui demander son avis, elle prit une poêle et sortit du réfrigérateur des œufs, du bacon et des saucisses. Derrière elle, Sam était en train de jeter un coup d'œil appréciateur autour de lui.

– Je n'ai jamais vu une petite cuisine aussi bien conçue, dit-il. On dirait une cuisine de bateau.

– C'est parfait pour une personne seule mais dès que j'ai des invités, on se sent vraiment à l'étroit.

Sam alluma sa pipe de bruyère, comme s'il n'y avait au monde plus grand plaisir. Mme Lowyer alla chercher un cendrier qu'elle posa sur la table en face de lui. Le bacon commençait à grésiller dans la poêle.

Sam lui demanda soudain :

– Cela ne vous a pas gênée de venir habiter cette maison quand Paul et Felicity se sont installés à Shadwell ?

– Non. C'était une chance qu'il y ait une maison disponible pour moi, aussi petite soit-elle. La seule chose qui m'ait fait de la peine, c'est de devoir abandonner la plupart de mes meubles car il n'y avait pas de assez de place pour eux ici. Mais j'ai emporté les objets qui me plaisaient le plus. Et qu'est-ce qu'un meuble, après tout ? Ça n'a pas assez de valeur pour qu'on ait le cœur brisé quand on s'en sépare. En plus, chaque fois que je vais à Shadwell, j'ai le plaisir de revoir mes meubles. Felicity les aime, elle aussi, et en prend plus de soin que moi. Elle est tellement organisée que j'ai honte à côté d'elle. Maintenant qu'elle doit s'occuper du mariage de Christabel, elle est en plein dans son élément. Il y a des listes partout dans la maison, un planning épinglé sur le mur de la cuisine et toutes ses amies sont embrigadées pour fournir des fleurs.

D'un geste adroit, elle cassa un œuf dans la poêle, puis un second. Elle savait depuis longtemps que nourrir Sam revenait à remplir le tonneau des Danaïdes. Et pourtant, malgré son appétit phénoménal, il ne prenait jamais un gramme. Comme il n'avait pas relevé sa dernière remarque, elle lui demanda pour entretenir la conversation :

– Quand livre-t-on la grande tente ?

– Mardi ou mercredi. Tout dépendra du temps.

– Vous vous êtes fait réquisitionner pour donner un coup de main ?

– Non. J'ai proposé mon aide mais Paul m'a répondu que l'entreprise de louage s'occupait de tout. Par contre, Felicity m'a dit qu'elle voulait changer certains meubles de place et je vais sans aucun doute jouer les déménageurs comme si j'avais fait ça toute ma vie.

– Et vous allez à la réception de ce soir ?

Sam se tut. Mme Lowyer se retourna vers lui ; penché en avant, il était en train de vider les cendres de sa pipe dans le cendrier, les yeux baissés, le visage fermé. Soudain inquiète, elle lui demanda :

– Vous avez été invité, n'est-ce pas ?

– Oui, et j'ai répondu que je viendrais. Mais je ne sais pas encore ce que je vais faire.

– Il faut que vous alliez à cette soirée, Sam.

– Pourquoi ?

– Christabel serait tellement peinée si vous n'étiez pas là !

– J'ai l'impression qu'elle ne remarquerait même pas mon absence.

– Ne soyez pas ridicule. Bien sûr qu'elle la remarquerait, et elle en serait blessée. En plus, vous n'avez pas encore rencontré Nigel. La réception de ce soir a été organisée pour que les invités puissent faire sa connaissance avant le mariage. Il va venir exprès de Londres et ce serait grossier de lui faire faux bond.

Elle plaça le bacon, les œufs et les saucisses dans une assiette qu'elle posa devant lui sur la table avec une tasse de thé fumante. Il jeta un coup d'œil satisfait mais un peu étonné à l'assiette et demanda :

– Qu'est-ce que c'est que ça ? Un second petit déjeuner ?

– Je suis à peu près certaine que vous n'avez pas pris de petit déjeuner.

Elle prit une chaise et s'installa en face de lui.

– Non, en effet, répondit-il avant de se mettre à manger.

– Vous n'êtes pas sérieux, Sam. Aucun homme n'est capable de tout faire lui-même et encore moins lorsqu'il mène une ferme de l'aube à la nuit.

– Je m'en sors...

– Mais ce doit être tellement triste !

– Aggie Watson vient presque tous les matins.
– Et que fait-elle ? Elle frotte le sol et épluche une bassine de pommes de terre ! Vous devriez avoir une gouvernante. Ou vous marier. Ce serait le moment.
– Je ne peux pas me permettre de payer les gages d'une gouvernante.
– Et vous n'avez envie d'épouser personne, ajouta Mme Lowyer en soupirant.
Il y eut un long silence.
– Non, reconnut Sam.
– Personne sauf Christabel.
Mme Lowyer avait dit ça très vite, avant d'avoir eu le temps de trop réfléchir, avant d'avoir pu perdre le courage de se risquer sur un terrain où elle savait qu'elle n'était pas la bienvenue. Mais il fallait qu'elle en parle : le mariage de Christabel ne devait pas être assombri par quoi que ce soit. Elle ne fut pas étonnée d'entendre Sam lui répondre :
– Qu'est-ce qui vous fait penser ça ?
– Je crois que je l'ai toujours su.
– Ce n'est qu'une petite fille.
– Quand vous l'avez connue, elle n'était qu'une petite fille, en effet. Mais maintenant, elle a vingt ans.
Ils se regardèrent par-dessus la table. Les yeux de Sam étaient du même bleu pâle qu'un matin d'hiver. Quand il était en forme, ils pétillaient de bonne humeur mais là, son regard était froid, réservé et ne révélait rien de ce qu'il pensait.
– Elle se marie samedi, dit-il.
Puis il se remit à manger.
C'était comme s'il lui avait claqué une porte au nez, mais Mme Lowyer se dit que ce n'était pas le moment de baisser les bras.
– Je sais que vous l'avez toujours aimée, reprit-elle. Et elle a toujours été très attachée à vous. Je me souviens de l'époque où vous lui avez appris à monter sur son premier poney. Elle était toujours

dans vos jambes, à vouloir vous donner un coup de main à la ferme. Rappelez-vous, quand vous répariez la clôture et qu'elle tenait les agrafes métalliques...

– Elle avait perdu le marteau, se souvint Sam.

– Elle ne s'est jamais vraiment intéressée aux jeunes gens de son âge. Elle emportait toujours une photo de vous quand elle repartait dans son pensionnat. Vous le saviez ?

– Les choses changent avec le temps.

– Vous voulez dire que c'est vous qui avez changé ? Ou Christabel ?

– Les deux, je suppose. Comme je vous l'ai expliqué, elle n'était qu'une petite fille. Elle a grandi et moi j'ai vieilli. Puis elle partie à Londres, elle a trouvé un travail, pris un appartement...

– Et rencontré Nigel, conclut Mme Lowyer.

– C'est ça. Et maintenant, elle va l'épouser.

– Vous pensez qu'elle a tort ?

– Je n'ai pas encore rencontré son futur mari.

– C'est un jeune homme charmant, très comme il faut. N'importe quelle fille sensée serait une belle idiote de refuser un homme pareil.

– Christabel n'a jamais été une imbécile.

– Mais j'en viens à me dire que vous, vous en êtes un.

– Pourquoi ?

– Parce qu'il est évident que vous êtes amoureux d'elle. Et que vous l'avez toujours aimée. Mais vous ne lui avez jamais demandé de vous épouser.

– Je ne pouvais pas.

– Pourquoi, pour l'amour du ciel ?

– Pour toutes sortes de raisons. Qu'avais-je à lui offrir ? Une petite ferme qui ne m'appartient pas. Une maison qui n'a que deux chambres et pas de chauffage central. Quant à l'argent et à toutes ces choses matérielles qu'une fille comme Christabel mérite, jamais je ne pourrais les lui donner.

– Vous lui avez demandé si c'est bien de toutes ces choses qu'elle a envie ?

– Non.

– Et alors...

Sam semblait désespéré. Il repoussa son assiette vide et posa ses bras sur la table.

– Je vous en prie, cessons de parler de tout ça.

– Oh, Sam...

Pendant un court instant, Mme Lowyer se demanda si elle allait se mettre à pleurer, ce qui ne lui était pas arrivé depuis des années. Elle se contenta de poser sa main sur celle de Sam, dure et calleuse sous ses doigts.

– De toute façon, il est trop tard, dit-il.

Elle savait qu'il avait raison. Il était trop tard. Elle lui fit un sourire chaleureux et lui tapota la main.

– D'accord, répondit-elle. Je n'en parlerai plus. Mais il faut que vous veniez ce soir. Il y aura un buffet et après nous allons danser. Une soirée disco, si j'ai bien compris.

– Vous allez vous trémousser sur du disco ? demanda-t-il d'un air un peu moqueur.

– Je n'en sais rien. Je n'ai jamais essayé. Mais si quelqu'un m'invite, je tenterai le coup.

Comme chaque jour, Mme Lowyer consacra le reste de la matinée à divers travaux ménagers. Après le déjeuner, elle sortit sa petite voiture du garage et se rendit dans la ville voisine pour se faire coiffer dans le seul salon de l'endroit, nommé *Huntleys of Mayfair*. Mlle Pickering, la propriétaire, n'avait jamais mis les pieds à Mayfair, ce quartier huppé de Londres ; quant au nom de Huntley, elle l'avait choisi car elle pensait ainsi ajouter une touche de classe à son salon. Ce jour-là Mme Lowyer dut endurer l'alternance du trop chaud et du trop froid sur son cuir chevelu laissé aux mains d'une jeune apprentie terrorisée. Ensuite on lui mit des rouleaux, fixés par des piques en plastique qui lui transperçaient le crâne. La torture se poursuivit sous le séchoir brûlant dont la température refusa de baisser même après qu'elle eut actionné dans tous les sens le bouton du thermostat.

Le supplice se termina enfin. Le visage écarlate, complètement exténuée, elle reprit sa voiture pour rentrer chez elle. Elle allait se préparer une tasse de thé et avait l'intention de se coucher pendant deux heures pour se détendre avant les festivités de la soirée. Elle venait d'être accueillie par Lucy et avait à peine eu le temps de brancher la bouilloire, quand la porte de derrière s'ouvrit.

– Granny ? appela Christabel.

– Ma chérie ! répondit-elle en l'embrassant.

– Tu es en train de faire du thé ? J'en boirais bien une tasse avec toi. Mince alors ! Tu es vraiment du tonnerre ! Mlle Pickering a fait un effort cette fois. Il y a du cake ? ajouta la jeune fille en ouvrant la boîte à biscuits de sa grand-mère, où elle dénicha un biscuit au chocolat qu'elle se mit à dévorer.

Elle était tout le temps en train de manger. Des frites, du chocolat, des glaces en cornet. Elle se jetait sur toutes les cochonneries possibles sans que son teint de lait en souffre et en restant toujours aussi mince. Aujourd'hui, elle portait son plus vieux jean, des bottes de cow-boy éraflées et un pull informe reprisé aux coudes. Elle avait coiffé ses cheveux magnifiques, d'une nuance noisette tirant sur le brun, en deux nattes serrées. Elle n'était pas maquillée et ressemblait à une gamine de quinze ans tout en jambes. Impossible de croire, se dit Mme Lowyer, qu'elle va se marier samedi prochain.

– Nigel est arrivé ? demanda-t-elle.

– Bien sûr que oui ! Il a déjeuné avec nous. Il a quitté Londres à quatre heures du matin. Il a fait vite, non ?

– Pourquoi n'est-il pas avec toi ?

– Il est en grande discussion avec papa au sujet de la chasse aux pigeons et du nombre de ses amis qui assisteront au mariage. Tu ne sais pas où est Sam, par hasard ?

– Il doit toujours être en train de moissonner le champ d'orge. Tu ne l'as pas aperçu en venant ?

– Non. J'ai longé la rivière. Il n'y avait personne chez lui, même pas Aggie.

– Pourquoi voulais-tu le voir ?

– Je tenais à le remercier pour son cadeau de mariage. (Elle s'assit à table, à la place qu'occupait Sam le matin même.) Tu sais ce qu'il m'a offert ?

– Non.

– Une canne !

– Une canne, répéta Mme Lowyer en essayant de ne pas paraître trop étonnée.

– Tu sais qu'il avait l'habitude de fabriquer des pommeaux en corne pour des cannes de marche. Ça faisait une éternité qu'il avait arrêté, le pauvre, parce qu'il avait trop de travail. Mais il en a fait une pour moi. Le pommeau est décoré de fleurs et de gerbes de blé et entièrement poncé. Magnifique ! Et la canne porte une petite bande en argent sur laquelle est gravé mon prénom. Il ne pouvait pas me faire un plus joli cadeau !

– En effet, reconnut Mme Lowyer d'une voix éteinte.

Elle songea que même si Sam avait réfléchi au problème pendant un an, il n'aurait pas pu trouver quelque chose de plus mal adapté : offrir une canne à une jeune fille qui allait se marier et vivre dans un appartement à Londres !

– C'est tellement personnel comme cadeau ! reprit Christabel... Non seulement mon nom est gravé dessus, mais il l'a fabriqué pour moi de ses propres mains !

– C'est vrai que c'est assez original...

– J'espère qu'il sera là ce soir. Qu'il ne va pas moissonner jusqu'à la nuit ou trouver une autre excuse pour rester chez lui.

– Ne t'inquiète pas. Nous avons pris une tasse de thé ensemble ce matin et il m'a dit qu'il viendrait.

– Maman a mis les petits plats dans les grands. Elle a ajouté toutes les rallonges à la table de la salle à manger, poussé la table contre le mur et sorti ses plus belles nappes blanches. Et tu ne peux pas imaginer tout ce qu'il y aura à manger.

– Ta mère est à son affaire, fit remarquer Mme Lowyer en souriant.

Elle sortit la boîte en fer qui contenait le cake, le posa sur une assiette qu'elle plaça en face de Christabel. Puis elle versa du thé dans une tasse à bandes bleues et blanches réservée à sa petite-fille depuis qu'elle était enfant.

– Et nous aurons une soirée disco. Papa tient à ce que Nigel fasse briller le parquet de l'ancienne salle de jeux !

– Je ne vois pas très bien ce que je vais faire dans une soirée de ce genre.

– Tu n'auras qu'à te tortiller comme ils font à la télé.

– Je préférerais rester assise et regarder.

– Pour l'amour du ciel, ne sois pas aussi ringarde, Granny ! Il va falloir que tu t'y mettes toi aussi.

Et Christabel prit la pose, épaules relevées et menton en avant.

– C'est *ça* que je suis censée faire ? demanda Mme Lowyer.

– Ne t'inquiète pas, je te montrerai.

Christabel se coupa un morceau de cake et se mit à manger.

– Je me débrouillerai pour qu'il y ait au moins deux valses de Vienne, et tu pourras alors tourbillonner autant que tu le voudras avec le colonel Foxton.

– Vraiment, Christabel...

– Maintenant que tu sais qu'il est fou de toi, je ne comprends pas pourquoi tu ne l'épouses pas.

– Pour aller vivre dans cette maison glaciale, pleine de meubles en pitchpin et de miroirs !

– Il pourrait venir habiter chez toi.

– La maison n'est pas assez grande.

– Tu n'es vraiment pas sympa avec le colonel Foxton, dit Christabel.

Elle taquinait sa grand-mère à ce sujet depuis que le vieux gentleman avait invité celle-ci à boire le thé et en avait profité pour lui montrer les photos qu'il avait prises en Inde lorsqu'il n'était qu'un jeune lieutenant. Comme Mme Lowyer ne disait rien, Christabel ajouta :

– Après tout, c'est un homme de cet âge-là qu'il te faut.

– Pas du tout. Si je devais épouser quelqu'un dont l'âge soit adapté au mien, il faudrait qu'il ait plus de cent ans.

– Où es-tu allée chercher ça ?

– L'idéal, c'est quand la femme a la moitié de l'âge de l'homme, plus sept ans. Par exemple, si l'homme a vingt ans, il faut qu'il épouse une fille de dix-sept ans. Et moi, comme j'ai soixante-sept ans, il faudrait que je me trouve un mari âgé de... (Mme Lowyer n'avait jamais été très forte en arithmétique)... de cent vingt ans.

Christabel la regarda, médusée. Au bout d'un moment, elle déclara :

– Mais moi, j'ai vingt ans et Nigel n'en a que vingt-trois. Ça ne va pas. Il faudrait que je me marie avec quelqu'un de vingt-six ans.

– Dépêche-toi, alors, car il ne te reste plus qu'une semaine pour le trouver.

– Tu crois que Nigel est trop jeune pour moi ?

– Non, je pense que ça n'a aucune espèce d'importance. Ce n'est qu'une plaisanterie stupide que font les gens. Ce qui compte quand on se marie, ce n'est pas l'âge des conjoints mais le fait qu'ils éprouvent de l'affection l'un pour l'autre et qu'ils veuillent passer le reste de leur vie ensemble.

– Il n'est pas question d'amour dans ce que tu viens de dire.

– Je ne parle jamais d'amour à l'heure du thé, ma chérie. Et maintenant, tu vas te dépêcher de finir cette tranche de cake et de boire ton thé car je veux monter dans ma chambre me reposer avant de me rendre à cette soirée. A quelle heure dois-je venir ?

– Huit heures, ce sera parfait. Veux-tu qu'on vienne te chercher ?

– Absolument pas. La nuit va être très belle et je peux monter à pied. Ça me fera plaisir de voir la façade de la maison illuminée. Il y a quelque chose de très romantique dans une maison dont toutes les lumières sont allumées parce qu'on y donne une soirée. Tout particulièrement quand la soirée a été organisée pour fêter un événement aussi heureux qu'un mariage.

– Oui, dit Christabel qui ne semblait pas très convaincue. Je suppose que ça doit être romantique.

A huit heures moins cinq, Mme Lowyer, vêtue de sa belle robe du soir bleu saphir, les épaules protégées par un châle en cachemire, dit au revoir à Lucy et, après avoir traversé son jardin, s'engagea sans l'allée qui menait à son ancienne maison. Haut dans le ciel, il y avait un croissant de lune et au-dessus de sa tête les vieux hêtres entrelaçaient leurs branches, un peu à la façon des arcs-boutants d'une cathédrale. Elle voyait devant elle les fenêtres éclairées qui brillaient dans la pénombre. L'air sentait bon les feuilles mortes et la mousse. On entendait de la musique.

Il y avait déjà des voitures garées en face de la maison et au moment où Mme Lowyer gravissait les marches de pierre qui menaient à la porte ouverte, elle fut rejointe par d'autres invités ; les femmes soulevaient le bas de leur robe du soir, les hommes étaient en smoking.

– Madame Lowyer, quel plaisir de vous revoir ! La maison est vraiment ravissante quand on l'aperçoit de la route, à travers les arbres... Comment Felicity se débrouille-t-elle pour avoir toujours beau temps lorsqu'elle donne une soirée ?

– Souhaitons qu'il fasse aussi beau samedi prochain !

Le vestibule était plein à craquer. Mme Lowyer embrassa son fils et sa charmante belle-fille puis monta à l'étage pour déposer son châle. Elle le mit sur le lit de Felicity et s'approcha de la coiffeuse pour vérifier si sa coiffure était toujours à la hauteur des efforts de Mlle Pickering. Elle se regarda dans le miroir à trois faces – miroir qu'elle avait hérité de sa propre belle-mère. Elle se souvint de l'époque où ce miroir lui renvoyait l'image d'une jeune femme mince et coiffée à la garçonne. Maintenant, elle apercevait sous le maquillage pourtant soigné un visage ridé, un cou fripé et des cheveux argentés. Les mains en train de remettre en place quelques boucles étaient celles d'une vieille dame. « Je suis déjà grand-mère, se dit-elle. Et dans un an, je serai peut-être arrière-grand-mère. » Cette perspective ne l'inquiétait pas. La vie lui avait au moins appris une chose : chaque âge possédait ses propres satisfactions.

– Je te prends en flagrant délit ! Tu es en train de te pomponner !

Quittant des yeux le miroir, Mme Lowyer se retourna et aperçut Christabel. Les yeux pétillants de malice, celle-ci riait en regardant sa grand-mère.

– Je n'étais pas en train de me refaire une beauté, ma chérie. Je pensais au contraire que j'avais bien de la chance de ne plus être jeune et de ne pas m'inquiéter de savoir si oui ou non un homme allait m'inviter à danser. Plus de soucis à me faire non plus au cas où mon mari danserait avec une femme ravissante.

– Je suis sûre que tu n'as jamais eu ce genre d'inquiétudes. Et tu es encore magnifique.

– Toi aussi, tu es ravissante. C'est une nouvelle robe ?

– Oui, répondit Christabel.

Elle se mit à tournoyer dans la pièce pour lui faire admirer sa tenue : des épaisseurs de linon blanc, doux et vaporeux. La robe dévoilait sa gorge, ses cheveux dénattés ondulaient, encadrant son visage d'une manière romantique. Elle avait les yeux brillants.

– Où l'as-tu trouvée ?

– A Londres. Maman a remarqué cette robe alors que nous faisions des courses pour mon trousseau et elle m'a dit qu'il fallait que je l'achète. Même si elle fait partie du trousseau, j'ai tenu à la mettre ce soir.

– Elle te va parfaitement, dit Mme Lowyer en l'embrassant.

Sur le palier, derrière la porte fermée, une voix appela :

– Christabel !

La jeune fille ouvrit la porte. Nigel apparut debout sur le palier ; il semblait à la fois gêné et légèrement contrarié.

– Qu'est-ce que tu fais ? lui demanda Christabel. Tu rôdes autour de la pièce réservée aux dames ? Fais gaffe à ta réputation !

Il eut un sourire forcé, comme s'il ne trouvait pas cette plaisanterie particulièrement drôle.

– Je t'ai cherchée partout. Ta mère t'attend et elle m'a demandé de te ramener.

– Granny et moi étions en train de nous admirer mutuellement.

– Bonsoir, madame Lowyer.
– Quel plaisir de vous revoir, Nigel !

Mme Lowyer sortit sur le palier et l'embrassa sur la joue. Avec ses cheveux noirs et son habit de soirée, il n'était pas élégant mais faisait plutôt penser à un jeune garçon endimanché.

– Je suis désolée que Christabel et moi vous ayons fait attendre, reprit-elle. Il est temps de descendre et de rejoindre les invités.

La soirée était bien entamée, la plupart des invités avaient dîné et les plus jeunes étaient déjà en train de danser quand Sam Crichtan fit son apparition. Assise près de la cheminée avec le colonel Foxton, Mme Lowyer l'aperçut au moment où il entrait par l'une des portes-fenêtres, grandes ouvertes pour laisser l'air entrer. Elle se sentit soulagée qu'il ait tenu sa promesse.

Cela faisait longtemps qu'elle ne l'avait pas vu en grande tenue et elle se dit avec une certaine satisfaction que son habit de soirée lui allait parfaitement. Le visage émacié et bruni par le grand air, les cheveux bien brossés, il était vraiment présentable – et même distingué.

– C'est quand même quelque chose, disait d'une voix monotone le colonel Foxton. Il faut toujours que quelqu'un vous refuse une autorisation. Je voulais faire rénover le pavillon du jardinier. Interdit d'ouvrir une fenêtre dans le toit ! C'est quand même...

– Excusez-moi, l'interrompit Mme Lowyer en se levant avec grâce. J'ai un message urgent pour Sam. Il faut que je le lui transmette avant qu'il disparaisse au milieu de cette foule de gens.

– Quoi ? Oh, désolé, ma chère. Je ne m'étais pas rendu compte que je vous accaparais.

– Je suis curieuse de savoir comment vous vous êtes sorti de cette histoire de pavillon. Vous me le raconterez à un autre moment.

Elle traversa la pièce et s'approcha de Sam.

– Je suis heureuse que vous soyez venu, dit-elle. Vous avez dîné ?

– Non, je n'en ai pas eu le temps.

– C'est bien ce que je pensais. Alors, venez avec moi. Avant que vous fassiez quoi que ce soit, je tiens à ce que vous buviez quelque chose et que vous goûtiez au saumon et au rosbif froid qui est un régal.

Ils se dirigèrent vers le buffet ; elle lui tendit un verre de whisky et une assiette qu'elle se mit à remplir de nourriture.

– Avez-vous vu Christabel ?

– Je viens juste d'arriver.

– Vous ne l'avez pas rencontrée cet après-midi ?

– Non. Pourquoi ?

– Elle vous cherchait. Elle tenait à vous remercier pour la canne.

– Vous avez dû penser que c'était un cadeau plutôt stupide, non ?

– En effet, répondit Mme Lowyer qui n'avait pas pour habitude de mâcher ses mots. Mais également très original. C'est un cadeau qui a fait plaisir à Christabel et l'a beaucoup touchée. Je vous sers une pomme de terre cuite au four ? Ou même deux, si vous voulez ?

– Vous ne lui avez pas parlé de ce que nous avons dit ce matin ?

– Bien sûr que non ! Un petit pain ?

– Ça m'ennuierait qu'elle soit au courant.

– J'ai gardé ça pour moi, dit Mme Lowyer.

De l'autre côté de la pièce, par la porte ouverte, elle pouvait voir Christabel et Nigel. Il la tenait par l'épaule et la chevelure de la jeune fille prenait des reflets cuivrés à la lueur des bougies.

– Nigel est un jeune homme charmant, reprit-elle. Elle a beaucoup de chance.

Sam releva la tête. Voyant que Mme Lowyer regardait par-dessus son épaule, il se retourna.

Penché vers Christabel, Nigel était en train de lui embrasser le dessus de la tête. Quelqu'un fit une remarque et tout le monde éclata de rire. Sam resta immobile un court instant. Puis il se retourna vers la table.

– Donnez-moi aussi un peu de mayonnaise, dit-il. J'adore la mayonnaise de Felicity.

Plus tard dans la soirée, Mme Lowyer accompagna son fils qui voulait jeter un coup d'œil à la salle où avait lieu la soirée disco. Elle aperçut alors Christabel en train de danser avec Sam. Les autres danseurs ne s'occupaient pas de leur partenaire et tournoyaient sur le rythme sourd de la musique, pantins étranges éclairés par les spots qui clignotaient en cadence. Seuls Christabel et Sam formaient un couple. Ils se déplaçaient au même rythme, enlacés, et Christabel avait posé la tête sur l'épaule de Sam.

Mme Lowyer souhaita que son fils n'ait rien remarqué.

– Quelle musique assourdissante ! dit-elle en posant la main sur son bras. Je vais retourner au salon.

Il la laissa partir mais, arrivée à la porte, elle se retourna. Il ne lui fallut pas plus d'une seconde pour se rendre compte que Sam et Christabel avaient disparu comme par enchantement.

Elle décida alors de rentrer chez elle. Sans saluer personne et sans que quiconque se rende compte de son départ, elle redescendit l'allée, douillettement emmitouflée dans son châle. Le son de la musique et le murmure des conversations cessèrent progressivement de lui parvenir, remplacés par le calme de la nuit campagnarde. Septembre : son mois préféré.

« Quelle terrible erreur ! se dit-elle. Elle n'épouse pas l'homme qu'il faut. »

Sa petite maison, calme et sombre, lui fit l'effet d'un sanctuaire. Pendant que Lucy faisait un tour dans le jardin, elle se prépara un verre de lait chaud. Puis elle fit rentrer la chienne, emporta le verre de lait dans sa chambre à l'étage et, après s'être déshabillée, se mit au lit. Jetant un coup d'œil à la fenêtre, elle vit que la lune était maintenant voilée et entendit de légers bruits nocturnes. Elle avait très envie de dormir.

Il était quatre heures du matin quand elle crut entendre un bruit de graviers battant contre ses carreaux comme de la pluie. Elle pensa d'abord qu'elle avait dû rêver. Mais le bruit recommença.

Elle enfila sa robe de chambre et s'approcha de la fenêtre. Elle aperçut dans le jardin une forme blanche. Blanche comme un fantôme ou une apparition.

– Granny ?

– Christabel, que fais-tu là ?

– Il faut que je te parle.

Elle descendit au rez-de-chaussée, alluma et ouvrit la porte de devant. Christabel se faufila dans la maison, tremblante de froid ; le bas de sa robe était taché de boue.

– La soirée est finie ? demanda Mme Lowyer à sa petite-fille.

– Presque... Je voulais te parler. Tout le monde pense que je suis allée me coucher.

– Où est Nigel ?

– Il dîne, pour la seconde fois.

– Et Sam ?

– Il est rentré chez lui.

Mme Lowyer regarda sa petite-fille bien en face, et vit que ses yeux étaient brillants de larmes.

– Nous serons mieux là-haut, dit-elle.

Une fois dans sa chambre, une jolie pièce agréablement parfumée, elle se recoucha et Christabel s'allongea à côté d'elle sous l'édredon. Mme Lowyer pouvait sentir contre elle le bras froid de sa petite-fille, ses côtes un peu saillantes et les battements de son cœur.

– J'ai peur, Granny, dit Christabel.

– De quoi ?

– De tout. De me marier. D'être piégée. Des portes qui vont se refermer sur moi.

– Le mariage est toujours une prison, dit Mme Lowyer. Ce qui compte, c'est de choisir le bon compagnon de cellule.

– Oh, Granny ! Pourquoi les choses sont-elles aussi compliquées ?

– Rien n'est simple dans la vie, dit encore Mme Lowyer en prenant sa petite-fille par l'épaule. Venir au monde n'est pas facile. Pas plus que grandir, se marier et avoir des enfants. Et vieillir n'est pas mieux que le reste.

– Je crois que... que je n'ai pas envie d'épouser Nigel.

– Pourquoi ?

– Je n'en sais rien.

– Tu n'es pas amoureuse de lui ?

– Je l'étais. Je l'aimais à la folie. Mais... je ne sais pas ce qui se passe. Je n'ai pas envie de vivre à Londres. Ni dans un appartement. Je m'y sens à l'étroit comme si j'étais enfermée dans une boîte. Et... il y a encore autre chose. Ses amis ne me plaisent pas vraiment. J'ai l'impression de n'avoir rien en commun avec eux. Est-ce que c'est important ?

– Oui, ça l'est sans doute.

– Il paraît qu'on flanche toujours nerveusement juste avant de se marier.

– En effet.

– Crois-tu que ça puisse expliquer ce que je ressens ?

Au lieu de répondre, Mme Lowyer lui posa à son tour une question :

– Où es-tu allée après avoir dansé avec Sam ?
– Dans le jardin. Nous nous sommes assis sur un banc sous le hêtre. Ce n'était pas bien méchant.
– Et ensuite, il t'a dit au revoir et il est rentré chez lui ?
– Oui.
– Il est amoureux de toi. Tu t'en doutes, non ?
– J'espérais qu'il me le dirait. Mais il n'en a rien fait.
– Il pense qu'il n'a rien à t'offrir. Et c'est un homme fier.
– Pourquoi ne m'en a-t-il jamais parlé ?
– Oh, Christabel. Fais travailler ton imagination.
– Ça ne me gênerait pas d'être pauvre. Ni de l'aider à la ferme. Ni même de vivre dans cette petite maison glaciale. Je suis sûre que j'en ferais une jolie maison confortable. Rien n'aurait d'importance si je vivais avec Sam.
– Il va falloir le convaincre.
– Mais le mariage, Granny ! La grande tente, les préparatifs, les cadeaux, les invitations. Ça a coûté tant d'argent et...
– Tout ça peut être repoussé, dit Mme Lowyer. La dernière chose que désirent ton père et ta mère, c'est que tu épouses un homme dont tu n'es pas vraiment amoureuse. Si c'est Sam que tu aimes, il va falloir que tu ailles le lui annoncer. Et que tu lui expliques ce que tu m'as dit au sujet de la ferme et du genre de vie qu'il peut t'offrir. Il faut lui avouer qu'il est le seul homme que tu aies jamais vraiment aimé.
– Tu l'as toujours su, n'est-ce pas ?
– Oui.
– Comment cela se fait-il ?
– Je suis vieille et pleine d'expérience. J'ai eu maintes fois l'occasion de voir ce genre de choses.
– Quand faut-il que je le lui dise ?
– Maintenant. Va le voir chez lui. Prends ma voiture pour ne pas te tremper les pieds. Je vais

aussi te prêter une veste pour que tu ne prennes pas froid. S'il dort, réveille-le et oblige-le à se lever. Contente-toi de lui dire la vérité. Fais-lui confiance. Et, plus important encore, fais-toi confiance.

– Mais maman et papa... Jamais je n'aurai le courage de leur parler.

– C'est moi qui leur parlerai.

– Et Nigel ?

– Lui aussi, je m'en occupe. Il est jeune. Il souffrira mais il s'en remettra. Il n'y aurait rien eu de pire pour lui que d'épouser une femme qui ne l'aimait qu'à moitié. Il est temps que tu partes, ma chérie. Bonne chance. Et, Christabel...

– Oui, Granny ?

– Toutes mes amitiés à Sam.

Elle entendit Christabel quitter la maison, sortir sa petite voiture du garage et s'engager sur le chemin qui menait chez Sam Crichtan. Il était cinq heures du matin. « Qu'est-ce qui m'a pris ? se demanda-t-elle. Mon Dieu, qu'ai-je fait ? »

Mais elle ne parvenait pas vraiment à s'en repentir. Au contraire, elle se sentait à présent comme soulagée d'un poids. Elle avait toujours su que Christabel et Sam s'aimaient. Mais s'était dit qu'elle n'avait pas le droit de se mêler de leur destin. Et le jour où ce destin avait soudain dépendu d'elle, elle avait pris une décision. Bonne ou mauvaise, elle ne pouvait plus faire machine arrière.

Elle resta éveillée jusqu'au lever du jour. Là, elle s'assoupit et se réveilla ensuite comme à son habitude, à huit heures et demie. Elle enfila sa robe de chambre, alla fermer la fenêtre. Sous le ciel pâle, l'éteule du champ d'orge était toute dorée. Elle savait que Sam et Christabel étaient faits l'un pour l'autre. Elle pensa à Nigel, à Paul et Felicity. Elle s'habilla et descendit à la cuisine. Elle dit bonjour à Lucy, la fit sortir, prépara son petit déjeuner et son café. Puis elle mit son manteau et sortit en compagnie de la chienne. Il faisait doux et humide. Elle traversa le jardin, Lucy toujours à ses côtés ; passa le portail et, brusquement, s'engagea dans l'allée qui menait à son ancienne maison.

Traduit par Catherine Pageard

L'arbre

A cinq heures par un après-midi londonien de juillet moite et étouffant, Jill Armitage rentrait chez elle avec son petit garçon Robbie bien calé dans sa poussette. Elle passa les grilles du parc et attaqua le kilomètre de trottoir qui les ramènerait à la maison.

Ce parc n'avait rien d'extraordinaire. L'herbe y était piétinée, les chemins souillés par les chiens des promeneurs; les parterres de fleurs étaient remplis de lobélies, de géraniums rouges et de plantes étranges avec des feuilles couleur de betterave. Mais au moins il y avait un petit terrain de jeux pour les enfants, un ou deux arbres qui faisaient de l'ombre, des escarpolettes et une balançoire à bascule.

Jill avait préparé un pique-nique qu'elle avait mis dans un panier avec des jouets. Il était maintenant accroché à l'une des poignées de la poussette. Elle ne voyait de son fils que son chapeau de soleil en coton et ses chaussures en toile rouge. Il portait un short, ses bras et ses épaules avaient viré à l'abricot. Elle espérait qu'il n'avait pas pris de coup de soleil. Il suçait son pouce en fredonnant *meh, meh, meh* – signe qu'il avait sommeil.

Elle s'arrêta au feu et attendit pour traverser. Les voitures roulaient dans les deux sens sans discontinuer. La lumière du soleil se reflétait sur les pare-brise, les conducteurs étaient en manches de chemise dans l'air alourdi par les gaz d'échappement.

Le feu changea de couleur et les voitures s'arrêtèrent dans des grincements de pneus. Jill commença à traverser avec la poussette. Sur l'autre trottoir, il y avait une épicerie. Elle pensa au dîner du soir et s'arrêta pour acheter une laitue et une livre de tomates. L'homme qui servait était un vieil ami – ce quartier pauvre de Londres ressemblait à un village – qui donna à Robbie du « mon chéri » plus une pêche pour le goûter.

Jill remercia l'épicier et poursuivit son chemin. Elle ne tarda pas à tourner dans sa rue, où les maisons anciennes à l'allure autrefois imposantes bordaient de larges trottoirs pavés de dalles en pierre. Elle vivait là depuis son mariage et prenait la décrépitude générale du quartier comme allant de soi : peinture écaillée, rampes cassées, entresols sinistres avec leurs rideaux crasseux toujours tirés, marches humides où l'herbe poussait dans les jointures disjointes. Au cours des deux années qui venaient de s'écouler, des signes d'amélioration étaient cependant apparus et la rue changeait de visage. Ici, une maison avait été vendue sans qu'on la divise, des échafaudages s'élevaient, de grandes bennes fournies par la municipalité se remplissaient de tout un bric-à-brac. Un peu plus loin, un appartement à l'entresol avait été repeint en blanc, et un chèvrefeuille planté dans un bac. En un rien de temps il avait atteint les barreaux de la fenêtre et maintenant il grimpait, s'enroulait, chargé de fleurs odorantes. Peu à peu, les fenêtres avaient été remplacées, les linteaux réparés, les portes d'entrée laquées de noir ou de bleu vif, les poignées de porte en cuivre et les boîtes aux lettres astiquées. Une nouvelle génération de voitures de luxe était garée au bord des trottoirs et une nouvelle génération de mères emmenait sa progéniture à l'épicerie du coin, ou la ramenait portant ballons, faux nez ou chapeaux de papier raflés dans des fêtes pour enfants.

Ian disait que si le quartier montait en grade, c'était que les gens n'avaient plus les moyens d'acheter des maisons à Fulham ou Kensington ; alors ils tentaient leur chance un peu plus loin.

Ian et Jill avaient acheté leur maison quand ils s'étaient mariés, trois ans plus tôt. Le coût de l'emprunt les étranglait et, à la naissance de Robbie, Jill avait arrêté de travailler, ce qui n'avait pas arrangé leurs problèmes financiers. Et pour couronner le tout, ils avaient mis un deuxième bébé en route. Ils en espéraient bien un autre, mais pas tout de suite.

– Ce n'est pas grave, avait dit Ian, une fois le choc surmonté. Le deuxième arrive dans la foulée et, avec deux ans d'écart, les enfants vont s'amuser comme des fous.

– J'ai tout de même l'impression que nous n'en avons pas les moyens.

– Mais cela ne coûte rien d'avoir un bébé.

– Il faut beaucoup d'argent pour les élever. Tiens, rien que les chaussures. Tu sais combien coûte une paire de sandales ?

Ian l'ignorait et il ne voulait pas le savoir. Ils trouveraient des solutions. Rayonnant d'un optimisme communicatif, il embrassa sa femme et se rendit à l'épicerie pour y acheter une bouteille de vin qui ce soir-là accompagnerait la purée et les saucisses qui composaient leur dîner.

– L'important, c'est d'avoir un toit au-dessus de nos têtes, lui dit-il. Même si la plus grande partie de la maison appartient à la banque.

Ils avaient un toit, en effet, mais la plupart de leurs amis étaient obligés de reconnaître que la maison était vraiment bizarre. La fin de la rue amorçait un virage assez brutal et le numéro 23 où vivaient Ian et Jill était haut et étroit, en angles aigus pour s'adapter au virage. Cette bizarrerie les avait attirés autant que le prix, très raisonnable car la maison était en triste état et avait besoin de réparations. Son étrangeté faisait partie de son charme mais quand, à court de temps, d'énergie et de moyens, ils durent refaire la façade et les peintures extérieures, ils trouvèrent que ce charme avait ses limites.

Paradoxalement, l'entresol seul étincelait. C'était là que vivait Delphine, leur locataire. Le loyer servait à rembourser l'emprunt. C'était une artiste peintre qui s'était tournée avec quelque succès vers l'art commercial, et utilisait cet entresol comme pied-à-terre. Elle partageait son temps entre Londres et le Wiltshire, où elle avait transformé en cottage une grange décrépite entourée d'un jardin envahi par la végétation qui descendait en pente douce jusqu'à une petite rivière. De temps en temps, Jill, Ian et Robbie allaient passer un week-end dans ce site enchanteur, et ils adoraient ces visites où des invités mal assortis absorbaient d'énormes quantités de vin et de nourriture, discutant à perte de vue de sujets ésotériques qui dépassaient souvent l'entendement de Jill. Comme disait Ian, quand ils revenaient à la vie trépidante de ce bon vieux Londres, cela faisait un *break*.

Delphine, énorme dans son cafetan qui flottait autour d'elle, s'était assise devant sa porte. Elle s'exposait au soleil qui à cette heure du jour parvenait jusqu'à son domaine. Jill sortit Robbie de sa poussette ; il passa la tête par les barreaux de la balustrade et fixa Delphine. Elle reposa son journal et le fixa à son tour derrière ses lunettes de soleil.

– Salut, dit-elle. D'où venez-vous ?

– Du parc, répondit Jill.

– Par cette chaleur ?

– Où veux-tu que j'aille ?
– Tu devrais arranger le jardin.
Delphine n'avait cessé de le leur répéter au cours des deux dernières années jusqu'au jour où Ian lui avait promis que si elle y faisait encore allusion, il l'étranglerait.
– Pourquoi ne sciez-vous pas cet arbre horrible ?
– Arrête, la supplia Jill. Tout est déjà si compliqué !
– Comme ça, tu pourrais au moins te débarrasser des chats. Grâce à eux, je n'ai pas fermé l'œil la nuit dernière.
– Que veux-tu qu'on y fasse ?
– Je ne sais pas, moi... prendre un fusil et leur tirer dessus.
– Ian n'a pas de fusil. Et même s'il en avait un et faisait un carton sur les chats, la police penserait qu'il s'agit d'un meurtre.
– Tu es une petite femme loyale... Si vous veniez au cottage ce week-end ? Je vous emmène dans ma voiture.
– Oh, Delphine !
C'était la meilleure nouvelle de la journée.
– Ça ne t'ennuie pas ?
– Pas le moins du monde.
Jill songea à la fraîcheur du jardin, à l'odeur des fleurs de sureau, à Robbie qui pourrait patauger au bord de la rivière, assis sur les galets.
– Rien ne me ferait plus plaisir... mais il faut que j'en parle à Ian. Peut-être a-t-il prévu une partie de cricket.
– Venez boire un verre de vin après dîner, nous en parlerons.
A six heures, Robbie avait mangé sa pêche, pris son bain, et dormait dans son berceau. Jill prit une douche, mit ce qu'elle avait de plus léger, une robe de chambre en coton, et descendit à la cuisine préparer le dîner.

La cuisine et la salle à manger, séparées par un escalier étroit, occupaient tout le rez-de-chaussée, ce qui ne représentait pas beaucoup de surface. Privés de hall d'entrée, Jill et Ian ne savaient jamais où laisser la poussette ni où accrocher leurs vêtements. La fenêtre de la salle à manger donnait sur la rue ; la cuisine avait de grandes portes-fenêtres, qui autrefois devaient donner sur un balcon, avec peut-être quelques marches pour accéder au jardin. Le balcon et les marches s'étaient désintégrés depuis longtemps, ou alors ils avaient été démolis, en tout cas ils avaient disparu et les portes-fenêtres ouvraient à présent sur le vide et la cour cinq mètres plus bas. Jill et Ian avaient d'abord pris l'habitude de les laisser ouvertes quand il faisait chaud ; mais à la naissance de Robbie, Ian les avait clouées pour plus de sûreté.

La table en pin avait été poussée le long des fenêtres. Jill s'y assit et coupa des tomates pour la salade, d'un air préoccupé, jetant de brefs coups d'œil au triste jardin. Il était encaissé dans de hauts murs de brique délabrés, ce qui donnait l'impression d'être au fond d'un puits. Devant la maison, le sol était pavé de briques, qui cédaient vite la place à de l'herbe maladive, puis à de la terre piétinée et enfin à l'arbre ; et tout cela était jonché de vieux sacs en papier apportés par le vent. Un spectacle désolant.

Jill était née et avait été élevée à la campagne, et elle avait du mal à croire qu'elle n'aimait pas le jardin. Mais c'était un fait, même si elle y avait eu accès, elle n'y aurait pas étendu son linge ou laissé son petit garçon y jouer.

Quant à l'arbre, c'était sa bête noire. Ce sycomore n'avait rien de commun avec les sycomores de son enfance, faciles à escalader, qui procuraient de l'ombre en été, éparpillaient des téguments ailés à l'automne. Pour commencer, celui-là n'aurait jamais dû être planté, et encore moins pousser, occuper un tel volume, atteindre une telle hauteur, une telle densité, une taille si menaçante et déprimante. Il bloquait la lumière, le poids de sa mélancolie décourageait toute vie et n'attirait que les chats qui se glissaient en miaulant sur les murs et utilisaient le peu de terre présente pour y déposer leurs déjections. A l'automne, quand Ian bravait les saletés des chats pour allumer un feu avec les feuilles, la fumée qui s'en élevait était noire et piquante, comme si les feuilles avaient absorbé, au cours des mois d'été, toute la saleté et les poisons de l'air.

Ils formaient un couple heureux et, la plupart du temps, Jill était contente de son sort. Mais l'arbre réveillait en elle les pires frustrations, lui donnait des envies d'être riche afin de pouvoir s'en débarrasser sans états d'âme.

Il lui arrivait de formuler ses pensées à voix haute.

– J'aimerais avoir une rente, ou alors un parent très riche. Alors je ferais abattre cet arbre. Pourquoi n'avons-nous pas une bonne fée comme marraine ? Tu es sûr qu'en cherchant bien... ?

– Je n'ai qu'Edwin Makepeace, et il est à peu près aussi aimable qu'un week-end pluvieux du mois de novembre.

Edwin Makepeace était un sujet de plaisanterie familiale. Pourquoi les parents de Ian s'étaient-ils sentis obligés d'en faire le parrain de leur fils, cela restait une énigme que Jill n'avait jamais résolue. Il n'était qu'un cousin éloigné, célèbre pour son manque d'humour, ses exigences et sa radinerie proverbiale. Et avec les années, son caractère ne s'était pas arrangé. Il avait été marié pendant quelques années à une femme mortellement ennuyeuse du nom de Gladys. Ils n'avaient pas eu d'enfants et vivaient dans une petite maison de Woling réputée pour son atmosphère sinistre, mais au moins Gladys s'occupait-elle de lui. La mort de celle-ci, les problèmes soulevés par Edwin se mirent à tourmenter la conscience des membres de la famille.

Pauvre vieux, disaient-ils, et ils espéraient que quelqu'un d'autre l'inviterait pour Noël. Mais le quelqu'un d'autre se manifestait rarement et la mère de Ian, une femme au grand cœur, se dévouait finalement. Il lui fallait ensuite dépenser toute son énergie à empêcher que la présence d'Edwin ne gâche tout à fait les réjouissances familiales. La boîte de mouchoirs rituelle qu'il lui offrait et qui allait rejoindre d'autres boîtes inutilisées ne faisait rien pour lui gagner les faveurs de la famille. Ce n'était pas qu'Edwin n'avait pas d'argent, faisaient-ils remarquer. C'était qu'il n'aimait pas s'en séparer.

– On pourrait peut-être couper cet arbre nous-mêmes.

– Chérie, il est beaucoup trop gros. On se tuerait ou alors on écraserait la maison.

– On pourrait faire appel à un professionnel... Un chirurgien des arbres.

– Et que ferait-on des os quand le chirurgien terminerait son boulot ?

– Alors un feu de joie ?

– Un feu de joie ? De cette taille ? Toute la terrasse s'envolerait en fumée.

– Demandons un devis à un spécialiste.

– Mon amour, il nous enverrait un devis explosif et comment veux-tu qu'on paye ?

– Un jardin, cela nous ferait une pièce supplémentaire. Robbie aurait un endroit pour jouer. Et le bébé pourrait prendre l'air dans son landau.

– Comment ? En le descendant au bout d'une corde ?

Ils n'avaient eu que trop souvent ce genre de conversation et il arrivait que le ton monte.

Je ne vais pas remettre le sujet sur le tapis, se dit Jill. Cependant... Elle s'arrêta de couper la tomate, le couteau dans une main et son menton dans l'autre. Elle regarda par la fenêtre, constamment sale car il n'y avait aucun moyen de la nettoyer à l'extérieur.

L'arbre. Elle l'ôta en imagination. Que feraitelle alors avec le jardin ? Rien ne poussait sur ce vilain bout de terrain. Comment parvenir à éloigner les chats ? Elle ruminait ces problèmes sans solution quand elle entendit la clef de Ian dans la serrure. Elle sursauta, comme si elle était prise en faute, et se remit aussitôt à couper sa tomate. La porte claqua. Elle se tourna vers lui le sourire aux lèvres.

– Salut, chéri.

Il laissa tomber sa serviette et vint l'embrasser.

– Quelle journée ! soupira-t-il. Une vraie fournaise. Je me sens sale, je pue. Je vais prendre une douche et ensuite je me montrerai tout à fait charmant à ton égard.

– Il y a de la bière dans le frigo.

– Alors nous sommes riches.

Il l'embrassa à nouveau.

– Toi, tu sens rudement bon. Le freesia.

Il desserra le nœud de sa cravate.

– C'est le savon, expliqua Jill.

Il se dirigea vers les marches tout en se déshabillant en chemin.

– Espérons qu'il aura le même effet sur moi.

Cinq minutes plus tard il était de retour, pieds nus, vêtu d'un vieux jean délavé et d'une chemise à manches courtes, achetée pendant sa lune de miel.

– Je viens de jeter un coup d'œil à Robbie. Il dort.

Il ouvrit le frigo, en sortit une canette de bière,

en remplit deux verres, en tendit un à Jill et s'écroula sur une chaise à côté d'elle.

– Qu'as-tu fait aujourd'hui ?

Elle lui raconta la promenade au parc, la pêche donnée par l'épicier, et lui parla de l'invitation de Delphine pour le week-end.

– Elle nous emmènera en voiture.

– C'est un ange. Quelle idée merveilleuse !

– Elle nous a invités à aller boire un verre chez elle après le dîner pour régler les derniers détails.

– Je vois. Petite soirée en comité restreint.

– Oui, ça va nous changer un peu.

Ils se regardèrent en souriant. Il posa une main sur son ventre plat et souple.

– Pour une femme enceinte, je te trouve très appétissante.

Il mangea un morceau de tomate.

– C'est le dîner ou sommes-nous en train de faire dégivrer le frigo ?

– C'est le dîner. J'ai préparé du jambon et de la salade de pommes de terre.

– Je meurs de faim. On mange et puis on va faire la fête chez Delphine. Tu m'as dit qu'elle allait ouvrir une bouteille de vin ?

– Exact.

Il bâilla.

– Deux, ce serait mieux.

Le lendemain, un jeudi, il faisait toujours aussi chaud mais cela n'avait plus autant d'importance parce que le week-end arrivait.

– On va dans le Wiltshire, dit Jill à Robbie en remplissant de linge sale la machine à laver. Tu pourras te baigner dans la rivière et ramasser des fleurs. Tu te souviens du Wiltshire ? Tu sais, le cottage de Delphine ? Tu te souviens du tracteur dans le champ ?

Robbie répéta « tracteur ». Son vocabulaire était limité mais « tracteur » en faisait partie. Il sourit.

– Exactement. On va à la campagne.

Jill commença à préparer les bagages, il lui sembla que cela la rapprochait du week-end. Elle repassa sa plus jolie robe d'été, et même le plus vieux tee-shirt de Ian.

– On va chez Delphine.

Elle fit des folies en achetant un poulet froid et un panier à fraises. Ils pourraient ramasser des fraises dans le jardin de Delphine. Elle se vit en train de les cueillir, sentit déjà le soleil sur sa peau, et l'odeur des fruits sous les feuilles.

La journée tirait à sa fin. Elle donna son bain à Robbie, lui lut une histoire et le coucha dans son berceau. Quand elle sortit de la pièce, ses yeux se fermaient déjà. Elle entendit la clef de Ian dans la serrure et descendit l'accueillir.

– Chérie ?

Il posa sa serviette et referma la porte. Il paraissait maussade. Elle l'embrassa et dit :

– Ça ne va pas ?

– Je suis désolé, mais il nous est arrivé une tuile. Tu m'en voudras beaucoup si nous n'allons pas chez Delphine ?

– Mais pourquoi ?

La déception lui coupa les jambes, toute sa joie s'évanouit et son visage refléta sa consternation.

– Ian, que se passe-t-il ?

– Ma mère m'a téléphoné au bureau.

Il ôta sa veste, la posa sur la rampe et commença à desserrer sa cravate.

– C'est Edwin.

– Edwin ?

Jill s'assit sur les marches, brusquement alarmée.

– Il n'est pas mort ?

– Non. Mais il ne se sent pas très bien. Le docteur lui a dit de ne pas se fatiguer mais son meilleur ami a « passé l'arme à gauche » comme il dit, l'enterrement a lieu samedi et Edwin veut venir à Londres pour y assister. Ma mère a essayé de l'en dissuader mais il n'en démord pas. Il s'est réservé une chambre dans un petit hôtel minable et maman est convaincue qu'il va avoir une crise cardiaque et mourir à son tour. Et le plus embêtant, c'est qu'il s'est mis dans la tête de venir dîner à la maison. Je lui ai dit que c'était juste dans l'espoir de manger à l'œil, mais elle jure ses grands dieux qu'il ne s'agit pas de cela. Il n'arrête pas de protester qu'il ne nous voit jamais, qu'il n'est jamais allé chez nous, qu'il ne connaît pas Robbie... enfin bref...

Quand Ian était bouleversé, cela se traduisait par un flot de paroles.

Jill attendit qu'il se calme avant d'intervenir.

– On est vraiment obligés de le recevoir ? dit-elle. J'avais tellement envie d'aller à la campagne...

– Je sais. Mais si j'explique la situation à Delphine, je suis sûr qu'elle comprendra. Ce n'est que partie remise.

– Oui, mais...

Elle était au bord des larmes.

– Il ne nous arrive plus rien d'enthousiasmant et d'inattendu. Une occasion se présente et on doit y renoncer à cause d'Edwin. Pourquoi nous ? Pour une fois, quelqu'un d'autre n'a qu'à s'en occuper.

– Je suppose qu'il n'a pas beaucoup d'amis.

Jill le regarda et vit sa propre déception se refléter dans ses yeux.

Elle savait bien comment tout cela finirait.

– Tu veux qu'il vienne ? demanda-t-elle.

Ian haussa les épaules d'un air désolé.

– C'est mon parrain.

– Ce serait déjà suffisamment désagréable s'il était un vieux monsieur sympathique, mais il est tellement sinistre !

– Il est vieux. Et seul.

– Il est ennuyeux.

– Il est triste. Son meilleur ami vient de mourir.

– Tu as dit à ta mère que nous devions aller dans le Wiltshire ?

– Oui. Et elle m'a répondu que nous devions en parler. J'ai dit que j'appellerais Edwin ce soir.

– On ne peut pas le rembarrer.

– Je pensais bien que tu en viendrais à cette conclusion.

Ils échangèrent un regard et surent que leur décision était prise. Ils n'y reviendraient plus. Pas de week-end à la campagne. Ils n'iraient pas ramasser les fraises. Pas de jardin pour Robbie. Juste Edwin.

– J'aimerais bien que les bonnes actions ne soient pas si difficiles, soupira Jill. J'aimerais bien qu'elles se fassent toutes seules.

– Alors ce ne seraient pas de bonnes actions. Mais tu sais quoi ? Je t'aime. Chaque jour davantage, si c'est possible.

Il l'embrassa avant de se retourner vers la porte.

– Bon. Autant aller prévenir Delphine.

– J'ai acheté du poulet froid pour le dîner.

– Dans ce cas, je vais voir s'il me reste assez pour acheter une bouteille de vin. Nous avons besoin de nous remonter le moral.

Une fois surmontée cette déception, Jill décida de suivre la philosophie de sa mère – quand on fait une chose, autant la faire bien. Même s'il ne s'agissait que de ce vieil Edwin Makepeace de retour d'un enterrement, le dîner devait être réussi. Elle prépara un poulet basquaise avec des herbes, pela des pommes de terre nouvelles, prépara une sauce pour les brocolis. Pour le dessert, il y avait de la salade de fruits et une part de brie crémeux.

Elle astiqua la table anglaise de la salle à manger, y déposa de jolis sets, mit dans un vase les fleurs achetées la veille à la fin du marché et battit les coussins du salon.

Ian devait aller chercher Edwin. Celui-ci avait bien dit d'une voix peu assurée qu'il prendrait un taxi, mais Ian savait que cela lui coûterait dix livres au moins et il avait insisté pour se déplacer. Jill baigna Robbie, lui mit son pyjama neuf et elle-même enfila la robe fraîchement repassée qu'elle avait eu l'intention de mettre dans le Wiltshire. (Elle chassa de son esprit l'image de Delphine s'installant seule dans sa voiture avec son chevalet et ses sacs pour le week-end. Le soleil continuerait de briller, la vague de chaleur durerait, et ils seraient à nouveau invités pour un autre week-end.)

Tout était prêt. Jill et Robbie s'agenouillèrent sur le sofa du salon pour guetter l'arrivée d'Edwin. Quand la voiture freina, Jill prit Robbie dans ses bras et descendit ouvrir la porte. Edwin montait les marches du perron, suivi de Ian. Jill ne l'avait pas vu depuis Noël. Elle songea qu'il avait beaucoup vieilli. Dans son souvenir, il ne s'aidait pas d'une canne pour marcher. Il portait une cravate et un costume noirs et n'avait rien apporté. Ni fleurs ni bouteille de vin. On aurait dit un croque-mort.

– Edwin.

– Eh bien, ma chère, nous voilà arrivés. C'est très gentil à vous de m'avoir invité.

Il entra dans la maison et elle l'embrassa. Sa peau parcheminée était dure et sèche, et il sentait vaguement le désinfectant, comme les médecins d'avant. C'était un homme très mince. Ses yeux, autrefois bleus et froids, étaient maintenant pâles et larmoyants. Ses pommettes rouges se détachaient sur un visage monochrome qui semblait vidé de son sang. Son col dur semblait trop grand et les tendons saillants de son cou lui donnaient l'air d'un dindon.

– Je suis très triste pour votre ami.

Elle avait le sentiment qu'il fallait qu'elle en parle tout de suite.

– Que veux-tu, cela doit nous arriver à tous. Le temps qui nous est imparti tourne autour de soixante-dix ans, et Edgar avait soixante-treize ans. Moi, j'en ai soixante et onze. Où est-ce que je mets ma canne ?

Comme il n'y avait rien pour la poser, Jill la lui prit des mains et l'accrocha à la rampe.

Edwin regarda autour de lui. Il n'avait probablement jamais vu une maison de ce genre.

– Comme c'est bizarre... Eh bien, qu'est-ce que je vois...

Il pointa son nez crochu vers Robbie.

– Voilà votre fils, je suppose.

Jill craignit que l'enfant ne déçoive son attente et n'éclate en sanglots terrifiés. Mais Robbie se contenta de regarder Edwin sans ciller, droit dans les yeux.

– Je... j'ai retardé l'heure de le mettre au lit parce que je pensais que vous seriez heureux de le voir. Mais il tombe de sommeil.

Ian referma la porte derrière lui.

– Voulez-vous venir en haut avec moi ? demanda Jill.

Elle lui montra le chemin et il la suivit en montant les marches une à une. Elle entendait sa respiration entrecoupée. Dans le salon, elle reposa l'enfant et avança une chaise pour Edwin.

– Asseyez-vous.

Il s'assit précautionneusement. Ian lui offrit un verre de xérès et Jill les laissa un instant pour aller coucher Robbie.

Juste avant de mettre son pouce dans sa bouche, celui-ci dit :

– Nez.

Jill sourit, remplie d'amour pour son petit garçon qui lui redonnait l'envie de rire.

– Je sais, murmura-t-elle. Il a un gros nez, hein ?

Robbie sourit à son tour. Ses yeux se fermèrent. Jill remonta le drap sur lui et descendit dans le salon. Edwin parlait de son ami.

– Nous étions tous les deux dans l'armée pendant la guerre. Army Pay Corps. Après, il a repris son travail dans les assurances mais nous sommes toujours restés en contact. Une fois on a pris des vacances ensemble. Il ne s'est jamais marié. Et puis il est parti à Budleigh Salterton.

Il regarda Ian par-dessus son verre de xérès.

– Tu es déjà allé à Budleigh Salterton ?

Ian répondit que non. Il ne connaissait pas Budleigh Salterton.

– Bel endroit. Très beau golf. Mais Edgar n'appréciait guère le golf. Plus jeune, il jouait au tennis, et par la suite il s'est tourné vers la pétanque. Tu as déjà joué aux boules, Ian ?

Non, Ian n'avait jamais joué aux boules.

– Bien sûr, dit Edwin, ce n'est pas ton genre. Toi, c'est plutôt le cricket si mes souvenirs sont bons ?

– J'y joue quand j'en ai l'occasion.

– Tu es sûrement très occupé.

– Oui, assez.

– Alors je suppose que tu joues pendant le week-end ?

– Parfois.

– J'ai regardé le *Test Match* à la télévision.

Il but une gorgée de son xérès Tio Pepe et pinça les lèvres.

– Je n'ai guère apprécié les Pakistanais.

Jill se leva discrètement et descendit à la cuisine. Quand elle les appela pour leur dire que le dîner était prêt, Edwin n'avait toujours pas changé de sujet. Il se souvenait d'un match, en

1956, qu'il avait particulièrement apprécié. Jill interrompit l'histoire interminable qu'il débitait d'une voix monocorde et les deux hommes descendirent l'escalier. Jill était en train d'allumer les bougies sur la table.

– Je n'ai jamais été dans une maison comme celle-là, fit observer Edwin en dépliant sa serviette. Combien l'avez-vous payée ?

Ian le lui dit, après une seconde d'hésitation.

– Et quand l'avez-vous achetée ?

– Il y a deux ou trois ans, quand on s'est mariés.

– Vous ne vous êtes pas trop mal débrouillés.

– Elle était en sale état. Ce n'est pas encore Byzance, mais nous la retaperons petit à petit.

Jill sentit le regard déconcertant d'Edwin fixé sur elle.

– Ta belle-mère m'a appris que tu attendais un autre enfant ?

– Eh bien... oui, en effet.

– Ce n'est pas un secret, dis-moi ?

– Oh non, bien sûr que non.

Elle prit le poulet dans le four avec des gants en amiante et le posa sur la table.

– C'est du poulet.

– J'ai toujours adoré le poulet. Pendant la guerre en Inde, on en mangeait tout le temps...

C'était reparti.

– C'est formidable comme les hindous savent cuisiner le poulet... Je suppose qu'ils en ont une longue expérience. Nous n'étions pas autorisés à manger les bovins. Ils sont sacrés, voyez-vous...

Ian ouvrit la bouteille de vin et après cela la conversation coula plus facilement. Edwin ne prit pas de salade de fruits mais il mangea la plus grande partie du brie. Il parlait tout le temps et ne semblait pas vraiment attendre de réponse, seulement un sourire ou un hochement de tête de temps en temps. Il parla des Indes, d'un ami de

Bombay, d'un match de tennis qu'il avait disputé à Camberley, de la tante de Gladys qui avait appris la tapisserie sur métier à tisser et avait gagné un prix à l'exposition du comté.

La longue soirée étouffante n'en finissait plus. Le soleil quitta doucement le ciel de la ville embrumée de chaleur, y laissant une teinte rose. Edwin se plaignait maintenant de l'incapacité de sa femme de ménage à faire correctement les œufs au plat. Brusquement Ian s'excusa et se rendit à la cuisine pour préparer le café.

Interrompu dans son long monologue, Edwin le regarda partir.

– De ce côté, c'est la cuisine ? demanda-t-il.

– Oui.

– Allons y jeter un coup d'œil.

Et avant que Jill ait pu le retenir, il s'était remis sur ses pieds et suivait Ian. Rien ne put le décider à monter au salon.

– Vous n'avez pas beaucoup de place, hein ?

– On se débrouille, dit Ian.

Edwin se dirigea vers la porte-fenêtre et regarda par la vitre sale.

– Qu'est-ce que c'est que ça ?

– Eh bien...

Jill le rejoignit. Elle jeta un coup d'œil désolé au désastre familier en dessous d'eux.

– C'est le jardin. Mais on ne s'en sert pas, il est trop moche. Les chats viennent y faire leurs saletés. Et puis de toute façon, on ne peut pas y accéder. Voyez vous-même, conclut-elle.

– Et l'entresol ?

– Nous le louons à une amie. Delphine.

– Cela ne la dérange pas de vivre à côté de ça ?

– Elle... elle n'est pas là très souvent. Elle passe le plus clair de son temps à la campagne.

– Hmm...

Il y eut un long silence déconcertant. Edwin examinait l'arbre, de ses racines sales à ses plus hautes branches, le nez comme un pic à glace, le cou tendu à se rompre.

– Pourquoi ne coupez-vous pas cet arbre ?

Dans le dos d'Edwin, Jill jeta un regard gêné en direction de Ian qui leva les yeux au ciel d'un air exaspéré.

– Ce serait assez difficile, dit-il d'un ton très calme. Comme vous le voyez, il est énorme.

– C'est affreux d'avoir un arbre pareil dans votre jardin.

– Oui, acquiesça Jill. Ce n'est pas très pratique.

– Vous devriez songer à changer ça.

– Le café est prêt, dit Ian très vite. Si on allait en haut ?

Edwin se tourna vers lui.

– Mais enfin, pourquoi ne faites-vous pas quelque chose ?

– Oui, j'y songerai.

– Ça ne sert à rien d'attendre. Un jour, tu auras mon âge et l'arbre sera toujours là.

– Du café ? dit Ian.

– Et les chats, ce n'est pas sain. Surtout avec des enfants dans la maison.

– Robbie ne sort jamais dans le jardin, lui dit Jill. D'ailleurs, même si je le voulais, je ne pourrais pas l'y emmener car nous n'y avons pas accès. Autrefois, je pense qu'il y avait un balcon et des marches d'accès, mais ils avaient disparu quand nous avons acheté la maison et puis... on ne s'est pas décidés à les remplacer.

Elle était bien déterminée à ne pas gémir qu'ils n'avaient pas un sou.

– Vous comprenez, il y a eu tellement d'autres choses à faire !

– Hmm... dit à nouveau Edwin, les mains dans les poches et le regard perdu dans le jardin.

Jill finit par se demander s'il ne glissait pas dans une sorte de coma. Mais il se reprit soudain, sortit les mains de ses poches, se tourna vers Ian et dit avec une certaine brusquerie :

– Je croyais que tu nous avais préparé un café, Ian. Va-t-on devoir attendre encore longtemps ?

Il resta encore une heure, à enfiler des clichés et des anecdotes sans intérêt. Enfin l'église voisine sonna onze heures, Edwin reposa sa tasse de café, regarda sa montre et annonça qu'il était temps que Ian le ramène à son hôtel. Ils descendirent, Ian trouva les clefs de sa voiture et ouvrit la porte d'entrée. Jill tendit sa canne à Edwin.

– J'ai passé une excellente soirée. J'ai été content de voir votre maison.

Elle l'embrassa à nouveau. Il descendit les marches et traversa le trottoir. Ian, qui se contrôlait pour ne pas avoir l'air trop pressé, lui ouvrit la portière de voiture. Le vieux monsieur monta précautionneusement, replia ses jambes et rangea sa canne à côté de lui. Ian referma la portière et alla prendre place derrière le volant. Jill, toujours souriante, agita la main. La voiture disparut. Son sourire s'effaça et elle rentra chez elle, épuisée, pour faire la vaisselle.

Ils venaient de se coucher. Jill dit :

– Ça ne s'est pas trop mal passé.

– Oui, mais on a l'impression que tout lui est dû. Il aurait pu au moins apporter une rose ou une barre de chocolat.

– Ce n'est pas son genre.

– Et ses histoires interminables ! Pauvre vieux Edwin, il a toujours été à périr d'ennui. Je ne connais personne de plus doué que lui dans ce domaine. Il est né pour ça. Il s'est ennuyé à l'école et puis il s'est ennuyé durant toute sa vie. Il devait être le champion !

– Au moins, cela nous a évité d'avoir à faire la conversation.

– Le dîner était délicieux et tu as été charmante avec lui.

Ian bâilla à se décrocher la mâchoire.

– Maintenant on n'en entendra plus parler. Ouf, c'est fini.

Il se trompait. Une semaine s'écoula avant qu'Edwin se manifeste à nouveau. Le vendredi suivant, Jill était comme à son habitude en train de préparer le dîner quand Ian rentra du bureau.

– Bonsoir, chérie.

Il referma la porte, posa sa serviette et vint l'embrasser. Puis il s'assit sur une chaise et la regarda.

– Il nous arrive quelque chose d'extraordinaire.

Jill fut aussitôt sur la défensive.

– Extraordinaire agréable ou extraordinaire désagréable ?

Il sourit, sortit une lettre de sa poche et la lui tendit.

– Lis ça.

Intriguée, Jill prit la feuille de papier et la déplia. C'était une longue lettre tapée à la machine. Elle était d'Edwin.

Mon cher Ian,

Je tenais à te remercier de l'agréable soirée que j'ai passée en votre compagnie à tous les deux. Le dîner était délicieux et j'ai beaucoup apprécié que tu prennes la peine de venir me chercher et de me ramener. Je dois dire que le bon sens est révolté par les tarifs exorbitants des taxis. J'ai eu plaisir à faire connaissance de ton fils et à voir ta maison. Cependant, je pense que tu as un sérieux problème avec le jardin et j'y ai bien réfléchi.

La première priorité, c'est de se débarrasser de l'arbre. Il n'est pas question que tu t'en charges. Il y a des entreprises spécialisées à Londres qui sont qualifiées pour cela, et j'ai pris la liberté d'en contacter trois qui prendront contact avec toi et te proposeront des devis. Une fois l'arbre abattu, tu auras les idées plus claires sur ce que tu veux faire, mais en attendant je te suggère les mesures suivantes...

La lettre se métamorphosait en projet d'architecte : les murs existants étaient encore bons et pouvaient être recrépis et repeints en blanc. Une clôture en treillis isolerait les occupants de la maison des voisins. Une fois le sol remis à niveau et pavé de pierres, il faudrait prévoir une évacuation pour l'eau dans un coin afin d'en faciliter l'écoulement. Devant la cuisine, une plate-forme avec balustrade – de préférence en tek – serait renforcée par des solives en acier. Enfin, un escalier de bois permettrait d'accéder au jardin.

Je pense que cela couvre à peu près l'essentiel. Si tu veux, tu peux aussi construire un parterre de fleurs surélevé, ou élever quelques pierres autour de la souche de l'arbre. Ce sera à toi de voir.

Reste le problème des chats. Là encore, j'ai fait ma petite enquête et j'ai découvert qu'il existait un excellent produit pour les dissuader de venir, et pas du tout toxique, ce qui fait que les enfants ne risquent rien. Tu le vaporises dans un ou deux endroits et le tour est joué. Et une fois que le sol aura était recouvert de dalles, je ne vois pas pourquoi les chats viendraient rôder dans le coin pour leurs fonctions naturelles.

Tout cela va coûter pas mal d'argent. Je comprends bien qu'avec l'inflation et la hausse du coût de la vie, ce n'est pas facile pour un jeune couple, même s'il travaille dur, de joindre les deux bouts. Et je veux vous aider. Au lieu de vous coucher sur mon testament, j'ai pensé qu'il serait bien plus raisonnable de vous donner de l'argent maintenant. Vous pourrez donc payer le réaménagement du jardin, et j'aurai le plaisir de le voir réalisé, du moins je l'espère, avant de suivre mon bon ami Edgar en passant l'arme à gauche à mon tour.

Ta mère m'a raconté que vous aviez annulé un week-end agréable à la campagne pour me réconforter le soir de l'enterrement d'Edgar. Votre gentillesse n'a d'égale que la sienne, et je suis heureux que ma situation financière me permette de rembourser ma dette envers vous.

Avec toute mon affection,

Edwin.

Edwin. Jill put à peine lire sa signature aux lettres pointues, car ses yeux s'étaient remplis de larmes. Elle l'imaginait, assis dans sa petite maison sombre de Woking, absorbé à trouver les solutions à leurs problèmes, prenant le temps de chercher les entreprises concernées, passant probablement des heures au téléphone, faisant des additions, n'oubliant aucun détail, prenant la peine...

– Eh bien ? dit doucement Ian.

Les larmes coulaient sur ses joues. Elle les essuya d'un revers de la main.

– Je n'aurais jamais pensé... je n'aurais jamais pensé qu'il était capable d'un geste pareil. Oh, Ian, nous avons été tellement méchants avec lui !

– Jamais de la vie. Tu n'as jamais été méchante avec personne.

– Je... je ne m'imaginais pas qu'il avait de l'argent.

– Nous non plus. Enfin, pas comme ça.

– Comment le remercier ?

– En faisant ce qu'il dit. A la lettre. Et puis on l'invitera à l'inauguration du jardin. Nous allons faire une petite fête.

Il sourit.

– Ça nous changera agréablement.

Jill regarda le jardin par la fenêtre de la cuisine, à travers la vitre sale. Un sac en papier avait volé d'une poubelle voisine et le plus vilain des matous, celui qui avait une oreille déchirée, l'observait, assis sur un mur.

Jill croisa son regard vert avec sérénité.

– Je pourrai y étendre mon linge, dit-elle. J'achèterai des bacs et j'y planterai des bulbes au printemps, et en été des géraniums. Et Robbie pourra jouer, il aura son tas de sable. Et si la plate-forme est suffisamment grande, j'y mettrai le bébé dans son landau. Oh, Ian, ça va être merveilleux. Je n'aurai plus jamais besoin d'aller au parc. Tu te rends compte ?

– Tu sais quoi ? dit-il. Je crois que ce serait une bonne idée de téléphoner à Edwin.

Alors ils s'assirent près du téléphone, Jill dans les bras de Ian, et composèrent le numéro d'Edwin. Et ils attendirent que la voix du vieux monsieur, à l'autre bout du fil, leur réponde.

Traduit par Hélène Prouteau

Le jardin aux soucis

Il n'avait pas prévu d'aller à Brookclere. C'était au fin fond de la campagne du Hampshire, à vingt-deux kilomètres de l'autoroute qui reliait Londres à Southampton, et il s'était imaginé dépassant l'embranchement à vive allure sans même jeter un coup d'œil dans cette direction.

Mais, pour une raison ou pour une autre – ses propres souvenirs ou cette campagne familière en train de somnoler au soleil –, il eut soudain envie de revoir Brookclere. Après tout, c'était terminé. Julia et son mari devaient être en pleine lune de miel, en train de se dorer au soleil sur les plages de la Méditerranée ou de faire de la voile sur les eaux limpides et bleu turquoise des Antilles. Elle était hors de sa portée à présent.

Devant lui l'autoroute faisait une courbe, longeant des villages, des vergers et des fermes que le progrès avait coupés en deux et qui demeuraient pourtant inchangés. Des vaches s'abritaient du soleil sous des bouquets d'arbres et, dans les champs, le blé blond et fourni était presque arrivé à maturité.

En voyant le panneau signalant la sortie *Lamington*, *Hartston*, *Brookclere*, il leva le pied de l'accélérateur. L'aiguille du compteur passa de cent dix à quatre-vingts. « Que diable suis-je en train de faire ? » se demanda-t-il. Mais le souvenir de la vieille maison en brique rouge enfouie sous la glycine, de la pelouse qui descendait jusqu'à la rivière et de l'odeur entêtante des roses l'attirait comme un aimant. Il savait qu'il fallait qu'il revienne. Apercevant l'embranchement et le pont au-dessus de l'autoroute, il jeta un coup d'œil dans son rétroviseur et se laissa glisser sur la voie la moins rapide, puis s'engagea sur la rampe de sortie.

« Peut-être était-ce ton intention depuis le début », reconnut-il en lui-même. Et pourquoi pas, au fond ? Il était trop tard pour regretter quoi que ce soit. Dix jours trop tard.

Maintenant qu'il avait laissé derrière lui le fracas des voitures filant à vive allure sur l'autoroute, les lieux lui semblaient étonnamment familiers. Il reconnaissait cette route, ce village, ce pub où il était allé boire après un match de cricket, cette maison aux grilles monumentales où il avait été invité à une soirée. Il était venu là pour la première fois quatre ans plus tôt. Alors qu'il roulait toujours sans se presser sur les petites routes secondaires, il repassa dans son souvenir les moindres détails de ce qu'il avait éprouvé ce jour-là : il était excité et un peu inquiet car, frais émoulu d'une école d'agriculture, il avait rendez-vous avec Mme Hawthorne qui cherchait un régisseur pour la ferme de Brookclere et il espérait bien décrocher son premier emploi.

Lorsqu'ils se rencontrèrent, elle lui expliqua la situation. Son mari venait de mourir et son fils reprendrait la ferme un jour. Mais, pour l'heure, il s'était engagé dans l'armée pour un service court et était en garnison à Hong Kong.

– Il compte s'inscrire dans une école d'agriculture quand il aura fini son service, dit-elle. Mais entre-temps j'ai besoin de trouver quelqu'un qui me donne un coup de main... qui s'occupe simplement de la ferme en attendant que Derek revienne à la maison.

Miles se dit qu'elle semblait bien jeune pour avoir un fils de vingt ans mais il garda cela pour lui car il s'agissait d'un entretien professionnel. Le moment semblait mal choisi pour adresser ce genre de compliments.

– J'ai donc besoin d'un régisseur, conclut Mme Hawthorne. Et maintenant, je vais vous montrer la ferme.

Ils avaient passé le reste de la journée à faire le tour des lieux. Les bâtiments agricoles étaient en bon état et les espaces réservés au bétail bien entretenus. Au-delà des bâtiments, on voyait les terres arables et le bétail, quelques vaches et quelques moutons. Remarquant un enclos où paissaient des chevaux, Miles demanda poliment :

– Vous montez à cheval ?

– Non. Dans la famille, la passionnée de chevaux, c'est Julia.

– Votre fille, je suppose.

– Oui. Elle a trouvé un emploi à Hartston. Elle travaille dans un magasin d'antiquités. Pour moi, c'est bien agréable car elle vit à la maison. Mais elle ne va pas tarder à avoir la bougeotte. Elle ira alors à Londres et prendra un appartement sur place. C'est ce qu'ont fait toutes ses amies.

– Ça ne m'étonne pas.

La manière dont il avait dit cela fit sourire Mme Hawthorne.

– Je parie que pour rien au monde vous ne travailleriez à Londres, dit-elle.

– Vous avez raison. Je n'ai jamais aimé que l'agriculture.

Elle lui montra la maison où il allait vivre : un cottage en brique avec un jardin à l'abandon.

– Je crains que ce soit un peu la pagaille...

– Il ne faudrait pas longtemps pour remettre ce jardin en état, dit Miles après y avoir jeté un coup d'œil.

– Vous êtes bon jardinier ?

– Je vous avouerai franchement que je ne raffole pas du chiendent.

– Je vois ce que vous voulez dire, répondit-elle en riant. Je passe un temps fou à arracher ces saloperies de mauvaises herbes.

– Tout comme ma mère.

Ils se regardèrent en souriant et ce fut le début de leur amitié.

Ils retournèrent dans le bureau de la ferme. Au lieu de s'asseoir dans l'impressionnant fauteuil en cuir, Mme Hawthorne s'appuya contre le bureau, les mains au fond des poches de son cardigan, et, tournée vers Miles, lui annonça :

– Le poste est pour vous si ça vous dit.

Alors qu'il tenait plus que tout au monde à travailler dans cette ferme, il réagit en dépit du bon sens en suggérant que peut-être elle ferait mieux d'engager un régisseur plus âgé que lui et plus expérimenté. A nouveau Mme Hawthorne se mit à rire.

– Seigneur ! Je serais morte de peur devant un homme pareil. Et c'est lui qui finirait par me dire ce que j'ai à faire.

– Alors, c'est d'accord.

Miles resta un an à Brookclere et serait resté bien plus longtemps s'il n'y avait pas eu Julia. Il avait vingt-trois ans et n'avait jamais envisagé sérieusement de tomber amoureux d'une fille au point de vouloir passer le reste de sa vie avec elle. Il savait que c'était une chose qui arrivait aux autres hommes et qui s'était déjà d'ailleurs produite pour certains de ses amis. Mais il ne se voyait pas marié avant quelques années – lorsqu'il aurait trente ans et même plus. Il serait alors plus mûr, aurait fait son chemin dans la vie, construit solidement son avenir et pourrait proposer tout cela à la jeune femme de son choix comme s'il lui offrait un cadeau fabriqué de ses propres mains.

Mais Julia avait fait irruption dans sa vie et toutes ses idées préconçues s'étaient évanouies. Pourquoi fallait-il que ce soit Julia ? En quoi était-elle différente des autres jeunes femmes ? Quelles qualités possédait-elle pour qu'à son contact, tout devienne magique ? Il connaissait le mot *affinité* mais avait soudain éprouvé le besoin d'en vérifier le sens dans un dictionnaire. « *Voisinage. Parenté par alliance. Accord. Sympathie...* »

Ils étaient vraiment proches l'un de l'autre. Il voyait Julia au moins une fois par jour. Il l'aidait à faire démarrer sa voiture pendant l'hiver, montait à cheval avec elle chaque dimanche de printemps, nageait avec elle dans la rivière quand les arbres étaient couverts de feuilles et que les lentes eaux brunes dansaient au soleil sous des nuées de moustiques. A l'automne, ils avaient balayé les feuilles ensemble et allumé des feux qui sentaient bon le bois en train de brûler. Il se rappelait Julia à l'époque des foins, coiffée d'un vieux chapeau en paille tout juste digne d'un clochard, les bras bronzés et le visage ruisselant de sueur. Il se souvenait d'elle à Noël, portant une robe rouge, ses yeux brillant d'excitation comme ceux d'une petite fille.

Quant à la parenté... Si cela signifiait la franche camaraderie, pouvoir rire ensemble ou au contraire garder le silence sans y être obligé, oui ils étaient parents. Et quand Miles accompagnait Julia à une soirée, il était fier qu'elle soit la jeune femme la plus attirante et ne s'inquiétait pas de savoir avec qui elle dansait car c'était toujours lui qui la raccompagnait ; et ils profitaient du retour sur les sombres et sinueuses routes de campagne pour discuter de ce qui s'était passé – comme un vieux couple. Oui, on pouvait parler d'affinité. Et malheureusement, c'était lui qui avait tout gâché.

Cela s'était passé un dimanche après-midi, chaud et brumeux. Ils étaient assis tous les deux près de la rivière ; le bruit des cloches leur parvenait par-delà les champs.

– Je t'aime, dit Miles.

– Je ne veux pas que tu m'aimes, répliqua Julia.

– Pourquoi ?

– Parce que tu n'es pas quelqu'un comme ça.

– Quel genre de type suis-je alors ?

– *Miles*. Un point c'est tout.

– Et Miles est différent des autres hommes ?

– Oui. Et mille fois plus sympathique.

– Si tu me dis que tu me considères comme un grand frère, je t'étrangle.

– Non, j'ai déjà un frère.

– Un chien, alors. Un fidèle chien courant.

– C'est affreux de dire ça.

– Que veux-tu que je te réponde ! Nous ne pouvons pas continuer ainsi jusqu'à la fin des temps.

– Je désire seulement qu'il n'y ait rien de changé entre nous.

– Mais, Julia, dans la vie, les choses évoluent.

– Pourquoi a-t-il fallu que tu tombes amoureux de moi ?

– Tu te doutes bien que ce n'était pas prémédité.

– Je ne suis pas prête à aimer qui que ce soit. Ni à me marier, ni à avoir des enfants.

– De quoi as-tu envie alors ?

– Je n'en sais rien. D'un changement, peut-être. Mais pas de me marier.

– Quel genre de changement ?

Julia tourna la tête pour échapper au regard de Miles. Une longue mèche soyeuse lui cachait le visage.

– Je ne peux pas rester à la maison toute ma vie, dit-elle. Je vais peut-être partir à Londres. Sukie

Robins, tu sais, cette fille que tu as rencontrée à cette soirée... Nous étions au lycée ensemble. Elle vient de trouver un appartement à Wandsworth et cherche quelqu'un pour partager le loyer avec elle.

Surpris par cette nouvelle qui le bouleversait, Miles ne dit rien. Se tournant vers lui, Julia le regarda soudain avec une sorte de fureur – sans qu'il parvienne à deviner si c'était à lui qu'elle en voulait ou bien à elle-même.

– Pour toi, tout va bien, Miles. Tu fais ce que tu veux et tu n'as envie de rien d'autre. Tu n'éprouves aucun doute. Tu as choisi une certaine vie et tu t'y tiens. Mais moi, j'ai vingt et un ans et je n'ai encore rien fait...

Ne sachant pas quoi répondre, il se contenta de lui demander :

– As-tu pensé à ta mère ?

– J'adore ma mère. Tu le sais. Mais elle n'est pas du genre à se montrer possessive.

– Et tu penses que moi, je le suis.

– Je n'y ai pas réfléchi. Tout ce que je sais, c'est que je n'envisage pas de me marier avant des années. J'ai des milliers de choses à faire avant et je compte bien m'y mettre tout de suite.

Au bout d'un moment, Miles reprit :

– Je ne resterai pas toujours régisseur. Un jour, j'aurai ma propre ferme et je serai indépendant financièrement. Ma situation va évoluer.

– Tu t'imagines que je ne veux pas de toi car tu n'as pas d'argent ? Comment peux-tu penser une chose aussi affreuse ?

– Il est normal d'avoir l'esprit pratique.

– Cela ne doit pas entrer en jeu.

– Nous verrons...

– Tu ne dois pas avoir une très haute opinion de moi pour dire une chose pareille. Jamais je n'aurais pensé que tu étais aussi matérialiste.

– Julia... je t'aime énormément.

– Eh bien, j'en suis désolée, s'écria-t-elle en fondant en larmes. Pour toi et pour moi. Je ne veux pas être piégée... épinglée sur une planche comme un papillon mort.

Après cette déclaration pour le moins extraordinaire, elle bondit sur ses pieds et s'enfuit vers la maison.

Et Miles resta assis tout seul sur la berge, indifférent aux moustiques qui s'acharnaient sur lui. Il venait de tout gâcher et rien ne serait plus jamais comme avant.

Au bout d'une semaine, il alla voir Mme Hawthorne et lui donna sa démission. C'était une femme intelligente et il apprécia qu'elle fasse preuve de franchise.

– Oh, Miles. C'est à cause de Julia, n'est-ce pas ?

– Oui, reconnut-il.

– Vous êtes amoureux d'elle.

– Je crois que je l'ai toujours été. Dès l'instant où j'ai posé les yeux sur elle.

– J'avais tellement peur que ça finisse comme ça ! Julia part à Londres. Elle a trouvé un appartement et va chercher un travail sur place. Elle me l'a annoncé hier soir. Vous n'êtes donc plus obligé de partir.

– Il le faut.

– Oui... Je comprends. Et j'en suis désolée. Même si j'éprouvais certaines craintes, je dois reconnaître que l'idée de vous avoir pour gendre était loin de me déplaire. Je me suis tellement attachée à vous ! Et comme toutes les mères sentimentales, je faisais déjà des projets ridicules. Mais, en tant que mère, je ne vaudrais pas grand-chose si j'essayais d'influencer Julia.

– Je ne l'ai pas fait exprès...

– Ce n'est pas votre faute. Personne n'a rien à se reprocher dans ce qui vient d'arriver.

Miles trouva un autre travail en Ecosse, dans les Eaux et Forêts. Quand il l'annonça à Mme Hawthorne, elle lui répondit avec un sourire triste :

– Vous n'auriez pas pu partir plus loin.
– Il me semble que j'en ai besoin.
– Oh, mon cher Miles, comme vous allez nous manquer !
– Je reviendrai vous voir, promit-il.

Mais il n'était pas revenu. Il était allé à la rencontre d'une nouvelle vie – dans tous les sens du terme. Au-devant d'une solitude telle qu'il n'en avait jamais connu à ce jour, vivant dans une petite maison en granit environnée à perte de vue par des collines couvertes de bruyère. Il avait fallu qu'il adopte de nouvelles attitudes, car il était confronté à d'autres problèmes qui exigeaient des solutions différentes. Petit à petit, il se fit de nouveaux amis, n'hésitant pas à rouler pendant des kilomètres à la recherche d'un contact quelconque. Il vivait sous un ciel vide et dans un climat rude : froid mordant, pluies interminables ou chutes de neige. Il plantait, débroussaillait des arbres, rendant cultivables des terres qui jusque-là n'avaient connu que la bruyère, le cri des grouses et des courlis. Il apprit à faire fondre la glace quand l'eau gelait dans les conduites, à pêcher le saumon et à danser les *reels* écossais. Il apprit à vivre seul.

Il lui arrivait de travailler sept jours sur sept, utilisant son activité comme un sédatif qui lui permettait d'oublier le passé et son chagrin. Durant ses rares loisirs, il lisait un livre ou le journal. Un matin – c'était un peu plus de deux ans après son départ de Brookclere –, il parcourut les trente kilomètres qui le séparaient de Relkirk car c'était le jour du marché. Quand il eut fini ses courses – quelques cageots remplis des denrées dont il avait besoin – il acheta le *Times*. En parcourant le journal, il découvrit l'annonce des fiançailles de Julia avec un certain Henry Fleet. Au lieu de rentrer directement chez lui comme il en avait d'abord eu l'intention, il s'engouffra dans le premier pub venu, bien décidé – pour la première fois de sa vie – à noyer son chagrin dans l'alcool.

Mais il ne se soûla pas car dans ce pub il rencontra un ancien ami de l'école d'agriculture et, à cause de cette extraordinaire coïncidence, sa vie prit un nouveau tournant.

Maintenant, la route descendait vers Brookclere et il apercevait le village au fond de la vallée : un groupe de maisons construites autour d'un croisement, entourées par des terres cultivées et de petites collines. Il arriva à hauteur du presbytère et de l'église, passa devant le fleuriste et l'épicerie-bazar. Puis il aperçut un bouquet de chênes, un portail blanc grand ouvert, la grille qui empêchait le bétail d'aller sur la route. Il entra dans la ferme, longea les barrières blanches, traversa le petit pont et la maison apparut alors, enfouie sous la glycine, son jardin masqué par des rangées de rhododendrons.

Il s'était garé à l'arrière et, en sortant de sa voiture, il fut accueilli par les odeurs plaisantes de cour de ferme et les gloussements satisfaits des poules de Mme Hawthorne. Il ouvrit la barrière et se dirigea vers la cuisine. Comme la porte était ouverte, il entra dans la pièce. La cuisinière en fonte ronronnait, un bouquet de roses était posé au milieu de la table en pin dans une cruche en terre, et les vieilles assiettes en poterie mordorée toujours disposées en ligne sur le vaisselier.

– Mme Hawthorne ?

Pas de réponse. Aucun bruit. Il traversa la cuisine et se retrouva dans l'entrée. La porte qui donnait sur le jardin étant ouverte, il aperçut, sous le chaud soleil de l'après-midi, la terrasse et la pelouse tout en longueur qui descendait vers la rivière. Une brouette attendait au milieu de l'herbe. Miles sortit de la maison et vit alors Mme Hawthorne : à quatre pattes dans ses plates-bandes, elle était en train d'arracher patiemment les mauvaises herbes.

Il traversa la pelouse et s'approcha d'elle. Elle ne l'avait pas entendu mais dut soudain se rendre compte qu'elle n'était plus seule. Elle tourna la tête et leva une de ses mains gantées et couvertes de boue pour repousser ses cheveux en arrière.

– Bonjour, dit Miles à ce moment.

Surprise et ravie, elle laissa tomber sa sarclette et bondit sur ses pieds.

– Miles !

Il l'embrassa pour la première fois depuis qu'ils se connaissaient. Elle le serra dans ses bras, puis le lâcha pour le regarder.

– Quelle merveilleuse surprise ! D'où sortez-vous ?

– Je viens de Southampton et j'étais en train de regagner Londres quand j'ai pensé que je devais passer vous dire bonjour.

– Je croyais que vous étiez en Ecosse.

– Oui. Je travaille toujours là-bas. Mais j'étais en vacances chez des amis qui ont une petite maison en Dordogne. Maintenant je rentre. Je dois prendre le train-auto pour Inverness ce soir. Cela m'évitera de faire cette longue route en voiture.

– Quelle bonne idée vous avez eue de passer me voir ! Je suis très touchée.

Elle enleva ses gants de jardin, les laissa tomber sur le sol et lui proposa :

– Si nous allions nous asseoir à l'ombre ? Voulez-vous boire quelque chose ? Un verre de citronnade, peut-être.

– Cela me ferait très plaisir.

Miles la suivit des yeux tandis qu'elle se dirigeait vers la maison ; il se dit qu'elle ne faisait toujours pas son âge. Elle restait mince comme une jeune fille, ses cheveux grisonnants étaient comme d'habitude coupés courts et elle avait conservé une démarche souple et décidée. Elle revint quelques minutes plus tard, avec un plateau sur lequel étaient posés deux gobelets ainsi qu'une cruche remplie de citronnade et de glaçons cliquetants.

– Ne regardez pas le jardin de trop près, Miles. J'ai tellement eu à faire que je n'ai guère eu le temps de m'en occuper.

Abandonnant le spectacle du jardin, il s'assit à côté d'elle.

– Comment marche la ferme ?

– Merveilleusement bien, répondit-elle en lui servant un verre de citronnade. Derek a fini l'armée et ses études et c'est lui qui a repris l'exploitation. Tout se passe donc comme prévu. Malheureusement, vous ne pourrez pas le rencontrer car il est allé voir un tracteur à Salisbury.

– Et le régisseur qui m'a remplacé ?

– Il s'en est très bien sorti et travaille maintenant pour des amis à nous qui ont une exploitation agricole près de Newbury. Le seul ennui, c'est que ce régisseur n'était pas aussi bon jardinier que vous et que le jardin du cottage est retourné à l'état sauvage.

– Personne n'habite la maison ?

– Non. Derek pense à la louer mais nous n'avons encore rien décidé. Et maintenant, dites-moi où vous en êtes, Miles. Vous travaillez toujours pour les Eaux et Forêts ?

– Non. Je me suis associé avec un copain qui s'appelle Charlie Westwell. Nous étions ensemble à l'école d'agriculture et nous nous sommes retrouvés par hasard. Il est venu en Ecosse voir une exploitation qui était à vendre. Le prix était trop élevé pour qu'il puisse l'acheter seul et il a pensé à m'en parler. C'est une bonne ferme, le genre d'endroit dont j'avais toujours rêvé. Le soir même, j'ai téléphoné à mon père et lui ai expliqué le topo. Il a réussi à réunir la moitié de la somme dont j'avais besoin, et le reste, je l'ai emprunté à un banquier très compréhensif. Cela fait maintenant quatre mois que Charlie et moi travaillons ensemble et je pense que ça va marcher. L'intérêt d'avoir un associé, ajouta-t-il en souriant, c'est qu'on peut prendre de temps en temps des vacances.

– Et vous deviez en avoir besoin ! Vous avez eu beaucoup de chance de retrouver cet ami. Vous partagez aussi la maison avec lui ?

– Non, car Charlie est marié. Il vit avec Jenny dans la ferme et moi je me suis installé dans le logement de l'ancien régisseur. En fait, c'est une assez grande maison, avec une cuisine toute neuve, un chauffage central et autres luxes du même genre.

– Et vous... vous n'êtes toujours pas marié ? demanda-t-elle en souriant.

– Non.

– Vous devriez, Miles.

Il goûta à la citronnade. La boisson était légèrement acide et si rafraîchissante qu'il vida son verre. Puis il reposa le gobelet sur le plateau et demanda avec un apparent détachement :

– Comment s'est passé le mariage ?

– Il n'y a pas eu de mariage, répondit Mme Hawthorne en le fixant de ses yeux bleus. Cinq jours avant la date prévue, Henry et Julia sont venus me voir pour m'annoncer que finalement, ils ne comptaient pas se marier. Nous avons mis une annonce dans le journal mais si vous étiez en Dordogne, vous n'avez pas pu la lire.

– Grands dieux !

Il avait dit cela d'une voix presque aussi calme que d'ordinaire ; mais intérieurement, il eut l'impression d'avoir reçu un coup de poing dans l'estomac qui le laissait à terre couvert de bleus et incapable de bouger. La panique accéléra les battements de son cœur et il lui fallut une seconde ou deux pour se rendre compte que c'était seulement lui qui cognait ainsi dans sa poitrine.

– Que s'est-il passé exactement ? demanda-t-il.

Mme Hawthorne soupira et haussa les épaules.

– Je n'en sais rien. Aucun d'eux n'a été capable de me fournir une raison valable.

– Henry vous plaisait ?
– Oui, beaucoup. C'était un jeune homme très agréable. Le genre de gendre que toute mère rêve d'avoir. Bel homme, riche et avec une excellente situation. J'ai toujours pensé que Julia était plus amoureuse de lui que lui d'elle mais vous la connaissez. Elle est franche et expansive, pas du tout du genre à cacher ses sentiments.
– Elle est retournée à Londres ?
– Non. Elle a rendu son appartement et quitté son travail. Elle est toujours ici. Elle ne veut voir personne et est très malheureuse. (A nouveau, Mme Hawthorne regarda Miles droit dans les yeux.) Je suppose que vous ne désirez pas la rencontrer.
– Vous voulez dire que c'est elle qui n'a sans doute pas envie de me voir.
– Oh, Miles. Je ne sais plus.

Pour la première fois depuis qu'il la connaissait, il la voyait exténuée et dépassée par les événements. Comme si, sentant soudain qu'elle pouvait se laisser aller, elle cessait de prétendre être constamment forte et efficace.
– Où est Julia ? demanda Miles.
– Vous vous souvenez des framboisiers que vous aviez plantés derrière le cottage quand vous y habitiez ? Je ne crois pas que vous soyez resté assez longtemps pour en profiter, mais ils ont très bien pris et portent des framboises magnifiques. Julia est allée voir si elle pouvait en ramasser un bol pour le repas de ce soir. Si vous n'êtes pas trop pressé, vous pourriez peut-être la rejoindre là-bas et lui donner un coup de main...
Elle le suppliait du fond du cœur. Miles le comprit aussitôt. Néanmoins, il répondit honnêtement :
– Si j'avais été au courant – je veux dire si j'avais su que le mariage avait été annulé –, je ne

crois pas que j'aurais quitté l'autoroute pour venir à Brookclere. J'aurais continué ma route jusqu'à Londres.

– Alors, je suis très contente que vous n'en ayez rien su, Miles.

– Je ne veux pas que ça recommence... comme il y a quatre ans. Et que ça finisse de la même manière.

– Si je ne vous connaissais pas aussi bien, je dirais que c'est une réflexion bien égoïste. Julia n'a pas besoin d'un amoureux. Par contre, elle a besoin que tous ses amis la soutiennent. Et vous étiez très ami avec elle...

– Jusqu'à ce que je gâche tout en étant assez idiot pour lui dire que je l'aimais.

– Ce n'était pas idiot. Mais simplement prématuré.

A l'arrière de la maison, un chemin défoncé, bordé de murs de pierre couverts de volubilis, menait au cottage. La maison où Miles avait vécu douze mois inoubliables était abritée du vent par un mur construit autour du jardin. Le petit portail avait quitté ses gonds et pendait tristement, abandonné aux mauvaises herbes. Là où quatre ans plus tôt poussaient des choux, des pommes de terre et des carottes, il n'y avait plus que du séneçon et de l'herbe d'un mètre de hauteur. Seuls les framboisiers émergeaient au-dessus de cette jungle. Et Julia restait invisible.

Comme la porte de derrière du cottage était fermée à clef, Miles le contourna en empruntant le sentier dallé, baissant la tête pour échapper aux ronces, repoussant de la main les grandes tiges d'épilobe. Devant la maison, le gazon qu'il avait semé autrefois avait disparu et les fleurs avaient été étouffées par les mauvaises herbes. Seuls les soucis avaient réussi à survivre, se ressemant eux-mêmes, ils avaient tout envahi, tapis de fleurs jaune orangé à l'odeur amère.

Julia se trouvait là. Elle ne ramassait pas de framboises, ne faisait rien, elle était simplement assise au milieu des fleurs flamboyantes. Ses cheveux bruns étaient attachés négligemment sur sa nuque et deux longues mèches tombaient sur son visage. Elle semblait avoir maigri ; Miles ne se souvenait pas de l'avoir jamais vue aussi mince. Elle ne l'avait pas entendu arriver et, quand il prononça son nom, elle leva la tête et le regarda d'un air distrait, comme quelqu'un dont on vient d'interrompre le rêve.

– Julia, répéta-t-il.

Elle repoussa une de ses mèches de cheveux et le regarda fixement.

– Miles !

– Une surprise... répondit-il en souriant. (Puis il s'accroupit à côté d'elle et ajouta :) Je croyais que tu étais censée ramasser des framboises.

– Que fais-tu ici ?

Il lui expliqua brièvement pourquoi il avait fait un détour par Brookclere.

– Tu as vu ma mère ?

– Oui. Elle était en train de jardiner. (Il s'installa à côté d'elle, écrasant des fleurs sous son poids.) Elle m'a très gentiment offert un verre de citronnade. Et nous en avons profité pour échanger les toutes dernières nouvelles.

– Elle t'a dit.

– Oui.

Julia baissa les yeux, saisit un souci qu'elle se mit à effeuiller.

– Tu as dû penser que j'étais complètement folle.

Elle semblait au bord des larmes. Ce qui ne surprit pas Miles. Depuis deux semaines, elle avait dû beaucoup pleurer. De toute façon, elle avait toujours eu la larme facile. Un beau coucher de soleil ou un chœur de jeunes chanteurs dont les douces voix s'élevaient à l'unisson suffisaient à la faire pleurer. Et c'était une des choses que Miles appréciait le plus chez elle.

– Pas du tout, dit-il. Je me suis dit que tu étais très courageuse. Il faut un sacré courage pour annuler un mariage au dernier moment. Mais c'était la seule chose à faire si tu craignais de te tromper.

– Rien que d'y repenser, j'en ai la chair de poule. Maman a été merveilleuse mais Derek était furieux. Il n'a pas arrêté de me dire que j'étais égoïste et que je ne pensais qu'à moi.

– Peut-être as-tu aussi pensé à Henry ?

– C'est ce que j'ai essayé de faire comprendre à Derek.

– Quand on aime quelqu'un, parfois le meilleur service qu'on puisse lui rendre, c'est de rompre.

– Je l'aimais vraiment, Miles. Sinon, je n'aurais jamais accepté de l'épouser. Il représentait mes rêves les plus fous. Et jamais je n'aurais cru qu'ils se réaliseraient un jour. Quand je l'ai rencontré à Londres, je ne pensais même pas qu'il me remarquerait au milieu de ces filles, toutes plus jolies les unes que les autres. Mais il m'a invitée à sortir un soir avec lui et ensuite tout est allé de mieux en mieux. J'avais l'impression de vivre dans un monde neuf, aux couleurs plus vives et aux contours plus nets. Et quand il m'a demandé de l'épouser, j'ai dit oui très vite, de crainte qu'il ne change d'avis. C'était comme ça. Le genre de relation que les gens ont rarement l'occasion de vivre. Cela ne doit pas arriver souvent. C'est impossible...

– Mais en fin de compte, tu as décidé de ne pas aller jusqu'au bout.

Tournant la tête, Julia regarda devant elle : le petit jardin, le mur éboulé et le paysage bucolique qu'on apercevait derrière. Les basses collines, les bouquets d'arbres et les vaches paisibles, rassemblées à l'ombre des berges de la rivière.

– Les choses changent, tu sais, dit Miles. Il ne faut jamais l'oublier.

– Quelle horreur de devoir faire ça ! J'étais bourrée de remords en pensant à ma mère. Elle avait tellement travaillé depuis des mois en prévision de ce mariage ! Et tout ça pour moi. Un vrai cauchemar !

– Ta mère a compris.

– Je préférerais presque qu'elle m'en veuille. J'ai tellement honte...

– On ne doit pas avoir honte d'avoir fait preuve de courage.

Julia ne répondit rien. Même si Miles avait du mal à trouver les mots qu'il fallait, il savait qu'il devait continuer à lui parler.

– Comme je te l'ai dit, les choses changent, reprit-il. Et le temps guérit tout. Ce sont de vieux clichés mais ils sont justes, sinon ils ne seraient jamais devenus des clichés. La seule chose qui compte c'est que tu sois toujours toi-même. Une personne à part entière. Voilà à quoi tu dois t'accrocher.

Julia restait silencieuse et ne bougeait pas. Miles ne voyait que sa nuque. Il se demanda si elle entendait ce qu'il lui disait.

– Le pire est passé, Julia. Je suis certain qu'à partir de maintenant, les choses ne peuvent qu'aller mieux.

– Je ne peux pas croire qu'elles iront mieux un jour...

Elle lui fit face brusquement, le visage mouillé de larmes, et se précipita dans ses bras.

– Il a tenu à ce que les gens croient que nous avions pris cette décision ensemble... (Miles avait du mal à entendre ce qu'elle disait tellement elle pressait son visage sur son épaule.) Mais en réalité, c'est Henry qui ne voulait pas de ce mariage. Il m'a dit qu'il ne m'aimait pas assez pour me sacrifier sa liberté. Il ne voulait plus de moi...

Miles sentit une boule dans sa gorge. Il serra Julia contre lui, appuyant son menton sur le haut de sa tête, tandis qu'elle continuait à sangloter dans ses bras. Il sentait ses côtes à travers le mince tissu de sa robe et ses larmes qui mouillaient le devant de sa chemise.

– Ça va aller, reprit-il, incapable de dire autre chose.

– Je ne sais pas ce que je vais faire maintenant...

– Veux-tu que je te le dise ?

Elle cessa de pleurer. Elle s'écarta de lui et le regarda. Elle avait beau avoir les yeux enflés, Miles se dit qu'elle n'avait jamais été aussi belle. Comme elle s'essuyait maladroitement le visage avec ses mains, il lui tendit son mouchoir.

– Qu'est-ce que je vais faire ? demanda-t-elle.

– Si je te réponds que j'ai une bonne idée, vas-tu accepter de m'écouter ?

Elle réfléchit un court instant, se moucha et finit par répondre :

– Oui.

– Je pense qu'il faudrait que tu partes. Que tu prennes des vacances, que tu rencontres des gens nouveaux et découvres des paysages différents. Ça te permettrait de voir les choses sous un autre angle.

– Mais où veux-tu que j'aille ?

Miles lui parla alors de l'Ecosse, de la ferme qu'il avait achetée, de Charlie et de Jenny, et de sa propre maison.

– Il y a du chèvrefeuille qui pousse sur le portail, une vue magnifique et des milliers de choses à faire.

– Quel genre de choses ?

– Fabriquer des rideaux, tondre la pelouse, construire des clôtures, nourrir les poules... Mais tu en profiteras aussi pour te détendre.

Elle se moucha encore une fois. Puis repoussa ses cheveux en arrière.

– Tu m'as toujours fait du bien, Miles. J'avais l'impression que tant que tu étais là, rien de grave ne pouvait m'arriver. Et je sais que je t'ai rendu malheureux. Mais à l'époque, j'ignorais à quel point on peut faire de la peine à quelqu'un.

– Je suis désolé que tu aies tant souffert avant de découvrir ça.

– Je ne comprends pas pourquoi tu es revenu à Brookclere.

– J'ai l'impression que c'est comme quand on nage et qu'on est pris dans un fort courant... Sans doute m'était-il impossible de lutter contre la force qui me poussait à revenir ici. Peut-être que l'amour est une émotion qui dure plus longtemps que je ne l'imaginais, et finit par faire partie de vous. Comme un battement de cœur ou une terminaison nerveuse.

– Quand rentres-tu en Ecosse ?

– Ce soir. Je prends le train-auto.

– Je peux t'accompagner ?

– Si tu en as envie et si tu peux faire rapidement tes bagages.

– Avant, il faut quand même que je cueille des framboises.

– Je vais t'aider.

– Ce ne sont que... des vacances. Rien d'autre, n'est-ce pas ?

– Tu peux rentrer à Brookclere quand tu veux.

Se penchant soudain en avant, elle l'embrassa furtivement sur la joue.

– J'avais oublié à quel point tu étais gentil. Et rassurant. J'ai l'impression de me retrouver avec mon alter ego.

– C'est un bon début, dit Miles.

Oui, c'était un bon début. Il savait que les événements venaient de parcourir un cycle complet, qu'ils se retrouvaient tous les deux à leur point de départ. Mais maintenant, ils avaient mûri et étaient capables d'affronter les problèmes de leur ancienne – et néanmoins nouvelle – relation. Miles songea à la ferme, à son avenir, à tout le travail qu'il aurait à accomplir. Il songea à Charlie et Jenny, et se sentit rempli d'impatience. Il n'avait plus qu'une envie : rentrer chez lui, se remettre au travail et commencer à construire cet avenir qu'un jour il offrirait à Julia, comme un merveilleux cadeau qu'il aurait fabriqué pour elle de ses mains.

Traduit par Catherine Pageard

La robe rouge

Un mois après l'enterrement du Dr Haliday, M. Jenkins, le jardinier, vint voir Abigail et, après s'être longuement gratté la tête, lui annonça d'une voix attristée qu'il lui donnait son préavis.

Abigail s'y attendait plus ou moins. M. Jenkins avait plus de soixante-dix ans et il entretenait le jardin de son père depuis presque quarante ans. Et pourtant, elle était consternée.

Qu'allait devenir ce beau jardin si plus personne ne s'en occupait ? Comment allait-elle faire toute seule pour tondre la pelouse, bêcher les pommes de terre, désherber les parterres de fleurs ? Elle s'imaginait d'avance complètement dépassée, obligée de laisser le jardin en friche. Elle voyait déjà les orties, les ronces et le séneçon gagner peu à peu du terrain et prendre le dessus. Totalement paniquée, elle demanda :

– Comment vais-je me débrouiller sans vous, monsieur Jenkins ?

– Vous pourriez peut-être engager quelqu'un d'autre, répondit-il après avoir réfléchi longuement.

– Je vais essayer, dit-elle sans conviction. Mais vous savez à quel point il est difficile de trouver un homme pour faire des petits travaux de jardinage.

A moins... ajouta-t-elle sans grand espoir, à moins que vous connaissiez quelqu'un.

M. Jenkins secoua lentement la tête de gauche à droite comme un vieux cheval importuné par des mouches.

– C'est vrai que c'est difficile, reconnut-il. Et ça m'ennuie d'arrêter. Mais le docteur me donnait un coup de main et maintenant qu'il n'est plus là, je n'ai pas le courage de continuer. Et puis j'ai un peu abusé de mes forces et, dès qu'il fait humide, mes rhumatismes me jouent des tours. Ça fait un an ou deux que Mme Jenkins me tarabuste pour que je donne mon préavis, mais je ne voulais pas laisser tomber le docteur...

Il semblait tellement ennuyé qu'Abigail eut pitié de lui.

– Bien sûr que vous avez le droit de prendre votre retraite, le rassura-t-elle en posant une main sur son bras. Vous avez travaillé toute votre vie. Le moment est venu de prendre les choses plus calmement. Mais... vous allez me manquer. Je ne pense pas qu'au jardin. Nous nous connaissons depuis si longtemps...

Après avoir marmonné quelques excuses, M. Jenkins prit congé d'Abigail. Et un mois plus tard, il descendait l'allée pour la dernière fois en zigzaguant sur sa bicyclette. C'était la fin d'une époque. Et Abigail n'avait trouvé personne pour le remplacer.

– Je vais mettre une annonce à la poste, proposa Mme Midgeley.

Abigail l'aida aussitôt à composer l'annonce. Mais celle-ci eut pour seul résultat la visite d'un jeune homme au regard sournois qui vint la voir à motocyclette et semblait si peu digne de confiance qu'Abigail ne le laissa même pas entrer dans la cuisine. N'osant pas lui dire qu'il ne lui plaisait pas, elle lui annonça qu'elle avait déjà trouvé quelqu'un. Il se montra alors plutôt désagréable et après lui avoir fourni quelques échantillons de son intelligence limitée, repartit en faisant vrombir sa motocyclette, la gratifiant au passage d'une affreuse odeur de gaz d'échappement.

– Pourquoi ne fais-tu pas appel à une entreprise de jardinage ? demanda Yvonne, l'amie d'Abigail.

Yvonne était mariée à Maurice qui, travaillant à Londres, faisait tous les jours la navette. Elle préférait les chevaux au jardinage et passait une partie de sa vie à emmener ses enfants et leurs poneys à des gymkhanas et à des rencontres hippiques. Le reste du temps, elle nettoyait les écuries ou la sellerie, soulevait des bottes de foin, pansait les chevaux, tressait leur crinière ou était pendue au téléphone pour discuter avec le vétérinaire.

– Maurice en a eu assez de ces hommes à tout faire qui n'étaient jamais là et il s'est adressé à une entreprise, expliqua-t-elle. Maintenant, il y a une équipe qui vient une fois par semaine et nous ne nous occupons plus du jardin, même pour arracher une mauvaise herbe.

Mais le jardin d'Yvonne – une pelouse, des haies de hêtres et quelques jonquilles – était loin d'être impeccablement entretenu et n'avait rien à voir avec le magnifique jardin que le Dr Haliday avait légué à sa fille. Elle ne voulait pas qu'une équipe d'hommes insensibles vienne une fois par semaine bâcler le travail. Elle désirait trouver quelqu'un qui non seulement entretienne le jardin mais qui l'aime.

– Ça faciliterait les choses si vous pouviez offrir une petite maison, dit Mme Brewer qui venait faire le ménage deux matinées par semaine. On trouve plus facilement un jardinier quand on peut le loger.

– Mais je n'ai pas d'autre maison, répondit Abigail. Et ni la place ni les moyens d'en construire une.

Mme Brewer continua à lui répéter la même chose à intervalles réguliers mais ne fit rien pour l'aider à trouver une solution.

Six semaines durant, Abigail peina pour entretenir le jardin. Il faisait beau, ce qui n'arrangeait pas les choses car elle travaillait dehors jusqu'à ce que la nuit tombe. Mais elle avait beau faire, elle n'arrivait pas à enrayer le lent processus de dégradation. Venus des bois voisins, le mouron des oiseaux et le chiendent entrèrent à pas de loup dans le jardin. Les feuilles mortes s'amoncelèrent au pied des plants de lavande et formèrent des tas derrière le cadran solaire. Le potager, bêché par M. Jenkins, affichait un petit air morose en attendant les sillons qu'elle n'avait pas le temps de tracer et les graines qu'elle n'avait pas le loisir de semer.

– Je devrais peut-être renoncer aux légumes, dit-elle à Mme Brewer.

– Ce serait une honte ! s'écria celle-ci avec un regard sévère. Il a fallu des années pour faire pousser cette rangée d'asperges. Et quand je pense aux panais de M. Jenkins ! On pourrait faire un repas rien qu'avec ces panais, comme je disais toujours.

Un jour, le vent ouvrit un des battants du portail, arrachant les charnières au passage. La clématite Montana avait besoin d'être taillée mais Abigail avait peur de monter sur une échelle. Elle savait qu'il fallait commander de la tourbe pour les azalées et se demandait si la tondeuse avait été révisée.

Quand elle rencontra Yvonne au village, celle-ci remarqua :

– Tu as l'air bien fatigué, ma chérie. Ne me dis pas que tu essaies de t'occuper toute seule de ce jardin.

– Je n'ai pas le choix.

– La vie est trop courte pour se tuer à entretenir un jardin. Il faut regarder les choses en face. Ton père et M. Jenkins étaient exceptionnels. Maintenant qu'ils ne sont plus là, la seule solution, c'est de simplifier les choses. Tu as le droit d'avoir une vie à toi.

– C'est vrai, reconnut Abigail.
Alors qu'elle rentrait chez elle avec ses courses, elle songea que le moment était venu de prendre une décision. « J'ai quarante ans », se dit-elle. Et comme toujours, cela lui fit un choc. Qu'était-il advenu des rêves de sa jeunesse ? Ils avaient disparu furtivement au fil des ans. Des années passées à travailler avant qu'elle revienne à Brookleigh pour veiller sur son père après la mort de sa mère. Pour s'occuper, elle avait alors accepté un poste à la bibliothèque du coin. Mais six mois plus tôt, quand le docteur avait eu une légère attaque, elle avait aussi laissé tomber ce travail et consacré tout son temps et son énergie à surveiller le vieil homme, toujours aussi actif et têtu.

Et maintenant, il était mort et Abigail avait quarante ans. Que fallait-il faire à cet âge-là ? Cesser de porter des jeans, d'acheter de jolis vêtements et de se réjouir parce qu'il fait beau temps ? Fallait-il reprendre une activité professionnelle ou simplement végéter, laisser s'écouler les jours jusqu'à ce qu'on ait cinquante, puis soixante ans ? « Je n'ai pas l'impression d'avoir quarante ans », se dit Abigail. Elle avait beau être une femme entre deux âges, elle se sentait parfois comme si elle avait encore dix-huit ans.

Ces réflexions troublantes durèrent jusqu'à ce qu'elle arrive chez elle. Elle venait de remonter le chemin et contournait la haie de troènes quand soudain elle aperçut une bicyclette. Une vieille bicyclette bleue, fuselée, avec une selle qui semblait particulièrement inconfortable. A qui appartenait cette bicyclette inconnue ?

Il n'y avait personne en vue. Mais alors qu'elle s'approchait de la porte de derrière, un homme apparut au coin de la maison, venant du jardin de devant.

– Bonjour, dit-il.

Il était si étonnant d'aspect que dans un premier temps Abigail ne put s'empêcher de le dévisager. Il avait une véritable crinière et une longue barbe brune et hirsute. Il portait un bonnet orné d'un pompon rouge, un long pull qui lui arrivait presque aux genoux, un pantalon en velours côtelé couvert de taches et de vieilles bottes à lacets.

– C'est ma bicyclette, expliqua-t-il en s'approchant.

Elle vit alors qu'il était plutôt jeune et que ses yeux, au milieu de toute cette masse de cheveux, étaient d'un bleu exceptionnel.

– Ah oui, dit Abigail.

– J'ai appris que vous cherchiez un jardinier.

Voulant gagner du temps, elle lui demanda :

– Qui vous l'a dit ?

– Ma femme est allée à la poste et la dame derrière le guichet lui en a parlé.

Ils se regardèrent un court instant, puis il annonça :

– Je cherche du travail.

– Vous venez juste d'arriver ici ?

– Oui. Nous venons du Yorkshire.

– Et cela fait combien de temps que vous êtes installés à Brookleigh ?

– Deux mois. Nous habitons la petite maison de la carrière.

– La maison de la carrière... répéta Abigail d'une voix consternée. Je croyais qu'elle était condamnée.

L'homme sourit. Il avait de belles dents blanches qui ressortaient au milieu de sa barbe broussailleuse.

– Elle aurait dû l'être, dit-il. Mais au moins nous avons un toit.

– Pourquoi êtes-vous venu à Brookleigh ?

– Je suis artiste peintre, répondit-il en s'appuyant au rebord de la fenêtre de la cuisine. J'ai enseigné pendant cinq ans dans un lycée à Leeds. Mais je me suis dit que si je ne laissais pas tomber l'enseignement pour me consacrer à la peinture, je ne le ferais jamais. J'en ai parlé avec Poppy – c'est ma femme – et nous avons décidé de tenter le coup. Je suis venu m'installer ici car c'est tout près de Londres. Mais j'ai deux enfants. Et si je veux les nourrir, il faut que je trouve un travail à temps partiel.

Ses yeux d'un bleu éclatant, ses vêtements extraordinaires et son calme lui donnaient un côté désarmant. Au bout d'un instant, Abigail lui demanda :

– Vous vous y connaissez en jardinage ?

– Oui. Je suis un bon jardinier. Quand j'étais enfant, mon père avait un petit terrain et je m'en occupais avec lui.

– Il y a beaucoup à faire ici.

– Je sais, répondit-il sans se départir de son calme. J'ai jeté un coup d'œil et j'ai vu qu'il serait temps de planter les légumes, qu'il faudrait aussi tailler le rosier grimpant qui pousse sur la façade...

– Je voulais dire que c'est un grand jardin qui exige énormément de travail.

– Mais il est si beau que ce serait dommage de le laisser à l'abandon.

– C'est vrai, répondit Abigail, touchée par ses paroles.

A nouveau, ils se turent sans cesser de se regarder. Puis l'homme demanda :

– J'ai décroché le travail ?

– Combien de temps pourrez-vous me consacrer ?

– Je pense pouvoir venir trois jours par semaine.

– Ce n'est pas beaucoup pour un jardin aussi grand.

A nouveau il sourit.

– Il faut aussi que j'aie le temps de peindre, rappela-t-il poliment mais fermement. Et en trois jours, je peux abattre pas mal de travail.

Abigail hésita un court instant. Puis, d'un seul coup, elle prit sa décision.

– D'accord, dit-elle. Vous pouvez commencer lundi matin.

– Je serai là à huit heures.

Il s'approcha de sa bicyclette et enjambait la selle quand Abigail lui dit :

– Je ne connais même pas votre nom.

– Tammy, dit-il. Tammy Hoadey.

Là-dessus, il descendit l'allée en pédalant, le pompon de son bonnet soulevé par la brise.

Quand les villageois apprirent la nouvelle, ils s'inquiétèrent. Tammy Hoadey n'était pas d'ici. Il venait de « là-haut dans le Nord » et personne ne savait rien de lui. Il s'était installé dans la maison en ruine près de l'ancienne carrière. Sa femme avait l'air d'une gitane. Est-ce qu'Abigail savait ce qu'elle faisait ?

Elle leur disait qu'elle pensait le savoir.

– Rien à voir avec le vieux M. Jenkins, dit Mme Brewer à Abigail. Ça me donne le tournis de le voir travailler avec cette longue barbe. Et l'autre jour, il a déjeuné près du cadran solaire. Il mangeait son sandwich au soleil comme si de rien n'était.

Ce manque de respect des convenances n'avait pas échappé à Abigail mais elle n'avait rien dit à Tammy. Après tout, ce n'était pas parce que M. Jenkins s'enfermait chaque jour dans l'humide resserre à outils pour manger son repas en lisant la page des courses, assis sur un seau retourné, que Tammy était censé faire la même chose. C'est ce qu'Abigail expliqua à Mme Brewer, en prenant des gants comme d'habitude. Mais celle-ci se contenta de renifler sans rien dire et continua à critiquer Tammy.

Pendant deux mois, tout alla bien. Le portail fut réparé, la mare aux nénuphars nettoyée et les légumes plantés. Comme l'herbe commençait à pousser, Tammy se mit à descendre et remonter la pelouse en pente avec la tondeuse à gazon. Il transporta le fumier dans une brouette, tailla la clématite, planta des graines dans les parterres, changea de place un rhododendron qui poussait tout en hauteur. Et pendant qu'il travaillait, il ne cessait de siffler. Des arias et des cantates, avec leurs trilles et leurs arpèges. Des morceaux de Mozart et de Vivaldi se mêlaient au chant des oiseaux. C'était comme d'avoir son flûtiste à soi.

Et puis, en plein milieu du mois de juillet, il annonça à Abigail qu'il allait être absent pendant deux mois. Peinée et furieuse, elle lui dit :

– Vous ne pouvez pas me laisser tomber ainsi, Tammy. Il y a la pelouse à entretenir, les fruits à cueillir et tout le reste...

– Vous vous en sortirez, répondit-il calmement.

– Mais où allez-vous ?

– Je vais travailler aux pommes de terre pour un expéditeur. C'est bien payé. J'ai besoin d'argent pour faire encadrer mes tableaux et ça coûte les yeux de la tête. Si mes toiles ne sont pas encadrées, je ne peux pas essayer de les placer dans une galerie. Et si je n'expose pas, jamais je ne vendrai quoi que ce soit.

– Vous avez déjà exposé ?

– Oui, une fois, à Leeds. Deux toiles. Elles ont été vendues toutes les deux, ajouta-t-il sans fausse modestie.

– Il n'empêche que c'est vraiment incorrect de votre part de me laisser tomber.

– Je reviendrai, dit-il. En septembre.

Il était clair qu'il n'y avait rien à faire. Tammy partit effectivement, laissant Abigail sans aucune possibilité de lui trouver un remplaçant en plein été. Elle ne pouvait même pas espérer engager un homme à tout faire capable de la dépanner pendant deux mois. De toute façon, quand sa colère fut tombée et qu'elle examina la situation plus calmement, elle reconnut qu'elle ne voulait pas d'un autre jardinier. Personne ne travaillait aussi dur que Tammy Hoadey et, chose plus importante encore, elle avait de l'affection pour lui. Qu'il soit parti était ennuyeux mais deux mois seraient vite passés. Elle allait attendre son retour.

Il revint en effet. Avec les mêmes vêtements bizarres et peut-être un peu plus maigre que deux mois plus tôt, mais toujours aussi gai. Tout en sifflant, il se mit à ramasser les premières feuilles. Abigail, qui portait ce jour-là un jean et un pull rouge, sortit pour lui donner un coup de main. Ils allumèrent un feu et bientôt un panache de fumée grise monta dans l'air calme de ce début d'automne. Tammy s'éloigna du feu et s'appuya sur le manche de son râteau. Il croisa le regard d'Abigail qui se trouvait de l'autre côté de l'écran de fumée et lui sourit.

– Le rouge vous va très bien, dit-il. C'est la première fois que je vous vois porter cette couleur.

Elle se sentit à la fois embarrassée et contente. Cela faisait des années qu'on ne lui avait pas fait un compliment aussi spontané et chaleureux.

– Ce n'est... qu'un vieux pull.

– Mais une belle couleur.

Le compliment lui avait tellement fait plaisir que le lendemain elle y pensait encore. Ce matin-là, elle se rendit au village pour faire des courses. Une nouvelle boutique venait de s'ouvrir à côté de la pharmacie et il y avait une robe en vitrine. Une robe en soie, toute simple, avec la taille bien marquée et des plis profonds dans la jupe. La robe était rouge. Sans y réfléchir à deux fois, Abigail entra dans la boutique, essaya la robe et l'acheta.

Elle parla de cette robe à Yvonne sans lui dire ce qui l'avait poussée à l'acheter sur un coup de tête.

– Rouge ! s'écria son amie. Mais, ma chérie, tu ne portes jamais de rouge.

Abigail se mordit la lèvre.

– Tu penses que c'est une couleur trop voyante ? Trop jeune pour moi ?

– Non, absolument pas. Je suis simplement étonnée que tu aies fait quelque chose qui te ressemble si peu. Mais j'en suis contente pour toi. Tu n'allais pas continuer à porter toute ta vie des vêtements brun grisâtre. Une de mes tantes qui a quatre-vingt-quatre ans va bien aux enterrements coiffée d'un chapeau bleu saphir orné de plumes.

Mais, en octobre, le sifflement plein de gaieté s'arrêta net. Tammy continuait à travailler, en silence et le visage fermé. Terrifiée à l'idée qu'il soit sur le point de donner son préavis, Abigail prit son courage à deux mains et lui demanda si quelque chose le tracassait. Tout, répondit-il. Poppy était partie en emmenant les enfants avec elle et était retournée vivre chez sa mère à Leeds.

Anéantie par cette nouvelle, Abigail s'assit sur le bord du châssis à concombres.

– Pour de bon ? demanda-t-elle.

– Non, répondit-il. Simplement pour rendre visite à sa mère, soi-disant. Mais nous nous sommes engueulés. Elle en a par-dessus la tête de la maison et je la comprends. Elle a peur que les enfants tombent dans la carrière et elle dit que si le plus jeune tousse la nuit, c'est à cause de l'humidité.

– Qu'allez-vous faire ?

– Je ne peux pas retourner à Leeds. Il m'est impossible de vivre à nouveau en ville. Pas après tout ça, dit-il avec un geste las qui englobait le jardin, le bois, les parterres flamboyants et les feuilles de chêne mordorées.

– Mais il s'agit de votre femme et de vos enfants...

– Elle reviendra, dit Tammy, qui ne semblait pourtant pas tout à fait convaincu.

Abigail avait de la peine pour lui. A midi, quand il s'arrêta pour manger son léger en-cas, elle remplit un bol de soupe et le lui apporta. Complètement abattu, il était affalé à côté de la serre.

– Si votre femme n'est plus là pour s'occuper de vous, il faut que je prenne le relais, dit-elle.

Il la remercia d'un sourire et lui prit le bol des mains.

Contre toute attente, Poppy et les enfants revinrent à Brookleigh. Mais Tammy ne se remit pas à siffler pour autant. Abigail avait l'impression d'assister à un feuilleton télévisé à l'eau de rose : *La Saga de Tammy Hoadey*. Elle se dit que c'était le problème de Tammy et de Poppy, un problème de couple, et qu'elle n'avait pas à se mêler de ce qui ne la regardait pas.

Mais il n'est pas toujours possible de rester simplement spectateur. Une semaine plus tard, Tammy vint la voir et lui annonça qu'il allait lui demander une faveur. Il désirait qu'Abigail achète une de ses toiles.

– Mais je n'ai jamais vu vos tableaux, dit-elle.

– J'en ai apporté un avec moi, sur mon porte-bagages. Il est encadré.

Piégée par cette situation gênante, elle se contenta de le regarder en écarquillant les yeux. Il la quitta et revint un instant plus tard avec un grand paquet emballé dans du papier kraft tout froissé et attaché avec une ficelle. Il ouvrit le paquet et tint la toile à bout de bras pour qu'Abigail puisse la regarder.

Elle vit un cadre en argent, des couleurs lumineuses, un cortège d'étranges petits personnages qui marchaient la tête en bas, et eut l'impression de ne rien comprendre à cette nouvelle forme d'art. C'était si différent de ce à quoi elle était habituée et des tableaux du Dr Haliday qu'elle ne trouvait rien à dire. Elle se mit à rougir tandis que Tammy attendait en silence. Pour finir, elle s'écria :

– Combien en voulez-vous ?

– Cent cinquante livres.

– Cent cinquante livres ! répéta-t-elle. Je ne peux pas me permettre de dépenser une telle somme pour acheter un tableau.

– Vous auriez cinquante livres ?

– Oui... (Cette fois, elle était coincée et bien obligée de lui dire la vérité.) Mais... ce tableau n'est pas du tout mon genre. Je veux dire que jamais il ne me viendrait à l'idée d'acquérir une chose pareille.

Cela n'eut pas l'air de troubler Tammy.

– Si c'est comme ça, dit-il, vous pourriez peut-être me prêter cinquante livres. Et garder le tableau en gage.

– Mais je pensais que vous aviez gagné pas mal d'argent en travaillant aux pommes de terre.

– Tout est passé dans l'encadrement des toiles. La semaine prochaine, c'est l'anniversaire de mon plus jeune fils et nous devons de l'argent à l'épicier. Poppy est au bout du rouleau. Elle m'a annoncé que si je ne vendais pas de tableaux et ne ramenais pas un peu d'argent à la maison, elle allait retourner chez sa mère pour de bon. (Tammy semblait désespéré.) Comme je vous l'ai déjà dit, je la comprends. Pour elle, c'est dur à supporter.

Abigail jeta à nouveau un coup d'œil au tableau et se dit qu'en tout cas les couleurs étaient lumineuses. Elle le prit des mains de Tammy et lui dit :

– Je vais le garder pour vous.

Puis elle rentra chez elle, monta dans sa chambre et sortit de son sac cinq billets de dix livres tout craquants.

« C'est certainement la chose la plus stupide que j'aie jamais faite », se dit-elle. Néanmoins, elle referma son sac et, aussitôt revenue dans le jardin, donna l'argent à Tammy.

– Jamais je ne pourrai assez vous remercier, dit-il.

– J'ai confiance en vous, répondit-elle. Je sais que vous ne me laisserez pas tomber.

Ce jour-là, Yvonne lui téléphona à l'heure du déjeuner.

– Je sais bien que c'est horriblement tard pour t'inviter, ma chérie, mais accepterais-tu de dîner avec nous ce soir ? Maurice vient juste de m'appeler du bureau pour me dire qu'il rentrerait à la maison avec un de ses collègues et j'ai pensé que tu pourrais me donner un coup de main pour lui tenir compagnie.

Déprimée par les problèmes de Tammy, Abigail n'avait aucune envie de sortir. Elle émit au bout du fil quelques sons qui trahissaient son manque d'enthousiasme. Estimant qu'elle se conduisait comme une idiote, Yvonne ne se gêna pas pour le lui dire.

– Tu prends des habitudes de vieille fille. Où est passé ton tempérament impulsif ? Bien sûr que tu vas venir. Ça te fera du bien et tu pourras étrenner ta nouvelle robe rouge.

Mais Abigail ne mit pas sa robe rouge. Elle la gardait pour... elle ne savait trop quoi. Pour quelqu'un. Pour une grande occasion. Elle choisit une robe marron qu'Yvonne avait déjà vue une douzaine de fois, se coiffa et se maquilla, puis descendit au rez-de-chaussée. En arrivant dans l'entrée, elle aperçut le tableau de Tammy, toujours dans son emballage et posé sur la commode à côté du téléphone. Sa présence avait un côté pathétique, on aurait dit un appel à l'aide. *Si je n'expose pas, jamais je ne pourrai vendre.* A moins que des gens voient ces toiles étonnantes, il n'avait aucun espoir d'être connu un jour. Cela donna une idée à Abigail. Peut-être que ce tableau plairait à Yvonne et Maurice et leur donnerait envie d'en acheter un à leur tour. Ils l'accrocheraient alors au mur de leur salon, d'autres personnes le verraient et leur demanderaient qui en était l'auteur.

L'espoir était bien mince : Maurice et Yvonne n'étaient pas des mécènes. Mais cela valait quand même le coup d'essayer. Ayant pris sa décision, Abigail mit son manteau, prit le tableau et sortit de chez elle.

L'ami de Maurice s'appelait Martin York. Plus grand que Maurice et extrêmement gras, il était chauve sur le dessus du crâne avec une frange de cheveux grisonnants. Comme il l'expliqua à Abigail alors qu'ils buvaient un verre de xérès, il était arrivé de Glasgow le matin même pour assister à une réunion. Il avait déjà retenu une chambre dans un hôtel londonien mais Maurice l'avait persuadé d'annuler sa réservation et de passer la nuit chez eux à Brookleigh.

– Quel charmant village ! dit-il à Abigail. Vous vivez ici ?

– Oui. Je suis née ici et j'y ai vécu à intervalles réguliers.

– Elle a la plus jolie maison du village, intervint Maurice. Et pratiquement le plus beau jardin. Comment se débrouille le nouveau jardinier, Abigail ?

– Il n'est plus si nouveau que ça. Ça fait maintenant plusieurs mois qu'il travaille pour moi. (Elle parla de Tammy à Martin York.) C'est un véritable artiste. Il peint. (Le moment semblait bien choisi pour parler du tableau.) Au fait, ajouta-t-elle, j'ai apporté une de ses toiles. Je la lui ai... achetée et j'ai pensé que cela vous intéresserait peut-être.

Yvonne arrivait de la cuisine et n'avait entendu que la dernière phrase.

– Qui, moi ? demanda-t-elle. Tu sais bien, ma chérie, que je n'ai jamais acheté un tableau de ma vie.

– Mais nous pouvons au moins le regarder, dit Maurice.

C'était un homme très gentil, toujours prêt à atténuer les remarques un peu cinglantes de sa femme.

– En effet, j'aimerais le *regarder*...

Abigail posa son verre de xérès et alla chercher le tableau de Tammy qu'elle avait laissé dans l'entrée avec son manteau. Elle rapporta le paquet dans le salon, défit la ficelle et écarta le papier d'emballage. Puis elle tendit le tableau à Maurice qui l'appuya contre le dossier d'une chaise, puis se recula pour mieux le regarder.

Yvonne et l'ami de Maurice le rejoignirent, formant un demi-cercle. Personne ne disait rien et Abigail se sentait aussi nerveuse à l'idée de leurs réactions que si elle avait elle-même été à l'origine de ces petits personnages et de cette mosaïque de couleurs chatoyantes. Elle désirait désespérément qu'ils admirent ce tableau et aient envie de l'acheter – comme une mère dont on examine l'enfant souhaite qu'il soit apprécié.

Yvonne finit par rompre le silence :

– Mais c'est tout sens dessus dessous ! s'écria-t-elle.

– Oui, je sais.

– Tu as vraiment acheté ce tableau à Tammy Hoadey, ma chérie ?

– Oui, se contenta de répondre Abigail, qui ne voulait pas révéler l'arrangement qu'elle avait passé avec Tammy.

– Et combien as-tu donné pour ça ?

– Yvonne ! la rappela à l'ordre son mari.

– Abigail s'en fiche. N'est-ce pas, Abigail ?

– Cinquante livres, répondit-elle avec une feinte désinvolture.

– Mais tu aurais pu t'offrir quelque chose de vraiment bien pour cinquante livres.

– Je pense que c'est un beau tableau, dit Abigail d'un air de défi.

Il y eut à nouveau un long silence. Martin York n'avait encore rien dit. Mais il avait mis ses lunettes pour mieux voir le tableau. Incapable de supporter le silence plus longtemps, Abigail se tourna vers lui.

– Est-ce que ça vous plaît ?

– C'est plein d'innocence et de vitalité, dit-il en enlevant ses lunettes. Et j'aime beaucoup les couleurs. On dirait le travail d'un enfant très sophistiqué. Je suis sûr que vous allez retirer beaucoup de plaisir de ce tableau.

Abigail était tellement heureuse qu'elle faillit fondre en larmes.

– Moi aussi, j'en suis persuadée, répondit-elle.

Elle se dépêcha de replacer le tableau dans son emballage froissé pour le soustraire au regard indifférent des autres.

– Comment avez-vous dit qu'il s'appelait ? demanda Martin York.

– Tammy Hoadey, répondit-elle.

Maurice repassa le carafon de xérès à la ronde et Yvonne se mit à parler d'un nouveau poney. Il ne fut plus question de Tammy et Abigail se dit que sa première tentative pour jouer les mécènes avait lamentablement échoué.

Le lundi suivant, Tammy ne vint pas travailler. A la fin de la semaine, Abigail fit une enquête discrète. Personne dans le village n'avait vu les Hoadey. Elle laissa encore passer un jour ou deux avant de prendre sa voiture et de s'engager dans le chemin plein d'ornières et jonché de détritus qui conduisait à l'ancienne carrière. La triste maison se trouvait juste à côté de la falaise et aucune fumée ne s'échappait de la cheminée. Les fenêtres et la porte étaient fermées. Dans le jardin, il y avait un jouet d'enfant abandonné, un tracteur en plastique auquel il manquait une roue. Des corneilles croassaient dans le ciel et un léger vent agitait l'eau noire au pied de la carrière.

Je sais que vous ne me laisserez pas tomber, lui avait dit Abigail.

Mais il était reparti à Leeds avec sa femme et ses enfants pour recommencer à enseigner et avait oublié son rêve de devenir artiste peintre. Il était parti en emportant les cinquante livres d'Abigail et elle ne le reverrait jamais.

Elle rentra chez elle, déballa le tableau, l'emporta dans le salon et le posa sur une chaise. Puis elle retira avec précaution la lourde toile suspendue au-dessus de la cheminée qui représentait un vallon des Highlands. Après avoir épousseté le mur couvert de toiles d'araignées, elle y plaça l'œuvre de Tammy. Elle recula alors de quelques pas pour regarder les couleurs pures et éclatantes et ce cortège de personnages qui remontaient de chaque côté de la toile et en haut du tableau comme dans ces vieilles comédies musicales où les gens dansaient sur le plafond. Elle ne put s'empêcher de sourire. La pièce semblait transformée comme si une personne pleine d'entrain venait d'y pénétrer. *Vous allez en retirer beaucoup de plaisir*, avait dit l'ami de Maurice. Tammy était parti mais il avait laissé derrière lui une partie de son attachante personnalité.

Près d'un mois passa. L'automne était vraiment là avec ses bourrasques de vent froid, ses averses et les premières gelées nocturnes. Cet après-midi-là, Abigail, chaudement vêtue pour affronter le froid, sortit dans le jardin pour s'occuper des parterres de roses. Elle coupa les boutons qui avaient gelé et tailla le bois mort. Elle était en train de pousser une brouette emplie de débris végétaux en direction du tas de compost quand elle entendit une voiture approcher. Une conduite intérieure noire et aérodynamique remonta l'allée et se gara à côté de la maison. La portière s'ouvrit et un homme qu'elle ne connaissait pas sortit de la voiture : grand, des lunettes, avec des cheveux argentés et un pardessus sombre de coupe classique. Il avait l'air aussi distingué que sa voiture. Abigail lâcha sa brouette et s'approcha de lui.

– Bonjour, dit-il. Je suis désolé de vous déranger mais je cherche Tammy Hoadey et on m'a dit dans le village que vous pourriez peut-être me renseigner.

– Non, il n'est pas là. Il travaillait pour moi mais il est parti. Je pense qu'il est retourné à Leeds avec sa femme et ses enfants.

– Vous ne savez pas comment je pourrais faire pour entrer en contact avec lui ?

Abigail enleva un de ses gants de jardinage et essaya de replacer sous son foulard une mèche de cheveux qui retombait sur son visage.

– Je ne peux pas vous aider, dit-elle. Il n'a laissé aucune adresse.

– Et il ne doit pas revenir ?

– Je ne pense pas le revoir.

– Oh mon Dieu ! (Il sourit. Un sourire triste, mais qui le faisait paraître plus jeune et moins intimidant.) Il faudrait peut-être que je vous explique. Je m'appelle Geoffrey Arland... (Il fouilla dans la poche intérieure de son pardessus et tendit sa carte à Abigail. Elle lut : *Geoffrey Arland Galleries* et juste en dessous une adresse prestigieuse dans Bond Street.) Je suis marchand de tableaux et je...

– Je sais, l'interrompit Abigail. Je suis allée dans votre galerie il y a quatre ans. Avec mon père. Vous exposiez des fleurs peintes à l'époque victorienne.

– Vous êtes venue voir cette exposition ? J'en suis très heureux. C'était une collection ravissante.

– Oui, cela nous a beaucoup plu.

– Je...

Un nuage noir venait de masquer le soleil et il se mit soudain à pleuvoir.

– Nous ferions mieux d'entrer, proposa Abigail. Elle poussa la porte qui donnait dans le jardin et le fit entrer directement dans le salon. La pièce était vraiment ravissante avec les flammes qui dansaient dans l'âtre, un bouquet de dahlias posé sur le piano et, au-dessus du manteau de la cheminée, la mosaïque chatoyante du tableau de Tammy.

– C'est une toile de Hoadey, dit-il aussitôt.

– Oui. (Abigail referma la porte vitrée et enleva son foulard.) Je la lui ai achetée car il avait besoin d'argent. Il habitait avec sa famille dans une affreuse maison près de la carrière. C'est tout ce qu'il avait pu trouver. C'est terrible de vivre ainsi au jour le jour.

– C'est le seul tableau que vous ayez ?

– Oui.

– Et c'est cela que vous avez montré à Martin York ?

– Vous connaissez Martin York ? demanda Abigail, étonnée.

– Oui, c'est un de mes amis, répondit Geoffrey Arland en se tournant vers elle. Il m'a parlé de Tammy Hoadey en pensant que cela m'intéresserait. Ce qu'il ne savait pas, c'est que j'avais déjà vu deux de ses toiles dans une exposition à Leeds. Mais elles étaient vendues et, pour une raison ou une autre, je n'ai pas réussi à le contacter. J'ai l'impression que c'est un homme insaisissable.

– Il jardinait pour moi.

– Vous avez un jardin magnifique.

– Il était magnifique quand mon père l'entretenait, corrigea Abigail. Mais il est mort au début du printemps et le vieux jardinier qui travaillait avec lui n'a pas eu le courage de continuer.

– J'en suis navré pour vous. Et maintenant vous vivez seule dans cette maison ?

– Pour le moment.

– Dans ces cas-là, il est toujours difficile de prendre une décision. Je veux dire : quand on vient de perdre un proche. Ma femme est morte il y a deux ans et je viens tout juste d'avoir le courage de déménager. Pas très loin, je le reconnais. J'avais une maison à St John's Wood et je me retrouve dans un appartement à Chelsea. Mais cela a quand même représenté un sacré changement.

– Si je ne trouve pas un autre jardinier, moi aussi, il va falloir que je déménage. Je ne supporterai pas de voir tout ça aller à vau-l'eau et c'est trop grand pour que je puisse m'en occuper toute seule.

Ils échangèrent un sourire compréhensif.

– Voulez-vous que je vous fasse une tasse de café ? proposa Abigail.

– Non, merci. Il faut que je reparte. J'aimerais être rentré à Londres avant l'heure de pointe. Si Tammy Hoadey revient, auriez-vous l'obligeance de me prévenir ?

– Bien sûr.

La pluie s'était arrêtée. Abigail ouvrit la porte et ils sortirent sur la terrasse. L'humidité faisait briller les dalles, les nuages avaient disparu et le jardin baignait dans une lumière irisée.

– Il vous arrive d'aller à Londres ?

– Quelquefois. Quand j'ai rendez-vous chez le dentiste ou pour d'autres corvées du même genre.

– La prochaine fois que vous irez chez le dentiste, j'espère que vous reviendrez voir ma galerie.

– Peut-être. En tout cas, je suis désolée pour Tammy.

– Moi aussi, répondit Geoffrey Arland.

Quand le mois de décembre arriva, Abigail abandonna le jardin maintenant gris et nu sous le sombre ciel hivernal et elle resta à l'intérieur pour écrire ses premières cartes de vœux, reprendre sa tapisserie et regarder la télévision. Pour la première fois depuis que son père était mort, elle fit l'expérience de la solitude. « L'année prochaine, se disait-elle, je vais avoir quarante et un ans. Je vais me montrer décidée et compétente. Il va falloir que je trouve un travail, que je me fasse de nouveaux amis et que j'invite des gens à dîner. » Elle savait que personne ne pouvait faire cela à sa place mais, pour l'instant, elle avait à peine le courage de se rendre au village. Et encore moins celui d'aller à Londres. La carte de Geoffrey Arland était toujours au même endroit, glissée dans le cadre du tableau de Tammy. Mais elle était maintenant poussiéreuse et écornée et Abigail savait qu'elle n'allait pas tarder à la jeter au feu.

Son mauvais moral s'avéra être le début d'un gros rhume et elle passa deux lugubres journées au lit. Le troisième jour, elle se réveilla tard. Elle sut qu'elle avait dormi plus longtemps que d'habitude en entendant le bruit de l'aspirateur au rez-de-chaussée, ce qui voulait dire que Mme Brewer était entrée avec sa propre clef et s'était mise au travail. Elle jeta un coup d'œil à la fenêtre dont les rideaux étaient ouverts : le soleil se levait, chassant la grisaille de l'aube, et le ciel était en train de prendre une teinte bleu pâle hivernale. Encore une journée qui allait lui paraître interminable. Mme Brewer arrêta l'aspirateur et elle entendit alors un oiseau chanter.

Un oiseau ? Elle écouta avec plus d'attention. Non, ce n'était pas un oiseau mais quelqu'un en train de siffler un air de Mozart. *La Petite Musique de nuit*. Elle sortit de son lit et se précipita vers la fenêtre. Elle aperçut alors dans le jardin la silhouette familière : le bonnet rouge, le long pull vert et les bottes lacées. Sa bêche posée sur l'épaule, il se dirigeait vers le potager, ses pas laissant des marques sur la pelouse gelée. Sans faire attention au fait qu'elle était en chemise de nuit, Abigail ouvrit la fenêtre à guillotine.

– Tammy !

Il s'arrêta net et leva la tête pour la regarder. Puis il sourit.

– Salut.

Elle enfila les premiers vêtements qui lui tombaient sous la main et le rejoignit dans le jardin. Il n'avait pas bougé et l'attendait près de la porte de derrière, l'air penaud.

– Que faites-vous ici, Tammy ?

– Je suis revenu.

– Avec Poppy et les enfants ?

– Non, ils sont restés à Leeds. J'ai repris un poste d'enseignant. Mais en ce moment, ce sont les vacances scolaires. J'en ai donc profité pour revenir à Brookleigh tout seul. Je me suis réinstallé dans la maison de la carrière. (Comme Abigail lui lançait un regard perplexe, il ajouta :) Je compte travailler pour vous rembourser les cinquante livres que je vous dois.

– Vous ne me devez rien. J'ai acheté ce tableau et je le garde.

– J'en suis très heureux mais je tiens quand même à payer mes dettes. Vous avez dû penser que je vous avais oubliée ? Ou que j'avais fichu le camp avec l'argent ? Je suis désolé d'être parti sans vous prévenir. Mais notre plus jeune fils n'allait pas bien. Il avait attrapé la grippe et Poppy craignait qu'il fasse une pneumonie. Comme il avait beaucoup de température, nous avons préféré quitter la maison. Ce n'était pas sain pour lui. Nous sommes retournés chez la mère de Poppy. Il a été malade pendant quelque temps mais maintenant ça va mieux. De toute façon, un poste d'enseignant s'est libéré et j'ai sauté sur l'occasion.

– Vous auriez dû me le dire.

– Je ne suis pas du genre à écrire des lettres et le téléphone public était toujours hors service. Mais j'ai dit à Poppy que j'allais profiter des vacances de Noël pour revenir à Brookleigh.

– Et la peinture, alors ?

– J'ai laissé tomber. Les enfants passent avant. Poppy et les enfants. Je m'en rends compte maintenant.

– Mais, Tammy...

– Votre téléphone sonne, dit-il.

Abigail tendit l'oreille. Il ne s'était pas trompé.

– Mme Brewer va décrocher.

Mais comme la sonnerie persistait, elle abandonna Tammy pour aller répondre.

– Mademoiselle Haliday ?

– Oui.

– Geoffrey Arland à l'appareil... (Abigail était tellement étonnée par cette extraordinaire coïncidence qu'elle ouvrit la bouche toute grande.) Je suis désolé de vous appeler à une heure aussi matinale mais j'ai une journée plutôt chargée et j'ai pensé que j'avais plus de chances de vous joindre maintenant que plus tard. Je me demandais si vous comptiez venir à Londres pour Noël. Nous sommes en train de préparer une exposition que j'aimerais vous montrer. Et j'ai pensé que je pourrais en profiter pour vous inviter à déjeuner. Le jour qui vous conviendra à moins que j'aie moi-même...

Retrouvant enfin sa voix, Abigail annonça :

– Tammy est revenu !

Interrompu au beau milieu de sa phrase et déconcerté par cette sortie, Geoffrey Arland lui dit :

– Je vous demande pardon ?

– Tammy Hoadey. Le peintre que vous vouliez rencontrer.

– Il est revenu chez vous ?

Soudain, la voix de Geoffrey Arland n'était plus la même : autoritaire et très homme d'affaires.

– Oui. Ce matin.

– Vous lui avez dit que j'étais venu à Brookleigh pour le rencontrer ?

– Non, je n'ai pas encore eu l'occasion de lui parler de vous.

– Je veux le voir.

– Je vais l'emmener à Londres. Nous prendrons ma voiture.

– Quand ?

– Demain, si ça vous va.

– A-t-il des toiles à me montrer ?

– Je vais lui poser la question.

– Apportez tout ce qu'il a. Et s'il n'a rien, venez quand même. Je vous attends demain matin. J'aurai une discussion avec lui et ensuite je vous emmènerai déjeuner au restaurant tous les deux.

– Nous serons à la galerie vers onze heures.

Pendant un court instant, ils ne dirent rien ni l'un ni l'autre. Puis Geoffrey Arland rompit le silence.

– Quel miracle ! dit-il d'une voix qui n'avait plus rien de professionnel et exprimait le plaisir et la gratitude qu'il éprouvait.

– Ce sont des choses qui arrivent, répondit Abigail avec un grand sourire. Je suis tellement contente que vous ayez appelé !

– Moi aussi, j'en suis heureux. Pour toutes sortes de raisons.

Quand ils eurent raccroché tous les deux, Abigail resta debout à côté du téléphone et serra ses bras autour d'elle. Rien n'avait changé et pourtant tout avait changé. A l'étage, Mme Brewer continuait à passer l'aspirateur en prenant tout son temps. Mais demain, Abigail et Tammy allaient rencontrer Geoffrey Arland, lui montrer les tableaux de Tammy et déjeuner au restaurant avec lui. Abigail porterait sa robe rouge. Et Tammy ? Qu'allait-il mettre ?

Il l'attendait dans le jardin, toujours au même endroit. Appuyé sur sa bêche, il était en train d'allumer sa pipe. Quand il la vit, il lui dit :

– Je pense que je vais commencer par bêcher le...

Elle faillit lui répondre : « On s'en fiche, du jardin ! » Mais elle se retint et lui demanda :

– Tammy, avez-vous emporté vos tableaux avec vous quand vous êtes reparti à Leeds ?

– Non. Ils sont toujours dans la maison de la carrière.

– Combien y en a-t-il ?

– Une douzaine environ.

– Il faut aussi que je vous demande autre chose. Avez-vous... avez-vous un complet ?

Il la regarda comme s'il pensait qu'elle était devenue folle. Malgré tout, il lui répondit.

– Oui. Celui de mon père. Je ne le mets que pour aller aux enterrements.

– Parfait, dit Abigail. Et maintenant, vous allez vous taire pendant une dizaine de minutes car j'ai des tas de choses à vous dire.

Mme Brewer espérait de tout son cœur que Mlle Haliday était en train de mettre Tammy à la porte. Elle l'avait vu remonter l'allée sur sa bicyclette sans sourciller et se diriger vers le potager sans avertir personne. « Quel culot ! s'était-elle dit. Tomber du ciel comme s'il n'était jamais parti. »

Maintenant, debout devant l'évier où elle remplissait la bouilloire pour le thé du matin, elle les observait : Mlle Haliday jacassait à qui mieux mieux – ce qui n'était pas dans ses habitudes – et Tammy restait planté là comme un idiot. « Elle est en train de lui passer un savon, se dit-elle avec satisfaction. Et elle aurait dû le faire depuis longtemps. Un savon, c'est tout ce qu'il mérite. »

Mais elle se trompait. Car lorsque Mlle Haliday cessa de parler, rien ne se produisit. Tammy et elle se regardèrent, sans bouger. Puis Tammy Hoadey lâcha sa bêche, envoya valser sa pipe, ouvrit grands les bras et serra Mlle Haliday contre lui. Et au lieu de le remettre à sa place en raison de cette conduite effrontée, Mlle Haliday prit Tammy par le cou et l'étreignit à son tour, sous le regard scandalisé de Mme Brewer. Et tout d'un coup, ses pieds quittèrent le sol et elle se mit à tournoyer en l'air avec l'insouciance d'une jeune écervelée de dix-huit ans.

« Et maintenant, que va-t-il se passer ? se demanda Mme Brewer tandis que l'eau débordait de la bouilloire dans l'évier sans qu'elle y prenne garde. Que va-t-il se passer ? »

Traduit par Catherine Pageard

Le dernier matin

Laura Prentiss s'éveilla dans la chambre d'hôtel étrangère, tandis que lui parvenaient par la porte ouverte de la salle de bains les bruits que faisait son mari en se rasant. Par égard, peut-être, pour sa femme endormie, Roger avait laissé les rideaux de la chambre tirés, et quand Laura chercha à tâtons ses lunettes, puis sa montre, elle constata avec étonnement qu'il était déjà huit heures et demie.

– Roger ?

Il apparut, vêtu de son pantalon de pyjama, les joues couvertes de mousse à raser.

– Bonjour.

– J'ai peur de regarder dehors. Quel temps fait-il ?

– Il fait beau.

– Dieu soit loué.

– Froid, avec un peu de vent. Mais c'est une belle journée.

– Tire les rideaux, je veux voir ça.

Il s'exécuta, non sans difficulté, essayant d'abord d'ouvrir les rideaux manuellement, comme il avait l'habitude de le faire chez eux, avant de se rendre compte qu'un gadget était prévu à cet effet, un cordon avec une poignée sur laquelle il fallait tirer. Roger était maladroit avec les gadgets. Il tira sur la poignée, et finit par obtenir ce qu'il voulait.

Le ciel derrière la vitre était d'un bleu très pâle, balayé par de longues traînées nuageuses, comme on en voit par beau temps, et quand Laura se redressa dans le lit, elle aperçut la mer, d'un bleu sombre marbré d'écume.

Elle dit :

– J'espère que le voile de Virginia ne va pas s'envoler.

– Même si cela arrive, elle n'est pas ta fille, tu n'as pas à te sentir responsable.

Laura se renfonça dans ses oreillers, ôta ses lunettes et lui sourit d'un air reconnaissant. Roger avait toujours été un homme pratique et rassurant, et ce matin il considérait manifestement cette journée comme une journée tout à fait ordinaire ; il s'était levé normalement, se rasait maintenant, et s'apprêtait à descendre prendre son petit déjeuner. Il disparut à nouveau dans la salle de bains, et, par la porte ouverte, ils poursuivirent leur conversation.

– Que vas-tu faire ce matin ? demanda-t-elle.

– Jouer au golf, dit Roger.

Elle l'aurait parié. Il y avait un très beau terrain juste en face de l'hôtel.

– Tu ne seras pas en retard ?

– Crois-tu que je voudrais l'être ?

– N'oublie pas de prévoir suffisamment de temps pour te changer. Il va te falloir une éternité pour mettre ton complet.

Elle aurait pu ajouter : « Surtout depuis que tu as pris du poids », mais elle s'en abstint, parce que Roger était très susceptible sur la question de son tour de taille, qui avait tendance à augmenter légèrement, et aussi parce qu'il avait décidé d'ignorer le petit entre-deux que le tailleur avait été contraint d'ajouter à l'arrière de son pantalon.

– Cesse de t'inquiéter pour des détails, dit Roger.

Il apparut une fois de plus dans l'embrasure de la porte, fleurant bon l'après-rasage.

– Ne t'inquiète de rien. Tu es invitée à ce mariage. Tu n'as rien à prévoir, rien à organiser, rien à faire. Tu n'as qu'à t'amuser, c'est tout.

– Oui. Tu as absolument raison. C'est ce que je vais faire.

Elle se leva, enfila sa robe de chambre et alla à la fenêtre. Elle l'ouvrit et se pencha. L'air était froid, et sentait l'iode et les algues. On apercevait déjà un golfeur, en pull rouge, sur le fairway [1]. Sous la fenêtre, devant l'hôtel, se trouvait le petit terrain de pitch-and-putt [2], et elle se souvint d'être venue avec les enfants dans ce même hôtel, des années auparavant, passer des vacances d'été. Tom avait six ans alors, Rose trois, et Becky était encore un bébé joufflu qu'elle promenait en landau ; ils avaient eu un temps affreux, pluie et vent en permanence. Ils s'étaient occupés à jouer aux cartes sous la véranda, et à attendre que la pluie s'arrête pour se précipiter à travers le terrain de golf jusqu'à la plage, où les enfants, vêtus de tricots et les joues bleues, construisaient des châteaux avec du sable sombre et détrempé.

C'est au cours de ces vacances que Tom avait fait la connaissance du terrain de pitch-and-putt et des déceptions exaltantes du golf, et après cela il y était retourné de lui-même par tous les temps, sa petite silhouette penchée contre le vent, des balles de golf et des mottes de gazon volant dans toutes les directions autour de lui.

Le souvenir du petit garçon qu'il avait été la rendit triste, et elle songea : « Où sont passées toutes ces années ? », avant de se reprocher aussitôt ce sentimentalisme typiquement maternel.

Elle ferma la tête quand Roger revint dans la chambre et dit :

1. Partie du parcours où l'herbe est entretenue. *(N.d.T.)*
2. Genre de golf limité à deux clubs. *(N.d.T.)*

– J'ai pensé que Tom aimerait peut-être faire une partie ce matin. Pour oublier ce qui l'attend cet après-midi.

– J'y ai pensé aussi, et je lui ai posé la question, mais il a dit qu'il avait d'autres projets.

– Tu veux dire comme de récupérer de la petite fête d'hier soir ?

Roger eut un sourire.

– Peut-être.

Tom, comme il est de tradition, était sorti pour enterrer sa vie de garçon avec un ou deux amis venus pour le mariage. Laura espérait, dans l'intérêt de Virginia, que la soirée n'avait pas été trop arrosée. Rien n'était plus affligeant, en effet, qu'un marié avec la gueule de bois.

– Je me demande ce qu'il a l'intention de faire.

– Aucune idée, dit Roger.

Il s'approcha et lui donna un baiser.

– Et nous, que faisons-nous pour le petit déjeuner ? demanda-t-il.

– Je ne comprends pas.

– Tu veux le prendre ici ? Pour cela, tu n'as qu'à appeler le service d'étage.

Elle avait dû prendre l'air catastrophé, parce qu'il eut un large sourire en reconnaissant son horreur de demander service. Il décrocha le téléphone et commanda son petit déjeuner sans même l'interroger sur ce qu'elle voulait, parce que, après vingt-sept années de mariage, il le savait mieux que personne. Jus d'orange, œuf à la coque et café. Lorsqu'il raccrocha le combiné, elle lui sourit avec gratitude ; il s'assit alors au bord du lit et lui retourna son sourire. Elle eut l'agréable sentiment que cette importante journée avait bien commencé.

Pendant qu'elle prenait son petit déjeuner, bien calée dans ses oreillers et ceux de Roger, ses deux filles entrèrent précipitamment dans la chambre, jacassant à qui mieux mieux comme d'habitude, et voulant savoir à quoi elle allait passer la matinée.

Elles avaient toutes les deux de longs cheveux châtain clair, et un visage à la peau juvénile, vierge de tout maquillage, en dehors d'un peu de fard à paupières et de mascara. Elles portaient leur tenue habituelle, chaussures de tennis et jean, chemise longue, pull trop large et sac informe. Laura les trouva très jolies.

Elles s'assirent au pied du lit et mangèrent les morceaux de toast échoués sur le plateau du petit déjeuner. Après y avoir étalé du beurre et de la confiture elles les mâchèrent comme si elles avaient été privées de nourriture depuis une semaine.

– On a passé une super soirée hier...

– Je croyais que c'était une soirée entre garçons ?

– ... Eh bien, évidemment, ça a commencé comme ça, mais l'endroit est tellement minuscule qu'à la fin nous nous sommes tous réunis. Il est fantastique, cet ami de Tom... comment s'appelle-t-il déjà ? Mike, ou quelque chose comme ça...

– Oui, il joue de la guitare comme un dieu. Des super-chansons, que tout le monde connaissait. Et tout le monde a chanté, même les plus coincés.

– Tom est-il revenu avec vous ?

– Non, mais il nous a suivies de près. Nous l'avons entendu rentrer. T'inquiète pas, m'man. Qu'est-ce que tu croyais ? Qu'il allait se soûler à mort dans une infâme gargote ? Est-ce qu'il reste du café ?

Laura poussa le plateau vers elles et se renfonça dans ses oreillers en les regardant bavarder. Pourquoi fallait-il qu'elles grandissent, qu'elles trouvent du travail à Londres et quittent la maison pour toujours ?

Rose jeta machinalement un coup d'œil à sa montre et s'interrompit brutalement au beau milieu d'une phrase.

– Mince, je n'avais pas vu l'heure ! Nous devons partir.

– Où allez-vous ?

– Crois-le ou non, il y a un salon de beauté au village. On est tombées dessus hier soir. Nous y allons, pour épater les amis de Virginia cet après-midi, et aussi pour ne pas faire honte à notre frère. Pourquoi ne nous accompagnerais-tu pas ? Nous pourrions téléphoner et te prendre un rendez-vous.

Laura portait les cheveux courts, et ils avaient tendance à boucler. Elle les faisait couper une fois par mois, et se les arrangeait elle-même entre-temps. L'idée de passer la matinée à subir les assauts des brosses rondes, des peignes bouffants et des bombes de laque, aujourd'hui en particulier, lui parut presque insupportable.

– Non, je crois que je n'irai pas.

– Tes cheveux sont super, quoi qu'il en soit. Je suis heureuse que nous n'ayons pas les cheveux bouclés, mais je reconnais qu'à un certain âge il n'y a rien de plus charmant.

– Merci beaucoup, dit Laura en riant.

– Non, sincèrement, c'est un compliment que je te fais. Bon, allons-y.

Elles ramassèrent leurs sacs à main et se levèrent, fines, élancées et gracieuses. Comme elles se dirigeaient vers la porte, Laura dit :

– Vous reviendrez à temps pour vous changer, n'est-ce pas ? Il ne faut pas que nous soyons en retard aujourd'hui.

Elles eurent un sourire.

– D'accord, promirent-elles.

Rose allait porter un pantalon, et Becky une robe longue en coton couleur prune façon « grand-mère », avec de la dentelle aux poignets et au col. Pour compléter cette tenue, elle avait choisi un gigantesque chapeau en paille naturelle, dont le bord, ainsi qu'il avait semblé à Laura, semblait s'effilocher. Elle en avait parlé, en faisant preuve de doigté, avec sa fille, qui lui avait assuré que c'était ce qui donnait du charme au chapeau.

Quand les filles furent parties, Laura resta au lit quelques minutes encore, essayant de décider ce qu'elle allait faire ensuite. Elle songea à Virginia, se réveillant dans la maison de ses parents à seulement trois kilomètres de là. Elle se demanda si elle avait pris son petit déjeuner au lit elle aussi, si elle se sentait nerveuse. Mais non, il était difficile d'imaginer Virginia nerveuse. C'était probablement elle qui calmait le reste de la famille et réglait sereinement les détails de dernière minute.

Laura s'efforça alors de faire resurgir dans sa mémoire le matin du jour de son propre mariage, mais il y avait trop longtemps de cela, et elle s'aperçut qu'elle en gardait fort peu de souvenirs, en dehors du fait que sa robe de mariée était légèrement trop large et que sa tante Mary, toujours présente dans les situations critiques, s'était agenouillée avec du fil et une aiguille pour lui reprendre le tour de taille.

Se lever, prendre un bain et s'habiller lui demanda, sans qu'elle puisse se l'expliquer vraiment, plus de temps qu'il ne lui en fallait chez elle. En y réfléchissant, cependant, Laura s'aperçut qu'elle faisait tout pour perdre du temps ; qu'elle craignait, en réalité, de descendre et de se mêler à sa tante Lucy et à son oncle George, à la belle-mère de Tom et à son mari, et aux cousins Richard qui étaient arrivés à l'improviste du fin fond de leur sombre Somerset pour être présents au mariage. Ce n'était pas qu'elle n'appréciait pas tous ces gens-là, mais ce matin, elle voulait être seule. Elle voulait marcher et profiter de cette splendide et miraculeuse matinée, réfléchir tranquillement, ne parler à personne.

Elle enfila son manteau en tweed, noua un foulard autour de sa tête, sortit prudemment de sa chambre et descendit le large escalier jusqu'au vestibule. Par chance, elle constata qu'il n'y avait apparemment pas âme qui vive en bas, et elle se dirigea vers la porte d'entrée, mais, en passant devant les portes vitrées de la salle à manger, elle s'arrêta, car elle venait d'apercevoir son fils attablé en solitaire, dévorant un copieux et tardif petit déjeuner tout en lisant son journal.

Aussitôt, comme s'il avait senti le regard de sa mère se poser sur lui, il leva les yeux, l'aperçut et lui sourit. Elle franchit les portes, entra dans la pièce et s'avança vers lui en le dévisageant avec inquiétude, cherchant des yeux injectés de sang, un teint de papier mâché ; mais, à son grand soulagement, son fils semblait dans une forme parfaite.

Il tira une chaise à son intention, et elle s'assit près de lui.

– Comment s'est passée cette soirée ?

– C'était formidable.

– Les filles m'ont dit que vous vous étiez tous retrouvés...

– Oui, à la fin, c'était la mêlée générale ; la moitié des habitants du coin s'est jointe à nous, pour autant que je m'en souvienne.

Il replia son journal.

– On dirait que tu t'apprêtes à aller prendre l'air.

– Oui, l'envie m'est venue d'aller marcher un peu.

– Je vais t'accompagner, dit Tom.

– Mais...

– Mais quoi ? Tu ne veux pas que je vienne ?

– Si, bien sûr. Mais je pensais que tu devais avoir des millions de choses à faire.

– Comme quoi ?

– Ça ne me vient pas comme ça, mais je suis certaine qu'il doit y avoir quelque chose.

– Je ne vois pas non plus.

Il se leva.

– Viens, allons-y.

Il portait un gros gilet de laine, et ne semblait pas vouloir s'embarrasser d'une veste. Sans plus attendre, ils quittèrent ensemble la salle à manger et se retrouvèrent dehors. Le vent soufflait en rafales cinglantes, le gazon du petit terrain de pitch-and-putt ressemblait à un tapis de velours vert après l'averse de la nuit, et les drapeaux, sur les greens, claquaient follement.

– N'est-ce pas étrange, dit Tom, alors qu'ils marchaient d'un bon pas vers le passage qui séparait le terrain de golf de la plage, que la fille que j'épouse vienne précisément de cette partie du monde, et que nous devions tous séjourner dans cet hôtel ? Tu te souviens de ces vacances ?

– Je ne les oublierai jamais. Je me souviendrai toujours de la pluie.

– Je ne me souviens pas de la pluie. Je me souviens seulement d'avoir essayé d'apprendre seul à jouer au golf.

Il s'arrêta, se mit en position et frappa avec un club imaginaire.

– C'était un joli coup. Un trou en un.

– J'aurais parié que tu aurais voulu jouer au golf avec ton père ce matin.

– Il me l'a demandé, mais ça ne m'a pas semblé la meilleure chose à faire le matin de mon mariage. Quoi qu'il en soit, si j'avais dit oui, j'aurais manqué cette petite promenade avec toi.

Il lui décocha un large sourire. Il était blond comme sa mère, dont il avait hérité aussi les cheveux légèrement bouclés. Des boucles épaisses et brillantes, qu'il portait très courtes. Pour le reste, il ressemblait à son père, si ce n'est qu'à la manière déconcertante des enfants d'aujourd'hui, il mesurait dix centimètres de plus que Roger, et était bâti en proportion.

Elle se souvint du petit garçon irascible et opiniâtre qui se colletait avec les complexités du golf de la même manière qu'il avait toujours affronté tous les problèmes, en fonçant tête baissée, avec des résultats pas toujours heureux. Mais il ne s'était jamais laissé décourager, et il avait réussi finalement à maîtriser son tempérament trop vif; un jour, enfin, le petit garçon était devenu ce jeune homme agréable et intelligent qui s'était finalement fiancé, et qui allait aujourd'hui épouser Virginia.

Virginia, songeait souvent Laura, était à la mesure de Tom : intelligente, douée, drôle, et jolie par-dessus le marché. S'ils n'avaient été aussi amoureux, elle aurait pu avoir quelques doutes concernant le succès d'une union conjugale entre deux personnalités aussi fortes. « Il n'y a de place que pour un chef dans une famille », avait dit un jour, dans sa grande sagesse, la grand-mère de Laura. Mais peut-être, si les deux chefs avaient suffisamment d'amour l'un pour l'autre pour savoir s'effacer quand il le fallait, tout irait-il bien. Elle lança un rapide coup d'œil à Tom, qui marchait à grands pas à côté d'elle, mais il surprit ce regard inquiet et lui sourit d'une manière rassurante. Elle songea : « Oui, tout ira bien. »

Le chemin traversait les dunes et descendait vers la plage et le sable, d'abord doux et sec, puis ferme à l'endroit où la marée montante avait fait son travail de nivellement. On remarquait une ligne d'algues et de détritus laissés par les bateaux qui croisaient au large. Une vieille botte, une bouteille de détergent, un cageot.

– Te rappelles-tu, reprit Tom, m'avoir lu des livres quand je me suis fait opérer du genou, et à quel point l'idée que Gavin Maxwell fabrique tous ses meubles à partir de vieilles boîtes de hareng trouvées sur la plage nous enthousiasmait ?

Il s'arrêta et ramassa une vieille lame de bois d'où dépassait un clou.

– Peut-être devrais-je l'imiter. Songe à l'argent que je pourrais gagner en fabriquant des salons. Qu'est-ce que ce morceau de bois pourrait bien devenir ?

Laura le considéra un instant.

– Un pied de table basse, peut-être ? suggéra-t-elle.

– Bonne idée.

Il se pencha en arrière, puis lança le morceau de bois loin dans la mer. Ils poursuivirent leur promenade.

Cette histoire n'était qu'un des nombreux livres qu'elle avait lus à Tom au cours des semaines pénibles qui avaient suivi l'opération. Il s'était blessé au genou en jouant au football ; il s'était déchiré un ligament, et un caillot de sang s'était formé ; pour l'en débarrasser, il avait fallu une opération délicate, l'ablation d'un cartilage. Il avait dû rester allongé sur le dos durant six semaines, pendant que sa mère jouait avec lui à des jeux de société, lui faisait la lecture, regardait la télévision en sa compagnie, ou l'aidait à remplir des grilles de mots croisés : tout ce qui pouvait contribuer à le distraire. Tous deux avaient vécu ces semaines-là dans la hantise que Tom ne puisse plus jamais rejouer au football. Pour Laura, ç'avait été une période particulièrement angoissante, et cependant elle n'y repensait qu'avec plaisir et gratitude. Le plaisir d'avoir eu son fils pour elle seule, d'avoir redécouvert avec lui tous les livres qu'elle avait adoré lire à son âge, et la gratitude d'avoir eu le temps, comme un cadeau inattendu, d'apprendre à le connaître, à le découvrir en tant que personne.

Tom, lui aussi, repensait à cette période, car il dit soudain :

– Tu lisais si bien ! Il y a des gens qui ne savent pas lire à voix haute. Tu prenais une voix différente pour chaque personnage. L'histoire devenait presque réelle.

– Oh, Tom, c'était à peu près la seule chose que je pouvais faire.

– Que veux-tu dire ?

– Eh bien, je me suis toujours sentie inutile dans tout ce qui est physique, tous ces jeux où il faut frapper dans un ballon. Je n'ai jamais su jouer au tennis, et j'étais nulle en ski... Et quand je venais assister à un match de rugby à l'école, il fallait toujours qu'on m'explique tout, je ne comprenais jamais les règles du jeu.

– L'important, c'est que tu assistais aux matches.

– Oui, mais je me sentais si peu à la hauteur ! Et chaque fois que j'essayais d'organiser quelque chose de vraiment excitant, ça se passait toujours mal. Tiens, prenons les vacances que nous avons passées ici ; j'avais imaginé des baignades, des pique-niques et des châteaux de sable, alors que tout ce que nous avons fait, ça a été de jouer aux petits chevaux dans la véranda en attendant que la pluie s'arrête.

– J'ai bien aimé ces vacances.

– Et cette autre fois où je vous ai emmenés tous les trois avec la famille Richard en Norvège pour faire du ski. Nous avons été pris dans une tempête de neige avant même d'arriver à l'aéroport, nous avons raté notre avion, et ton père a dû nous envoyer suffisamment d'argent pour que nous passions la nuit dans un hôtel en attendant un vol le lendemain.

– C'était une aventure. Et ce n'était pas ta faute.

– Et la fois où je vous ai tous emmenés dans les Hébrides, c'était en avril, le bateau a essuyé la pire des tempêtes hivernales, et nous sommes restés bloqués à Tiree avec du bétail affamé. Les pires choses nous sont arrivées quand ton père n'était pas là. Quand il était avec nous, tout se passait à merveille. Pas de tempête de neige, pas de naufrage, un soleil toujours présent.

– Je crois que tu te sous-estimes, dit Tom.

Ils étaient seuls sur la plage maintenant, loin de tout le monde, dans un paysage de vent, d'herbes couchées et de bourrasques de sable. Ils arrivèrent à une digue, et Tom dit :

– Asseyons-nous quelques minutes.

Ce qu'ils firent, à l'abri du vent, et alors même qu'un soleil bienveillant faisait son apparition. Soudain, ils eurent moins froid. Le soleil réchauffait agréablement le manteau de Laura, en même temps que ses genoux. C'était sympathique d'être là, tous les deux, contre la digue, avec le vent et les mouettes pour toute compagnie.

Au bout d'un moment, Tom dit :

– Tu n'as pas vraiment cru que je voulais une mère qui joue au hockey, n'est-ce pas ?

Laura avait depuis longtemps perdu le fil de cette conversation, et elle fut surprise de voir que Tom désirait la poursuivre.

– Pas au hockey... mais à autre chose, peut-être. Songe au plaisir que tu vas avoir avec Virginia. Vous pouvez faire tellement de choses ensemble ! Vous savez tous les deux nager et jouer au tennis, tu la surprendras même un jour, probablement, à te battre au golf. Ça rend la vie tellement plus... comment dire... disons, complète. Il en résulte une sorte d'amitié. Et dans le mariage, c'est presque aussi important que l'amour.

– Tu n'as jamais fait de sport avec papa, et tu sembles pourtant t'en être pas mal tirée, non ?

– Nous avons élevé ensemble une famille ; peut-être que ça nous a suffi.

– Encore faut-il être heureux du résultat.

– Tu ne chercherais pas, par hasard, un compliment ?

– Non, j'essaie seulement de t'en faire un.

– Je ne comprends pas.

– C'est juste que le résultat n'est peut-être pas exceptionnel en apparence, mais ton travail, lui, l'était, sans aucun doute.

– Je ne vois toujours pas de quoi tu veux parler.

– Tu nous as toujours considérés comme des personnes à part entière. Je n'ai véritablement mesuré cela que lorsque je suis allé à l'école, quand j'ai compris que tout le monde n'avait pas cette chance. Et tu ne t'es jamais moquée de nous.

– Etait-ce si important ?

– Plus important que tout. Nous avons pu préserver notre dignité.

Laura fronça les sourcils, résolue à écarter toute forme de sentimentalisme.

– C'est drôle de vieillir. On essaie d'agir au mieux, on pense que les choses dureront toujours, et brusquement, tout est fini. Tu as vingt-cinq ans, tu te maries aujourd'hui, et voilà que les filles habitent Londres maintenant, je les vois à peine...

– Mais elles rentrent à la maison. Et, quand cela arrive, vous riez et bavardez toutes les trois, comme vous l'avez toujours fait.

– Peut-être devrais-je essayer d'adopter une attitude plus détachée.

– N'essaie rien du tout. Continue seulement d'être la femme que tu es, et tu seras certainement la plus formidable grand-mère qu'un enfant ait jamais eue.

Elle se mit à rire à cette idée, avant de remonter le poignet de son manteau pour regarder sa montre.

– Tu sais, nous ne devrions pas traîner. Le temps passe.

Ils se levèrent, traversèrent la digue et reprirent le long chemin de l'hôtel. Tom ramassa pour sa mère un minuscule coquillage jaune, dont les valves étaient encore soudées l'une à l'autre, et qui faisait penser à un papillon. Laura le glissa dans un de ses gants par sécurité, en se disant qu'une fois rentrée chez elle, elle le rangerait avec ses autres petits souvenirs.

Comme ils marchaient face au vent, parler leur était presque impossible ; aussi poursuivirent-ils leur chemin en silence, chacun avec ses propres pensées. En traversant le terrain de golf, ils virent Roger qui venait à leur rencontre sur le fairway. Et, tout d'un coup, pour la première fois de la journée, Laura éprouva un sentiment de vive exaltation. Ils convergeaient tous vers un même point, l'hôtel, pour se changer et rejoindre en voiture la petite église dans laquelle Tom et Virginia allaient se marier. Le jour qu'ils avaient tous tellement attendu était enfin arrivé, et, même si elle adorait son fils et savait qu'elle le perdait, elle n'éprouvait pas le moindre regret. Il allait simplement voler de ses propres ailes, comme ils l'y avaient toujours encouragé, et elle rendait grâce au ciel que les choses se soient déroulées d'une manière aussi parfaite.

Ils atteignirent finalement le porche de l'hôtel, soulagés de se retrouver à l'abri des rafales de vent. Puis ils échangèrent un regard au milieu des parasols repliés et des chaises longues.

Laura dit :

– C'était une belle promenade. La meilleure. Merci d'être venu.

– Merci à toi.

– Je... je te dis au revoir maintenant, Tom. Je ne veux pas avoir à le faire devant tout le monde. Et, chéri...

Elle lui prit la main.

– ... Tu as eu du goût en choisissant Virginia. Elle est faite pour toi, et vous allez être formidablement bien ensemble.

– Oui, je sais, dit Tom. Et je sais pourquoi. C'est parce que, au fond, elle est comme toi.

– Moi ?

L'idée paraissait ridicule. Jamais deux femmes n'avaient été plus différentes.

– Virginia, comme moi ?

– Oui, comme toi. Vois-tu, elle est douée et brillante, et très jolie aussi, mais elle n'est pas que cela ; elle est également douce, et sage.

En entendant son Tom, d'ordinaire si terre à terre, lui faire pareil compliment, elle sentit soudain sa gorge se nouer. Elle n'allait tout de même pas pleurer ? Durant un bref et terrible instant, elle éprouva un picotement dans les yeux, comprit qu'elle était au bord des larmes, mais lutta pour les contenir et y parvint finalement. Elle réussit même à sourire et à lui donner un baiser.

– C'est très gentil de me dire ça, Tom. Au revoir.

– Au revoir, m'man.

Il ne l'avait plus appelée « m'man », à la manière des enfants, depuis des années, mais le mot lui vint naturellement. Elle lui lâcha la main, poussa la porte d'entrée, et le précéda à l'intérieur de l'hôtel.

Douce et sage. Les deux mots, un peu vieux jeu, la remplirent d'enthousiasme. Douce et sage. Peut-être ne s'en était-elle pas si mal sortie, après tout.

Elle se dirigea vers l'escalier et monta les marches deux par deux pour se changer avant la cérémonie.

Traduit par Nordine Haddad

Amita

La mort de Mme Tolliver était annoncée dans le journal du matin. Mon mari me le tendit alors que nous prenions le petit déjeuner et le nom me sauta aux yeux comme un fantôme du passé.

> TOLLIVER. En ce 8 juillet nous apprenons la mort de Daisy Tolliver, décédée au cours de sa quatre-vingt-deuxième année. Elle était la fille du regretté sir Henry Tolliver, ancien gouverneur de la province de Barana, et de lady Tolliver. Incinération dans la plus stricte intimité.

Je n'avais pas pensé aux Tolliver depuis fort longtemps. Je suis maintenant une femme de cinquante-deux ans avec un mari sur le point de prendre sa retraite, des enfants et des petits-enfants. Nous vivons dans le Surrey, et les Cornouailles et mon enfance semblent bien loin, un autre temps, un autre monde. Mais il arrive qu'un événement les fasse resurgir, comme une note jouée sur un piano dont on effleure rarement les touches, et les années si pleines qui nous en séparent s'abolissent comme par enchantement. Les jours anciens et oisifs sont de retour, des jours où il faisait toujours beau (ne pleuvait-il donc jamais ?), remplis de voix oubliées, de bruits de pas et de parfums chargés de nostalgie comme les coupes de pois de senteur dans le salon de ma mère ou l'odeur des pâtisseries cuisant dans le four de la cuisinière en fonte.

Les Tolliver. Mon mari m'a embrassée avant d'aller prendre le train pour Londres, je suis sortie dans le jardin avec le journal et je me suis assise sur la balançoire près du parterre de roses. Et puis j'ai relu le pauvre petit paragraphe. Elle était la fille du regretté sir Henry Tolliver, ancien gouverneur de la province de Barana. Je le revoyais avec son visage rouge, ses moustaches blanches et son panama. Et je me rappelais Angus et Amita.

Enfants des Indes britanniques au début des années trente, nous menions une existence étrange. Mon père appartenait à l'Indian Civil Service et il était en poste à Barana où il dirigeait le Port and River Department. Il disparaissait de nos vies pendant quatre longues années, puis il revenait pour six mois qui s'écoulaient comme des vacances sans fin.

Dans cette situation, la tâche d'élever une famille et d'entretenir une maison incombait inévitablement à l'épouse, dont la vie était toujours empoisonnée par le même dilemme : devait-elle rester avec ses enfants ou accompagner son mari ? Si elle choisissait la première solution, sa vie conjugale allait à vau-l'eau. Si elle suivait son mari, il fallait mettre les enfants en pension et se lancer à la recherche de parents ou d'amis suffisamment bons et attentifs pour prendre soin d'eux pendant les vacances. De toute façon, cela se concluait toujours par des adieux déchirants. A l'époque, on ne prenait pas l'avion pour aller aux Indes, l'Imperial Airways n'existait pas encore et les bateaux P&O qui partaient de Londres mettaient trois semaines avant d'atteindre leur destination. Il s'agissait donc d'authentiques séparations.

Ma mère alla deux fois aux Indes. Une fois avant notre naissance et une autre fois pendant notre petite enfance où nous nous sommes à peine rendu compte de son absence.

Ce fut au cours de son premier voyage, alors qu'elle était une jeune mariée pleine de vitalité, qu'elle rencontra lady Tolliver. Elles se prirent d'amitié bien que lady Tolliver fût beaucoup plus âgée que ma mère et femme de gouverneur, et ma mère simple épouse de fonctionnaire.

Mais lady Tolliver, une femme amicale et sans prétention, appréciait maman pour sa fraîcheur, son côté nature. Sur le pont, elles plaçaient leurs chaises longues côte à côte, à la surprise de tous, et discutaient au soleil avec animation tout en se livrant à des travaux d'aiguille, tandis que le grand paquebot traversait la Méditerranée, franchissait le canal de Suez et rejoignait l'océan Indien.

En Angleterre, les Tolliver vivaient en Cornouailles. C'est pour cette raison qu'à son retour des Indes, ma mère, en état de grossesse avancée et désireuse de s'établir quelque part, avait loué une modeste maison avec jardin dans la région. C'est là que nous sommes nées, ma sœur et moi, et que nous avons été élevées dans une certaine austérité et un très grand bonheur. Nous y sommes restées jusqu'à ce que la guerre nous sépare pour toujours.

En y repensant, nous menions une vie sans histoire, ponctuée par l'école et les vacances, les lettres de mon père, les colis de Noël aux parfums épicés enveloppés dans du papier journal bizarrement imprimé en caractères indiens. Tous les trois ou quatre ans venait la grande période faste du séjour de mon père. Et régulièrement les Tolliver abandonnaient leur palais indien, leurs nombreux domestiques, leurs garden-parties et leurs soirées pour rentrer au pays, ouvrir leur maison à leurs amis et vivre comme le commun des mortels.

Daisy, leur fille aînée, célibataire et très musicienne, jouait du violon lors de soirées musicales, et accompagnait au piano les personnes qui se sentaient en voix. Ensuite venait Mary, qui avait épousé un militaire en garnison à Quetta. Et enfin Angus.

Angus était le chouchou de la famille et de toute notre petite société. Il était beau, avait des cheveux blonds, des yeux bleus, et terminait ses études à Oxford. Il conduisait à toute allure une Triumph décapotable avec d'énormes phares au verre dépoli, il jouait un tennis qui allait droit au cœur des dames, vêtu de pantalons de flanelle et d'une chemise d'un blanc éblouissant.

Malgré ses dix ans et les escortes féminines d'Angus, ma sœur Jassy, de deux ans plus âgée que moi, était follement amoureuse de lui. Je la comprenais aisément car lors de ses rares moments d'oisiveté, Angus était toujours prêt à jouer au cricket avec nous ou à nous aider à construire d'énormes châteaux de sable entourés de douves profondes peu à peu investies par la marée montante. Et nous nous éclaboussions et creusions comme des fous pour monter des digues de protection afin de reculer l'instant fatal de l'inondation.

Angus quitta Oxford et rejoignit ses parents aux Indes, non pas en qualité de fonctionnaire mais pour travailler chez Ironsides, l'énorme compagnie maritime qui avait remplacé l'East India Company quand elle avait fermé ses portes. Donc il ne vivait pas avec ses parents mais avait loué un appartement en ville qu'il partageait avec un ou deux jeunes gens de son âge. On appelait cela une « garçonnière à plusieurs ».

Difficile de se souvenir quand les rumeurs avaient commencé à circuler. Impossible de se rappeler comment Jassy et moi avons compris que quelque chose ne tournait pas rond. Ma mère reçut une lettre de mon père. Elle la lut au petit déjeuner et sa bouche se pinça d'une certaine façon que je connaissais bien. Puis elle replia la lettre et la repoussa. Une sensation de malaise m'envahit qui me poursuivit toute la journée.

C'est alors que Mme Dobson vint prendre le thé avec ma mère. Mme Dobson appartenait au club des femmes séparées de leur mari par les Indes. Elle n'avait pas suivi le sien car, étant de santé délicate, elle ne supportait pas le climat éprouvant des Indes. Je jouais dans le jardin et, en rentrant, je surpris la fin de leur conversation.

– Comment a-t-il pu la rencontrer ?

– Je l'ignore. Il a toujours aimé les jolies filles.

– Mais elles étaient toutes à ses pieds. Comment a-t-il pu se montrer aussi stupide ? Pourquoi compromettre...

En m'apercevant, ma mère eut un geste de la main. Mme Dobson s'interrompit et sourit comme si elle était très contente de me voir.

– Mais c'est Laura ! Comme tu as grandi !

J'eus la permission de prendre le thé avec elles et de manger des sandwiches au concombre, comme si elles tentaient de me faire oublier ce que j'avais pu entendre.

C'est Doris, notre domestique, qui finit par découvrir le pot aux roses. Le petit ami de Doris, Arthur Penfold, s'occupait du jardin des Tolliver. Le jour de congé de Doris, Arthur passait la prendre avec sa moto et ils fonçaient vers les lumières de Penzance, Doris les bras passés autour d'Arthur, sa jupe volant sur ses longues et belles jambes gainées de soie artificielle.

Parfois, le soir, si je voulais me laver les cheveux ou si j'avais besoin que l'on me tienne compagnie, Doris montait m'aider à prendre mon bain.

Ce jour-là, elle frottait mes jambes salies par les escapades de la journée, à genoux sur le tapis de bain. L'air humide sentait le savon Pears. Brusquement, Doris me dit :

– Angus Tolliver va se marier.

J'eus un peu de peine pour Jassy. Elle espérait bien l'épouser à condition qu'il attende qu'elle grandisse.

– Comment le sais-tu ?

– Arthur me l'a dit.

– Et comment il l'a appris ?

– Sa mère a reçu une lettre d'Agnes.

Agnes, la femme de chambre de lady Tolliver, celle qui avait un menton en galoche, s'était résignée à faire des allers-retours entre l'Angleterre et les Indes. Elle préférait souffrir de la chaleur plutôt que de laisser une femme noire repasser les sous-vêtements de lady Tolliver.

– Et je te prie de croire que ça fait pas mal de remue-ménage.

– Pourquoi ?

– Ils ne veulent pas que M. Angus se marie.

– Et pourquoi donc ?

– Parce qu'elle est indienne, voilà pourquoi. M. Angus va se marier avec une Indienne.

– Une Indienne !

– Enfin. A moitié.

C'était pire. Anglo-indienne. Chi-chi. Je détestais ce surnom parce que je détestais la façon dont les gens l'utilisaient. Je n'étais jamais allée aux Indes mais, au cours des années, j'avais absorbé comme une éponge le comportement des adultes et de leurs amis, leurs traditions, leur argot, leurs préjugés. Je connaissais tout des Indes. La chaleur étouffante et la mousson. Les séjours dans les montagnes plus salubres. Les Durbars. Les éléphants parés pour les cérémonies. Le soleil qui brillait sur de fringants défilés. Je savais qu'on appelait un valet un *bearer*, un jardinier un *mali*, un groom un *syce*. Je savais que *burra* voulait dire grand et *chota* petit. Si ma sœur voulait me faire enrager elle m'appelait Missy Baba.

Et je savais tout des Anglo-Indiens. Les Anglo-Indiens n'appartenaient à aucune société. Ils travaillaient dans les bureaux et dirigeaient les chemins de fer. Ils portaient des *topis*, parlaient avec l'accent gallois et n'utilisaient pas de papier quand ils allaient aux toilettes (mais il ne fallait pas le dire).

Et Angus Tolliver allait épouser l'une de ces personnes.

J'en restai sans voix. Angus, la fierté des Tolliver, le fils unique du gouverneur, épouser une Anglo-Indienne... Leur honte retombait sur moi car je savais du haut de mes huit ans qu'en agissant ainsi, il se coupait de tout ce qu'il avait connu jusqu'à présent. Il disparaîtrait de nos vies et serait perdu à jamais.

Trois jours durant, je souffris en silence jusqu'à ce que ma mère, incapable de supporter ma mauvaise humeur plus longtemps, me demandât ce que j'avais. Je le lui expliquai en évitant son regard.

– Comment l'as-tu appris ? demanda ma mère.

– Doris me l'a dit. C'est Arthur Penfold qui le lui a raconté. Sa mère a reçu une lettre d'Agnes.

Elle s'était détournée pour arranger des fleurs dans une coupe, mais ses doigts si adroits étaient devenus gourds.

– C'est vrai ?

– Oui, c'est vrai.

Mon dernier espoir s'évanouit.

– Elle est... anglo-indienne ?

– Non, sa mère est indienne et son père français. Elle s'appelle Amita Chabrol.

– C'est si terrible, qu'il l'épouse ?

– Non, mais il a tort.

– Pourquoi il a tort ?

D'accord, il y avait l'accent chi-chi, les topis et la discrimination sociale. Mais nous parlions d'Angus.

– Hein, pourquoi ?

Ma mère secoua la tête. On aurait dit qu'elle se retenait de crier, de me gifler ou d'éclater en sanglots.

– C'est comme ça. Les races ne devraient pas se mélanger. C'est... ce n'est pas juste pour les enfants.

– Tu veux dire que c'est mal d'avoir des bébés qui sont moitié d'un côté et moitié de l'autre ?

– Oui.

– Mais pourquoi ?

– Cela leur rendra la vie difficile.

– Oui, mais pourquoi ?

– Oh, Laura ! Parce que c'est comme ça. Les gens les mépriseront et se montreront cruels avec eux.

– Oui, mais seulement les gens méchants ?

J'attendais qu'elle me rassure. Je ne pouvais pas l'imaginer se montrant désagréable avec un petit enfant anglo-indien, elle qui adorait les enfants et surtout les bébés.

– Toi, tu serais gentille ? la suppliai-je.

Elle arracha une feuille à une rose et se figea. Elle avait fermé les yeux comme pour me cacher quelque chose. Je pense qu'à cet instant sa nature mourait d'envie de se ranger de mon côté, mais les vieux préjugés l'habitaient depuis trop longtemps. Liée par les cordes rigides de la convention, elle ne parvenait pas à s'en détacher. J'attendais qu'elle se défende mais elle rouvrit les yeux et continua d'arranger le bouquet.

– C'est mal, un point c'est tout. Surtout quand on songe qu'Angus est le fils du gouverneur de la province.

– Ça ne peut pas s'arranger ?

Non, c'était impossible. Angus et sa fiancée se marièrent discrètement dans une petite église d'un quartier populaire de Barana, en l'absence des parents Tolliver. Ils allèrent passer leur lune de miel dans une station balnéaire du Cachemire. A son retour, Angus démissionna d'Ironsides et finit par se trouver un travail modeste dans une affaire appartenant à un Tamoul dur au travail. Lui et Amita s'installèrent dans une petite maison très éloignée des résidences anglaises. La traversée du désert avait commencé.

Trois années plus tard, en 1938, ils rentrèrent en Angleterre. Les Tolliver étaient maintenant à la retraite et s'étaient retirés dans leur maison de Cornouailles. Ils avaient vieilli et perdu de leur éclat. Sir Henry passait ses journées à écrire ses mémoires et à s'occuper du jardin. Lady Tolliver allait faire les courses avec un petit panier et, l'après-midi, jouait au mah-jong. Daisy Tolliver se consacrait aux bonnes œuvres et dirigeait l'orchestre local où elle jouait du violon.

Doris et Arthur Penfold se marièrent. Jassy et moi étions les demoiselles d'honneur, vêtues de robes blanches avec des rubans bleus. C'est à ce mariage que lady Tolliver nous annonça la nouvelle.

– Angus et Amita vont venir passer des vacances en Europe. Ils s'installeront chez les grands-parents d'Amita, à Lyon, et viendront passer quelques jours avec nous.

Son visage ridé comme une pomme rayonnait de plaisir. J'ai songé qu'elle devait être bien contente de pouvoir enfin montrer son bonheur sans craindre d'offenser quelqu'un ou de manquer à ses devoirs envers son mari, bien soulagée d'être à nouveau une personne ordinaire libérée des conventions sociales attachées à sa splendeur passée.

– Il voudra certainement vous voir, toi et Jassy. Il vous adorait. J'en parlerai à votre mère et nous verrons si nous pouvons arranger quelque chose.

Jassy avait quatorze ans.

– Ça te fait plaisir de revoir Angus Tolliver ? lui demandai-je.

– Pas particulièrement, répliqua Jassy avec toute la morgue dont elle était capable. Et j'aimerais bien qu'il ne nous l'impose pas.

– Tu veux parler d'Amita ?
– Je n'ai pas l'intention de la rencontrer. Je n'ai rien à voir avec cette fille.
– Parce qu'elle est mariée à Angus ou parce qu'elle est à moitié indienne ?
– A moitié indienne, cracha Jassy. C'est une chichi. Je ne sais pas comment lady Tolliver peut la tolérer dans sa maison.
Je me tus. J'aurais compris la jalousie de Jassy mais sa rancœur me choqua. Bouleversée, je tournai les talons.

Il avait été convenu que lady Tolliver et Daisy amèneraient Angus et Amita pour le thé et, à l'approche de la date fatidique, l'état d'esprit de Jassy ne s'améliorait guère. Plus le temps avançait, plus je redoutais l'entrevue. J'imaginais Angus, misérable dans un costume mal coupé, une femme pathétique sur les talons. Peut-être ne saurait-elle pas utiliser le couteau à beurre. Peut-être soufflerait-elle sur son thé pour le refroidir. Peut-être avait-il déjà honte d'elle et regrettait-il son mariage précipité. Et cette gêne se répercuterait sur nous tous comme une douloureuse maladie qui nous paralyserait.
Après le déjeuner, le jour de ce fameux thé, nous sommes allées à la plage avec Jassy pour y retrouver des amis. Ils avaient apporté un pique-nique mais à trois heures nous les avons quittés pour rejoindre la maison par les terrains de golf, pieds nus et vêtues de nos maillots de bain mouillés.
Il faisait beau, le vent s'était levé. En marchant, nous écrasions du thym qui dégageait une odeur douce et mentholée. Nous nous sommes arrêtées près de l'église pour mettre nos chaussures, puis nous avons accéléré le pas. Jassy, pourtant d'un naturel bavard, ne desserrait pas les dents. En la

regardant, je compris qu'elle n'avait pas vraiment l'intention de se montrer désagréable. Elle était comme moi, nerveuse et tendue à l'idée de rencontrer Angus et Amita, mais nous réagissions différemment à cette situation.

Arrivées à la maison, nous avons trouvé maman dans la cuisine. Elle beurrait des scones tout juste sortis du four.

– Montez vite vous changer. J'ai posé vos vêtements sur vos lits.

J'eus le temps de remarquer qu'elle portait sa robe bleu turquoise incrustée de dentelle et le collier en pierres bleues que mon père lui avait offert pour son anniversaire. Autant dire sa plus belle tenue. Elle nous avait préparé nos robes de coton bleu marine imprimées de fleurs blanches, ainsi que des culottes, des chaussettes blanches, et des chaussures rouges à bride. Nous nous sommes lavé les mains et la figure, et Jassy m'a aidée à coiffer mes cheveux frisés et pleins de sable.

Tandis que nous nous préparions, la voiture est arrivée et s'est arrêtée devant la grille. En bas, la porte d'entrée s'est ouverte et nous avons entendu ma mère remonter l'allée pour les accueillir.

– On y va, a dit Jassy.

Nous nous apprêtions à descendre l'escalier quand Jassy est brusquement retournée dans la chambre pour y prendre dans un tiroir un médaillon en or avec une chaîne qu'elle s'est nouée autour du cou. Je regrettais de ne pas avoir moi aussi un talisman auquel me raccrocher.

Ils étaient dans le salon. Par la porte entrouverte nous entendions des éclats de voix et des rires. Jassy, sans doute enhardie par son médaillon, entra la première tandis que je la suivais d'un air craintif. Quand je passai la porte je vis Angus qui s'écria :

– Jassy !

Et l'instant d'après il l'avait prise dans ses bras comme si elle était encore une petite fille. J'eus le temps de constater que Jassy était devenue toute rose et j'ai regardé ailleurs. Lady Tolliver s'était déjà installée dans le meilleur fauteuil. Daisy Tolliver avait pris place sur le siège près de la fenêtre, le dos tourné au jardin, ma mère et... Amita se tenaient côte à côte.

Elle portait un sari rouge flamme, comme un défi éclatant. Comment la décrire ? Un oiseau de paradis, peut-être, magnifique et incongru dans un salon anglais aux teintes délicates de pois de senteur.

Elle était petite, très bien faite, avec une peau lisse et dorée comme un abricot. Elle avait des yeux immenses, sombres, fendus en amande et merveilleusement maquillés. Des bijoux brillaient à ses oreilles, étincelaient à ses poignets et à ses doigts, et elle portait aux pieds des sandales dorées. Seule sa chevelure, épaisse, noire et frisée, trahissait ses origines européennes. Elle effleurait ses épaules et encadrait son visage en une coiffure enfantine. Elle portait un petit sac en chevreau doré et son parfum subtil et musqué emplissait la pièce.

Je ne pouvais détacher d'elle mes yeux. Angus m'embrassa ainsi que lady Tolliver, mais moi je regardais toujours Amita. Le temps qu'on me la présente, elle riait aux éclats. Etait-ce sa peau brune ? Je n'avais jamais vu des dents aussi étincelantes.

– Peut-être que je devrais moi aussi t'embrasser ? me dit-elle.

Sa voix m'enchanta, avec ses voyelles trop franches qui trahissaient un léger accent français.

– Je ne sais pas, répondis-je.

– Essayons, veux-tu ?

Je l'ai donc embrassée. Il ne m'était jamais rien arrivé d'aussi magique. J'étais stupéfaite, subjuguée par tant de beauté, et en posant mes lèvres sur sa joue, une pensée m'effleura, comme le frôlement désagréable d'un moustique. A quoi rimaient toutes ces histoires ?

Je n'ai pas grand souvenir de cet après-midi, si ce n'est qu'un charme inhabituel avait envahi l'atmosphère, soufflant comme une bouffée d'air frais et lumineux dans la maison de ma mère. Angus avait changé, ça oui, mais en mieux. Il était devenu un homme. Le beau garçon enthousiaste avait disparu. Son comportement était plus distant, réservé. Il se dégageait de lui une certaine force, de la fierté, ou alors le sentiment d'avoir accompli quelque chose. Je ne sais pas. Il semblait plus grand, ce qui est étrange parce que j'avais moi-même constaté en grandissant que les adultes avaient plutôt tendance à rapetisser. Peut-être avais-je oublié qu'il se tenait si droit. Oublié la largeur de ses épaules et la forme de ses belles mains puissantes.

La conversation, tandis que nous prenions le thé, était merveilleusement sophistiquée. Ils parlaient de Venise, de Florence qu'ils venaient de visiter, des Greco vus à Madrid. A Paris, Amita s'était ruinée en vêtements et Angus ne cessait de la taquiner. Elle rit.

– Un homme ne comprendra jamais à quel point des robes, des chaussures et des chapeaux sont irrésistibles, dit-elle à ma mère.

Et la façon dont elle prononça le mot « irrésistibles » nous fit éclater de rire.

Angus nous dit qu'ils allaient quitter les Indes pour s'installer en Birmanie, car il avait été nommé directeur d'un nouveau bureau qui ouvrait à Rangoon. Ils allaient y louer une maison, Angus achèterait un petit bateau et il menaçait d'apprendre à naviguer à Amita. Les éclats de rire redoublèrent quand Amita jura que la simple vue d'un bateau lui donnait la nausée. Elle prétendait qu'à part tourner les pages d'un livre, elle n'avait jamais pratiqué aucun exercice.

Après le thé, nous sommes allés dans le jardin. Lady Tolliver, Daisy et ma mère étaient plongées dans une grande discussion. Jassy avait apparemment pardonné à Angus et retrouvé sa bonne humeur. Assise près de lui, elle le priait de lui raconter des histoires de chasse au tigre et de maisons flottantes au Cachemire. Amita, elle, me demanda de lui montrer le jardin. Je la conduisis donc près des parterres de roses et essayai de me souvenir des noms des différentes variétés.

– Elizabeth of Glamis, Ena Harkness, et cette petite rose grimpante, c'est Albertine. Elle sent un peu la pomme.

Elle me sourit.

– Tu aimes les fleurs ? me demanda-t-elle.

– Oui, je les adore.

– A Rangoon, j'aurai le plus beau jardin du monde. Avec des bougainvillées, des orchidées, des jacarandas et des roses trémières qui monteront très haut. J'aurai des pelouses vertes avec des paons et des grues blanches, des bassins ceinturés de roses, aussi bleus que le ciel qui s'y reflète. Et quand tu seras grande, vers dix-sept ans, Angus et moi nous te recevrons chez nous. Nous organiserons des dîners pour toi, des bals et des piqueniques au clair de lune, sur la plage. Les jeunes gens tomberont tous éperdument amoureux de toi, ils te tourneront autour comme des libellules attirées par la flamme d'une bougie.

Je regardais Amita, éblouie, hypnotisée par la vision de moi-même à dix-sept ans, belle et élancée comme Amita, avec une poitrine bien en place et une taille fine. Je voyais mes admirateurs, pleins de prestance, revêtus d'uniformes étincelants. J'entendais la musique, respirais le lourd parfum des orchidées, contemplais la lune dans les bassins...

– Tu viendras ?

Sa voix brisa le rêve. Le rire s'étrangla, ses yeux sombres s'embuèrent. Le rêve s'était évanoui. Elle n'aurait jamais ce grand jardin à Rangoon, car dans la vie qu'elle s'était choisie avec Angus de telles richesses étaient exclues. Et jamais je n'irais les rejoindre. Elle n'en parlerait pas à ma mère et même si elle s'en avisait, on ne m'autoriserait jamais à la rejoindre. Elle le savait, et moi aussi. Mais comme je ne pouvais supporter de la voir si triste, je lui souris et je lui dis :

– Bien sûr que je viendrai. Cela me ferait tellement plaisir ! Plus que tout au monde.

Elle répondit à mon sourire et cligna des paupières pour chasser ses larmes. Puis elle prit ma tête dans ses mains.

– Un jour, j'aurai une petite fille à moi. Et je souhaite qu'elle soit aussi charmante que toi.

Nous nous sommes senties très proches. J'avais l'impression de l'avoir toujours connue et qu'elle ferait toujours partie de mon existence. A cet instant, je vis avec acuité qu'ils avaient tort. Ma mère, mon père, les Tolliver, leurs parents et les parents de leurs parents. Les préjugés, le snobisme, les traditions s'écroulèrent comme un château de cartes.

En mettant de l'ordre dans les idées confuses qui agitaient l'enfant que j'étais, Amita changea le cours de ma vie. A quoi riment toutes ces histoires ? m'étais-je demandé, et la réponse était « à rien ». Les gens sont ce qu'ils sont. Bons, méchants, blancs, noirs, mais au-delà de la couleur de peau, au-delà des croyances et des traditions, nous avons tous à apprendre les uns des autres : donner, échanger, voilà le but de l'existence.

Avant de nous quitter, Amita alla dans la voiture et revint avec deux paquets, l'un pour Jassy et l'autre pour moi. Après le départ des Tolliver, nous les avons ouverts. Nous n'avions jamais vu de poupées comme celles-là, si soignées et délicates, magnifiquement exécutées, de leurs petits pieds vernis de rouge à leurs boucles d'oreilles étincelantes. Nos poupées portaient des noms comme Rosemary ou Dimples, mais celles d'Amita ne furent jamais baptisées. Et nous ne jouâmes pas avec elles. Nous les regardions et les rangions dans l'armoire vitrée de notre chambre, à côté de la dînette en porcelaine de ma grand-mère et des animaux sculptés sur bois que nous avions hérités d'une tante âgée.

Je ne supportais pas de parler d'Amita avec qui que ce soit.

– Elle t'a plu ? me demanda un jour ma mère alors que Jassy était allée prendre le thé chez des amis.

Je ne pouvais lui dire ce que je ressentais et ce que j'avais appris. Maintenant, une barrière nous séparait. Nous n'étions pas du tout fâchées, mais nous avions des opinions différentes et nous devions apprendre à vivre ainsi. J'ai donc simplement répondu :

– Oui.

Et j'ai continué de manger ma tartine beurrée.

Je n'ai jamais revu Angus et Amita. La guerre s'est déclarée et ils n'ont pas pu rentrer en Angleterre. Quand les Japonais ont envahi la Birmanie, Amita était enceinte, mais elle s'échappa de Rangoon avec des fonctionnaires du Forestry Department, des éléphants, très précieux en la circonstance, leurs cornacs, et tout un groupe de femmes anglaises accompagnées de leurs enfants. Angus resta en arrière pour fermer son bureau et brûler des papiers importants. Il avait promis de la suivre mais il fut pris au piège et capturé par les Japonais. Il mourut un an plus tard dans un camp de prisonniers.

Quant à Amita, une jeune femme dont le seul entraînement physique consistait à tourner les pages d'un livre, elle ne supporta pas la longue marche. Le lendemain de son arrivée à Assam avec les réfugiés épuisés, Amita fit une fausse couche. On lui trouva un lit dans un hôpital militaire mais on ne put la sauver. L'enfant était mort-né et Amita s'éteignit quelques heures plus tard.

J'ai toujours la poupée. Ses cheveux noirs poussiéreux, ses yeux en amande bordés de khôl, le petit sari scintillant de sequins et de fils d'or. Un jour, je la donnerai à ma petite-fille qui n'est pour l'instant qu'un gros bébé, et je lui parlerai d'Amita.

Plus tard, je lui raconterai l'histoire de cet après-midi d'été où grâce à Amita j'ai eu la révélation de la vérité. Mais j'espère bien que d'ici là elle l'aura découverte par elle-même.

Traduit par Hélène Prouteau

Le cadeau de l'Avent

Deux semaines avant Noël, par un matin sombre et un froid sibérien, Ellen Parry, comme chaque matin depuis vingt-deux ans, conduisit en voiture son mari James à la gare toute proche, l'embrassa, le regarda s'éloigner, vêtu de son manteau noir et coiffé de son chapeau melon, puis disparaître derrière la barrière. Après quoi elle reprit le chemin de sa maison en roulant prudemment à cause du verglas.

Tandis qu'elle traversait lentement le village qui s'éveillait, puis s'engageait dans la campagne paisible, ses pensées, décousues et indisciplinées à cette heure matinale, voletaient dans sa tête comme des oiseaux dans une cage. A cette période de l'année, il y avait toujours une foule de choses à faire. Une fois débarrassée la table du petit déjeuner, elle établirait une liste des courses pour le week-end, préparerait peut-être des tourtes à la viande, enverrait des cartes de Noël, irait acheter des cadeaux de dernière minute, et nettoierait à fond la chambre de Vicky.

Non. Elle se ravisa. Elle ne ferait pas le ménage, ni le lit, dans la chambre de Vicky tant qu'elle ne serait pas certaine que celle-ci viendrait passer Noël avec eux. Vicky avait dix-neuf ans. A l'automne, elle avait trouvé un emploi à Londres, et un petit appartement qu'elle partageait avec deux autres filles. La rupture, toutefois, n'était pas totale, car Vicky revenait habituellement le week-end, parfois avec une amie, et toujours avec un sac de linge sale à laver dans la machine familiale. A sa dernière visite, alors que Ellen formait des projets pour Noël, Vicky, l'air ennuyé, avait fini par trouver le courage de lui avouer que, cette année, il faudrait peut-être compter sans elle. Il était question qu'elle parte skier avec un groupe d'amis qui louaient un chalet en Suisse.

Ellen, complètement désarçonnée par cette bombe, avait réussi à masquer son désarroi, mais elle était profondément ébranlée par la perspective de passer Noël sans son unique enfant, tout en étant parfaitement consciente qu'il n'est pire chose pour un parent que de se montrer possessif, de refuser de lâcher la bride, et d'attendre, finalement, quoi que ce soit.

La vie était bien difficile. Peut-être, si le facteur était déjà passé, une lettre de Vicky l'attendait-elle à la maison ? Ellen voyait déjà l'enveloppe posée sur le paillasson, la grande écriture de sa fille.

Chère maman,

Tuez le veau gras et décorez l'entrée avec du houx. La Suisse est à l'eau et je rentre à la maison passer les fêtes avec toi et papa.

Ellen était tellement certaine de trouver cette lettre, tellement impatiente de la lire, qu'elle accéléra sans s'en rendre compte. La lumière pâle d'une matinée hivernale dévoilait maintenant les fossés gelés et les haies noires, couvertes de givre. Des petites lumières apparaissaient aux fenêtres des cottages, et la colline locale était coiffée d'une congère. Ellen songeait aux cantiques de Noël, aux senteurs des sapins dans les maisons, et elle retrouva tout à coup l'excitation et l'ancienne magie de l'enfance.

Cinq minutes plus tard, elle parqua la voiture dans le garage et rentra dans la maison par la porte de derrière. La chaleur de la cuisine contrastait merveilleusement avec le froid extérieur. Elle ignora les reliefs du petit déjeuner sur la table et se dirigea tout droit vers la porte d'entrée pour prendre le courrier. Le facteur était passé. Une liasse d'enveloppes s'empilait sur le paillasson. Ellen se pencha pour les ramasser et, persuadée comme elle l'était d'y trouver une lettre de Vicky, ne la voyant pas, crut à une erreur et vérifia la pile d'enveloppes une seconde fois. Aucune lettre de sa fille.

Pendant un instant, Ellen se laissa submerger par la déception, puis, au prix d'un effort, parvint à se ressaisir. Peut-être au courrier de l'après-midi... Tout vient à point à qui sait attendre. Elle emporta les enveloppes dans la cuisine, se débarrassa de sa veste en peau de mouton, et s'assit pour ouvrir le courrier.

Des cartes de Noël, pour la plupart. Elle les ouvrit une à une et les disposa en demi-cercle. Des rouges-gorges, des angelots, des sapins, des rennes. La dernière était une immense et extravagante reproduction d'un tableau de Bruegel représentant un groupe de patineurs. Avec les meilleurs vœux de Cynthia. Cynthia avait joint une lettre à la carte. Ellen alla se servir un café et se rassit pour la lire.

Il y avait de cela bien longtemps, à l'école, Cynthia était sa meilleure amie. Puis elles avaient grandi, emprunté des chemins divergents, et leurs vies avaient pris des directions radicalement opposées. Ellen avait épousé James et, après quelque temps passé dans un minuscule appartement londonien, ils avaient déménagé, avec leur petite fille, dans cette maison où ils vivaient depuis lors. Une fois par an, James et Ellen partaient en vacances... en général dans un endroit où James pouvait jouer au golf. C'était tout. Le reste du temps, Ellen accomplissait les tâches que toutes les femmes, de par le monde, accomplissent chaque jour. Faire les courses, cuisiner, coudre, désherber le jardin, laver le linge, repasser. Se divertir avec quelques amis proches ; participer en bénévole à quelques œuvres sociales et préparer des gâteaux pour la kermesse de l'Association féminine. Autant d'occupations peu astreignantes et, Ellen en avait conscience, assez ennuyeuses.

Cynthia, pour sa part, avait épousé un brillant médecin, mis au monde trois enfants, ouvert un magasin d'antiquités, et gagné beaucoup d'argent. Pour leurs vacances, toujours incroyablement excitantes, ils traversaient les Etats-Unis en voiture, faisaient un trekking au Népal, ou visitaient la Grande Muraille de Chine.

Tandis que les amis de James étaient docteurs, avocats ou collègues de bureau, la maison de Cynthia, à Campden Hill, était le point de rassemblement de gens on ne peut plus fascinants. Des personnalités célèbres de la télévision pimentaient ses réceptions, des écrivains discouraient sur l'existentialisme, des artistes débattaient de l'art abstrait, des politiciens se livraient à des causeries sur des sujets graves. Un jour, ayant prévu de passer la nuit chez Cynthia après une journée de shopping à Londres, Ellen avait dîné entre un ministre et un jeune homme aux cheveux roses, une oreille percée d'une boucle ; tenter de converser avec l'un et l'autre avait été une expérience éprouvante.

Après coup, Ellen s'était fait des reproches.

– Je n'ai aucune conversation, s'était-elle plainte à James. En dehors de mes confitures et de mes astuces pour blanchir le linge, comme ces épouvantables bonnes femmes dans les publicités à la télé.

– Tu peux parler livres. Je n'ai jamais vu personne lire autant que toi.

– On ne parle pas *livres*. Lire consiste à vivre au travers de l'expérience des autres. Je devrais *faire* quelque chose. Mener mes propres expériences.

– Et la fois où nous avons perdu le chat ? Ça ne compte pas, comme expérience ?

– Oh, *James*.

C'est alors que l'idée avait germé. Ellen n'avait rien fait pour, mais l'idée était née. Pourquoi pas, après tout, une fois que Vicky aurait quitté la maison ? Quelques soirs plus tard, elle fit part de son idée à James, de la façon la plus désinvolte possible, mais il lisait le journal et l'écouta à peine. Et quand elle revint à la charge, quelques jours après, son absence totale d'enthousiasme noya littéralement le projet d'Ellen, aussi sûrement que s'il avait versé un plein seau d'eau sur un feu.

Exit l'ambition d'Ellen. Elle poussa un soupir et lut la lettre de Cynthia.

Ellen chérie. Juste quelques mots glissés dans cette carte pour te donner des nouvelles. Je ne crois pas que tu aies rencontré les Sanderford, Cosmo et Ruth, lorsque tu es venue.

Ellen n'avait en effet pas rencontré les Sanderford, mais elle savait très exactement qui ils étaient. Qui n'avait entendu parler des Sanderford ? Lui était un excellent réalisateur de films, et elle un écrivain, auteur de romans drôles, d'une ironie désabusée, sur la vie de famille. Qui ne les avait vus à la télévision, invités à des débats ? Qui n'avait lu les articles de Ruth Sanderford sur l'éducation de leurs quatre enfants ? Qui n'avait admiré les films de Cosmo, leur approche si originale, leur sensibilité, et leur beauté formelle ? Les Sanderford, quoi qu'ils fissent, occupaient le devant de la scène. Penser à eux suffisait pour se sentir ordinaire, banal, médiocre. Les Sanderford. Le cœur pincé, Ellen poursuivit sa lecture.

Ils ont divorcé l'année dernière, en restant très bons amis, et on les aperçoit de temps à autre qui déjeunent ensemble. Mais Ruth a acheté une maison près de chez toi, et serait ravie de ta visite, j'en suis sûre. Elle habite Le Chaume du Moine, à Trauncey. Le téléphone est le 232. Passe-lui un coup de fil et dis que tu viens de ma part. Joyeux Noël. Je t'embrasse. Cynthia.

Trauncey se trouvait à moins de deux kilomètres. C'était pratiquement la porte à côté. Le Chaume du Moine était une ancienne maison de garde-chasse, qui s'ornait depuis plusieurs mois d'une pancarte À VENDRE. La pancarte avait sans doute disparu, puisque Ruth Sanderford avait acheté la propriété, pour y vivre seule. La visite d'Ellen était attendue.

Perspective tentante. Si seulement la nouvelle venue avait été une personne ordinaire, une femme seule en mal de compagnie et recherchant la consolation d'une amie sûre, tout aurait été différent. Mais Ruth Sanderford n'était pas une personne ordinaire. Elle était célèbre, intelligente, probablement enchantée de savourer sa solitude toute neuve, après une réussite artistique éblouissante et une vie de mère de famille bien remplie. La présence d'Ellen ne pourrait que l'ennuyer, et elle en voudrait à Cynthia de les avoir mises en contact.

La pensée de l'accueil glacial qui lui serait réservé plongea Ellen dans les affres de l'horreur. Oui, d'accord, elle irait. Un jour. Mais pas avant Noël. Peut-être après le Nouvel An. En tout cas, pour l'instant, elle était trop occupée. Il y avait beaucoup à faire. Les tourtes à la viande, la liste des courses...

Fermement, Ellen chassa Ruth Sanderford de son esprit, et monta dans sa chambre faire le lit. De l'autre côté du palier, la porte de la chambre de Vicky était close. Ellen l'ouvrit pour y jeter un coup d'œil, vit la poussière sur la coiffeuse, les couvertures pliées sur le lit, les fenêtres fermées. Sans les affaires de Vicky, la pièce avait un air étrangement impersonnel ; ce pouvait être la chambre de n'importe qui, ou de personne. Debout sur le seuil, Ellen prit soudain conscience, sans le moindre doute, que Vicky irait en Suisse. Et qu'il faudrait supporter un Noël sans elle.

Qu'allaient-ils faire ? De quoi allaient-ils parler, assis face à face dans la salle à manger, devant une dinde trop grosse pour deux ? Peut-être vaudrait-il mieux annuler la dinde et commander des côtelettes. Peut-être même feraient-ils mieux de sortir, de réserver une table dans un de ces hôtels qui organisent des repas de fête pour les personnes seules et les vieux.

Ellen referma vivement la porte, non seulement sur la chambre désertée de Vicky, mais sur les images effrayantes de la vieillesse et de la solitude qui hantent chacun de nous. Au bout du couloir, un escalier étroit menait à la soupente. Sans raison, Ellen gravit les marches et franchit la porte qui ouvrait sur le vaste grenier au plafond incliné. Il était vide, à l'exception de quelques valises et des bulbes qu'elle avait plantés pour le printemps, ensevelis pour l'heure sous d'épaisses couches de papier journal. Des lucarnes et une vaste faîtière laissaient entrer les pâles rayons du soleil matinal, et il régnait une agréable odeur de bois et de camphre.

Dans un coin se trouvait le carton des décorations. Mais auraient-ils un arbre de Noël, cette année ? C'était toujours Vicky qui se chargeait de décorer le sapin ; sans elle, ça semblait bien inutile. En fait, tout semblait inutile.

Appelle-la.

Ruth Sanderford était là. Ruth Sanderford habitait au Chaume du Moine, une courte promenade à travers les prés gelés. D'accord, elle était célèbre, mais Ellen avait lu tous ses livres et les avait aimés ; elle s'était identifiée aux mères harassées, aux enfants coléreux et incompris, aux épouses frustrées.

Mais moi je ne suis pas frustrée.

Le grenier jouait un rôle dans l'idée qui lui était venue : ce projet que James avait écarté d'un revers de main et qu'Ellen avait laissé mourir parce qu'il n'y avait personne pour l'encourager.

James et Vicky. Son mari et son enfant. Tout à coup, Ellen en eut assez d'eux. Assez de s'inquiéter pour Noël, assez de la maison. Elle avait envie d'évasion. Elle allait se rendre sur-le-champ chez Ruth Sanderford. Avant que son courage ne fonde comme neige au soleil, elle regagna le rez-de-chaussée, enfila rapidement son manteau, trouva un pot de confiture et un pot de *mince meat* [1], et les fourra dans un panier. Et, comme si elle entreprenait un voyage périlleux et hardi, elle sortit dans l'air glacial et claqua la porte derrière elle.

La matinée avait fait place à une magnifique journée. Un ciel pâle et sans nuages, le givre qui scintillait sur les arbres nus, les sillons durcis des charrues dans les champs. Des freux croassaient sur les branches hautes, l'air était glacé et doux comme du vin. Ellen sentit son moral s'alléger : balançant le panier au bout de son bras, elle savourait son énergie retrouvée. Le sentier longeait les champs et franchissait des tourniquets en bois. Bientôt, au-delà des haies vives, Trauncey apparut. Une petite église avec un clocher pointu, un petit groupe de fermes. Passé le dernier tourniquet, Ellen rejoignit la route. De la fumée s'élevait paisiblement des cheminées, plumets gris dans l'air immobile. Un vieil homme sur une charrette tirée

1. Hachis de fruits secs, de pommes et de graisse imbibé de cognac. *(N.d.T.)*

par un poney passa en cahotant. Ils se saluèrent. Ellen poursuivit son chemin sur la route sinueuse.

Au Chaume du Moine, la pancarte À VENDRE avait en effet disparu. Ellen poussa la grille et s'engagea sur l'allée en brique. La maison était longue et basse, très ancienne, à colombage, avec un toit de chaume qui avançait au-dessus des petites fenêtres comme des sourcils proéminents. La porte, peinte en bleu, s'ornait d'un heurtoir en cuivre. Ellen l'actionna d'un geste fébrile puis, alors qu'elle attendait, un bruit de scie lui parvint.

Comme personne ne venait ouvrir, elle suivit la direction du bruit, et dans une cour sur le côté de la maison découvrit une personne en plein travail. Une femme qu'Ellen reconnut immédiatement pour l'avoir vue à la télévision.

Haussant la voix, elle cria :

– Bonjour !

Ruth Sanderford s'interrompit et leva les yeux. Etonnée, elle demeura ainsi un bref instant, penchée sur le chevalet, puis se redressa, abandonnant la scie qui resta plantée en travers de la bûche. Elle s'essuya les mains sur les fesses de son pantalon et s'approcha.

– Bonjour.

Ruth Sanderford était une femme très distinguée. Grande, mince, forte comme un homme. Ses cheveux gris coiffés en arrière étaient retenus dans la nuque par un nœud, elle avait le visage hâlé, des yeux sombres, des traits réguliers. Sur son pantalon taché, elle portait un tricot bleu marine, et un foulard à pois noué autour du cou.

– Qui êtes-vous ?

Son ton n'était pas brutal, simplement curieux.

– Je... Ellen Parry. Je suis une amie de Cynthia. Elle m'a dit de passer vous voir.

Ruth Sanderford sourit. C'était un beau sourire, chaud et amical. Toute nervosité quitta aussitôt Ellen.

– Oh oui, bien sûr. Cynthia m'a parlé de vous.

– Je suis juste passée vous dire bonjour. Je ne veux pas vous déranger, si vous êtes occupée.

– Vous ne me dérangez pas du tout. J'ai terminé.

Elle retourna au chevalet de sciage et ramassa une brassée de bûches fraîchement coupées.

– Je n'ai pas besoin de faire ça, en réalité. Il y a déjà tout un stock de bois qui s'empile jusqu'au toit. Mais je n'ai pas arrêté d'écrire pendant deux jours et le travail physique est une bonne thérapie. De plus, il fait un temps magique. C'est presque un crime de rester enfermée. Venez, nous allons boire un café.

Elle fit demi-tour dans l'allée, libéra une de ses mains pour tourner la clenche et poussa la porte du pied. Elle était si grande qu'elle dut incliner la tête pour ne pas se cogner au linteau, alors que Ellen, nettement plus petite, entra sans avoir à se baisser, et, gagnée par une sorte de soulagement amusé maintenant que la prise de contact s'était effectuée sans encombre, elle suivit Ruth Sanderford dans la maison et referma la porte derrière elles.

Deux marches descendaient directement dans la salle de séjour, une pièce longue et spacieuse qui devait probablement occuper la majeure partie du rez-de-chaussée du petit cottage. Une immense cheminée se dressait à un bout de la pièce, face à une grande table en merisier à l'opposé. Sur la table, une machine à écrire, des rames de papier, des dictionnaires, un pot de crayons taillés, et une aiguière victorienne remplie de fleurs et d'herbes séchées.

– Quelle pièce ravissante ! dit Ellen.

Son hôtesse empila les bûches dans un panier déjà plein à ras bord puis se retourna.

– Vous m'excuserez pour cette pagaille. Comme je vous le disais, j'étais en train de travailler.

– Je ne trouve pas que ce soit la pagaille.

Un peu en désordre, peut-être, un peu poussiéreux, mais tellement accueillant, avec les murs tapissés de livres, les vieux canapés fatigués, de chaque côté de la cheminée. Il y avait aussi de nombreuses photos, et de jolis objets en porcelaine.

– C'est ainsi qu'une pièce doit être. Habitée et chaleureuse.

Ellen déposa son panier sur la table.

– Je vous ai apporté une bricole. De la confiture et des fruits secs aux pommes. Rien de très excitant.

– C'est vraiment gentil, dit Ruth en riant. Un cadeau de l'Avent. Ça tombe bien, je n'ai plus de confiture. Emportons ça dans la cuisine et je mettrai la bouilloire à chauffer.

Ellen ôta sa veste en peau de mouton et suivit Ruth par une porte à loquet située au fond de la salle de séjour, dans une petite cuisine qui avait peut-être servi jadis de lavoir. Ruth remplit d'eau la bouilloire et la mit à chauffer sur la cuisinière à gaz. Elle fouilla dans un placard pour trouver le café et prit deux mugs sur une étagère. Puis elle sortit un plateau en métal orné d'une publicité pour une marque de bière, mais mit un certain temps avant de dénicher le sucre. Bien qu'elle eût élevé quatre enfants, Ruth n'était pas, de toute évidence, une femme d'intérieur.

– Depuis combien de temps habitez-vous ici ? s'enquit Ellen.

– Environ deux mois. Un vrai paradis. C'est tellement paisible !

– Vous écrivez un nouveau roman ?

Ruth esquissa un sourire désabusé.

– Quelque chose qui y ressemble.

– Au risque de vous sembler banale, j'ai lu tous vos livres et ils m'ont beaucoup plu. Et je vous ai vue à la télévision.

– Oh, mon Dieu !
– Vous étiez très bien.
– On m'a proposé de participer à une autre émission, récemment, mais sans Cosmo ça m'a paru sans intérêt. Nous formions une équipe, vous savez. Je parle de la télévision. Maintenant nous sommes divorcés. Et je crois que nous sommes beaucoup plus heureux. Nos enfants aussi. La dernière fois que j'ai déjeuné avec lui, il m'a annoncé qu'il songeait à se remarier. Avec une fille qui travaille avec lui depuis deux ans. Elle est charmante. Elle fera une merveilleuse épouse pour lui.

Il y avait quelque chose d'un peu déconcertant à recevoir aussi vite les confidences d'une autre femme, mais Ruth parlait de façon si naturelle et amicale qu'elle rendait tout normal, et même enviable.

Ruth poursuivit, tout en versant deux cuillerées de café instantané dans les mugs :
– Vous savez, c'est la première fois de ma vie que je vis seule. Je viens d'une famille nombreuse, je me suis mariée à dix-huit ans et je suis tout de suite tombée enceinte. Après, ça n'a pas arrêté. Les gens semblaient se multiplier à l'infini. J'avais des amis, Cosmo avait des amis, puis les enfants ont commencé à ramener des copains à la maison, qui eux-mêmes avaient des copains, et ainsi de suite. Je ne savais jamais pour combien de personnes je devais prévoir à manger. Et comme je ne suis pas une cuisinière émérite, c'étaient généralement des plats de spaghetti.

L'eau bouillait. Ruth remplit les deux mugs et souleva le plateau.
– Venez. Retournons près du feu.

Elles s'assirent face à face, chacune dans un coin du canapé affaissé, devant la douce chaleur du feu de bois. Ruth but une gorgée de café puis posa son mug sur la table basse.
– L'un des plaisirs de vivre seule, c'est que je peux manger ce que je veux, quand je veux. Tra-

vailler jusqu'à deux heures du matin si ça me chante et dormir jusqu'à dix heures. Vous êtes amies de longue date, Cynthia et vous ?

– Nous allions à l'école ensemble.

– Où habitez-vous ?

– Dans le village voisin.

– Vous avez une famille ?

– Un mari et une fille, Vicky. C'est tout.

– Figurez-vous que je vais bientôt être grand-mère. Je trouve ça très étonnant. J'ai l'impression que mon fils aîné est né hier. La vie passe à une vitesse... vous ne trouvez pas ? On n'a pas le temps de faire quoi que ce soit.

Au contraire, il semblait à Ellen que Ruth avait presque tout fait, mais elle ne le dit pas. A la place, sans vouloir paraître mélancolique, elle demanda :

– Est-ce que vos enfants viennent vous voir ?

– Oh, oui. Jamais ils ne m'auraient laissée acheter cette maison sans avoir donné leur approbation.

– Ils passent un peu de temps avec vous ?

– L'un de mes fils est venu m'aider pour le déménagement, mais il est parti en Afrique du Sud et je ne pense pas le revoir avant plusieurs mois.

– Et pour Noël ?

– Oh, je serai seule. Ils sont tous adultes, maintenant. Ils mènent leur propre vie. Ils descendront peut-être chez leur père, s'ils ont besoin d'un lit. Je ne sais pas. Je n'ai jamais su.

Elle se mit à rire, non de ses enfants, mais d'elle-même. D'être si vague, si tête en l'air.

– Je ne crois pas que Vicky rentrera passer Noël avec nous. Elle va sûrement aller skier en Suisse.

Si elle espérait de la sympathie ou de la commisération, elle en fut pour ses frais.

– Oh, formidable ! Noël en Suisse, c'est un rêve. Nous y avons emmené les enfants, quand ils étaient petits, et Jonas s'est cassé la jambe. Que faites-vous de votre vie quand vous n'êtes pas une épouse et une mère ?

La brutalité de la question était inattendue et un peu déconcertante.

– Je... rien du tout... avoua Ellen.

– Je suis sûre que si. Vous avez l'air d'une femme très efficace.

– Eh bien... je jardine, reprit Ellen, encouragée. Je cuisine. Je participe à un ou deux comités. Et je fais de la couture.

– Seigneur, ça c'est un don. Je ne sais même pas enfiler une aiguille. Il suffit de regarder les housses des chaises pour s'en rendre compte. Elles ont toutes besoin d'être rapiécées... Non, en fait, elles ont dépassé ce stade. Il faudrait acheter du chintz et en refaire des neuves. Vous confectionnez vos vêtements ?

– Oh, non, non, pas les vêtements. Plutôt les rideaux, ce genre de choses.

Ellen hésita un moment puis reprit, d'un ton précipité :

– Si vous voulez, je peux rapiécer vos housses. J'en serais ravie.

– Et des neuves ? Vous pourriez ?

– Bien sûr.

– Avec un passepoil, et tout ?

– Oui.

– Vous voulez bien ? Professionnellement, j'entends. Comme un travail rémunéré. Après Noël, quand l'agitation sera un peu retombée et si vous n'êtes pas trop occupée ?

– Mais...

– Dites oui, Ellen. Le prix m'est égal. La prochaine fois que je vais à Londres, je fais un saut chez Liberty et j'achète des mètres de chintz.

Ruth se trouva soudain un peu démontée par le mutisme d'Ellen.

– Oh, mon Dieu ! Voilà que je vous ai offensée.

Elle refit une tentative, cajoleuse.

– Vous pourrez toujours reverser l'argent à l'église, pour ses bonnes œuvres.

– Ce n'est pas ça !
– Alors pourquoi cet air sidéré ?
– Parce que je le suis. Parce que c'est ce que j'avais *songé* à faire. Comme métier, je veux dire. Fabriquer des housses, des rideaux. Tapisser des sièges. L'année dernière, j'ai suivi des cours pour apprendre. Et maintenant que Vicky est à Londres, et James absent toute la journée... Chez moi, il y a un ravissant grenier, très lumineux et confortable. Et j'ai une machine à coudre. Il ne me manque qu'une grande table...
– J'en ai vu une, la semaine dernière, dans une salle des ventes. Une ancienne table de blanchisserie...
– Le seul problème, c'est James, mon mari. Il ne trouve pas que ce soit une bonne idée.
– Oh, les maris sont notoirement incapables d'admettre qu'une idée est bonne.
– Il dit que jamais je ne saurai m'occuper de la gestion de l'affaire. Les impôts, les factures, la T.V.A. Et il a raison, conclut tristement Ellen. C'est à peine si je sais additionner deux et deux.
– Prenez un comptable.
– Un *comptable* ?
– Ne dites pas ça sur ce ton. On croirait que c'est une chose honteuse. A voir votre tête, on dirait que je vous ai suggéré de prendre un amant. Evidemment, un comptable ! Pour faire les comptes à votre place. Allons, plus de mais. Votre idée est formidable.
– Supposons que je n'aie pas de travail ?
– Vous en aurez plus que vous ne pourrez en accepter.
– C'est pire.
– Pas du tout. Vous embaucherez quelques braves dames du village pour vous aider. Vous créerez des emplois. De plus en plus. Et sans vous en apercevoir, vous vous retrouverez à la tête d'une véritable petite entreprise.

Une véritable petite entreprise. Faire quelque chose de créatif, c'était ce qu'aimait Ellen, et ce pour quoi elle était douée. Employer du personnel. Peut-être, comme Cynthia, gagner de l'argent. Ellen réfléchit un instant, puis elle remarqua :

– Je ne sais pas si j'en aurai le courage.

– Bien sûr que si. Et vous avez même votre première cliente. Moi.

– James n'y verrait peut-être pas... d'objection ?

– Une objection ? Il sera aux anges ! Quant à votre fille, c'est le plus grand service que vous puissiez lui rendre. Ce n'est guère facile pour les enfants de quitter le nid, surtout pour les enfants uniques. Si elle vous voit occupée et heureuse, elle ne sera pas rongée par la culpabilité. Ça changera bien des choses pour elle, et pour vos relations avec elle. Allons, courage ! Vous n'avez probablement jamais eu l'occasion de réaliser quelque chose par vous-même. Maintenant elle se présente. Saisissez-la, Ellen ! Saisissez-la à deux mains.

A écouter Ruth, à la regarder, Ellen eut soudain envie de rire. Ruth fronça les sourcils.

– Pourquoi riez-vous ?

– Je viens de comprendre pourquoi vous aviez tant de succès à la télévision.

– Moi, je sais pourquoi. C'est à cause de ce que mes enfants appellent mon côté démagogique. Cosmo m'a toujours traitée de féministe effrénée. Je le suis peut-être. Peut-être l'ai-je toujours été. Je sais seulement que la personne la plus importante au monde, c'est soi-même. C'est avec *vous-même* que vous devez vivre. C'est *vous-même*, votre compagnon de route, votre fierté. L'indépendance n'a rien à voir avec l'égoïsme. C'est simplement une source qui ne se tarit que le jour de votre mort, quand vous n'en avez plus besoin.

Ellen, étrangement émue, ne trouva rien à répondre. Ruth tourna la tête vers le feu de bois. Ellen nota les rides autour de ses yeux, la courbe généreuse de sa bouche, les cheveux gris et soyeux. Plus très jeune, mais belle : pleine d'expérience, meurtrie peut-être – probablement épuisée parfois – mais jamais vaincue. A l'âge mûr, Ruth commençait une vie nouvelle, avec optimisme, sans amertume, seule. Avec l'appui de James, pourquoi Ellen n'aurait-elle pu suivre son exemple ?

– Pour quand désirez-vous vos housses ?

Enfin le moment vint de rentrer. Elle se leva, enfila sa veste en peau de mouton, reprit son panier vide. Ruth ouvrit la porte et elles sortirent toutes les deux dans le jardin couvert de givre.

– Je vois que vous avez un mûrier, remarqua Ellen. Il vous donnera de l'ombrage, cet été.

– Je ne songe pas encore à l'été.

– Si... si vous êtes seule à Noël, voulez-vous venir passer la journée avec nous ? Après ce que je vous ai dit de James, vous devez l'imaginer vieux jeu, mais il est adorable.

– C'est très gentil à vous, Ellen. J'accepte avec plaisir.

– Alors, c'est entendu. Merci pour le café.

– Merci pour le cadeau de l'Avent.

– Vous aussi, vous m'en avez offert un.

– Moi ?

– Un encouragement.

– C'est à ça que servent les amis, répondit Ruth en souriant.

Ellen rentra lentement chez elle, en balançant le panier à bout de bras, la tête bouillonnante de projets. Au moment où elle arrivait dans la cuisine, le téléphone se mit à sonner et elle décrocha le récepteur de sa main encore gantée.

– Allô ?

– Maman ? C'est Vicky. Désolée de ne pas t'avoir prévenue plus tôt, mais j'appelle pour te dire que je pars en Suisse. C'est décidé. J'espère que tu ne m'en veux pas. C'est une occasion formidable. Je n'ai jamais skié. Et puis je pensais que je pourrais peut-être venir pour le Nouvel An. Tu es fâchée ? Tu me trouves horriblement égoïste ?

– Mais non, voyons.

Et c'était vrai. Ellen ne trouvait pas Vicky égoïste. Elle faisait ce qu'elle avait à faire, prenait ses décisions toute seule, s'amusait, rencontrait des amis.

– C'est une chance merveilleuse qui se présente, et tu dois la saisir à deux mains.

Saisissez-la à deux mains, Ellen.

– Tu es un ange. Vous ne vous sentirez pas trop seuls, papa et toi ?

– J'ai déjà invité quelqu'un pour Noël.

– Oh, très bien. Je vous imaginais tous les deux devant une côtelette, la mine sombre, sans arbre de Noël.

– Eh bien, ton imagination t'a trompée. Je vais te poster tes cadeaux dès cet après-midi.

– Et moi, les vôtres. Tu es un amour d'être si compréhensive.

– Envoie-nous des cartes postales.

– Promis. Et... maman ?

– Oui, chérie ?

– Joyeux Noël.

Ellen reposa le récepteur. Puis, sans prendre la peine d'ôter son manteau, elle monta à l'étage, passa devant la chambre fermée de Vicky et grimpa au grenier. L'odeur de bois et de camphre l'accueillit. Les grandes lucarnes. Là, la table ; là, la planche à repasser ; là, la machine à coudre. Ici, elle taillerait, faufilerait, piquerait. Elle voyait déjà les coupes de lin et de chintz, le galon pour les rideaux, les rouleaux de velours. Elle se ferait un nom à elle. Ellen Parry. Une vie à elle. Une véritable petite entreprise.

Ellen aurait pu rester là toute la journée, perdue dans ses projets, jubilant de satisfaction, si elle n'avait soudain aperçu le carton contenant les décorations de Noël.

Noël.

Moins de deux semaines, et tant de choses à faire. Les tourtes à la viande, les cartes de vœux, les cadeaux à poster, le sapin à commander. Elle n'avait même pas lavé la vaisselle du petit déjeuner, se rappela-t-elle sans la moindre culpabilité. Rejetée brutalement du futur dans un présent encore plus enthousiasmant, elle ramassa le carton de décorations de Noël, puis, tenant son précieux chargement avec un soin considérable, elle redescendit du grenier.

Traduit par Annick Le Goyat

Les oiseaux blancs

Eve Douglas était dans le jardin, occupée à couper les dernières roses avant les premières gelées, quand elle entendit la sonnerie du téléphone. Elle ne bougea pas. Le lundi était le jour de Mme Abney qui frottait les meubles avec une cire embaumant toute la maison ou poussait devant elle un aspirateur déchaîné. Mme Abney adorait répondre au téléphone. Un instant plus tard, la fenêtre du salon s'ouvrit et Mme Abney apparut, agitant un plumeau jaune pour attirer l'attention d'Eve.

– Madame Douglas ! Téléphone.

– J'arrive.

Le bouquet de fleurs dans une main et le sécateur dans l'autre, Eve traversa la pelouse jonchée de feuilles mortes, fit tomber la boue de ses bottes et pénétra à l'intérieur. Les meubles avaient été déplacés, le bas des rideaux posé sur des chaises pour permettre de cirer le plancher. Le téléphone était sur le bureau.

– David...

– Eve.

– Oui ?

– Eve... c'est au sujet de Jane.

– Que se passe-t-il ?

– Rien. Enfin, la nuit dernière on a pensé que le bébé arrivait... et puis les douleurs se sont calmées.

Mais ce matin, le docteur est venu et Jane avait un peu trop de tension, alors il l'a emmenée à l'hôpital.

Il y eut un silence.

– Mais on n'attendait pas le bébé avant un mois, dit Eve.

– Je sais. C'est comme ça.

– Vous voulez que je vienne ?

– C'est possible ?

– Oui, bien sûr.

Son esprit se mit à fonctionner à cent à l'heure. Elle fit le compte de ce qui restait dans le congélateur, annula des rendez-vous sans importance et organisa en pensée la vie de Walter pendant son absence, ce qui ne serait pas facile.

– Je prendrai le train de cinq heures trente. Venez m'attendre à huit heures moins le quart.

– Vous êtes un ange.

– Comment va Jamie ?

– Bien. Nessie Cooper s'occupe de lui, elle lui tiendra compagnie jusqu'à votre arrivée.

– A plus tard.

– Je suis désolé d'avoir à vous imposer cela.

– Ce n'est pas grave. Embrassez Jane pour moi. Et, David...

Elle savait que c'était complètement idiot mais elle le dit tout de même :

– Essayez de ne pas trop vous faire de souci.

Elle reposa doucement le combiné et leva les yeux sur Mme Abney qui se tenait dans l'embrasure de la porte. Le visage avenant s'était assombri et Eve savait qu'il reflétait sa propre inquiétude. Elle n'avait pas besoin de se répandre en explications, toutes deux étaient de vieilles amies. Mme Abney travaillait pour Eve depuis plus de vingt ans. Elle avait vu Jane grandir, était venue à son mariage vêtue d'un tailleur bleu turquoise et d'un chapeau assorti. A la naissance de Jamie, elle avait tricoté une couverture bleue pour son landau. Mme Abney était depuis longtemps considérée comme un membre de la famille.

– Quelque chose ne va pas ? demanda-t-elle.

– Ils pensent que le bébé est en route. Avec un mois d'avance...

– Il faut que vous alliez là-bas ?

– Oui, répondit Eve d'une voix faible.

Elle devait y aller de toute façon mais son séjour n'était pas prévu avant un mois. La sœur de Walter, qui habitait dans le Sud, devait venir lui faire la cuisine et lui tenir compagnie, mais elle ne pourrait certainement pas changer ses projets à la dernière minute.

– Ne vous faites pas de souci pour M. Douglas, je veillerai sur lui, dit Mme Abney.

– Mais, madame Abney, vous êtes suffisamment accaparée comme ça par votre famille...

– Si je n'ai pas le temps de passer le matin, je ferai un saut dans l'après-midi.

– Pour le petit déjeuner, il se débrouillera...

Ce qui ne résolvait pas grand-chose étant donné que le pauvre Walter était tout juste capable de se faire un œuf à la coque. Mais il ne s'agissait pas de cela et Mme Abney le savait. Walter devait s'occuper de la ferme. Il se levait à six heures, se couchait avec le soleil et entre-temps avalait des repas copieux qui lui étaient nécessaires compte tenu de son gabarit et de sa puissance de travail. En réalité, il avait besoin de beaucoup d'attention.

– Je... je ne sais pas combien de temps je serai partie.

– L'important c'est que tout se passe bien pour Jane et le bébé. Votre place est là-bas... il faut y aller.

– Madame Abney, qu'est-ce que je ferais sans vous ?

– Oh, un tas de choses, vous pensez, répondit-elle en vraie femme du Northumberland, peu encline à montrer ses émotions. Et maintenant, si on se préparait une bonne tasse de thé ?

C'était une excellence idée. Eve dressa une liste tout en buvant son thé. Puis elle monta dans sa voiture, se rendit au supermarché de la petite ville voisine et acheta toutes sortes d'articles dont Walter aurait besoin s'il devait se débrouiller seul. Des boîtes de soupe, des quiches, des tourtes à la viande, des légumes et des plats surgelés, du pain, du beurre, des kilos de fromage. La ferme fournissait les œufs et le lait, mais pas la viande. Le boucher lui emballa des côtelettes, des steaks et des saucisses, ajouta des os pour les chiens, et promit d'envoyer une camionnette à la ferme en cas de besoin.

– Vous partez ? demanda-t-il en coupant en deux un os à moelle d'un coup de fendoir.

– Je vais juste en Ecosse, chez ma fille.

– Ça vous changera un peu.

– Oui, dit Eve d'une voix faible. Ça va me changer.

A la maison, elle trouva Walter, qui était rentré plus tôt que prévu, attablé dans la cuisine. Il mangeait de bon appétit le ragoût, les pommes de terre et le gratin de chou-fleur que Mme Abney avait laissés dans le four à son intention. Il portait ses vieux vêtements de travail et ressemblait tout à fait à un cultivateur. Autrefois – comme tout cela semblait loin ! –, il était dans l'armée. Quand Eve l'avait épousé il était un grand et fringant capitaine. Ils s'étaient mariés selon la tradition, elle en robe blanche, lui en uniforme, et ils étaient passés sous une arche d'épées en sortant de l'église. Elle l'avait suivi en Allemagne, à Hong Kong et à Warminster. Ils vivaient toujours dans les quartiers réservés aux couples et n'avaient jamais eu une maison à eux. Et puis Jane était arrivée, et peu de temps après le père de Walter, qui avait passé dans sa vie dans sa ferme du Northumberland, avait annoncé qu'il n'avait pas l'intention de se tuer à la tâche. Quels étaient les projets de Walter ?

Après s'être longuement concertés, Eve et Walter avaient sauté le pas. Walter avait dit adieu à l'armée, passé deux ans dans un collège agricole, et repris la ferme. Ils ne l'avaient jamais regretté mais le travail physique éreintant avait prélevé son tribut sur Walter. A cinquante-cinq ans, son épaisse chevelure grisonnait, son visage bronzé était marqué par les rides et ses mains toujours plus ou moins tachées de cambouis.

Il leva les yeux sur sa femme qui entrait dans la cuisine, chargée de deux gros paniers à provisions.

– Ça va, ma chérie ?

Elle s'assit à l'autre bout de la table sans même prendre le temps d'ôter son imperméable.

– Tu as vu Mme Abney ?

– Non, elle était partie quand je suis rentré.

– Il faut que je parte en Ecosse.

Leurs regards se croisèrent.

– Jane ? dit Walter.

– Oui.

Le choc de la nouvelle l'atteignit en plein cœur et sembla le diminuer physiquement.

– Ne t'inquiète pas, le bébé est juste un peu en avance, dit-elle très vite, tout son être s'élançant vers lui pour le tranquilliser.

– Elle va bien ?

Eve expliqua tranquillement ce que David lui avait dit.

– Cela arrive souvent. Elle a déjà été hospitalisée et je suis sûre qu'elle est très bien soignée.

Walter prononça à voix haute les mots qu'Eve refusait d'entendre depuis l'appel de David.

– La naissance de Jamie a été pour elle une très rude épreuve.

– Walter, arrête.

– Autrefois, on lui aurait interdit d'avoir un autre enfant.

– Les temps ont changé. Nous vivons une autre époque. Les médecins sont beaucoup mieux armés... poursuivit-elle d'un ton lénifiant qui visait à les rassurer tous les deux. Tu sais bien, les scanners et toutes ces techniques nouvelles...

Il ne paraissait pas convaincu.

– Et puis, elle voulait un autre enfant.

– Nous aussi. Mais nous nous sommes contentés de Jane.

– Je sais.

Elle se leva pour aller l'embrasser, passa les bras autour de son cou, enfouit le visage dans ses cheveux.

– Tu sens le foin.

Et elle ajouta :

– Mme Abney s'occupera de toi.

– J'aimerais bien t'accompagner.

– Chéri, c'est impossible. David comprend très bien les obligations d'un fermier. Jane aussi. N'y pense plus.

– Cela m'ennuie de te laisser partir seule.

– Je ne suis jamais seule quand je sais que tu penses à moi, même quand les kilomètres nous séparent.

– Aurait-elle été si particulière si elle n'avait pas été fille unique ? demanda Walter.

– Mais oui. Jane est la personne la plus originale que je connaisse.

Walter retourna à son travail et Eve s'affaira aussitôt à ranger les courses, dresser une liste pour Mme Abney, remplir le congélateur, laver la vaisselle. Elle se rendit à l'étage pour faire sa valise mais, quand elle eut terminé, il n'était que deux heures et demie. Elle enfila son manteau et ses bottes, siffla les chiens et rejoignit à travers champs la froide mer du Nord, la petite plage qu'ils avaient toujours considérée comme leur propriété.

On était en octobre, un mois froid et tranquille. Les premières gelées avaient bruni et doré les feuilles des arbres, le ciel était couvert et la mer grise comme de l'acier. A marée basse, le sable s'étendait, aussi doux et propre qu'un drap fraîchement repassé. Les chiens gambadaient devant elle, laissant la trace de leurs pattes sur le sable immaculé. Eve les suivit ; le vent soufflait dans ses cheveux, bourdonnait à ses tempes.

Elle songea à Jane. Non pas étendue dans un lit d'hôpital anonyme et remettant son sort entre les mains du destin mais à Jane petite fille, Jane qui grandissait, Jane adulte. Jane et son épaisse chevelure brune, ses yeux bleus, son rire... La petite Jane industrieuse cousant des vêtements pour ses poupées sur la vieille machine à coudre de sa mère, étrillant son poney, préparant des gâteaux dans la cuisine par de pluvieux après-midi hivernaux. Elle se rappelait Jane adolescente maigrichonne, le défilé de ses amis dans la maison, et le téléphone qui n'arrêtait pas de sonner. Jane était passée par les manies exaspérantes des jeunes gens tout en restant miraculeusement préservée. Elle n'avait jamais été vulgaire ou désagréable. Sa vitalité et son enthousiasme coutumiers lui avaient toujours assuré la présence d'un amoureux transi qui attendait son bon plaisir.

– Tu vas bientôt te marier, ça ne va pas traîner, la taquinait Mme Abney.

Mais Jane avait des idées bien arrêtées sur la question.

– Je ne me marierai pas avant trente ans, quand j'aurai épuisé les plaisirs de la vie.

Mais, à vingt et un ans, elle était allée passer un week-end en Ecosse, avait rencontré David Murchison et était tombée éperdument amoureuse. Et

Eve s'était retrouvée plongée dans les préparatifs du mariage, occupée à résoudre des problèmes du genre « mais comment allons-nous faire tenir la tente sur la pelouse devant la maison » et à courir les boutiques de Newcastle pour dénicher la robe de mariée qui conviendrait à sa fille.

– Tu épouses un fermier ! s'était extasiée Mme Abney. On aurait pu penser qu'après avoir été élevée dans une ferme, tu en aurais eu assez de cette existence.

– Pas moi, s'était écriée Jane. Je saute sans hésitation d'un tas de fumier dans un autre !

De toute sa vie, elle n'avait jamais été malade, mais sa première grossesse, quatre ans auparavant, s'était mal passée, et Jamie avait été placé en soins intensifs pendant deux mois avant qu'ils puissent le récupérer. Il avait fallu si longtemps à Jane pour se remettre qu'Eve avait prié pour qu'elle n'ait pas d'autre enfant. Mais Jane ne partageait pas cet avis.

– Je ne veux pas que Jamie soit fils unique. Je ne regrette pas d'avoir été seule à la maison, mais ça doit être plus drôle d'avoir des frères et sœurs. Et puis David veut un autre enfant.

– Mais, ma chérie...

– Maman, tout ira bien, arrête de faire des histoires. Je suis forte comme un cheval. Il semblerait que mon ventre ne soit pas très coopératif mais tout cela ne dure que quelques mois et puis tu reçois un merveilleux cadeau pour le restant de tes jours.

Le restant de tes jours. Les jours de Jane. Un sentiment de panique envahit brusquement Eve. Deux vers d'un poème surgirent de son inconscient et résonnèrent dans sa tête comme un roulement de tambour :

Des rosiers grimpants,
Sur le corps de mon enfant mort...

Elle frissonna, glacée jusqu'aux os. Elle était maintenant au beau milieu de la plage où quelques rochers, invisibles à marée haute, gisaient, abandonnés comme une épave naufragée par la mer, recouverts de berniques, incrustés d'algues vertes... un couple de goélands argentés s'y posa, l'œil vif, défiant le vent de leurs cris.

Elle les observait. Des oiseaux blancs. Pour une raison quelconque, les oiseaux blancs avaient toujours joué un rôle important dans sa vie. Quand elle était petite, elle adorait les mouettes volant dans le ciel bleu des vacances d'été au bord de la mer, et leurs cris évoquaient invariablement ces interminables journées gorgées de soleil.

Et puis l'hiver il y avait les oies sauvages qui survolaient la ferme de David et Jane, en Écosse. Matin et soir, de grandes formations traversaient le ciel et atterrissaient en rase-mottes sur les étendues marécageuses couvertes de roseaux en bordure de l'estuaire, à la frontière des terres de David.

Et les tourterelles. Avec Walter, elle avait passé sa lune de miel en Provence. Leur chambre donnait sur une cour pavée avec un colombier en son centre, et les tourterelles les réveillaient chaque matin de leurs bruits d'ailes et de leurs roucoulements extatiques. Le dernier jour de leur voyage, ils étaient allés faire des achats, et Walter lui avait offert un couple de tourterelles en porcelaine. Elles veillaient toujours sur le manteau de la cheminée. Eve le comptait parmi ses biens les plus précieux.

Les oiseaux blancs. Elle se rappela, elle était encore une enfant, que pendant la guerre son frère avait été porté disparu. La peur et l'angoisse s'étaient installées comme des parasites dans la maison, sa famille était complètement déboussolée. Et puis un matin, elle avait vu par la fenêtre de sa chambre une mouette perchée sur le toit de la maison d'en face. C'était l'hiver ; le soleil de l'aube, une boule de feu cramoisi, avait pointé à l'horizon et la mouette avait brusquement pris son envol, et elle avait vu les plumes de son ventre teintées de rose. Le choc émerveillé de tant de beauté l'avait remplie de gratitude. Elle était certaine que son frère était vivant. Une semaine plus tard, quand on avait annoncé officiellement à ses parents qu'il était en parfaite santé mais prisonnier de guerre, ils ne comprirent pas pourquoi Eve prenait si calmement la nouvelle. Elle ne leur raconta jamais l'histoire de la mouette.

Et ces goélands... ? Ils ne trahissaient rien. Pas le moindre signe de réconfort à l'intention d'Eve. Ils tournèrent la tête, fouillèrent du regard les sables vides, repérèrent quelque chose de comestible, crièrent, se dressèrent sur la pointe de leurs pattes, déployèrent leurs larges ailes neigeuses et s'envolèrent, virant et flottant sur les bras du vent.

Elle soupira, regarda sa montre. C'était l'heure. Elle siffla les chiens et se mit en route pour la longue promenade qui la ramènerait à la maison.

Quand le train entra en gare, la nuit était presque tombée, mais elle vit son gendre, un homme de haute stature, qui l'attendait sur le quai, debout sous un réverbère, recroquevillé dans sa vieille veste de travail dont il avait relevé le col pour se protéger du froid. En descendant du train bien chauffé, le vent la cueillit de plein fouet. Dans cette gare, il soufflait toujours un vent glacé, même en plein été.

Il s'avança vers elle.

– Eve.

Ils s'embrassèrent. Elle sentit sa joue froide sur ses lèvres et vit qu'il avait une mine affreuse, le teint pâle, et qu'il était toujours aussi maigre. Il se pencha pour prendre sa valise.

– Vous n'avez pas d'autre bagage ?

– Non.

Sans un mot, ils longèrent le quai, grimpèrent des marches et se retrouvèrent devant la gare où les attendait sa voiture. Il ouvrit le coffre, y jeta la valise et alla ouvrir la portière. Elle attendit qu'ils aient rejoint la grand-route pour se résigner à lui demander :

– Comment va Jane ?

– Je ne sais pas. On ne me dit rien de précis. C'est sa tension qui a tout déclenché.

– Je peux la voir ?

– J'ai bien demandé, mais la sœur ne veut pas, pas ce soir. Peut-être demain matin.

Il n'y avait pas grand-chose à ajouter.

– Et comment va Jamie ?

– En pleine forme. Comme je vous l'ai dit, Nessie Cooper s'occupe de lui en même temps que de ses propres enfants. Elle est formidable.

Nessie était mariée à Tom Cooper, le contremaître de David.

– Il est tout excité à l'idée que vous vous soyez déplacée pour lui.

– Le cher petit...

Dans l'obscurité de la voiture, elle se força à sourire. Son visage lui donna la sensation qu'elle n'avait pas souri depuis des années, mais il était important pour Jamie qu'elle ait l'air gai et serein, quelles que soient les horreurs qui lui passaient par la tête.

Ils arrivèrent enfin. Mme Cooper et Jamie regardaient la télévision dans le salon. Il était en robe de chambre et buvait un chocolat, mais quand il entendit la voix de son père, il posa sa tasse pour venir à leur rencontre. Il était impatient de retrouver Eve et puis il pensait qu'elle lui avait peut-être apporté un cadeau.

– Bonsoir, mon chéri.
Elle se pencha pour l'embrasser. Il sentait le savon.
– Mamie, aujourd'hui, j'ai déjeuné avec Charlie Cooper, il a six ans et il a des chaussures de foot.
– Pas possible ! Avec des crampons ?
– Oui, comme les vraies, et il a un ballon de foot et il me laisse jouer avec, et j'arrive presque à shooter dans la balle avant qu'elle touche par terre.
– Je ne peux pas en dire autant, répliqua Eve.
Elle ôta son chapeau et commença à déboutonner son manteau. C'est alors que Mme Cooper les rejoignit.
– Contente de vous revoir, madame Douglas.
C'était une femme mince, soignée, qui semblait bien trop jeune pour être la mère de quatre – ou étaient-ce cinq ? – enfants. Eve n'en savait plus trop rien.
– Moi aussi, madame Cooper. Vous êtes tellement gentille ! Qui s'occupe de vos bambins ?
– Tom. Mais le bébé perce ses dents et je ferais bien d'aller prendre la relève.
– Je ne saurais trop vous remercier pour tout ce que vous avez fait.
– Oh, c'est rien. Je... j'espère que tout se passera bien.
– J'en suis sûre.
– C'est pas juste, hein ? Moi j'ai jamais eu le moindre problème. J'accouche aussi facilement qu'une chatte, comme dit Tom. Et puis cette pauvre Mme Murchison... c'est pas juste.
Elle enfila son manteau.
– Je viendrai demain vous donner un coup de main, enfin, si ça vous dérange pas que je vienne avec le bébé. Je l'installerai dans son landau dans la cuisine.
– Au contraire, ça me fera très plaisir.
– Vaut mieux avoir de la compagnie quand on attend, dit Mme Cooper. Ça aide.

Quand elle fut partie, Jamie accompagna Eve dans sa chambre. Elle ouvrit sa valise et en sortit son cadeau, un modèle réduit d'un tracteur John Deere. Il lui assura que c'était exactement ce qu'il voulait : comment avait-elle deviné ? Maintenant qu'il avait reçu son cadeau, il était d'accord pour aller se coucher. Il l'embrassa et alla se laver les dents en compagnie de son père qui le mit au lit. Eve rangea ses affaires, se lava les mains, changea de chaussures et se brossa les cheveux. Puis elle descendit prendre un verre au salon avec David. Ensuite, elle se rendit à la cuisine et prépara le dîner, qu'elle apporta sur un plateau près du feu. Après avoir mangé, David partit pour l'hôpital. Eve fit la vaisselle et prit une douche avant de téléphoner à Walter. Ils bavardèrent quelques instants, mais ils n'avaient pas grand-chose à se raconter. Elle attendit le retour de David. La situation n'avait pas évolué.

– Ils m'ont dit qu'ils m'appelleraient si le bébé se mettait en route, lui dit-il. Je veux être avec elle. J'étais présent à la naissance de Jamie.

– Je sais.

Eve sourit.

– Elle a toujours dit que, sans vous, elle n'aurait jamais réussi à accoucher de Jamie. Et je lui ai répondu qu'elle y serait tout de même parvenue. Vous semblez épuisé. Allez vous coucher et essayez de dormir un peu.

Son visage était hagard.

– Si...

Les mots semblaient lui être arrachés.

– Si jamais il arrivait quelque chose à Jane...

– Mais non, dit-elle très vite.

Elle posa la main sur son bras.

– Vous ne devez même pas y penser.

– A quoi voulez-vous que je pense ?

– Vous devez croire en la vie. Et si on vous appelle au milieu de la nuit, vous viendrez me prévenir, d'accord ?

– Bien sûr.
– Alors bonne nuit, mon petit.

Elle avait recommandé à David de dormir, mais elle-même ne parvenait pas à trouver le sommeil. Elle reposait dans l'obscurité au creux du lit moelleux, fixant la tache claire du rideau tiré devant la fenêtre ouverte qui cachait le ciel. Elle écouta les heures sonner à la pendule en bas des escaliers. Le téléphone restait muet. Le jour se levait quand elle parvint enfin à trouver un peu de repos et elle se réveilla peu de temps après. Il était sept heures et demie. Elle se leva, enfila une robe de chambre et alla dans la chambre de Jamie qui était déjà réveillé. Il jouait avec le tracteur, assis sur son lit.
– Bonjour.
– Je peux aller jouer avec Charlie Cooper? demanda-t-il. Je veux lui montrer le John Deere.
– Il ne va pas à l'école, ce matin?
– Bon, alors cet après-midi?
– Et maintenant, tu veux faire quoi?
– On pourrait aller regarder les oies au bord de la mer. Tu sais, mamie, il y a des hommes qui leur tirent dessus. Papa les déteste, mais il dit qu'il a pas le droit de les empêcher, parce que la plage elle est à tout le monde.
– Des oies sauvages?
– Oui.
– C'est un peu dur pour ces pauvres oies. Elles font tout ce long voyage depuis le Canada et, pour finir, on leur tire dessus.
– Papa dit qu'elles font des saccages dans les champs.
– Il faut bien qu'elles mangent. Et à ce propos, qu'est-ce que tu veux pour le petit déjeuner?
– Des œufs à la coque?
– On y va.

Dans la cuisine, ils trouvèrent une note de David posée sur la table.

Sept heures. J'ai nourri les bêtes. Je fais un aller-retour à l'hôpital et je reviens. Personne n'a appelé pendant la nuit. Je vous passe un coup de fil s'il y a du nouveau.

– Qu'est-ce qu'il dit ? demanda Jamie.
– Qu'il est allé voir maman.
– Le bébé est pas encore arrivé ?
– Non, toujours pas.
– Il est dans son ventre et il veut pas sortir.
– Maintenant, ça ne devrait pas tarder.

Ils finissaient leur petit déjeuner quand Mme Cooper fit son apparition avec son gros bébé aux joues roses dans un landau, qu'elle mit dans un coin de la cuisine.

Elle donna une croûte de pain à sucer à l'enfant.
– Des nouvelles, madame Douglas ?
– Non, pas encore. Mais David est parti à l'hôpital. S'il y a du changement, il nous préviendra.

Eve alla en haut faire son lit et celui de Jamie et, après une seconde d'hésitation, entra dans la chambre de David et Jane. Elle eut le sentiment d'empiéter sur leur domaine. Cela sentait le muguet, l'unique parfum que Jane ait jamais eu. Elle vit la coiffeuse de Jane avec tous ses petits objets personnels : les brosses en argent de sa grand-mère, les photos de David et Jamie, le joli collier de perles fantaisie qu'elle avait accroché au miroir. Des vêtements traînaient un peu partout : la salopette qu'elle avait enlevée avant qu'on l'emmène en ambulance, une paire de chaussures, un pull rouge. Eve vit la petite collection d'animaux en porcelaine, rangés sur la cheminée, la grande photo d'elle et Walter.

Elle se tourna vers le lit. David avait dormi du côté de Jane, le visage enfoui dans le gros oreiller bordé de dentelles. Sans qu'elle sache pourquoi, ce fut la goutte d'eau qui fit déborder le vase. *Je veux qu'elle revienne,* se dit-elle avec colère. *Je veux qu'elle revienne à la maison, où elle sera en sécurité auprès de sa famille. Je ne supporte plus cette attente. Je veux que l'on me dise maintenant que tout va bien.*

La sonnerie du téléphone retentit.

Elle s'assit au bord du lit et décrocha.

– Oui ?

– Eve, c'est David.

– Que se passe-t-il ?

– Ils commencent à s'énerver, ils ne veulent pas attendre plus longtemps. On l'emmène en salle de travail et je l'accompagne. Je vous appelle dès que possible.

– Oui. *(Ils commencent à s'énerver.)* Je... je pensais aller faire une promenade avec Jamie mais nous ne serons pas absents longtemps et Mme Cooper est déjà arrivée.

– Bonne idée. Emmenez-le faire un tour et dites-lui que je l'embrasse.

– Courage, David.

La plage s'étendait au-delà d'un verger de pommiers et d'un champ de chaume qu'ils traversèrent. Puis ils arrivèrent devant l'échalier d'une haie d'aubépines. Devant eux, une petite prairie descendait en pente douce vers les joncs, la plage, le bord de l'eau. La marée était basse et de grands bancs de boue s'étalaient jusqu'à l'autre rive de l'estuaire. Elle regarda les ondulations du terrain et le ciel immense, les taches de bleu très pâle où passaient lentement des nuages gris.

Jamie grimpa sur l'échalier et dit :

– Voilà les chasseurs.

Eve repéra deux hommes non loin du rivage. Ils avaient construit un abri avec le petit bois que l'eau avait laissé en se retirant. Embusqués, ils se détachaient sur les bancs de boue luisants, prêts à tirer. Deux épagneuls brun et blanc attendaient, assis près d'eux. Tout était tranquille, immobile. Eve entendait le caquetage des oies sauvages au loin, au milieu de l'estuaire.

Elle aida Jamie à franchir l'échalier et, main dans la main, ils descendirent la pente. Ils arrivèrent en terrain plat devant un groupe d'oiseaux en plâtre que les chasseurs avaient arrangés de façon qu'ils ressemblent à une bande d'oies en train de se nourrir.

– Ce sont des jouets, dit Jamie.

– Oui, des leurres. Les chasseurs espèrent que les oies les verront : elles penseront qu'elles ne craignent rien et viendront se poser près d'elles.

– C'est horrible. Ils trichent. Si elles viennent, mamie, eh bien si elles viennent on agitera les bras pour qu'elles se sauvent.

– On risque de s'attirer des ennuis.

– Allons dire aux chasseurs qu'ils s'en aillent.

– On ne peut pas, ils sont dans leur droit.

– Ils tirent sur nos oies.

– Les oies sauvages appartiennent à tout le monde.

Les chasseurs les avaient vus. Les épagneuls gémissaient, les oreilles dressées. Un des hommes houspilla son chien. Déconcertés, hésitant sur le chemin à suivre, Eve et Jamie se tenaient près du cercle des oies en plâtre. C'est alors qu'un mouvement dans le ciel attira l'attention d'Eve et qu'elle vit, arrivant de la mer, un vol d'oiseaux.

– Regarde, Jamie.

Les chasseurs les avaient vus eux aussi et ils se tournèrent vers eux.

– Il ne faut pas qu'elles viennent par ici ! s'écria Jamie d'une voix affolée.

Il se libéra de la main d'Eve et se mit à courir, trébuchant sur ses petites jambes chaussées de bottes en caoutchouc, agitant les bras pour détourner les oiseaux des fusils.

Eve se dit qu'elle aurait dû essayer de le retenir, mais à quoi bon ? Rien ne pouvait changer la trajectoire de ce vol implacable. Et puis il y avait quelque chose d'inhabituel dans le comportement de ces oiseaux. Les oies sauvages volaient du nord au sud en lignes régulières, mais ceux-là arrivaient de l'est, de la mer. Ils grossissaient de seconde en seconde. Un instant, Eve éprouva des difficultés à accommoder sa vue, son regard ébloui, et puis elle les aperçut distinctement et elle comprit que ces oiseaux n'étaient pas des oies mais douze cygnes blancs.

– Ce sont des cygnes, Jamie. Ce sont des cygnes !

Il s'arrêta net, renversant la tête en arrière pour mieux les observer. Ils arrivaient dans le sifflement et le battement de leurs ailes immenses. Elle vit les longs cous rectilignes, les palmes flottant au bout de leurs pattes repliées. Ils les survolèrent et poursuivirent leur route en amont de la rivière. Le bruit de leurs ailes mourut progressivement, remplacé par le silence, et ils disparurent, avalés par le gris du matin et les collines au loin.

– Mamie.

Jamie la tira par la manche.

– Mamie, tu m'écoutes ?

Elle baissa les yeux sur lui et elle eut l'impression de voir un enfant inconnu.

– Mamie, les chasseurs ne leur ont pas tiré dessus.

Douze cygnes blancs.

– Ils n'ont pas le droit de tirer sur des cygnes. Les cygnes appartiennent à la reine.

– Tant mieux. Tu as vu comme ils étaient beaux ?

– Oui. Très beaux.

– Où ils allaient ?

– Je ne sais pas. Vers la rivière. Vers les collines. Peut-être près d'un lac caché où ils font leur nid et trouvent leur nourriture.

Elle répondait de façon mécanique. Elle ne pensait pas aux cygnes mais à Jane, et il devint tout à coup urgent qu'ils rentrent à la maison sans perdre une minute.

– Viens, Jamie.

Elle le prit par la main et commença à remonter le champ herbeux en le tirant derrière elle.

– On rentre.

– Mais on s'est pas encore promenés.

– On s'est suffisamment promenés. Dépêchons-nous. Vite. On va faire la course.

Ils escaladèrent l'échalier, coururent dans les chaumes, les petites jambes de Jamie s'activant de toute leur force pour suivre sa grand-mère. Ils traversèrent le verger, sans s'arrêter pour ramasser des pommes ou grimper aux vieux arbres noueux dont les branches traînaient jusque par terre. Comme s'ils avaient le diable aux trousses.

Ils avaient maintenant rejoint le chemin qui menait à la ferme et Jamie était épuisé. Il s'arrêta net pour protester contre un comportement aussi extraordinaire mais Eve ne pouvait supporter de ralentir sa course. Elle le prit dans ses bras et continua d'avancer, à peine consciente du poids de l'enfant.

Enfin arrivés à la maison, ils rentrèrent par la porte de derrière sans même prendre le temps d'ôter leurs chaussures boueuses. Ils traversèrent l'entrée et pénétrèrent directement dans la cuisine bien chauffée où le bébé placide était assis dans son landau, non loin de Mme Cooper qui pelait des pommes de terre. Elle se retourna en les voyant et, à cet instant, le téléphone sonna. Eve reposa Jamie et se précipita. A la deuxième sonnerie, elle avait déjà décroché.

– Oui.

– Eve, c'est fini, tout s'est bien passé. Nous avons un autre petit garçon. Il a fait une traversée un peu mouvementée mais il est en pleine forme et Jane est un peu fatiguée mais ça va. On l'a ramenée dans sa chambre, vous pouvez venir la voir cet après-midi.

– Oh, David...

– Je peux parler à Jamie ?

– Bien sûr.

Elle tendit le combiné au petit garçon.

– C'est papa. Tu as un petit frère.

Elle se tourna vers Mme Cooper qui s'était immobilisée, le couteau dans une main et une pomme de terre dans l'autre.

– Tout va bien, madame Cooper, Jane va bien.

Elle avait envie de prendre Mme Cooper dans ses bras et de l'embrasser sur ses joues roses.

– C'est un petit garçon, tout s'est passé normalement. Elle se porte bien... et...

Inutile d'insister, elle ne pouvait en dire plus. D'ailleurs elle ne voyait plus Mme Cooper car ses yeux s'étaient remplis de larmes. Elle n'était pas du genre à laisser libre cours à ses émotions et elle ne voulait pas que Jamie la voie pleurer. Elle planta là Mme Cooper, sortit de la cuisine et se retrouva dans le jardin, à l'air vif du matin.

Il n'y avait plus rien à craindre. Le soulagement lui donnait des ailes, comme si d'un seul bond elle s'était mise à flotter à dix mètres du sol. Riant et pleurant tout à la fois, maudissant sa sensiblerie, elle chercha un mouchoir dans sa poche, s'essuya les yeux et se moucha le nez.

Douze cygnes blancs. Elle était heureuse que Jamie l'ait accompagnée, sinon elle aurait cru que cette vision stupéfiante n'était qu'une hallucination de son esprit surmené. Douze cygnes blancs. Elle les avait regardés arriver et disparaître. Disparaître pour toujours. Elle savait qu'elle ne serait plus jamais témoin d'un tel miracle.

Elle leva les yeux vers le ciel vide qui s'était assombri. Il ne tarderait pas à pleuvoir. À cet instant, Eve sentit les premières gouttes froides sur son visage. Douze cygnes blancs. Elle enfonça les mains dans les poches de son manteau et rentra dans la maison pour téléphoner à son mari.

Traduit par Hélène Prouteau

Une jeune femme que j'ai connue

Dix heures du matin. Le téléphérique était aussi bondé qu'un bus londonien aux heures de pointe. Oscillant légèrement, il poursuivait en grinçant, avec une régularité effroyable, son ascension dans l'air pur d'un blanc aveuglant loin au-dessus des champs de neige et des chalets disséminés au fond de la vallée. Derrière les passagers, le village disparut progressivement – maisons, magasins, hôtels groupés autour de la rue principale. Sous le plancher s'étiraient les longues pistes de neige étincelante qu'ombraient de bleu les bouquets de sapins. Très loin devant, et rien que d'y penser Jeannie en eut le vertige, se dressait le pic qui était leur destination, crevant le ciel bleu telle une aiguille de glace.

Le Kreisler. Juste au pied, se trouvaient les bâtiments de bois trapus du terminal ainsi qu'un restaurant. La façade de ce dernier était une vitre où se reflétait le soleil. Sur le toit de l'établissement flottaient les drapeaux de plusieurs pays. Du village, la station du téléphérique et le restaurant paraissaient aussi éloignés que la lune ; mais d'instant en instant, ils se rapprochaient.

Jeannie déglutit. Elle avait la bouche sèche, l'estomac noué. Plaquée dans un coin du téléphérique, elle tourna la tête vers Alistair. Mais

Anne, Colin et lui avaient été séparés d'elle dans la bousculade qui avait succédé à l'embarquement ; aussi se trouvait-il de l'autre côté de la cabine. Il était facile à repérer du fait de sa grande taille et de son profil de médaille. De toutes ses forces, elle le supplia de se retourner afin de pouvoir croiser son regard et quêter un sourire de réconfort. Mais il n'avait d'yeux que pour la montagne et ne pensait manifestement qu'à la descente.

La veille au soir, alors qu'ils étaient tous les quatre assis au bar de l'hôtel, elle avait soudain déclaré :

– Ne comptez pas sur moi. Je ne vous suivrai pas.

– Mais si, tu viendras. C'est bien pour ça qu'on est venus. Pour skier tous ensemble. Ce n'est pas drôle si tu passes ton temps sur les pentes pour débutants.

– Je ne skie pas suffisamment bien.

– Ce n'est pas difficile. Ça prendra du temps, c'est tout. On ira à ton rythme.

Ça, c'était encore pire.

– Je ne ferais que vous retarder.

– Cesse de te sous-estimer.

– Je n'ai pas envie de venir.

– Ne me dis pas que tu as peur ? avait lancé Alistair.

Effectivement, elle avait peur ; mais elle avait menti, biaisé.

– Non, pas exactement. J'ai peur de vous gâcher votre plaisir.

– Mais tu ne gâcheras rien du tout.

Il avait parlé avec une merveilleuse assurance car c'était quelqu'un de merveilleusement sûr de lui. Il semblait ignorer le sens du mot peur ; aussi était-il incapable de reconnaître ce sentiment chez les autres.

– Mais...

– Trêve de discussions. Viens danser.

Plaquée contre la paroi du téléphérique, elle se dit qu'il avait oublié jusqu'à son existence. Avec un soupir, elle se tourna vers la vitre pour examiner le vide, le sommet incroyablement élevé. En bas, tout en bas, les skieurs sillonnaient déjà les pistes ; telles des fourmis minuscules, ils faisaient des traces dans la neige vierge. Cela paraissait si facile... C'était ça le plus terrible, cette impression de facilité. Seulement, pour Jeannie, la difficulté était quasiment insurmontable.

– Souple sur les genoux, lui répétait le moniteur. Faites porter le poids de votre corps sur la jambe qui est à l'extérieur.

Finalement ils étaient arrivés à destination. Après s'être balancés dans l'air pur et le soleil éclatant, ils s'étaient engouffrés avec bruit dans l'obscurité de la station du téléphérique. La cabine s'immobilisa dans une ultime secousse. Les portes s'ouvrirent, tout le monde descendit. La température était plus basse de plusieurs degrés.

Jeannie fut la dernière à émerger et, le temps qu'elle pose le pied par terre, les premiers skieurs étaient partis et dévalaient la montagne, ne voulant surtout pas en perdre une miette, ne voulant même pas passer cinq minutes dans la chaleur du restaurant avec une tasse de chocolat chaud ou un verre brûlant de Glübwein.

– Allez, Jeannie.

Alistair, Colin et Anne avaient déjà chaussé leurs skis, mis leurs lunettes et piaffaient d'impatience. Dans ses grosses chaussures, Jeannie avait la sensation d'avoir des pieds de plomb. Le froid lui brûlait les joues et emplissait ses poumons d'un air atrocement glacé.

– Viens, je vais te donner un coup de main.

Péniblement, elle parvint à rejoindre Alistair et laissa tomber ses skis par terre. Il se baissa, lui attacha ses fixations. Encombrée par le poids des planches, elle se sentit de plus en plus dépassée par les événements.

– Ça va ?

Impossible d'articuler un mot. Prenant son silence pour un acquiescement, Colin et Anne lui sourirent joyeusement, la saluèrent de leurs bâtons dressés et s'élancèrent. Une petite poussée, et ils se retrouvèrent au bord de la pente. De là, ils disparurent dans l'espace infini et brillant.

– Tu n'as qu'à me suivre, lui dit Alistair. Tout se passera bien.

Et lui aussi disparut.

« *Tu n'as qu'à me suivre.* » Elle l'aurait suivi au bout du monde ; mais là, vraiment, c'était impossible. Pétrifiée de frousse, elle resta plantée à trembler de tous ses membres. Même dans ses cauchemars les plus atroces, elle ne s'était jamais trouvée dans une situation aussi horrible. Et puis soudain une calme résolution remplaça la panique.

Elle ne descendrait pas le Kreisler. Elle allait ôter ses planches, se réfugier au restaurant, s'asseoir et boire quelque chose de chaud. Puis elle prendrait le téléphérique et redescendrait au village. Alistair serait fou de rage mais elle s'en moquait bien. Les autres la mépriseraient mais cela lui importait peu. Décidément, son cas était désespéré. Elle n'était qu'une abominable froussarde. Incapable de skier. A la première occasion, elle repartirait pour Zurich et prendrait l'avion pour rentrer chez elle.

Ayant bien examiné le problème, elle eut soudain l'impression que tout devenait facile. Elle retira ses skis, les trimballa jusqu'au restaurant, les ficha dans la neige avec les bâtons. Puis elle grimpa les marches de bois, franchit les lourdes portes de verre. A l'intérieur, elle fut aussitôt accueillie par une douce chaleur, l'odeur du feu de bois dans la cheminée, celle des cigares et du café.

Elle commanda une tasse de café, alla s'installer à une table libre. Du café fumant s'élevaient des effluves délicieux et réconfortants. Elle retira son bonnet de laine, secoua ses cheveux et eut aussitôt la sensation de se débarrasser d'un déguisement particulièrement peu seyant et de se retrouver. Les mains autour de la tasse bien chaude, elle décida de se concentrer sur ce moment d'intense soulagement et de ne penser à rien d'autre. Surtout pas à Alistair. Non, elle ne voulait pas penser qu'elle pouvait le perdre...

– Vous attendez quelqu'un ?

Saisie, Jeannie leva la tête et vit un homme debout devant elle. Elle s'aperçut que c'était à elle qu'il s'adressait.

– Personne.

– Alors vous permettez ?

Bien qu'étonnée, elle s'efforça de le dissimuler.

– Oui... bien sûr.

Cet homme d'un certain âge n'était pas un dragueur ; il était manifestement anglais et parfaitement présentable. Sa démarche n'en était donc que plus insolite.

Lui aussi tenait une tasse de café à la main. Il la posa sur la table, tira une chaise et s'installa. Il avait des yeux d'un bleu perçant, des cheveux gris clairsemés. Il portait un anorak marine et, dessous, un pull rouge vif. Il était hâlé, ridé, et avait le teint d'un homme qui a passé la plus grande partie de sa vie en plein air.

– Quelle magnifique matinée !

– Oui, opina Jeannie.

– Il a neigé vers deux heures du matin. Pas mal, même. Vous le saviez ?

– Non, je l'ignorais, fit-elle en secouant la tête.

Il l'observa sans ciller.

– J'étais assis à la table près de la fenêtre. J'ai tout vu.

Le cœur de Jeannie se serra.

– Je ne comprends pas.

Mais elle ne comprenait que trop bien.

– Vos amis sont partis sans vous.

Ça avait l'air d'une accusation et aussitôt Jeannie prit leur défense.

– Ce n'était pas leur intention au départ. Ils étaient persuadés que j'allais les suivre.

– Pourquoi ne les avez-vous pas suivis ?

Toutes sortes de mensonges lui traversèrent l'esprit. « Je préfère skier seule. » « J'avais envie d'une tasse de café. » « J'attends qu'ils reviennent par le téléphérique et nous ferons alors la descente tous ensemble. »

Mais comment mentir à ces yeux si bleus...

– J'ai peur.

– De quoi ?

– Je crains d'avoir le vertige. J'ai peur de skier. De me ridiculiser. De leur gâcher leur plaisir.

– Vous n'avez jamais skié auparavant ?

– Non, c'est la première fois. Il y a une semaine que nous sommes là et j'ai passé tout ce temps sur les pistes pour débutants avec un moniteur, à essayer de m'y mettre.

– Et vous avez réussi ?

– Pas vraiment. Je dois avoir un problème de coordination. Ou alors je suis une grande trouillarde. J'arrive à descendre, tourner, m'arrêter, des choses comme ça. Mais je ne sais jamais à quel moment je vais me retrouver les quatre fers en l'air. Alors je panique, je me crispe, et évidemment je me casse la figure. C'est un cercle vicieux. Et en outre, j'ai le vertige. Le téléphérique me terrorise.

Il ne fit aucun commentaire.

– J'imagine que vos amis sont tous des skieurs chevronnés.

– Oui. Ça fait longtemps qu'ils skient ensemble. Alistair venait dans cette station avec ses parents quand il était petit. Il adore le village et il connaît toutes les pistes par cœur.

– Alistair, c'est votre petit ami ?
– Oui, dit-elle, gênée.

Il sourit et soudain elle trouva facile de lui parler, aussi facile que s'il avait été un étranger rencontré dans un train.

– C'est drôle, nous avons tant de points communs, nous nous entendons si bien, nous rions des mêmes choses et puis voilà que... Je savais que si je voulais lui faire plaisir je devrais apprendre à skier parce que c'est un sport qu'il adore. Seulement ça m'a toujours fait très peur. Comme je vous l'ai dit tout à l'heure, j'ai du mal à coordonner mes mouvements. Au début je me suis dit que malgré tout j'arriverais peut-être à me mettre au ski. Aussi lorsque Alistair a émis l'idée de venir passer quelque temps ici avec Colin et Anne, j'ai sauté sur l'occasion de me prouver que j'en étais capable. Mais maintenant je m'aperçois que je m'étais trompée.
– Alistair sait ce que vous ressentez ?
– Difficile de le lui faire comprendre. Et je ne voudrais surtout pas qu'il pense que je ne m'amuse pas.
– Ce qui est le cas ?
– Effectivement, je déteste cet endroit. Même mes soirées sont gâchées. Au lieu de m'amuser, je ne pense qu'à ce qui m'attend le lendemain.
– Votre café terminé, comment allez-vous regagner le village ?
– J'avais pensé emprunter le téléphérique.
– Je vois. (Il réfléchit puis dit :) Prenons une autre tasse de café et bavardons un peu.

Jeannie se demanda de quoi ils allaient bien pouvoir parler ; mais la tasse de café lui semblait une bonne idée. Aussi acquiesça-t-elle :

– Volontiers.

Ayant pris leurs tasses, il s'approcha du bar et revint avec deux nouveaux cafés fumants. Alors qu'il se rasseyait, il déclara soudain :

– Vous me rappelez étrangement une jeune femme que j'ai connue. Elle vous ressemblait, elle avait votre voix. Et elle avait aussi peur que vous.

– Que lui est-il arrivé ? (Tout en remuant son café, Jeannie s'efforça de prendre les choses à la légère.) Elle est redescendue en téléphérique et elle est rentrée chez elle la queue basse, c'est ça ? C'est bien ce qui risque de m'arriver à moi aussi, non ?

– Non, ce n'est pas exactement ce qui s'est passé. Elle est tombée sur quelqu'un qui a compris son problème et lui a donné un coup de main.

– Un coup de main ? Il me faudrait plus que ça. Il me faudrait un miracle.

– Ne vous sous-estimez pas.

– Je suis une abominable froussarde.

– Il n'y a pas de quoi avoir honte. Etre courageux, ce n'est pas faire une chose qui ne vous fait pas peur. Au contraire. Le courage, c'est d'affronter ce qui vous paralyse.

A peine venait-il de prononcer ces mots que la porte du restaurant s'ouvrit sur un homme qui, après avoir regardé alentour, traversa la salle pour les rejoindre. Arrivé devant leur table, il s'immobilisa et retira son bonnet de laine d'un air respectueux.

– Commandant Manleigh ?

– Hans ! Que puis-je faire pour vous ?

Le nouveau venu s'exprimait en allemand et le compagnon de Jeannie lui répondit dans la même langue. Ils parlèrent un moment et parurent résoudre rapidement le problème qui les occupait. L'homme salua Jeannie, dit au revoir et s'éloigna.

– Que se passe-t-il ? voulut-elle savoir.

– C'est Hans, il travaille au téléphérique. Votre petit ami a téléphoné du village afin de savoir où vous étiez passée. Il avait peur que vous n'ayez fait une chute. Armé de votre signalement, Hans a fait un saut jusqu'ici, histoire de voir si vous n'y étiez pas.

– Que lui avez-vous dit ?
– De ne pas se faire de mauvais sang. Que nous allons descendre tranquillement, à notre rythme.
– *Nous ?*
– Vous et moi. Mais pas par le téléphérique. Nous allons descendre le Kreisler ensemble.
– C'est impossible.
Il n'essaya pas de la contredire. Au contraire, après une pause, il demanda :
– Est-ce que vous êtes amoureuse de ce jeune homme ?
Elle n'avait jamais vraiment envisagé la question. Pas sérieusement. Mais devant cette interrogation abrupte, la vérité lui apparut, éclatante.
– Oui.
– Vous ne voulez pas le perdre ?
– Non.
– Alors suivez-moi. Maintenant, tout de suite. Avant que nous ne changions d'avis l'un et l'autre.

Dehors, il faisait toujours aussi froid, mais le soleil était plus haut dans le ciel et les festons de glace qui ornaient le balcon du restaurant et les portes de la station du téléphérique commençaient à fondre.
Jeannie enfila son bonnet et ses gants, récupéra ses skis, attacha ses fixations, empoigna ses bâtons. Son nouvel ami était déjà prêt et l'attendait. Ensemble ils traversèrent l'étendue de neige déjà maintes fois foulée pour atteindre le départ de la pente où la piste tel un ruban d'argent sinuait le long des champs de neige. Le village qui avait l'air d'un hameau de poupées à cette distance était blotti au creux de la vallée et en toile de fond d'autres chaînes de montagnes brillaient avec l'éclat étincelant du verre.
– C'est magnifique, dit-elle pour la première fois.

– Profitez du spectacle. C'est une des joies du ski. On a le temps de s'arrêter et de contempler le paysage. Et cette journée est magique. Voilà, vous êtes prête ?

– Prête.

– Alors on y va ?

– Je peux vous poser une question ?

– Je vous écoute.

– La jeune fille dont vous m'avez parlé, celle qui avait aussi peur que moi. Que lui est-il arrivé ?

– Je l'ai épousée, dit-il en souriant.

Et il s'éloigna tout doucement le long de la pente, franchissant une petite crête, amorçant un virage et filant dans l'autre direction.

Jeannie prit une profonde inspiration, serra les dents, et s'aidant de ses bâtons, le suivit.

Tout d'abord, elle se trouva aussi raide et maladroite que d'habitude ; mais sa confiance en elle se mit bientôt à croître à mesure que le temps passait. Déjà trois virages, et elle n'était toujours pas tombée. Son sang courait plus vite dans ses veines. Son corps se réchauffait, ses muscles se détendaient. Le soleil brillait sur son visage et elle sentait contre sa peau l'air dont la fraîcheur évoquait celle du champagne bien frappé. Ses skis crissaient doucement dans la neige, elle eut l'impression de prendre de la vitesse, elle entendit racler les bords des planches sur la glace tandis qu'elle négociait un virage délicat.

Il ne la précédait jamais de beaucoup et s'arrêtait pour l'attendre, la laisser reprendre son souffle. Parfois il lui donnait des explications. « La piste est très étroite à travers le bois », disait-il. « Mettez-vous dans les traces des skieurs qui vous ont précédée et tout ira bien. » « La piste rase le bord de la montagne à cet endroit-là, mais ça n'est pas aussi dangereux que ça en a l'air. »

Bref, il lui donnait à croire que rien n'était trop difficile ni trop effrayant et lui ouvrait la route. À mesure qu'ils s'enfonçaient dans la vallée, le paysage changeait. Il y avait des ponts à passer, des portails de ferme grands ouverts à franchir.

Et tout à coup, beaucoup plus rapidement qu'elle ne s'y était attendue, ils débouchèrent en terrain familier, en haut des pentes pour débutants. Tant et si bien que la dernière partie de la descente fut un jeu d'enfant comparée à ce qui avait précédé. Jeannie descendit ces pentes sur lesquelles elle avait peiné sept jours durant à une vitesse et avec une sensation d'exaltation toutes nouvelles pour elle. Elle avait réussi. Elle avait descendu le Kreisler.

La piste s'arrêtait devant l'école de ski et le petit café où elle était allée jour après jour se réconforter en buvant une tasse de chocolat bien chaud. L'inconnu l'y attendait, détendu, souriant, aussi ravi qu'elle, et manifestement amusé par sa réaction.

Elle s'arrêta près de lui, remonta ses lunettes sur son front et éclata de rire.

– Je croyais que ce serait horrible, mais finalement non; ç'a été formidable.

– Vous vous êtes très bien débrouillée.

– Je ne comprends pas : je ne suis pas tombée une seule fois.

– Vous tombiez parce que vous étiez tendue. Maintenant ça ne risque plus de vous arriver.

– Je ne sais comment vous remercier.

– C'est inutile. J'y ai pris grand plaisir. Ah, si je ne me trompe, je crois que votre petit ami vient à votre rencontre.

Jeannie pivota et constata qu'effectivement c'était Alistair qui émergeait du café, descendait les marches de bois et traversait la neige pour les rejoindre. Son visage exprimait un soulagement merveilleux et son sourire contenait un monde de félicitations.

– Tu as réussi, Jeannie. Bravo, chérie ! (Il la serra très fort.) Je t'ai regardée descendre la dernière partie de la piste et je t'ai trouvée épatante.

C'est alors que par-dessus sa tête, il croisa le regard de l'homme qui était venu au secours de la jeune fille. Jeannie releva les yeux et vit une autre expression se peindre sur ses traits – expression de respect qu'elle avait vue sur le visage de l'homme du téléphérique lorsqu'il était venu parler à son compagnon.

– Commandant Manleigh. (S'il avait porté un chapeau, il se serait certainement découvert.) Je ne vous avais pas reconnu de loin. Je ne savais même pas que vous étiez là. (Les deux hommes échangèrent une poignée de main.) Comment allez-vous ?

– D'autant mieux que j'ai rencontré cette charmante jeune femme. Excusez-moi, vous êtes... ?

– Alistair Hansen. Je vous regardais skier quand j'étais gamin. J'avais des photos de vous punaisées sur tous les murs de ma chambre.

– Ravi de vous rencontrer.

– C'est vraiment aimable à vous d'être descendu avec Jeannie. Hans m'a transmis votre message. J'étais arrivé à mi-pente lorsque je me suis rendu compte que Jeannie était restée à la traîne. Il était trop tard pour que je rebrousse chemin.

– Nous nous sommes croisés au restaurant. Elle avait froid, alors elle était allée boire quelque chose de chaud. Nous avons bavardé.

– J'avais peur qu'elle ne soit tombée.

Le commandant Manleigh se pencha, détacha ses fixations et ôta ses skis. Les mettant sur son épaule, il se redressa avec un sourire.

– Vous pouvez compter sur elle, jeune homme, elle ne vous laissera pas tomber, il suffit de l'encourager. Je dois m'en aller. Au revoir, Jeannie, et bonne chance.

– Au revoir, et merci encore.

Il assena une claque sur l'épaule d'Alistair.

– Prenez bien soin d'elle, lui dit-il avant de faire demi-tour et de s'éloigner.

Jeannie s'employait à retirer ses skis.

– Qui est-ce ?

– Bill Manleigh. Viens, on va boire quelque chose.

– Qui est Bill Manleigh ?

– J'ai du mal à croire que tu n'aies jamais entendu parler de lui. C'est un de nos meilleurs skieurs. Lorsqu'il a été trop vieux pour faire de la compétition, il est devenu entraîneur de l'équipe olympique. Tu vois, ma chérie, tu as descendu le Kreisler en compagnie d'un champion.

– Je l'ignorais. Tout ce que je sais, c'est qu'il a été adorable. Autant que je te le dise, Alistair, ce n'est pas parce que j'avais froid que je suis allée me réfugier au restaurant mais parce que j'avais trop peur pour vous suivre.

– Tu aurais dû me le dire.

– Impossible. J'étais plantée là, terrorisée, et j'ai compris que je n'aurais jamais le courage d'attaquer cette descente. Je buvais du café pour me réconforter quand il est entré et qu'il est venu me parler. Il ne m'a pas parlé de lui. Il m'a seulement dit qu'il était marié.

Alistair souleva ses skis et les mit en équilibre sur son épaule. Ensemble ils se dirigèrent vers le petit café.

– Oui, il était marié. A une fille adorable. Je les regardais skier, c'était le couple le plus glamour du monde. Ils s'entendaient si bien, riant, bavardant, comme s'ils étaient seuls au monde...

– Tu en parles comme si c'était du passé.

– En effet. (Ils étaient arrivés devant le chalet et Alistair fit une pause pour ficher ses skis dans la neige.) Elle est morte l'été dernier. Noyée. J'ai appris ça par les journaux. Ils faisaient de la voile en Grèce avec des amis et il y a eu un terrible accident. Ça l'a anéanti. Comme il doit se sentir malheureux sans elle...

Jeannie scruta la rue pour voir si elle ne l'apercevait pas mais il avait disparu, absorbé par la foule joyeuse des vacanciers. « Il doit se sentir malheureux. » L'espace d'un instant, elle crut qu'elle allait se mettre à pleurer. Une grosse boule monta et descendit dans sa gorge et ses yeux s'embuèrent de larmes ridicules. Un homme aussi beau. Elle ne le reverrait probablement jamais et pourtant elle avait une dette immense envers lui. Ça, elle ne l'oublierait pas.

– Mais je parie qu'il ne t'en a pas touché un mot, poursuivit Alistair.

« *Vous me rappelez étrangement une jeune femme que j'ai connue.* »

Alors que main dans la main avec Alistair elle gravissait les marches conduisant à la porte du café, Jeannie comprit que, finalement, elle ne pleurerait pas.

– Non. Il ne m'a rien dit.

Traduit par Dominique Wattwiller

Dames espagnoles

Le premier mercredi du mois de juillet, le vieil amiral Colley rendit l'âme. Il fut enterré le samedi suivant après une messe de funérailles dans l'église du village. Deux semaines plus tard, sa petite-fille Jane s'apprêtait à y convoler en justes noces avec Andrew Latham. On fronça un peu les sourcils et il y eut bien une ou deux lettres réprobatrices de vieux parents éloignés, mais la famille déclara : « C'est ce qu'il aurait voulu. » Et on sécha ses larmes pour s'affairer aux préparatifs du mariage. « C'est ce qu'il aurait voulu. »

A six heures et demie du matin, Laurie se réveilla dans sa chambre inondée de soleil. Il s'était glissé sur son lit comme une chaude couverture, multipliait la lumière dans le miroir à trois faces posé sur sa coiffeuse, se répandait sur le tapis d'un rose fané. Par la fenêtre ouverte, elle voyait le ciel pâle et sans nuages, annonciateur d'une magnifique journée. Les rideaux, choisis par sa mère quand Laurie avait treize ans, étaient assortis à la tapisserie et au couvre-lit à volants. Elle se souvenait de sa consternation et de ses efforts pour dissimuler sa déception quand elle était rentrée de pension pour découvrir la nouvelle décoration de sa chambre. Depuis toujours elle rêvait d'une chambre aussi nette et austère qu'une cabine de bateau, avec des murs blancs, couverts d'étagères pour ses livres, et un lit comme celui de son grand-père, monté sur tiroirs et équipé d'une petite échelle pour y grimper.

Si la mariée est heureuse, le soleil n'arrêtera pas de briller. Elle tendit l'oreille. Le bruit d'une porte qui se refermait et l'aboiement d'un chien montèrent des profondeurs de la maison. Sa mère était déjà debout ; elle se préparait sûrement sa première tasse de thé de la journée et, assise à la table de la cuisine, dressait la liste des milliers de choses qui lui restaient à faire.

Aller chercher tante Blanche à la gare.
Coiffeur. Aura-t-elle déjeuné ?
Envoyer Robert chez le fleuriste (œillets).
Boîtes pour les chiens. NE PAS OUBLIER.

Si la mariée est heureuse, le soleil n'arrêtera pas de briller. Dans la chambre du grenier opposée à la sienne, Jane devait sommeiller. Jane n'avait jamais été lève-tôt et elle n'allait pas bousculer ses habitudes le jour de son mariage. Laurie l'imaginait, blonde et rose, ses cheveux emmêlés retombant sur le vieux nounours aveugle qu'elle tenait coincé sous son menton. L'ours en peluche était un sujet d'agacement pour sa mère qui estimait qu'il n'avait pas sa place dans un voyage de lune de miel. Laurie admettait qu'il s'accordait mal à des négligés vaporeux et à un amour romantique mais elle connaissait Jane. En apparence, elle se soumettait sans broncher à tout ce que l'on exigeait d'elle et puis elle n'en faisait qu'à sa tête. Laurie était donc persuadée que, ce soir, l'ours l'accompagnerait dans la suite nuptiale d'un hôtel de luxe.

Elle continua d'explorer la maison en imagination. La chambre d'amis où dormaient son frère aîné et sa femme. La nursery où leurs enfants occupaient d'anciens berceaux de famille. Elle songea à son père qui allait reprendre ses esprits, ouvrir les yeux, remercier le ciel pour cette belle journée avant de commencer à se faire du souci pour les places de parking, la qualité du champagne, sans compter le pantalon de son costume pour la matinée, qui avait dû être retouché. Et les factures.

– Nous n'avons pas les moyens de vous offrir un grand mariage, avait-il aussitôt décrété à l'annonce des fiançailles.

Tout le monde était tombé d'accord mais pour des raisons sensiblement différentes des siennes.

– Nous ne voulons pas d'un grand mariage, avait dit Jane. Juste un déjeuner après le mariage civil.

– Nous ne tenons pas à un grand mariage, avait timidement renchéri sa mère, mais le village serait déçu. On pourrait organiser une réception très simple...

Il ne restait plus qu'à demander l'avis de Laurie et de Granpa. Laurie, étudiante à Oxford, était très prise par ses examens et n'avait pas d'avis sur la question mais Granpa, lui, tenait fermement à ce qu'il appelait « un peu de tintouin ».

– Vous n'avez que deux filles, avait-il lancé aux parents de Laurie. Pas de cérémonie à la sauvette ! Et inutile de louer une tente, nous débarrasserons les meubles du salon et, s'il fait beau, les invités iront sur la pelouse...

Elle l'entendait comme s'il était dans la pièce. Elle enfouit son visage dans l'oreiller et lutta contre la vague de chagrin qui menaçait de l'engloutir. Toute sa vie il avait été son compagnon préféré, son conseiller, son meilleur ami. Jane et Robert n'avaient pas une grande différence d'âge mais Laurie était née six années plus tard et avait toujours été solitaire.

– Quelle drôle de petite fille, disaient les amies de sa mère qui croyaient qu'elle n'écoutait pas. Si réservée. Elle ne joue jamais avec d'autres enfants ?

Mais Laurie n'en ressentait pas la nécessité puisqu'elle avait Granpa.

Granpa avait passé sa vie dans la marine. Voilà plus de vingt ans de cela, après la mort de sa femme et alors qu'il était déjà à la retraite, il avait acheté un terrain à son fils. Il s'était construit lui-même une petite maison et avait emménagé en Cornouailles, abandonnant Portsmouth pour toujours. C'était une maison en bois de cèdre avec un toit de bardeaux et une grande véranda qui donnait sur la vieille digue. A marée haute, l'eau venait clapoter contre les pierres, rappelant à Granpa sa vie de marin. Il avait fixé à la rambarde de la véranda un télescope qui lui procurait beaucoup de plaisir. Il n'y avait aucun bateau à surveiller car bien qu'il existât quelques bateaux de pêche en piteux état abandonnés au pied des rochers derrière la maison, plus rien n'entrait ni ne sortait de l'estuaire à part la mer. Mais il aimait regarder les oiseaux et compter les voitures sur la route qui longeait la plage de sable. En hiver, elles étaient peu nombreuses et très espacées, mais avec l'été, elles se retrouvaient pare-chocs contre pare-chocs. Le soleil se reflétait sur les pare-brise et on entendait le bourdonnement incessant de la circulation.

Il était mort sur la véranda par une belle soirée d'été, son rituel verre de gin à la main tandis qu'un disque tournait sur le gramophone. Il avait toujours refusé la télévision, mais il adorait la musique. *Night of love, O lovely night, O Night that's all divine.* « La Barcarolle. » Avant de mourir, il avait mis la « Barcarolle » et quand on l'avait trouvé, l'aiguille grinçait sur le dernier sillon.

Il possédait aussi un vieux piano droit dont il jouait plutôt mal mais avec beaucoup d'enthousiasme. Quand Laurie était petite, il se mettait au piano et lui apprenait des chansons qu'ils entonnaient ensemble. Des chansons de marins bien rythmées. « Whisky Johnny », « Rio Grande » et

« Shenandoah ». Sans compter sa préférée, « Spanish Ladies ».

Adieu, belles dames espagnoles
Adieu, belles dames espagnoles
On nous envoie voguer vers la vieille Angleterre...

Il la jouait sur un rythme de marche lente en plaquant des accords retentissants. Laurie tenait les notes longues et peinait pour reprendre son souffle.

– Merveilleuse marche lente, disait Granpa en se rappelant le lever des couleurs à Whale Island aux accents de « Spanish Ladies » joué par l'orchestre de la marine royale. Le capitaine inspectait le régiment de la garde royale et le drapeau blanc flottait haut dans le ciel du matin.

Il avait mille histoires à raconter, sur Hong Kong, Simonstown et Malte. Il avait fait la guerre en Méditerranée avant de rejoindre l'Extrême-Orient, puis Ceylan. Il avait survécu aux bombes, aux naufrages, il s'en sortait toujours, toujours le mot pour rire, indestructible, un des officiers supérieurs les plus populaires de Sa Majesté.

Seulement voilà, il n'était pas indestructible. Personne ne l'est. Pour finir il avait chaviré en écoutant la « barcarolle », son verre de gin lui avait échappé et s'était brisé à ses pieds. Combien de temps était-il resté ainsi, mort sans qu'on en sache rien ? Un des pêcheurs du coin qui réparait son bateau avait levé les yeux. En le voyant, il avait tout de suite compris que quelque chose n'allait pas. La casquette à la main, il était venu à la maison pour annoncer la nouvelle.

Adieu, belles dames espagnoles...

Lors du service funèbre on avait chanté « Holy, Holy, Holy ! » et « Eternal Father Strong to Save ». En regardant le cercueil drapé dans le drapeau blanc, Laurie avait éclaté en sanglots bruyants et irrépressibles, et sa mère l'avait discrètement fait sortir par une porte latérale. Elle n'était pas retournée à l'église depuis l'enterrement. Hier, elle avait trouvé de bonnes excuses pour ne pas assister à la répétition de la cérémonie nuptiale.

– Je suis la seule demoiselle d'honneur et je sais ce que j'ai à faire. Inutile de perdre mon temps alors que nous sommes débordés de travail. Je préfère aider à dégager le salon et passer l'aspirateur.

Mais aujourd'hui, il n'y avait plus moyen de se défiler.

Elle se leva, s'habilla, se brossa les cheveux et alla rejoindre Jane qui prenait son petit déjeuner au lit. Jane la flemmarde adorait ça, au contraire de Laurie qui avait la hantise de se retrouver avec des miettes dans les draps.

– Bonjour, comment te sens-tu ? demanda-t-elle à Jane en l'embrassant.

– Je ne sais pas. Pourquoi ? Je devrais ressentir quelque chose de spécial ?

– Nerveuse ?

– Non, pas du tout. Je me sens bien, choyée et dorlotée.

– La journée est magnifique, dit Laurie en sortant Teddy de sous l'oreiller. Salut Teddy, tes jours sont comptés.

– Pas du tout, répliqua Jane en lui arrachant l'ours en peluche. Il a encore du ressort. Il vivra suffisamment longtemps pour que nos enfants lui en fassent voir de toutes les couleurs. Tu veux une tartine ?

– Surtout pas. Mange, il faut que tu prennes des forces.

– Toi aussi il va falloir que tu tiennes le coup. N'oublie pas d'être aimable avec le garçon d'honneur et d'attraper mon bouquet quand je le jetterai dans ta direction.

– Oh, Jane !

– Mais qu'est-ce que tu lui reproches, à ce pauvre William Boscawan ? Dès que tu l'aperçois, on dirait un chat en colère. Mais c'est ta faute, aussi, il a toujours été très prévenant avec toi.

– Il me traite comme une gamine de dix ans.

William Boscawan était un vieux sujet de discorde. Voilà cinq ans de cela, William s'était associé à son père, l'homme de loi de la famille. Il était donc revenu habiter dans le quartier. Non seulement il y vivait et y travaillait mais il brisait le cœur de toutes les filles célibataires du comté. Il avait même eu une petite aventure avec Jane avant de perdre définitivement la partie au bénéfice d'Andrew Latham, ce qui n'avait en rien troublé l'amitié des deux hommes. Lors des préparatifs du mariage, personne ne fut surpris quand Andrew annonça que William serait son témoin.

– Je ne comprends pas ce que tu lui reproches.

– Rien du tout. Il est juste un peu trop charmeur.

– Absolument pas. Il est adorable.

– Tu sais très bien de quoi je veux parler. Tu as vu sa voiture ? son bateau ? et toutes ces filles qui battent des cils dès qu'il les observe du coin de l'œil ?

– Tu es injuste. Ce n'est pas sa faute si les filles tombent amoureuses de lui.

– Je l'aimerais mieux s'il n'avait pas autant de succès.

– Voilà bien ton esprit de contradiction. Ce n'est pas parce qu'il plaît que tu dois le trouver antipathique.

– Je n'ai rien contre lui. Pourquoi lui en voudrais-je ? Mais j'aimerais tellement qu'il ait des boutons sur la figure, qu'il cabosse la belle carrosserie de sa puissante voiture ou qu'il tombe à l'eau quand il fait du bateau...

– Tu es impossible. Tu finiras en vieille universitaire grincheuse avec des verres de lunettes comme des fonds de bouteilles.

– D'ailleurs je ne fréquente que de vieux universitaires de ce genre, c'est bien connu.

Elles se toisèrent avec hostilité avant d'éclater de rire.

– Tu as gagné ! s'écria Jane. J'abandonne la partie.

– Oui, restons-en là, acquiesça Laurie. Et maintenant je vais aller prendre mon petit déjeuner.

Elle ouvrit la porte.

– Laurie ? dit Jane d'une voix changée.

Elle se retourna.

– Tu es sûre que ça va ?

Laurie la regarda fixement. Elles n'avaient jamais été très proches, ne partageaient pas de confidences ou de petits secrets et Laurie savait bien ce que cette question avait coûté à sa sœur. Elle aurait dû baisser la garde à son tour. Mais sa réserve était son seul rempart contre le vide, l'intolérable sentiment de perte. Si elle se laissait aller, elle éclaterait en larmes et ne pourrait plus s'arrêter de la journée.

Elle sentit chaque nerf de son corps se rétracter, comme une anémone de mer au contact d'un objet étranger.

– Que veux-tu dire ?

Le timbre de sa voix la choqua elle-même.

– Tu sais bien...

La pauvre Jane semblait totalement désemparée.

– Granpa...

Laurie ne répondit rien.

– Tu souffres plus que nous, vous aviez une relation si particulière... Et aujourd'hui... j'aurais préféré reporter le mariage ou passer simplement par la mairie. Andrew était du même avis que moi mais papa et maman... enfin, cela n'aurait pas été très gentil pour eux...

– Ce n'est pas ta faute.

– Je ne veux pas que tu aies le sentiment que nous te rendons encore plus malheureuse.

– Ce n'est pas ta faute, répéta Laurie.

Elle sortit et referma la porte derrière elle car elle ne voyait pas quoi faire d'autre.

La matinée avançait. La maison, transformée sans ses meubles, se remplissait peu à peu d'étrangers. Les traiteurs arrivèrent, des camionnettes s'arrêtèrent devant la porte, on dressa des tables, on sortit des centaines de verres et elle regarda le soleil les métamorphoser en autant de bulles de savon. La fleuriste vint mettre la dernière main aux arrangements floraux qu'elle avait passé la journée à concocter. Robert alla à la gare chercher tante Blanche. Un des enfants était malade. Le père de Laurie ne trouvait pas ses bretelles, sa mère piqua une crise et annonça qu'elle ne pouvait décemment pas mettre le chapeau assorti à son tailleur de « mère de la mariée ». Elle se le mit sur la tête et descendit l'escalier pour illustrer son propos. C'était un genre de galette en soie rose pastel.

– Franchement, cela ne ressemble à rien, gémit-elle, et Laurie la vit au bord des larmes.

Tous s'écrièrent qu'elle était du dernier chic. Une fois coiffée et vêtue de son tailleur de « mère de la mariée », elle les éclipserait tous. Elle n'était toujours pas consolée quand le coiffeur arriva, mais elle se laissa docilement conduire à sa chambre.

– Parfait, dit le père de Laurie. Rien de tel qu'une bonne coupe mise en plis pour calmer les nerfs d'une femme. Tout va s'arranger.

Il passa la main dans ses cheveux clairsemés et leva les yeux vers Laurie.

– Ça va ? demanda-t-il.

Son ton était détaché mais elle savait qu'il pensait à Granpa et elle ne le supporta pas. Elle fit semblant de ne pas comprendre et dit :

– Moi je n'ai pas de chapeau, juste une fleur.

Elle s'en voulut en voyant l'expression désolée de son père. Il murmura une banalité et s'éclipsa avant qu'elle ait eu le temps de rattraper sa maladresse.

Les traiteurs leur servirent un déjeuner dans la cuisine et toute la famille prit place autour de la table pour un repas inhabituel – aspic de volaille et salades composées alors qu'ils étaient habitués à de la soupe, du fromage et du pain. Laurie brossa sa chevelure soyeuse, la rassembla en couronne au sommet de sa tête et y piqua un camélia. Puis elle se décida à enfiler sa longue robe claire et ferma la rangée de petits boutons sur le devant. Enfin elle attacha un collier de perles autour de son cou, prit le petit bouquet de fleurs de la demoiselle d'honneur et alla se regarder dans la glace accrochée derrière la porte. Elle y vit une jeune fille pâle, métamorphosée, avec un long cou, des yeux sombres et voilés, un visage vide d'expression. Elle songea : « *C'est moi depuis la mort de Granpa. Distante, lointaine, je veux parler de lui mais je ne le peux pas. Pas encore. Peut-être quand j'aurai surmonté cette journée, mais pas maintenant.* »

Elle descendit au premier et frappa à la porte de la chambre de sa mère. Assise à sa coiffeuse, elle se mettait du mascara avant d'affronter la terrible épreuve du chapeau. Ses cheveux, qui sortaient des mains du coiffeur, retombaient en boucles sur sa nuque. Elle était absolument ravissante. Elle croisa le regard de Laurie dans le miroir. Saisie, elle fit pivoter son tabouret et regarda attentivement sa fille cadette.

– Ma chérie, comme tu es jolie ! dit-elle d'une voix un peu tremblante.

Laurie sourit.

– Tu craignais donc que je sois laide ?

– Non, c'est la fierté maternelle qui parle.

Laurie se pencha pour l'embrasser.

– Je suis en avance, dit-elle. Toi aussi tu es jolie, le chapeau est épatant.

Sa mère prit Laurie par la main.
– Laurie...
Elle se libéra.
– Ne me demande pas comment je me sens et ne me parle pas de Granpa.
– Je comprends, ma chérie. Il nous manque terriblement à tous. Nous ressentons un grand vide dans nos cœurs. Aujourd'hui, il devrait être avec nous et il est parti. Mais pour l'amour de Jane, d'Andrew et de Granpa, nous ne devons pas être tristes. La vie continue et il n'aurait pas voulu que cette journée soit gâchée.
– Je ne la gâcherai pas, répliqua Laurie.
– Pour toi, c'est beaucoup plus difficile. Nous le savons.
– Je ne veux pas en parler.

Elle descendit au rez-de-chaussée. Tout était prêt pour la réception et tout semblait bizarre, étrange. Le salon privé de ses meubles, les fleurs et les tables des traiteurs avaient transformé la maison. Mais elle aussi avait changé. Le tissu léger de sa robe, ses chaussures délicates, ce courant d'air froid sur sa nuque privée des cheveux qui lui retombaient habituellement sur les épaules... rien n'était plus pareil. Rien ne serait plus jamais pareil. Peut-être était-ce le début de la vieillesse. Quand elle serait vraiment vieille, peut-être cette journée serait-elle à marquer d'une pierre, et elle songerait : « *C'est là que tout a commencé. Ce jour-là j'ai cessé d'être une enfant et l'insouciance de la jeunesse m'a quittée pour toujours.* »
Son bouquet à la main, elle sortit sur la terrasse, s'assit sur une chaise et contempla le jardin. Des petites tables et des chaises avaient été installées sur la pelouse où s'épanouissaient les parasols, projetant leur ombre sur l'herbe. Au-delà, le jardin descendait en pente douce vers les eaux bleues de l'estuaire. Les mâts des bateaux de pêche poin-

taient derrière la haie de fuchsias et le toit pentu de la maison de Granpa. Elle songea aux contes fantastiques, aux caprices du temps. Remonter le temps... elle avait douze ans, portait un short et des tennis et dévalait la pelouse une serviette sous le bras pour passer prendre Granpa. Chaque jour, ils allaient à la plage ou alors ils prenaient le petit train qui les menait en ville, où ils faisaient des provisions de tabac et de lames de rasoir, Laurie mangeait une glace en cornet, et ils s'asseyaient sur le mur du port au soleil et regardaient les hommes travailler sur leurs bateaux.

Une voiture arrivait. Laurie entendit le gravier crisser, une portière claquer. Elle n'y prit pas garde. Il s'agissait sans doute d'un serveur recruté au dernier moment ou du postier qui apportait des télégrammes à l'heureux couple. Mais la porte d'entrée s'ouvrit et une voix lança :

– Il y a quelqu'un ?

Impossible de s'y tromper, c'était la voix du garçon d'honneur, William Boscawan. La dernière personne qu'elle avait envie de rencontrer... Laurie se figea, retint sa respiration. Elle l'entendit traverser le hall et ouvrit la porte de la cuisine.

– Il n'y a personne ?

Elle se leva sans bruit, s'avança dans la chaleur de l'été et franchit la pelouse. La brise plaqua sur ses jambes le tissu léger de sa robe, les semelles de ses nouvelles sandales glissaient un peu sur l'herbe sèche. Elle ouvrit le portail de la haie. Personne ne l'appela. Elle referma le portail et prit le sentier qui conduisait à la maison de cèdre.

La porte n'était pas fermée. Elle n'était jamais fermée. Laurie entra et respira l'odeur des panneaux de bois, du tabac, et un relent de lotion capillaire qu'utilisait le vieil homme. Le couloir de l'entrée était décoré avec les photographies des bateaux dont il avait eu le commandement. Elle vit l'énorme gong d'un temple birman et la ramure du gnou qu'il avait tué en Afrique du Sud. Elle pénétra dans le salon, retrouva les tapis persans usés, les fauteuils en cuir fatigués. Il faisait très chaud. Une mouche bleue bourdonna contre la vitre de la porte-fenêtre. Elle traversa la pièce et l'ouvrit. Une bouffée d'air frais s'engouffra dans l'atmosphère étouffante de la pièce à l'abandon. Laurie sortit sur la véranda. Les vagues de la marée montante clapotaient contre la digue. L'estuaire, aussi bleu que le ciel, scintillait au soleil.

Laurie se sentit brusquement épuisée, comme si elle avait marché des kilomètres avant de parvenir jusqu'ici. Le fauteuil de Granpa était installé près du télescope. Elle s'y assit en prenant garde à ne pas froisser sa robe. Puis elle renversa la tête et ferma les yeux.

La circulation sur la route au loin, l'eau de la marée montante qui clapotait contre la digue, le cri d'une mouette solitaire montèrent à sa conscience. Elle songea : « *Si seulement je pouvais rester assise ici toute la journée... ne pas aller au mariage, ne parler à personne...* »

Quelque part, une porte s'ouvrit. Le courant d'air fit bouger les lourds rideaux de Granpa.

La porte se referma et des pas résonnèrent dans la maison. Laurie ouvrit les yeux mais ne bougea pas. Puis William apparut dans l'embrasure de la porte-fenêtre. Il regardait Laurie. Même en cet instant de désespoir, elle dut reconnaître que dans son costume clair avec son œillet blanc de garçon d'honneur, il était à couper le souffle. Le col dur d'un blanc éclatant mettait son bronzage en valeur, sa chevelure noire était assortie à son manteau sombre, ses chaussures brillaient comme des soleils. Il n'était pas d'une beauté frappante mais sa virilité, son sourire, ses yeux bleus pétillants exerçaient une attraction irrésistible.

– Hello, Laurie.
– Qu'est-ce que vous faites ici ? demanda-t-elle. Vous êtes censé réconforter Andrew et vous assurer qu'il arrivera à l'heure à l'église, non ?
William sourit.
– Andrew maîtrise la situation avec un calme olympien.
Il entra dans la maison, revint avec une chaise et s'installa en face de Laurie. Il déplia ses longues jambes, les mains dans les poches de son pantalon.
– Mais il a un petit problème avec les confettis dans les valises. Je suis donc venu chercher les bagages de Jane. Nous allons les mettre à l'abri dans une voiture gardée secrète. Il dit qu'il s'est fait à l'idée des boîtes de conserve attachées au pare-chocs, ou même aux harengs cachés dans le moteur, mais il rejette avec énergie l'idée des confettis tombant sur le plancher de la chambre d'hôtel.
– Vous avez vu Jane ?
– Non, mais en descendant ses affaires, votre père s'est aperçu de votre disparition. Une des employées des traiteurs vous avait vue traverser le jardin, alors je vous ai suivie. Je voulais m'assurer que tout allait bien.
– Je vais très bien, merci.
– Vous ne désapprouvez pas ce mariage ?
– Bien sûr que non, répliqua-t-elle d'un ton sec. Vous devriez rejoindre Andrew avant que votre absence ne sème la panique.
William jeta un coup d'œil à sa montre.
– Nous avons dix bonnes minutes devant nous.
Il s'étira et regarda autour de lui.
– Quel merveilleux point de vue ! On se croirait sur le pont d'un bateau.
Laurie s'appuya au dossier du fauteuil.
– Saviez-vous que l'estuaire n'a pas toujours existé ? Avant qu'il ne s'ensable, c'était un bras de mer qui s'étendait sur deux kilomètres à l'intérieur

des terres. Et puis les Phéniciens sont arrivés, avec les marées sur leurs vaisseaux transportant des épices, de la soie, et tous les trésors de la Méditerranée. Ils déchargeaient ici pour y négocier leurs marchandises et puis ils repartaient pour un long voyage hasardeux, chargés à ras bord d'étain gallois. C'était il y a environ deux mille ans.

Elle se tourna vers William.

– Vous le saviez ?

– Oui, mais j'adore qu'on me le raconte.

– C'est sympa d'y penser, hein ?

– Oui. Ça permet de relativiser.

– C'est Granpa qui me l'a raconté.

– Je m'en doutais.

– Il me manque tellement, dit-elle sans réfléchir.

– Je sais. Il nous manque à tous. C'était un homme formidable et il a eu une vie épatante.

Elle n'aurait jamais pensé qu'un garçon comme William regretterait l'amiral. Elle lui adressa un regard curieux et se dit : « *En réalité je ne le connais pas du tout.* » Elle avait l'impression de parler à un étranger dans un train. Soudain, tout lui parut facile.

– Ce n'est pas qu'on se voyait beaucoup, avec Granpa. Ces derniers temps, je n'étais jamais là. Mais quand j'étais petite, on ne se quittait jamais. Je n'arrive pas à m'habituer à l'idée qu'il ne reviendra pas.

– Je sais.

– Il ne se contentait pas de me raconter des histoires vieilles de deux mille ans. Il avait traversé tellement d'événements au cours de sa vie ! Le monde avait changé sous ses yeux et il se souvenait de tout. Et il avait toujours le temps de s'occuper de moi. Il répondait à mes questions, m'expliquait plein de choses. Comment un bateau peut naviguer contre le vent, le nom des étoiles, comment utiliser une boussole, jouer au mah-jong et au backgammon. Qui transmettra toutes ces merveilleuses histoires aux petits-enfants de Robert ?

– Peut-être que cela dépend de nous, dit William.

Elle croisa son regard. Son expression était sombre.

– Vous trouvez que je suis impossible, n'est-ce pas ?

– Non.

– Je sais bien que je suis infernale et tout le monde pense que je gâche la fête de Jane. Je ne le fais pas exprès. Si seulement on m'avait donné un peu plus de temps... mais ce mariage...

Ses yeux se remplirent de larmes.

– Si seulement on avait pu le repousser de quelques jours. Je ne supporte pas l'idée d'être obligée de rentrer dans cette église, de sourire et d'être aimable. Je ne le supporte pas. Tout le monde dit que Granpa aurait souhaité que cela se passe ainsi. Mais comment peut-on affirmer une chose pareille ? Personne ne le lui a demandé. Comment peuvent-ils en être aussi sûrs ?

Elle ne put continuer. Les larmes coulaient sur ses joues. Laurie fit un geste pour les essuyer mais William lui lança un mouchoir qu'elle attrapa au vol. Puis elle se tamponna le visage et se moucha.

– J'aimerais rester ici pour le restant de mes jours, murmura-t-elle.

Il sourit.

– Cela ne servirait à rien et surtout cela ne ramènerait pas l'amiral. Et puis vous vous trompez, il désirait vraiment que le mariage ait lieu. Environ deux semaines avant sa mort, il est allé voir mon père. Peut-être ne se sentait-il pas très bien, à moins qu'il n'ait eu une sorte de prémonition, toujours est-il qu'ils ont parlé du mariage et l'amiral a dit à mon père que s'il arrivait quoi que ce soit, il ne voulait à aucun prix que l'on repousse la date de la cérémonie.

Laurie s'essuya à nouveau les yeux.

– Vous me dites la vérité ?

– Je vous en donne ma parole. Cela ressemble bien à ce cher amiral, hein ? Il a toujours aimé l'ordre et les situations claires et nettes. Je sais que je ne devrais pas vous le dire mais je vais quand même vous faire une confidence.

Laurie fronça les sourcils.

– Il vous a laissé sa maison, à vous sa petite-fille préférée et sa meilleure amie. Oh non, vous n'allez pas vous remettre à pleurer, sinon vos yeux vont gonfler et la jolie demoiselle d'honneur va devenir laide à faire peur. Aujourd'hui est un très beau jour. Allons, courage, songez à Jane et Andrew, redressez la tête. L'amiral sera fier de vous.

– J'ai tellement peur de me ridiculiser, dit-elle d'une petite voix.

– Mais non, lui assura William.

Et maintenant le moment crucial était arrivé. Sous le porche de la vieille église, la mariée, son père et la demoiselle d'honneur se tenaient prêts. Les cloches s'étaient tues. De l'intérieur de la nef bondée montaient les murmures et les bruissements d'une assemblée impatiente et joyeuse. Laurie donna un baiser à Jane et se pencha pour arranger les plis de sa jupe. Le bouquet de Jane sentait bon les tubéreuses.

Le pasteur, vêtu de son surplis d'un blanc immaculé, attendait pour conduire la petite procession. Le bedeau fit un signe à miss Treadwell, l'institutrice du village qui tenait l'orgue. La musique s'éleva. Laurie prit une profonde inspiration. Ils passèrent la porte, descendirent les deux grandes marches peu élevées.

A l'intérieur, l'église était sombre, remplie de fleurs qui embaumaient. Le soleil brillait par les vitraux tandis que les membres de la congrégation, parés de leurs plus beaux atours, se levaient d'un seul élan. Laurie ne pensait plus aux funérailles de Granpa, elle se concentrait sur le chapeau de sa mère, les larges épaules de son frère, la tête des enfants aux cheveux lisses et bien coiffés. « *Un jour,* songea-t-elle, *quand ils seront grands, je leur parlerai des Phéniciens. Je leur transmettrai toutes les histoires merveilleuses que Granpa m'a racontées.* »

C'était une pensée réconfortante. Soudain, Laurie se rendit compte que le pire était passé. Son angoisse et sa nervosité s'étaient dissipées. Elle se sentait merveilleusement calme tandis qu'elle avançait sur les dalles de l'allée centrale au rythme de la musique, derrière sa sœur.

La mélodie qu'interprétait miss Treadwell résonnait, triomphale, tout à fait adaptée à un mariage. Elle avait sans doute été jouée en d'autres occasions de ce genre, mais elle les portait vers l'autel sur une vague de musique glorieuse et entraînante.

Les dames espagnoles...

La gorge de Laurie se noua.

« *Je l'ignorais. Personne ne m'a prévenue qu'on allait utiliser l'air préféré de Granpa pour la marche nuptiale.* »

Mais comment l'aurait-elle su ? Elle avait refusé de venir à la répétition du mariage et personne dans la famille n'avait eu le courage de le lui dire.

Adieu, belles dames espagnoles...

Granpa. Il était ici, dans l'église, prenant grand plaisir à la cérémonie, au respect de la tradition, et il était de tout cœur avec eux. Il faisait toujours partie de la famille.

Adieu, belles dames espagnoles.

Andrew et William attendaient au bout de l'allée. Les deux hommes se retournèrent à l'approche de la petite procession. Andrew ne quittait pas Jane des yeux et son visage respirait l'orgueil et l'émerveillement. Mais William...

Il soutenait Laurie d'un regard ferme, attentif, rassurant. Elle se rendit compte qu'elle respirait plus librement. Elle ne pleurerait pas. Elle aurait aimé dire à William ce qu'elle ressentait mais à cet instant leurs regards se croisèrent, il lui sourit, lui adressa un clin d'œil et elle sut que c'était inutile parce qu'il savait déjà.

Traduit par Hélène Prouteau

Siffler le vent

En ce samedi matin, les arbres baignaient dans une lumière dorée et les nuages se pourchassaient jusqu'à la lointaine ligne bleue de la mer, projetant leur ombre sur les collines avoisinantes.

Jenny Fairburn rentrait chez elle pour déjeuner après une balade avec ses deux chiens. Elle avait beaucoup marché, faisant le tour du loch puis rentrant par le chemin défoncé de la ferme, et ressentait une agréable fatigue. Elle apercevait maintenant sa maison : un vieux presbytère à côté d'une église en ruine, protégé du vent du nord par une rangée de pins, et dont les fenêtres sur la façade sud étincelaient au soleil comme pour lui souhaiter la bienvenue. Fatiguée mais aussi affamée, elle pensait au déjeuner qui l'attendait, un rôti de mouton qui lui fit venir l'eau à la bouche comme une enfant affamée.

En réalité, Jenny avait vingt ans. Grande et mince, elle avait des cheveux blond vénitien, un teint pâle hérité de sa grand-mère paternelle – une pure native des Highlands –, des yeux bruns, un nez étroit et retroussé, une grande bouche expressive. Quand elle souriait, son visage s'illuminait. Mais elle savait que la colère ou la tristesse pouvaient lui donner l'air maussade et ordinaire.

Elle se dirigea vers le porche situé à l'arrière de la maison, donna à boire aux chiens qui tiraient la langue puis enleva ses chaussures boueuses. Elle entendit, venant de la cuisine, la voix de sa mère qui devait parler au téléphone, puisque le père de Jenny était allé jouer au golf et que sa voiture ne se trouvait pas dans le garage.

Toujours en chaussettes, elle pénétra dans la cuisine et sentit aussitôt le rôti en train de cuire ainsi que l'odeur piquante d'une sauce à la menthe.

– ... C'est tellement gentil de votre part, disait sa mère. (Elle se retourna, vit Jenny et sourit d'un air absent.) Oui. Vers dix-huit heures trente. Nous serons là tous les trois. Au revoir.

Elle raccrocha et adressa un grand sourire à sa fille.

– Tu as fait une bonne balade ?

Sa gaieté semblait un peu forcée.

– Avec qui parlais-tu au téléphone ? demanda Jenny en fronçant les sourcils.

Agenouillée devant le four, Mme Fairburn en ouvrit la porte pour jeter un coup d'œil à son rôti ; une bouffée de chaleur odorante envahit aussitôt la cuisine.

– C'était simplement Daphne Fenton, répondit-elle.

– Que voulait-elle ?

Mme Fairburn referma la porte du four et se redressa. Elle avait le visage rouge – mais peut-être n'était-ce dû qu'à la chaleur.

– Nous sommes invités tous les trois à venir prendre l'apéritif.

– Qu'est-ce qu'on fête ?

– Rien de particulier. Fergus passe le week-end chez ses parents et Daphne a invité quelques personnes pour l'apéritif. Elle a insisté pour que tu viennes.

– Je n'irai pas.

– Tu ne peux pas faire ça, ma chérie.

– Tu n'auras qu'à dire que je suis prise ailleurs.
Mme Fairburn s'approcha de sa fille.

– Je sais que tu as de la peine, dit-elle, et à quel point tu aimes Fergus. Mais c'est fini. Il épouse Rose le mois prochain. Il vaut donc mieux que tu montres à tout le monde que tu l'acceptes.

– Je pense que c'est ce que je ferai quand ils seront mariés. Mais ce n'est pas encore le cas, et Rose ne me plaît pas.

Elles se regardaient d'un air mutuellement désespéré, quand elles entendirent la voiture de M. Fairburn remonter la rue et passer le portail.

– Ton père arrive, il doit avoir faim, dit Mme Fairburn en tapotant tendrement la main de sa fille. Il faut que je prépare la sauce du rôti.

Après le déjeuner, lorsque la table fut débarrassée, ils se consacrèrent à leurs activités respectives. M. Fairburn enfila sa tenue de jardinage (qu'aucun jardinier digne de ce nom n'aurait osé porter) et sortit dans le jardin pour balayer les feuilles. Mme Fairburn se remit à coudre les nouveaux coussins du salon qu'elle essayait de finir depuis un mois et Jenny décida d'aller pêcher. Elle prit sa canne, son panier à truites, enfila la vieille veste de chasse de son père et mit des bottes en caoutchouc. Après avoir averti les chiens que cette fois ils ne pouvaient pas l'accompagner, elle demanda à sa mère :

– Je peux emprunter ta voiture ? Je vais au loch voir si je peux attraper quelque chose.

– Essaie de pêcher trois truites, répondit Mme Fairburn. Nous pourrons les manger ce soir.

Comme Jenny approchait du loch, elle vit que l'eau brune était calme, à peine ridée par la brise. « *Mauvais pour la pêche, aurait dit Fergus. Il va falloir siffler le vent.* »

Elle quitta la route et s'engagea dans un sentier herbeux qui, un kilomètre et demi plus bas, débouchait sur le loch. Elle laissa sa petite voiture cabossée rebondir sur les touffes d'herbe et de bruyère et se gara à quelques mètres de la rive. Portant sa canne et son panier, elle s'approcha d'un petit canot échoué sur un monticule de galets.

Mais, au lieu de le pousser vers l'eau, elle s'assit au bord du loch et resta attentive au silence environnant qui était en réalité peuplé de bruits minuscules : le bourdonnement d'une abeille, le lointain bêlement d'un mouton, le souffle de la brise, le murmure de l'eau sur les galets.

« *Il va falloir siffler le vent.* »

Fergus... Que dire d'un homme qui fait partie de votre vie depuis votre plus tendre enfance? D'abord garçonnet en jeans rapiécés, ramassant des coquillages sur la plage. Puis jeune homme en kilt grimpant sur la colline. Puis homme adulte, raffiné et attirant, au visage bronzé et aux yeux aussi bleus que le lac en été. Que dire de celui avec lequel on a ri et on s'est disputée, qui a été un ami et un rival et qui finalement s'avère être – car Jenny en était certaine – le seul homme qu'on aimera jamais?

Fergus avait six ans de plus que Jenny et il était le fils des Fenton, des amis de ses parents, qui possédaient l'exploitation agricole d'Inverbruie, à trois kilomètres du presbytère.

Quand Jenny était enfant, les gens disaient : « *Il est comme un frère pour elle.* » Mais elle savait qu'il était plus que cela. Est-ce qu'un frère aurait eu la patience de passer des heures à enseigner l'art de la pêche à une petite fille? Est-ce qu'un frère aurait dansé pendant toute la soirée avec une adolescente dégingandée alors que la salle était remplie de filles plus mûres et plus jolies?

Et quand Jenny était partie dans un internat du Kent, supportant si mal d'avoir quitté l'Ecosse que dans toutes ses lettres elle demandait la permission de rentrer, c'était Fergus qui avait réussi à convaincre ses parents qu'elle ferait d'aussi bonnes études et serait mille fois plus heureuse au lycée de Creagan.

« *Un jour,* se disait-elle alors, *je l'épouserai. Il tombera amoureux de moi et me demandera d'être sa femme. J'irai habiter à Inverbruie avec lui et nous reprendrons l'exploitation de ses parents.* »

Mais cette perspective de bonheur à deux dut être abandonnée quand Fergus annonça qu'il ne voulait pas être agriculteur comme son père et qu'il partait à Edimbourg faire des études pour devenir expert-comptable.

Que se passa-t-il alors ? Jenny se contenta de modifier légèrement ses projets pour eux deux. « *Il ne va pas tarder à tomber amoureux de moi,* se disait-elle, *et quand nous serons mariés, j'irai vivre avec lui à Edimbourg. Nous aurons une petite maison dans Ann Street et nous irons écouter des concerts de musique classique.* »

A vrai dire, elle se sentait découragée à l'idée de devoir quitter la campagne car elle détestait la ville. Mais elle se disait que la vie à Edimbourg ne serait peut-être pas si désagréable que ça et qu'elle pourrait toujours revenir chez elle pendant les week-ends.

Mais Fergus ne resta pas à Edimbourg. Dès qu'il eut obtenu son diplôme, l'entreprise pour laquelle il travaillait lui proposa un poste au siège social et il partit à Londres. Londres ? Pour la première fois, les certitudes de Jenny furent sensiblement ébranlées. Pourrait-elle supporter de vivre aussi loin de ses collines bien-aimées et de son loch ?

– Pourquoi n'irais-tu pas à Londres ? lui proposa sa mère quand elle quitta le lycée. Tu pourrais t'inscrire en fac et louer un petit appartement sur place.

– Je ne le supporterais pas. Ce serait encore pire que quand j'étais interne dans le Kent.

– Que dirais-tu d'Edimbourg alors ? Il faudrait quand même que tu quittes la maison pendant quelque temps.

Jenny était donc partie à Edimbourg. Elle avait appris la sténo-dactylo, suivi des cours de français, visité les musées et quand elle avait trop le mal du pays, elle escaladait Arthur's Seat et s'imaginait être au sommet de Ben Creagan. Quand Pâques arriva, comme elle avait décroché son diplôme, elle se dit qu'il était temps de rentrer chez elle. Fergus allait certainement venir chez ses parents pour Pâques et elle espérait qu'il remarquerait le changement qui s'était opéré en elle.

A l'instar de ce qui arrivait dans les livres, il allait sans doute la regarder comme s'il la voyait pour la première fois et peut-être découvrirait-il alors ce que Jenny savait depuis des années : qu'ils étaient faits l'un pour l'autre. Ses nébuleux rêves éveillés deviendraient enfin réalité. Bien entendu, cela impliquerait qu'elle vive à Londres mais c'était sans importance, car elle savait maintenant que vivre n'importe où sans Fergus ne présentait aucun intérêt.

Quand le train arriva à Creagan, elle s'approcha de la fenêtre et aperçut sa mère sur le quai, ce qui lui parut étrange car habituellement c'était toujours son père qui venait la chercher.

Elles s'embrassèrent et après avoir sorti du train les bagages de Jenny, se dirigèrent vers le parking de la gare. La nuit tombait, les réverbères venaient de s'allumer ; l'air sentait les collines et la tourbe.

Après avoir traversé la petite ville, elles s'engagèrent sur la route secondaire qui menait au presbytère. Comme elles passaient devant Inverbruie, Jenny demanda :

– Fergus est là ?

– Oui. Il est venu voir ses parents. Et il... il a amené une amie avec lui.

– Une amie... ? répéta Jenny en se tournant pour regarder le profil de sa mère.

– Oui. Une fille qui s'appelle Rose. Tu l'as peut-être déjà vue à la télévision. Elle est actrice. (*Une amie... Une fille... Une actrice ?*) Il l'a rencontrée il y a deux mois.

– Et toi, tu l'as vue, cette fille ?

– Non. Mais nous sommes invités ce soir chez les Fenton. Ils donnent une soirée.

– Mais... mais... commença Jenny.

Elle ne trouvait pas de mots capables d'exprimer le choc et la tristesse qu'elle éprouvait. Arrêtant la voiture sur le bas-côté, Mme Fairburn se tourna vers sa fille.

– C'est pour ça que je suis venue te chercher à la gare. Je savais que tu serais bouleversée. Je voulais que nous en discutions avant de rentrer.

– Je... je ne veux pas qu'il amène qui que ce soit à Creagan.

Jenny elle-même se rendit compte à quel point cette réaction était puérile.

– Fergus ne t'appartient pas, Jenny. Il a parfaitement le droit de se faire de nouveaux amis et de vivre sa vie. Et toi aussi, il va falloir que tu fasses la même chose. Tu ne peux pas passer le reste de ton existence à regretter le passé et tes rêves d'enfant.

Le plus terrible, ce n'était pas que sa mère lui dise cela mais qu'elle se montre aussi perspicace.

– Je... l'aime vraiment.

– Je sais. Je sais combien tu souffres. Mais c'est toujours comme ça avec un premier amour. Il faut serrer les dents et tenir le coup. Et ne rien laisser voir de ce que tu ressens.

Elles restèrent sans rien dire pendant un court instant. Puis Mme Fairburn demanda :

– Ça va ?

Comme Jenny hochait la tête, elle redémarra.

– Tu crois qu'il va l'épouser ? demanda Jenny.

– Je n'en sais rien. Mais d'après ce que m'a dit Daphne Fenton, c'est bien possible. Elle m'a expliqué que Fergus venait d'acheter un appartement à Wandsworth et que Rose était en train de faire les housses des coussins.

– Tu penses que c'est mauvais signe ?

– Pas mauvais à proprement parler. Mais cela dénote quelque chose.

Jenny ne souffla mot jusqu'à ce que sa mère ait passé les grilles du presbytère.

– Peut-être qu'elle me plaira, dit-elle alors, sortant soudain de sa torpeur.

– Oui, dit Mme Fairburn. Peut-être...

Mais Jenny eut bien du mal à apprécier Rose car, avant de la rencontrer, elle l'avait vue dans une dramatique à la télévision où elle jouait le rôle d'une infirmière. Elle l'avait alors trouvée assommante avec son visage en forme de cœur animé par des émotions variées, et son jeu qui consistait à exprimer un chagrin insupportable par de légers tremblements dans sa voix de jeune femme bien élevée.

Dans la vie réelle, Rose était plutôt jolie. Ses cheveux noirs et soyeux retombaient en longues boucles sur ses épaules ; elle portait ce soir-là à Inverbruie une robe taille basse avec une garniture assez inattendue de perles et de paillettes cousues sur les plis amples de la jupe.

– Fergus m'a tellement parlé de vous ! dit-elle quand Jenny lui fut présentée. Il m'a dit que vous aviez pratiquement été élevés ensemble. Votre père a lui aussi une ferme ?

– Non, il est directeur de banque à Creagan.

– Et vous avez toujours vécu ici ?

– Oui. J'ai même fait mes études au lycée local. J'ai passé l'hiver à Edimbourg mais pour moi, c'est merveilleux d'être enfin rentrée à Creagan.

– Vous ne vous... ennuyez pas trop dans un coin aussi désert ?

– Non.
– Et qu'allez-vous faire, maintenant ?
– Je n'en sais rien.
– Vous devriez venir à Londres. Comme je le dis toujours à Fergus, c'est le seul endroit au monde où l'on puisse vivre. Venez à Londres et je m'occuperai de vous... (Elle tendit la main, referma ses doigts sur le bras de Fergus, qui était en grande discussion avec quelqu'un d'autre, et l'attira vers elle sans égards pour la personne avec laquelle il était en train de parler.) Chéri, j'étais en train de dire à Jenny qu'elle devrait venir à Londres.
Fergus et Jenny se regardèrent au fond des yeux, Jenny tout étonnée que cela lui soit aussi facile.
– Jenny n'aime pas les grandes villes, dit Fergus.
– C'est une question de goût, dit Jenny en haussant les épaules.
– Mais vous n'allez quand même pas toujours rester ici ? s'écria Rose d'une voix incrédule.
– Je compte en tout cas passer l'été à Creagan, répliqua Jenny.
Elle avait parlé sans réfléchir mais découvrit au même instant qu'en réalité sa décision était prise.
– Je vais essayer de trouver un travail saisonnier, ajouta-t-elle. (Puis, voulant changer de sujet :) Ma mère m'a parlé de cet appartement à Wandsworth.
– Oui... commença Fergus qui dut s'en tenir là car aussitôt Rose lui coupa la parole.
– Un appartement divin ! Pas très grand mais bien ensoleillé. Encore quelques petits détails, et ce sera parfait.
– Il y a un jardin ? demanda Jenny.
– Non. Mais quelques jardinières. Je pense que nous allons planter des géraniums. D'un beau rouge écarlate. Nous pourrons alors faire comme si nous vivions en Grèce ou à Majorque. N'est-ce pas, chéri ?

– Tout ce que tu veux, répondit Fergus.

Des géraniums rouges. « *Dieu du ciel!* songea Jenny. *Il est vraiment amoureux d'elle.* » Et soudain, elle ne supporta plus de les regarder. Elle s'excusa et les quitta. Et ne parla plus à Rose ni à Fergus pendant tout le reste de la soirée.

Mais elle ne put échapper totalement à Fergus car, le lendemain, il vint la trouver alors qu'elle était en train de faire un grand nettoyage de printemps dans le pavillon au fond du jardin.

– Jenny.

Elle secouait un tapis de crin poussiéreux quand il apparut sans prévenir à l'angle du pavillon. Elle fut tellement surprise qu'elle ne sut d'abord pas quoi dire. Puis articula :

– Que veux-tu ?

– Je suis venu te voir.

– Comme c'est gentil. Où est Rose ?

– A la maison. Elle se lave les cheveux.

– Ils avaient pourtant l'air parfaitement propres hier soir.

– Jenny, vas-tu accepter de m'écouter ?

Elle émit un soupir clairement audible et prit l'air résigné.

– Tout dépend de ce que tu as à dire.

– J'aimerais simplement que tu comprennes la situation. Je ne veux pas que tu sois fâchée. J'espère que nous pourrons encore au moins parler ensemble et être amis.

– Parler, c'est ce que nous sommes en train de faire, non ?

– Et être amis ?

– L'amitié, c'est bien gentil. Mais ce n'est pas une raison pour tout accepter.

– Mais qu'est-ce que j'ai fait ?

Au lieu de lui répondre, Jenny le regarda d'un air accusateur et jeta à terre le tapis qu'elle tenait à la main.

– J'ai compris, dit Fergus. Tu n'aimes pas Rose. Tu ferais mieux de l'admettre.

– Je n'éprouve rien de particulier vis-à-vis de Rose. Ni dans un sens ni dans l'autre. Je ne la connais pas.

– Dans ce cas, ce n'est pas très correct – ni pour elle ni pour moi – de la condamner d'avance.

– J'ai simplement l'impression que nous n'avons rien de commun.

– Tu penses ça parce qu'elle t'a dit que tu devrais quitter Creagan.

– Ça ne la regarde pas !

Maintenant, Fergus était aussi furieux qu'elle. Jenny s'en rendit compte en le voyant serrer les dents, un signe qu'elle connaissait bien ; elle se réjouit d'avoir provoqué sa colère, ce qui, d'une certaine manière, atténuait sa propre souffrance.

– Tu vas rester ici toute ta vie, Jenny, et finir par devenir une vraie péquenaude. Tu porteras une jupe en tweed informe et tu seras incapable de parler d'autre chose que de chiens et de pêche.

– Tu sais quoi ? Eh bien je préfère ça plutôt que d'être une actrice de seconde zone avec une bouche en cœur.

Fergus se mit à rire. Mais c'était de Jenny elle-même qu'il riait, non de ce qu'elle venait de dire.

– Je suis sûr que tu es jalouse, lança-t-il. Tu as toujours été une fille impossible !

– Et toi, tu as sans doute toujours été un imbécile. Mais je viens juste de m'en rendre compte.

Il tourna les talons et s'en alla en traversant à grands pas la pelouse. La colère de Jenny tomba aussi vite qu'elle était apparue. Les paroles prononcées impulsivement dans le feu de la discussion avaient beau posséder un fond de vérité, elles ne pouvaient plus être rattrapées. Rien ne serait plus jamais pareil.

Jenny trouva un travail à Creagan, dans une boutique qui vendait aux touristes des pulls en shetland et des bijoux fabriqués avec des galets. Au mois de juillet, elle apprit par sa mère que Rose et Fergus s'étaient fiancés et qu'ils se marieraient en septembre à Londres où habitaient les parents de Rose. Ce serait un mariage dans la plus stricte intimité où ne seraient invités que leurs plus proches amis londoniens. Mais pour l'heure, ils étaient de retour à Inverbruie et il y avait cet apéritif auquel Jenny n'avait pas le courage d'assister. « *Quand ils seront mariés*, se promit-elle, *ce sera différent.* » Elle allait faire preuve de dynamisme, partir à l'étranger, trouver un travail dans un hôtel des Alpes françaises ou un poste de cuisinière sur un yacht. Elle commençait à avoir froid et il fallait pêcher des truites pour le dîner. Elle se leva, descendit le long du talus couvert de bruyère, défit l'amarre du canot, le poussa dans l'eau et commença à ramer.

La pêche est une activité très particulière car, lorsqu'on pêche, on ne pense à rien d'autre. Jenny commença par se diriger vers le milieu du loch, puis rentra les avirons et laissa le vent la ramener à nouveau vers la rive. Maintenant, la brise était suffisamment importante pour rider la surface de l'eau ; elle pouvait commencer à pêcher.

Elle entendit une voiture qui s'engageait sur le chemin de terre, mais elle était trop absorbée pour y prêter attention. Elle eut une touche, puis une seconde et ferra enfin un poisson qu'elle ramena doucement, sans se préoccuper de quoi que ce soit d'autre. Elle se servit de son épuisette pour le sortir de l'eau et le laissa tomber au fond du canot.

Comme si elle n'attendait que cela pour intervenir, une voix lança alors :

– Bien joué.

Surprise qu'on puisse l'interrompre dans ses occupations, Jenny leva les yeux et prit conscience en même temps de plusieurs choses étonnantes. D'abord, son canot avait dérivé tout près de la berge ; ensuite, la voiture qu'elle avait entendue était garée un peu plus haut ; enfin, Fergus, silhouette solitaire debout sur la rive, la regardait.

Il était nu-tête et le vent ébouriffait ses cheveux bruns. Il portait un veston de tweed et des pantalons de velours côtelé, glissés dans des bottes en caoutchouc vertes. Ce n'était pas une tenue de pêche. Jenny s'assit dans le canot qui tanguait un peu et, tout en le regardant, elle se demanda s'il était venu là par hasard ou s'il la cherchait pour lui demander pourquoi elle refusait d'aller à cet apéritif et la persuader de changer d'avis. Dans ce cas, ils allaient à nouveau se disputer et, plutôt que d'en arriver là une nouvelle fois, elle préférait encore ne pas lui parler.

– Bien joué, répéta-t-il en souriant. Tu t'y es très bien prise. Je n'aurais pas fait mieux moi-même.

Sans lui répondre, Jenny se mit à rembobiner en faisant attention à ne pas abîmer sa mouche. Puis elle posa sa canne et regarda Fergus.

– Cela fait combien de temps que tu es là ? demanda-t-elle.

– Une dizaine de minutes. (Il mit ses mains dans les poches de sa veste.) Je te cherchais. Je suis d'abord passé chez toi et ta mère m'a dit où tu étais. Je voulais te parler.

– A quel sujet ?

– Ne commence pas à monter sur tes grands chevaux, Jenny. Faisons la paix.

Cette proposition semblait correcte.

– D'accord.

– Approche-toi et laisse-moi monter.

Jenny ne fit pas un geste mais son canot fut poussé vers le rivage et, alors qu'elle hésitait toujours, elle sentit un choc au moment où la quille raclait le fond rocheux. Avant qu'elle ait pu se rendre compte de ce qui arrivait, Fergus était entré dans l'eau et saisissait l'avant du canot. Il enjamba le plat-bord et monta avec elle.

– Et maintenant, passe-moi les avirons, dit-il.

Elle ne semblait guère avoir d'autre choix. En deux coups d'aviron, Fergus fit tourner le canot et ils se dirigèrent à nouveau vers le milieu du loch. Une dizaine de minutes plus tard, il regarda autour de lui et, jugeant qu'ils étaient allés assez loin, rentra les avirons et releva le col de sa veste pour se protéger du vent froid.

– Maintenant, dit-il, nous allons pouvoir discuter.

Jenny prit l'initiative.

– Je suppose que ma mère t'a dit que je ne voulais pas venir ce soir et que c'est de ça que tu veux me parler.

– De ça. Et aussi d'autre chose.

Jenny s'attendait à ce qu'il en dise plus mais il se tut. Ils se regardèrent par-dessus le banc de nage et, soudain, se sourirent. Jenny éprouva une satisfaction et un sentiment de paix étranges. Cela faisait longtemps qu'elle ne s'était pas retrouvée dans un bateau avec Fergus au milieu du lac, environnée de tous côtés par les collines. Bien longtemps qu'il ne lui avait pas souri ainsi. Du coup, il devenait plus facile d'être honnête non seulement vis-à-vis de lui, mais d'elle-même.

– J'ai refusé de venir car je ne voulais pas revoir Rose. Ce sera différent quand tu seras marié avec elle. Mais pour l'instant... (Elle haussa les épaules.) Je suppose que c'est de la lâcheté, reconnut-elle.

– Ça ne te ressemble pas.

– C'est bien possible. C'est peut-être que je suis toute retournée et que je ne sais plus où j'en suis. Tu m'as dit le jour où tu es venu me trouver au pavillon que j'étais jalouse. Et tu avais raison. Je crois que je t'ai toujours considéré comme ma propriété. Mais c'est faux, n'est-ce pas ? Personne n'appartient jamais à qui que ce soit, même quand on est marié.

– Aucun homme ne peut vivre isolé de ses semblables.

– Bien sûr. Mais j'ai toujours pensé qu'il fallait respecter l'intimité de chacun. Il est impossible de se glisser dans la tête de quelqu'un d'autre.

– C'est vrai.

– Et on ne peut pas non plus toujours rester enfant. Il faut devenir adulte, qu'on le veuille ou non.

– Tu as trouvé un travail à Creagan ? demanda Fergus.

– Oui. Mais seulement jusqu'en octobre car les boutiques ferment pendant l'hiver. J'ai décidé que j'allais alors me montrer particulièrement entreprenante et trouver une activité qui paie bien à des milliers de kilomètres d'ici. En Suisse ou aux Etats-Unis. (Elle sourit d'un air désabusé.) Rose trouverait sûrement cela très bien.

Fergus ne dit rien, se contentant de la fixer de ses yeux d'un bleu profond.

– Au fait, comment va Rose ? demanda-t-elle poliment.

– Je n'en sais rien.

– Mais tu devrais le savoir. Elle est là, non ?

– Non, elle n'est pas à Inverbruie.

– Mais... commença Jenny.

Un courlis passa au-dessus d'eux en lançant son cri lugubre et l'eau clapota contre le bordage du bateau.

– Maman m'a dit... reprit-elle.

– Elle s'est trompée. Ma mère ne lui a pas dit que Rose se trouvait à Inverbruie ; elle a seulement supposé qu'elle ne pouvait que m'avoir accompagné. Nous n'allons pas nous marier. Les fiançailles sont rompues.

– Rompues ? Mais pourquoi maman ne m'en a-t-elle pas parlé ?

– Elle ne le sait pas. Je suis venu à Inverbruie pour l'annoncer à mes parents. Mais ils ne sont pas encore au courant. Je voulais t'en parler avant de le dire à quiconque.

Cette attention était si touchante que Jenny faillit fondre en larmes.

– Mais pourquoi as-tu rompu, Fergus ?

– A cause de ce que tu as dit tout à l'heure. Personne n'appartient à qui que ce soit.

– Tu ne... l'aimais pas ?

– Si, j'étais amoureux d'elle. (Il pouvait dire cela sans que Jenny éprouve de la jalousie ; elle était simplement triste pour lui.) Mais quand on se marie, on épouse aussi la vie de l'autre. Et la vie de Rose et la mienne ressemblaient à des rails de chemin de fer : elles suivaient deux lignes parallèles qui n'avaient aucune chance de se rejoindre un jour.

– Quand tout cela est-il arrivé ?

– Il y a deux semaines. C'est pour ça que je suis venu passer le week-end en Ecosse. Je voulais en parler à mes parents et montrer à ma mère que je n'avais pas le cœur brisé.

– Ça ne t'a pas brisé le cœur ?

– Un peu. Mais pas assez pour que cela se voie.

– Rose t'aimait.

– Pour l'instant.

Jenny hésita, puis lui avoua :

– Moi aussi je t'aime.

Ce fut au tour de Fergus de la regarder comme s'il allait fondre en larmes.

– Oh, Jenny.

– Mieux vaut que tu le saches. Et peut-être l'as-tu toujours su. Je ne pensais pas pouvoir avouer ça à qui que ce soit, surtout pas à toi, mais finalement, c'est plus facile que je le croyais. Je veux dire que pour toi, cela ne change rien. Je vais chercher un travail fabuleux, m'extirper de Creagan et découvrir le vaste monde.

Elle fit un grand sourire à Fergus, s'attendant à ce qu'il sourie à son tour pour lui montrer qu'il approuvait ce projet plein de sagesse et digne d'un adulte. Mais il se contenta de la regarder avec une telle tristesse que le sourire de Jenny s'effaça.

– Ne fais pas ça.

– Mais je pensais que c'était ce que tu voulais, dit-elle en fronçant les sourcils. Que je quitte enfin Creagan et vole de mes propres ailes.

– Je ne supporterais pas que tu partes et voles de tes propres ailes.

– Avec les ailes de qui veux-tu que je vole ?

Pris au dépourvu par l'absurdité de cette question, Fergus ne put s'empêcher d'éclater de rire.

– Je n'en sais rien ! Les miennes sans doute. A dire vrai, tu fais partie de ma vie depuis si longtemps que je ne peux pas envisager que tu partes et que tu m'abandonnes. La vie serait tellement lugubre si je n'avais plus personne avec qui discuter, me disputer et rire...

Jenny réfléchit à ce qu'il venait de dire.

– Si j'avais ne serait-ce qu'une once d'orgueil, je m'en irais. Je ne suis pas du genre à accepter l'amour de quelqu'un qui sort tout juste d'une déception sentimentale.

– Si tu étais vraiment orgueilleuse, tu ne m'aurais pas dit que tu m'aimais.

– Tu aurais pu le deviner toi-même.

– Tout ce que je sais, c'est que tu étais là bien avant que je rencontre Rose.

– Qu'a donc représenté Rose dans ta vie ?

Fergus prit le temps de réfléchir avant de répondre.

– Une pause dans la conversation, dit-il.

– Oh, Fergus.

– Je pense que je suis en train de te demander de m'épouser. Nous avons assez perdu de temps comme ça. Peut-être aurais-je dû avoir la sagesse de te faire cette proposition bien avant.

– Non, corrigea Jenny. Avant, je n'étais pas prête. Je pensais que tu m'appartenais. Mais maintenant, comme je te l'ai dit, je sais que c'est impossible. Personne n'appartient à personne. Malgré tout, c'est quand on pense qu'on va perdre quelqu'un qu'on se rend compte à quel point on tient à lui.

– Moi aussi, j'ai compris ça. Et c'est merveilleux que nous ayons fait cette découverte au même moment.

Il commençait à faire très frais au milieu du loch et Jenny ne put s'empêcher de frissonner.

– Tu as froid, dit Fergus. Je vais te ramener.

Il saisit les avirons et, après avoir jeté un coup d'œil derrière lui pour déterminer leur position, fit tourner la petite embarcation.

– Je ne peux pas rentrer comme ça ! se souvint soudain Jenny. Je n'ai attrapé qu'une truite et il m'en faut trois pour le dîner de ce soir.

– Tu nous barbes avec ton dîner ! Nous allons manger dehors. Je vais inviter tes parents et les miens au restaurant. Nous irons aux *Creagan Arms*. Nous pourrons même commander du champagne et considérer ça comme notre soirée de fiançailles. Si tu n'y vois pas d'inconvénient...

Ils se dirigeaient vers la rive, le petit canot effleurant l'eau du lac légèrement agitée par le vent. Comme celui-ci soufflait dans son dos, Jenny releva le col de sa veste et enfouit ses mains dans ses larges poches. Elle sourit à son amour.

– Aucun, répondit-elle.

Traduit par Catherine Pageard

Premier round amoureux

Ils étaient au tout début de leur vie commune. Leur lune de miel venait de se terminer et, ce matin-là, Julian était reparti travailler à Londres. Maintenant, il rentrait à Putney.

Comme un vieil époux, il chercha au fond de sa poche la clef de la maison. Mais Amanda ouvrit la porte avant qu'il ait eu le temps de la placer dans la serrure, et il connut une fois de plus la joie de rentrer dans sa propre maison et de refermer la porte derrière lui avant de prendre sa femme dans ses bras.

Quand celle-ci put enfin parler, elle lui dit :

– Tu n'as même pas enlevé ton manteau.

– Pas le temps.

L'odeur délicieuse d'un plat en train de mijoter sur le feu s'échappait de la cuisine. Et dans la minuscule entrée qui leur servait de salle à manger, la table était mise. Il aperçut par-dessus l'épaule d'Amanda les verres et les sets de table qu'on leur avait offerts pour le mariage ainsi que l'argenterie dont sa mère leur avait fait cadeau.

– Mais, chéri...

Il sentait sous ses doigts les côtes de la jeune femme, sa taille fine et, juste en dessous, ses formes arrondies.

– Chut ! Il faut que tu saches que je ne peux consacrer mon temps qu'à l'essentiel...

Le lendemain matin au bureau, Julian reçut un coup de fil de Tommy Benham.

– Je suis content que tu sois de retour à Londres, Julian. Tu es d'accord pour nous retrouver à Wentworth samedi ? Roger et Martin seront là et nous comptons démarrer à dix heures.

Julian ne répondit pas tout de suite.

Amanda connaissait Tommy et la passion de son mari pour le golf. Avant et après leurs fiançailles, elle avait accepté avec philosophie que Julian passe ses samedis et parfois même le dimanche sur un terrain de golf. Mais ce samedi-là était le premier de leur vie commune et elle s'attendait peut-être à ce qu'il reste avec elle.

– Je n'en sais rien, Tommy, répondit-il.

– Comment ça ! s'écria Tommy, visiblement choqué. Tu ne vas pas changer de mode de vie sous prétexte que tu es marié ! Ça n'a jamais gêné ta femme que tu joues au golf, pourquoi te le reprocherait-elle maintenant ?

– Il vaudrait peut-être mieux que j'en parle d'abord avec elle...

– Pas de discussion, donc pas de dispute ! Présente-lui ça comme un *fait accompli* [1]. Tu peux être là à dix heures ?

– Bien sûr, mais...

– Parfait. A samedi, alors.

Et Tommy raccrocha.

Ce soir-là, en rentrant du bureau, Julian s'arrêta pour acheter des fleurs pour sa femme.

« Ces fleurs vont lui faire très plaisir, se dit-il, content de lui.

– En les voyant, elle va aussitôt deviner que tu lui as joué un tour de salaud, rétorqua une voix

1. En français dans le texte.

moqueuse dans sa tête. Elle va sans doute se dire que tu as flirté avec une des secrétaires.

– C'est ridicule. Elle sait que je joue au golf tous les week-ends. Je me sens gêné simplement parce que c'est notre premier samedi de jeunes mariés. Mais Tommy a raison. Il faut qu'elle prenne ça comme un *fait accompli*. Le mariage suppose des compromis mais pas un bouleversement complet des habitudes.

– Qui va accepter un compromis ? demanda la voix en ricanant. Toi ou elle ? »

Julian ne répondit pas.

Finalement, il choisit de dire la vérité. En arrivant, il rejoignit Amanda au jardin où, couverte de boue et le visage à moitié caché par ses cheveux, elle était en train de jardiner.

Julian brandit le bouquet de fleurs qu'il avait dissimulé dans son dos, comme un prestidigitateur sortant un lapin de son chapeau.

– Je les ai achetées pour me faire pardonner... Tommy m'a appelé et je lui ai promis de jouer avec lui samedi. Et depuis, ma conscience ne me laisse plus en paix.

Amanda l'avait écouté, le visage enfoui dans les fleurs. Elle releva la tête et le regarda, étonnée. Puis elle éclata de rire.

– Pourquoi aurais-tu mauvaise conscience, chéri ?

– Ça ne te gêne pas ?

– Tu ne vas tout de même pas me dire que c'est la première fois que ça arrive !

Sentant alors un immense élan d'amour pour elle, Julian la prit dans ses bras. Il l'embrassa passionnément.

Le samedi, le temps fut magnifique. Le terrain de Wentworth semblait se dorer au soleil et les fairways se déroulaient devant eux comme autant de tapis veloutés et engageants. Julian jouait avec Tommy et il ne commit aucune erreur de la journée.

En rentrant chez lui, il se sentait d'humeur généreuse et décida d'aller dîner au restaurant avec Amanda. Mais lorsqu'il arriva, elle lui annonça qu'elle avait préparé sa fameuse recette de moussaka. Il se contenta donc d'ouvrir une bouteille de vin et ils dînèrent chez eux.

Amanda portait le cafetan jaune canari qu'il avait acheté pour elle à New York pendant leur lune de miel ; ses cheveux blonds tombaient sur ses épaules comme un pâle rideau de soie.

– Veux-tu un café ? demanda-t-elle lorsqu'ils eurent fini de dîner.

Caressant ses cheveux, il répondit :

– Plus tard...

Il joua au golf deux samedis de suite. Mais le troisième week-end, le rendez-vous fut fixé le dimanche et il accepta ce changement sans sourciller.

– Pas de partie de golf samedi, annonça-t-il à Amanda en rentrant. Nous jouerons dimanche.

Il remplit deux verres, se laissa tomber dans un fauteuil et ouvrit son journal.

– Pourquoi dimanche ?

Plongé dans les cours de la Bourse, Julian ne prêta pas attention au ton d'Amanda.

– Quoi ? Ah, Tommy est pris samedi.

– J'avais promis à mes parents que nous irions déjeuner chez eux dimanche.

Elle avait parlé sur un ton poli, sans aucune agressivité.

– Oh, désolé. Ils comprendront. Téléphone-leur pour les avertir que nous irons les voir un autre week-end, conseilla Julian avant de se replonger dans son journal.

La journée de dimanche fut un ratage complet. Il plut sans discontinuer, Tommy avait la gueule de bois à cause de sa sortie de la veille et Julian joua le genre de golf qui vous donne envie d'abandonner vos précieux clubs et de choisir un autre sport. Il avait le moral au plus bas quand il rentra chez lui et le fait de trouver la maison vide n'améliora pas son humeur.

Après avoir erré sans but d'une pièce à l'autre, il décida de prendre un bain. Quand Amanda revint, il était toujours allongé dans la baignoire.

– Où étais-tu ? demanda-t-il avec humeur.

– Chez mes parents. Je leur avais dit que je viendrais.

– Comment t'es-tu rendue chez eux alors que j'avais pris la voiture ?

– A l'aller, j'ai pris le train. Et au retour, quelqu'un a eu la gentillesse de me raccompagner.

– Je ne savais pas où tu étais.

– Eh bien maintenant, tu es au courant, répondit-elle en l'embrassant sans enthousiasme. Et inutile de me parler de ta journée car je sais qu'elle a été épouvantable.

– Comment peux-tu affirmer une chose pareille ? demanda-t-il, indigné.

– Tu es d'une humeur massacrante et tu as le regard éteint.

– Qu'y a-t-il pour dîner ?

– Des œufs brouillés.

– Rien d'autre ? Je meurs de faim. Je n'ai mangé qu'un sandwich à midi.

– Et moi, j'ai fait un plantureux repas dominical. Je n'ai donc pas faim. Des œufs brouillés, répéta Amanda en refermant la porte derrière elle.

Julian se dit que c'était leur première dispute. Pas une dispute à proprement parler, plutôt un léger froid. Mais qui suffit à le rendre malheureux. Et le lendemain soir en revenant chez lui, il acheta à nouveau des fleurs pour Amanda, lui fit l'amour aussitôt arrivé, puis l'emmena dîner au restaurant.

Tout rentra dans l'ordre et quand Tommy lui téléphona pour lui proposer de jouer au golf le samedi suivant, Julian accepta avec plaisir.

Ce soir-là, il trouva Amanda perchée sur un escabeau dans la salle de bains, en train de peindre le plafond en blanc.

– Fais attention, pour l'amour de Dieu !

– Je ne risque rien, répondit Amanda en se penchant vers lui pour qu'il l'embrasse. C'est mieux, non ? J'ai pensé que nous pourrions repeindre les murs en jaune pour aller avec la baignoire et acheter un tapis vert.

– Un nouveau tapis ?

– Ne prends pas ce ton horrifié. Nous trouverons un tapis bon marché. Il y a une boutique qui fait des soldes actuellement. Nous pourrions aller y jeter un coup d'œil samedi.

Amanda se remit à peindre. Il y eut un silence pendant lequel Julian, sur la défensive, essayait d'évaluer la situation.

– Samedi, ça me sera impossible, dit-il enfin d'une voix égale. Je joue au golf.

– Je croyais que c'était le dimanche maintenant.

– Non. C'était seulement la semaine dernière.

A nouveau, il y eut un silence.

– Je vois, dit Amanda.

Ce soir-là, elle parla à peine et adopta alors un ton des plus polis. Après le dîner, dès qu'ils furent installés dans le salon, elle alluma la télévision.

– S'il te plaît, Amanda, dit Julian en éteignant le poste.

– Je veux regarder cette émission.

– Ce n'est pas possible car il faut que nous discutions.

– Je n'ai rien à te dire.

– Alors, c'est moi qui vais parler. Je ne serai jamais le genre de mari qui va faire des courses le samedi matin avec sa femme et qui passe son dimanche après-midi à tondre la pelouse. Est-ce que c'est clair ?

– Cela signifie que c'est moi qui ferai les courses et qui m'occuperai de la pelouse.

– Tu t'organises comme tu veux. Nous nous voyons déjà tous les soirs...

– Et que suis-je censée faire pendant que tu es au bureau ?

– Rien, si tu en as envie. Tu avais un travail formidable que tu as laissé tomber sous prétexte que tu voulais être une femme au foyer.

– Et alors ? Est-ce que ça veut dire que je vais passer le reste de ma vie livrée à moi-même et adapter mes projets à ta saloperie de golf ?

– Qu'aimerais-tu faire ?

– Je me fiche de ce que je fais, mais je ne veux pas le faire seule. Est-ce que tu comprends ?

Cette fois, ce fut une véritable dispute, pleine d'amertume et de reproches. Le lendemain matin, Amanda lui en voulait toujours autant et quand Julian essaya de l'embrasser avant de partir, elle s'écarta de lui. Il partit furieux au travail.

Irrité et frustré, il eut l'impression que la journée ne se terminerait jamais. Quand il quitta le bureau, il éprouva le besoin de voir quelqu'un de calme et de compréhensif, une personne âgée et sage, capable de le réconforter.

Il pensa aussitôt à sa marraine et se rendit directement chez elle.

– Julian ! dit-elle en lui ouvrant la porte. Quelle bonne surprise ! Entre vite.

Il la regarda avec affection. Bien qu'elle eût largement dépassé la soixantaine, Nora Stokforth était toujours aussi charmante et pleine de vie. Elle ne faisait pas partie de la famille et était seulement une amie de sa mère mais il l'avait toujours appelée tante Nora.

Il lui parla de leur lune de miel et de leur nouvelle maison.

– Et comment va Amanda ? demanda-t-elle.
– Bien.

Il y eut un court silence. Nora en profita pour remplir à nouveau leurs verres. Puis elle se rassit et regarda Julian dans les yeux. Elle lui fit gentiment remarquer :

– A t'entendre, on dirait que tu n'en es pas convaincu.

– Elle va bien. Seulement, elle...

Alors il se jeta à l'eau, lui parla de Tommy et des parties de golf du week-end. Puis il lui expliqua qu'Amanda avait toujours été au courant de sa passion pour le golf et que jusqu'ici, elle l'avait très bien acceptée.

– Mais maintenant... conclut-il, laissant sa phrase en suspens.

– Maintenant, ça la gêne.

– C'est complètement idiot. Je ne joue au golf qu'un jour par semaine. Si encore elle avait en tête quelque chose de spécial pour ce jour-là. Mais non. Ce qu'elle ne veut pas, c'est être livrée à elle-même.

– Ne t'attends pas à ce que je te donne mon avis.

– Que veux-tu dire ?

– Il n'est pas question que je prenne parti. Par contre, tu as très bien fait de venir me voir. Parfois, le simple fait de parler de quelque chose permet de retrouver le sens des proportions.

– Tu penses que j'exagère ?

– Non, pas du tout. Mais tu as besoin de prendre du recul. J'ai toujours pensé qu'un mariage était un peu comme un bébé. Pendant les deux premières années, le nouveau-né a besoin qu'on le câline et qu'on l'aime, besoin de se sentir en sécurité. Pour l'instant, vous n'avez à vous occuper que de vous-mêmes. Il faut que vous en profitiez pour construire votre vie de couple. Quand les mauvais jours viendront – et il y en aura –, vous pourrez vous raccrocher à de beaux souvenirs et c'est ce qui vous permettra de rester ensemble.

– Tu trouves que je suis trop égoïste.

– Je ne suis pas là pour juger, Julian.

– Et tu penses aussi que ses reproches sont justifiés.

Tante Nora se mit à rire.

– Tant qu'elle se plaint, tu n'as pas à t'inquiéter, dit-elle. Par contre, le jour où elle ne te dira plus rien, tu pourras commencer à te faire du souci.

– Que veux-tu dire ?

– Je te laisse le soin de le découvrir par toi-même. Et maintenant, je te conseille de rentrer chez toi. Sinon, Amanda va croire que tu as eu un accident.

Ils se levèrent tous les deux.

– Reviens me voir, Julian, ajouta Nora. Mais la prochaine fois, amène Amanda avec toi.

Quand il arriva chez lui, perdu dans ses pensées, Amanda ouvrit la porte avant qu'il ait eu le temps de sortir sa clef. Ils restèrent là à se regarder, le visage grave. Puis Amanda sourit.

– Bonjour, dit-elle.

– Chérie ! répondit-il en l'embrassant aussitôt. Je suis tellement désolé pour hier soir...

– Moi aussi, Julian. Tu as passé une bonne journée ?

– Non... Mais ça va mieux maintenant. Je suis un peu en retard car je suis allé voir tante Nora avant de rentrer. Elle t'envoie toutes ses amitiés.

Plus tard, Amanda lui demanda, sur un ton anodin :

– Pourrais-tu me laisser la voiture demain ?

– Bien sûr. Tu comptes faire quelque chose de spécial ?

– Non, dit-elle sans le regarder. Je risque d'en avoir besoin, c'est tout.

Julian aurait bien aimé qu'elle lui en dise plus. Mais elle n'en fit rien. Pourquoi avait-elle besoin de la voiture ? Peut-être avait-elle prévu de déjeuner en ville avec une amie.

Le lendemain soir, à son retour, il remarqua qu'Amanda était sur son trente et un. Elle ne s'était pas changée en rentrant et l'attendait, assise devant la télévision.

– La journée a été bonne ? demanda-t-il, espérant qu'elle lui raconterait ce qu'elle avait fait.

– Excellente, se contenta-t-elle de répondre.

– Tu veux boire quelque chose ?

– Rien, merci.

Comme elle était rivée à l'écran de la télévision, Julian alla dans la cuisine se chercher une bière. Il était en train d'ouvrir le réfrigérateur, quand il s'arrêta net. Les paroles de tante Nora résonnèrent dans sa tête : « Le jour où elle ne te dira plus rien, tu pourras commencer à te faire du souci. »

Il était clair qu'Amanda avait cessé de se plaindre. Qu'y avait-il de changé dans son attitude ? Et pourquoi était-elle aussi bien habillée ?

Voulant tâter le terrain avec précaution, Julian demanda :

– Où en est la salle de bains ?

– Je n'ai pas eu le temps de m'en occuper aujourd'hui.

– Tu veux toujours acheter un tapis ? Je peux téléphoner à Tommy et lui demander de trouver quelqu'un d'autre pour jouer au golf, samedi.

– Ce n'est pas si important que ça, répondit Amanda en riant. Inutile de modifier tes projets.

– Mais...

Elle le coupa, rejetant son désir de sacrifice sans même prendre la peine de l'écouter :

– De toute façon, je risque d'être prise de mon côté, samedi. À quelle heure veux-tu dîner ? ajouta-t-elle en jetant un coup d'œil à sa montre.

Julian n'avait pas faim. Il était pris d'horribles soupçons. Elle se moquait bien, à présent, d'être livrée à elle-même. Elle avait ses propres occupations... Des rendez-vous... Avec un autre homme ?

Non. C'était impossible. Pas Amanda...

Et pourquoi pas ? Elle était jeune et attirante. Avant Julian, il y avait eu quantité de jeunes gens sur les rangs.

– Julian, je t'ai demandé à quelle heure tu voulais manger.

Il la regarda comme si c'était la première fois qu'il la voyait. La gorge serrée, il réussit à répondre :

– Quand tu veux.

Il aurait tellement aimé avoir un rhume ou la grippe – n'importe quelle maladie à condition que celle-ci lui fournisse une excuse imparable pour ne pas jouer au golf samedi. Mais quand le samedi arriva, sa santé était toujours aussi bonne. Lorsqu'il s'en alla, Amanda était encore au lit, ce qui était inhabituel.

Julian n'eut pas l'esprit au jeu et Tommy finit par lui demander :

– Qu'est-ce qui se passe ?

– Euh... Rien.

– Tu as l'air préoccupé. Nous avons déjà perdu sept points, tu sais.

Comme de juste, ils furent battus à plate couture, ce qui ne fit pas plaisir à Tommy. Il n'apprécia pas non plus que Julian annonce qu'il ne jouerait pas une seconde partie et qu'il allait rentrer chez lui.

– Il y a vraiment quelque chose qui ne tourne pas rond, dit Tommy.

– Non, non, tout va bien.

– Tu sais que tu commences à ressembler à un homme marié ! Elle t'a fait une scène, c'est ça ? Tu ne devrais pas te laisser marcher sur les pieds, mon vieux.

« Quel imbécile ! se dit Julian, alors qu'il rentrait chez lui à toute allure. Alors, comme ça, j'ai l'air d'un homme marié ? A qui voudrait-il que je ressemble ? A miss Monde ? »

Mais arrivé chez lui, il cessa aussitôt de faire le fanfaron. Car la maison était vide.

Il jeta un coup d'œil à sa montre. Quatre heures de l'après-midi. Qu'était-elle en train de faire ? Et où se trouvait-elle ? Elle aurait pu au moins lui laisser un mot. Mais il fut simplement accueilli par le bourdonnement du réfrigérateur et l'odeur d'encaustique.

Il se dit : « Elle ne reviendra pas. » Et cette seule pensée le laissa glacé et tremblant. Plus d'Amanda. Plus d'éclats de rire ni de discussions. Plus d'amour. La fin de l'amour.

Il avait laissé tomber ses clubs de golf au pied de l'escalier et se contenta de les enjamber et de s'asseoir sur l'avant-dernière marche, comme s'il n'y avait pas de meilleur endroit dans la maison où s'installer.

Il repensa à ce fameux dimanche où elle était allée déjeuner chez ses parents. Qui l'avait ramenée ? Il ne lui avait pas posé la question. Mais maintenant il était sûr qu'il ne pouvait s'agir que de Guy Hanthorpe.

Guy avait été le plus fidèle chevalier servant d'Amanda. Ils se connaissaient depuis toujours car leurs parents étaient voisins à la campagne. C'était un homme distingué et un agent de change arrivé. Râblé et brun, Julian avait toujours envié la haute taille de Guy et ses cheveux blonds ; il le détestait cordialement.

Peut-être se rencontraient-ils en secret, Amanda et lui, depuis qu'elle était rentrée de sa lune de miel.

Il continuait, assis dans le noir au pied de l'escalier, à fumer bêtement cigarette sur cigarette tout en inventant des scénarios qui lui glaçaient le cœur, quand il entendit une voiture remonter la rue.

La voiture stoppa en face de chez eux. Des portières s'ouvrirent puis se refermèrent, il y eut un bruit de pas et de voix dans l'allée.

Julian sauta sur ses pieds et ouvrit brutalement la porte.

C'était Amanda. Accompagnée de Guy.

– Tu es déjà de retour, chéri ! s'écria-t-elle, étonnée.

Julian ne dit rien. Immobile, il regarda Guy avec rage, la cage thoracique serrée entre ses deux bras comme dans un étau. Il se dit qu'il allait frapper Guy et se vit en train de le faire, au ralenti, comme dans un film plein de violence. Il vit sa main se lever et son poing écraser le visage aimable de Guy. Il vit Guy, les traits décomposés et sans connaissance, se cogner la tête en tombant ; étendu inconscient sur le dallage, du sang coulant de sa bouche et de l'horrible blessure qu'il portait à la tête.

– Bonjour, Julian, dit celui-ci.

Julian cligna des yeux, tout surpris de ne pas avoir frappé.

– Où étais-tu ? demanda-t-il à Amanda.

– Je suis allée voir ma mère. Et comme Guy se trouvait chez ses parents, il m'a raccompagnée.

Comme Julian ne disait rien, elle ajouta avec une certaine irritation :

– Tu ne crois pas que nous pourrions entrer ? Il ne fait pas chaud et il commence à bruiner.

– Oui, bien sûr, répondit-il en s'effaçant pour les laisser passer.

– En fait, je ne comptais pas rester, intervint Guy. Je suis invité à dîner ce soir et il faut que je rentre chez moi pour me changer. Je vous dis donc au revoir. A bientôt, Amanda.

Il l'embrassa sur la joue, salua Julian de la main et rejoignit l'allée à grands pas.

– Au revoir ! lui cria Amanda. Et merci de m'avoir raccompagnée.

Debout dans l'entrée, elle jeta alors un coup d'œil aux clubs de golf abandonnés au pied de l'escalier, aux rideaux tirés et, pour finir, à Julian.

– Qu'est-ce qui ne va pas ? demanda-t-elle.

– Rien, répondit-il d'une voix amère. Si ce n'est que j'ai pensé que tu ne reviendrais jamais à la maison.

– Jamais ?... Tu es complètement fou ou quoi ?

– Je croyais que tu étais avec Guy.

Devant sa surprise, il précisa :

– Que tu avais passé toute la journée avec lui.

Amanda se mit à rire, puis s'arrêta net.

– Je t'ai expliqué que j'étais chez ma mère.

– Tu ne m'en as pas parlé, ce matin. Et qu'as-tu fait l'autre jour ? Ce soir-là, quand je suis rentré, tu étais en grande toilette et tu empestais le parfum.

– Si tu te conduis comme ça, je ne te dirai rien.

– Oh si, tu vas me le dire ! hurla-t-il.

Il y eut un silence terrible. Puis Amanda dit calmement :

– Je crois que nous ferions mieux de respirer un bon coup, tous les deux, et de tout reprendre depuis le début.

Julian suivit ce conseil. Puis il lui dit :

– A toi de commencer.

– Ce jour-là, j'ai passé la journée chez mes parents. J'avais besoin de la voiture car j'avais rendez-vous chez le docteur. Je continue à consulter notre médecin de famille car je n'en connais pas d'autre. Je m'étais habillée car cela fait plaisir à ma mère et j'en avais marre de porter des jeans pleins de taches de peinture. Et aujourd'hui, je suis retournée voir le docteur car il avait besoin de m'examiner à nouveau avant d'être tout à fait sûr.

– Sûr de quoi ? demanda Julian, qui la vit soudain mourante.

– Comme tu avais pris la voiture, je suis partie en train et Guy m'a gentiment raccompagnée comme il l'avait fait le samedi précédent. Et tu n'as rien trouvé de mieux que de lui jeter un de tes regards noirs. Jamais je n'ai eu aussi honte de ma vie !

– Amanda ! Que t'a dit le médecin ?

– Que j'attendais un enfant, bien sûr.

– Un enfant !

Il chercha ses mots.

– Mais nous venons juste de nous marier !

– Nous sommes mariés depuis près de quatre mois et nous avons eu une très longue lune de miel...

– Mais nous n'avions pas l'intention de...

– Je sais bien, dit-elle les larmes aux yeux. Mais c'est arrivé et si tu continues à me parler sur ce ton...

– Un enfant, répéta-t-il, sur un ton émerveillé cette fois. Nous allons avoir un enfant ! Oh, ma chérie, tu es vraiment une fille formidable.

– Cela ne te gêne pas ?

– Au contraire... Je suis aux anges ! s'écria-t-il, lui-même surpris que ce soit le cas.

– La maison sera assez grande pour nous trois ?

– Bien sûr.

– Ça m'ennuierait de déménager. J'aime tellement notre petite maison.

– Nous ne déménagerons jamais. Et nous allons élever une énorme famille ! Il y aura une file de landaus dans l'allée du jardin.

– Tu comprends, Julian, pourquoi je ne voulais pas te dire ce que je faisais... Je n'étais pas certaine d'être enceinte et je préférais attendre un peu.

– Ça n'a plus d'importance... La seule chose importante, c'est ce que tu viens de m'apprendre !

Ce soir-là, Julian prépara le repas, l'apporta sur un plateau dans le salon où ils dînèrent devant la cheminée. Amanda dut poser ses pieds sur le divan car, d'après Julian, c'est ce que faisaient toutes les femmes enceintes.

Quand vint le moment de se coucher, Julian ferma la maison puis, le bras passé autour de la taille de sa femme, il l'entraîna vers l'escalier.

Ses précieux clubs de golf se trouvaient toujours en bas des marches. Il les écarta du pied et les abandonna là. Il aurait tout le temps de leur trouver une place plus tard...

Traduit par Catherine Pageard

Le tournant

– Vous allez y arriver, madame Harley ?
– Bien sûr !
Edwina fit glisser son sac à main sur l'un de ses bras, l'anse de son volumineux panier sur l'autre, et souleva non sans difficulté le carton plein de provisions qui se trouvait sur le comptoir. Comme le sachet de tomates placé sur le dessus tanguait dangereusement, elle le cala avec son menton.
– Je vous demanderai seulement de m'ouvrir la porte.
– Votre voiture n'est pas loin ?
– Non, je suis garée juste devant chez vous.
– Au revoir, madame Harley.
– A bientôt.
Elle sortit de la boutique sous le timide soleil de février, traversa en quelques enjambées le trottoir, posa le carton et son panier sur le capot de sa voiture et, après avoir laissé tomber son sac à l'intérieur par la vitre ouverte, se dirigea vers le coffre.
Comme on était vendredi, jour où elle faisait ses courses, celui-ci était déjà à moitié plein. Un sac volumineux qui venait de chez le boucher, les chaussures de Henry récupérées chez le cordonnier et les cisailles de jardin que le forgeron du village avait affûtées et graissées. Quand elle eut ajouté son panier et le carton, elle s'aperçut qu'elle

ne pouvait plus fermer le coffre et dut donc tout ranger à nouveau avant d'y parvenir.

Terminé. Il ne lui restait plus maintenant qu'à rentrer chez elle. Et pourtant, elle hésitait. Debout à côté de sa voiture au centre de ce village écossais, elle regardait avec attention la petite maison en pierre située de l'autre côté de la rue. Une maison à la façade symétrique comme sur un dessin d'enfant et au toit couvert d'ardoises grises. Une étroite bande de jardin, une barrière en bois blanc et une haie de troènes parfaitement taillée la séparaient du trottoir. Tous les rideaux étaient tirés.

La maison de Mme Titchfield. Inhabitée car, deux semaines plus tôt, la vieille dame était morte à l'hôpital. Edwina avait bien connu la propriétaire autant que sa maison, car la vieille dame l'invitait à boire une tasse du thé près du feu chaque fois qu'elle allait la voir pour récupérer du bric-à-brac en vue d'une vente de charité ou pour lui remetre un cake ou une carte de Noël.

C'était une maison avec des pièces minuscules distribuées autour d'un escalier étroit. Il y avait un jardin à l'arrière où poussaient des roses Albertine et où une corde à linge était tendue entre deux pommiers...

– Edwina !

Elle n'avait ni vu, ni entendu la voiture qui venait de se garer derrière la sienne. Mais maintenant Rosemary Turner s'approchait d'elle, ses cheveux gris impeccablement coiffés, avec son panier à provisions et son pékinois blanc et gras au bout d'une laisse rouge. Rosemary était une des plus proches amies d'Edwina. James, son mari, jouait au golf avec Henry et elle était la marraine de la fille aînée d'Edwina.

– Que fais-tu là, les yeux perdus dans le vide ? demanda-t-elle.

– Je regardais la maison d'en face.

– Pauvre Mme Titchfield ! Enfin... elle a eu une belle et longue vie. Mais c'est vrai que ça fait drôle de ne plus la voir s'activer dans ce bout de jardin qui devait être le mieux désherbé de tout le comté. Tu as fait tes courses ?

– Oui, j'allais rentrer.

– Il faut que j'achète des biscuits pour Hi-Fi. Tu es pressée ?

– Non. Henry ne rentre pas déjeuner à midi.

– Dans ce cas, pourquoi ne ferions-nous pas la folie de boire une tasse de café à *Ye Olde Thatched Café* ? Ça fait une éternité que nous ne nous sommes pas vues et nous avons sûrement plein de choses à nous dire.

– D'accord, répondit Edwina en souriant.

– Veux-tu tenir Hi-Fi pendant un instant ? Il déteste aller à l'épicerie car le chat lui crache toujours dessus.

Edwina saisit la laisse du chien, s'adossa à sa voiture et tout en attendant le retour de son amie, recommença à regarder la maison de Mme Titchfield. Elle avait une idée en tête mais savait que ça n'allait pas plaire à Henry et n'avait aucune envie d'avoir avec lui une discussion houleuse. Elle soupira, se sentant soudain fatiguée et vieille. En fin de journée, probablement, elle choisirait la solution de facilité et ne dirait rien.

Le petit café était exigu, vétuste et sombre, mais la porcelaine était ravissante, et il y avait sur chaque table un bouquet de fleurs fraîches. On leur servit un café fort et odorant.

– Voilà ce dont j'avais besoin ! dit Edwina après avoir bu une bonne gorgée.

– Tu as l'air lessivé. Tout va bien, au moins ?

– Oui. J'en ai seulement par-dessus la tête de la monotonie des courses. Pourquoi faut-il que ce soit toujours une telle corvée ?

– Après autant d'années de mariage, je crois que nous sommes plus ou moins programmées... Comme les ordinateurs. Où Henry déjeune-t-il ?

– Chez Kate et Tony. Il a dû passer sa matinée à parler argent avec Tony.

Tony, le beau-frère de Henry, s'occupait de sa comptabilité et son bureau était assez proche de la maison de Henry à Relkirk pour que celui-ci puisse s'y rendre à pied.

– Henry est content d'être à la retraite ?

– Je pense que oui. En tout cas, il trouve toujours à s'occuper.

– Il n'est pas trop dans tes jambes ? Moi, j'ai failli devenir folle quand James a pris sa retraite. Au début, il n'arrêtait pas de venir me trouver dans la cuisine et éteignait la radio pour me poser des questions.

– Quel genre de questions ?

– Les trucs habituels. « Tu n'as pas vu ma machine à calculer ? Qu'est-ce qu'on fait pour la tondeuse ? A quelle heure as-tu prévu de déjeuner ? » Je ne sais plus qui a dit qu'on se mariait pour le meilleur et pour le pire, mais pas pour déjeuner ensemble...

– La duchesse de Windsor.

Rosemary se mit à rire. Mais quand elle croisa le regard d'Edwina, son rire s'évanouit.

– Qu'est-ce qui ne va pas ? demanda-t-elle. Ce n'est pourtant pas ton genre d'avoir le moral à zéro.

– Je n'en sais rien, répondit Edwina en haussant les épaules. Au fond, si, je le sais. En regardant mon agenda ce matin, j'ai soudain réalisé que le mois prochain, Henry et moi aurons trente ans de mariage.

– C'est formidable ! Voilà une excuse toute trouvée pour organiser une petite fête.

– Pas question de faire quoi que ce soit si les enfants ne sont pas là.

– Pourquoi ne viendraient-ils pas ?

– Parce que Rodney est en train de patrouiller dans le détroit d'Ormuz. Que Priscilla se trouve dans le Sussex et qu'elle a déjà assez à faire avec Bob et les deux bébés. Quant à Tessa, elle a fini par trouver un travail à Londres mais même si elle avait quelques jours de congé, elle a tellement de mal à joindre les deux bouts qu'elle ne pourrait pas s'offrir le voyage. En plus, trente ans de mariage, ce n'est pas le genre d'anniversaire qu'on a envie de fêter. J'ai plutôt la désagréable impression d'être arrivée à un tournant... À partir de maintenant, la descente est amorcée...

– Tu ne devrais pas dire des choses aussi démoralisantes !

– ... et en fin de compte, que sommes-nous parvenus à accomplir ? Je n'ai pas l'impression de pouvoir me vanter de quoi que ce soit.

Avec le bon sens qui la caractérisait, Rosemary ne releva pas les propos négatifs de son amie et préféra changer de sujet.

– Tu avais une raison spéciale, tout à l'heure, de regarder la maison de Mme Titchfield ?

– Oui et non. J'étais en train de me dire que j'ai cinquante-deux ans et Henry soixante-sept. Le jour viendra où, physiquement, nous ne pourrons plus vivre à Hill House. Déjà, nous n'arrêtons pas de nous démener pour cette maison comme deux beaux diables, et nous passons tout notre temps libre à essayer de garder le jardin dans l'état où il a toujours été.

– C'est un jardin magnifique.

– C'est sûr. Et nous adorons notre maison. Mais elle a toujours été trop grande pour nous, même quand les enfants vivaient là.

– Si tu songes à déménager, tu vas avoir du mal à convaincre Henry.

– Je sais.

Henry avait hérité Hill House de ses parents. Il y avait passé toute sa vie et se souvenait de l'époque où il y avait encore des domestiques et deux jardiniers. Mais aujourd'hui, il ne restait plus que Bessie Digley pour s'occuper de la maison et elle ne pouvait venir travailler que trois matinées par semaine.

– J'aurais du mal à me faire à l'idée que vous puissiez vivre ailleurs, reprit Rosemary. Tu ne crois pas que tu vas un peu vite en besogne ? Après tout, tu n'es pas *vieille* – tu as encore des années et des années devant toi. Et tu dois aussi penser à tes petits-enfants. Tu apprécieras d'avoir de la place, lorsqu'ils viendront chez toi.

– J'y ai pensé. Mais ne vaut-il pas mieux déménager avant que nous soyons devenus trop vieux pour profiter d'une nouvelle installation ? Rappelle-toi ces pauvres Perry. Ils se sont accrochés à leur manoir jusqu'à ce qu'ils soient trop décatis pour y vivre, et ont finalement été obligés de le vendre. Ils ont alors acheté cette horrible petite maison et Mme Perry est tombée dans l'escalier, elle s'est cassé la hanche et ç'a été la fin pour tous les deux. Supposons que la maison de Mme Titchfield soit mise en vente et que Henry et moi l'achetions. Est-ce que ça ne serait pas amusant de la remettre à neuf et de réorganiser le jardin ? Je sais que c'est tout petit, mais au moins nous habiterions dans le village et je ne serais plus obligée de faire dix kilomètres chaque fois que je veux acheter une miche de pain ou des saucisses. En plus, nous n'aurions aucun mal à chauffer cette maison et nous ne serions plus bloqués par la neige l'hiver. Et les enfants ne se feraient plus de souci pour nous.

– Ils s'en font ?

– Non, mais ça ne va pas tarder.

Rosemary éclata de rire.

– Tu veux que je te dise quel est ton problème ? C'est qu'ils te manquent. Tes enfants ont tous quitté le nid, même la jeune Tessa, et ils te manquent. Mais ce n'est pas une raison pour prendre une décision aussi capitale que de déménager. Il faut juste que tu trouves quelque chose d'autre pour remplir ta vie. Demande donc à Henry de t'emmener en croisière.

– Je n'ai aucune envie de faire une croisière.

– Alors, inscris-toi à des cours de yoga. Mais remue-toi.

Après avoir quitté son amie, Edwina reprit la petite route sinueuse qui conduisait à Hill House. Elle s'arrêta pour ouvrir la grille peinte en blanc et s'engagea dans l'allée en pente raide bordée de hêtres et d'épais massifs de rhododendrons. Passé les hêtres, il y avait des cerisiers au pied desquels, au printemps, poussaient des jonquilles, une pelouse et enfin la grande et vieille maison de style georgien dont les vitres reflétaient ce jour-là le timide soleil hivernal.

Edwina gara sa voiture dans la cour des écuries et transporta ses courses dans la cuisine, une pièce immense et confortable avec son buffet rempli de services en porcelaine et sa cuisinière en fonte. Un panier rempli de linge à repasser était posé dans un coin, et deux labradors attendaient le retour de la maîtresse de maison.

Quand Henry n'était pas là, la maison semblait toujours étrangement vide. Edwina eut soudain conscience de toutes ces pièces inhabitées. Le salon avec ses housses poussiéreuses ; la grande salle à manger, témoin de tant de repas de famille animés, et maintenant rarement utilisée car Henry et elle mangeaient toujours dans la cuisine. Tel un fantôme, son imagination l'entraîna ensuite sur le palier de l'étage, dans les chambres spacieuses où autrefois dormaient ses enfants et qui avaient aussi accueilli des visiteurs, parfois des familles entières ; puis au bout du couloir dans les nurseries peintes en blanc, la lingerie et les profondes salles de bains ; enfin dans les mansardes du dernier étage qui avaient longtemps abrité les domestiques, et où elle avait pris l'habitude d'entreposer les bicyclettes trop petites pour être encore utilisées, les landaus, les maisons de poupée et les jeux de construction.

Cette maison était comme un monument élevé à la vie de famille – une famille dont les enfants étaient maintenant des adultes. Comment le temps avait-il pu passer aussi vite ?

Il n'y avait pas de réponse à cette question. Mais les chiens attendaient qu'on s'occupe d'eux... Edwina abandonna donc ses courses sur la table de la cuisine, enfila ses bottes en caoutchouc et partit faire une longue promenade avec ses deux labradors.

Le soir, au dîner, enhardie par un verre de vin, elle aborda le sujet de la maison de Mme Titchfield.

– J'espère qu'elle sera mise en vente, dit-elle à Henry.

– Il y a en effet de grandes chances qu'elle le soit, répondit-il.

– Tu ne crois pas que nous devrions l'acheter ?

Il leva son visage couronné de cheveux blancs et lui lança un regard incrédule.

– L'acheter ? Pourquoi, au nom du ciel ?

Edwina prit son courage à deux mains.

– Pour y habiter, dit-elle.

– Mais nous vivons déjà ici.

– Nous vieillissons, Henry. Et Hill House est déjà tellement grande pour nous...

– Nous ne sommes pas si vieux que ça !

– Je crois que nous devrions nous montrer raisonnables.

– Et qu'as-tu l'intention de faire de Hill House ?

– Eh bien... si Rodney la veut, nous pourrions la louer en attendant qu'il vienne y habiter. Et s'il n'en veut pas, nous pourrions la vendre.

Cette fois, Henry cessa de manger et avala une gorgée de son whisky soda. Puis il reposa son verre et demanda à Edwina qui ne le quittait pas des yeux :

– Quand as-tu eu cette brillante idée ?
– Aujourd'hui. Non... en réalité, cela fait un certain temps que ça me trotte dans la tête. J'aime Hill House autant que toi, Henry. Mais il faut regarder les choses en face. Les enfants sont partis. Ils ont leur propre vie. Et nous ne pourrons pas toujours rester ici...
– Pourquoi pas ?
– Mais il faut s'occuper de tellement de choses ! Du jardin...
– Si je n'avais pas le jardin, qu'est-ce que je ferais toute la journée ? Imagine-moi dans la maison de Mme Titchfield, en train de me cogner la tête chaque fois que je passe une porte. Si je ne meurs pas d'une fracture du crâne, je me sentirai tellement à l'étroit dans cette maison que j'en deviendrai cinglé. Je finirai sans doute mes jours comme ces pauvres vieux types qui vont au pub à midi et qui n'en sortent qu'à l'heure de la fermeture. Et puis, Hill House est notre foyer.
– Je me disais seulement que... peut-être... nous devrions songer à l'avenir.
– J'y pense tous les jours, figure-toi. Au printemps et aux bulbes qui ne vont pas tarder à sortir. A l'été qui va me permettre d'apprécier mes nouveaux parterres de roses. Je pense à Rodney qui va tomber amoureux, au mariage de Tessa qui aura lieu ici et au fait qu'un jour nous les recevrons tous ici avec leurs familles respectives. Nous avons réussi à les élever en dépit des difficultés. Maintenant, nous pouvons nous permettre de recueillir le fruit de nos efforts.
Edwina répondit au bout d'un instant :
– En effet.
– Tu n'as pas l'air convaincu.
– Tu as raison, bien entendu. Mais je n'ai pas tort pour autant. (Il posa la main sur la sienne.) Les enfants me manquent, tu sais.
Il n'insista pas et dit seulement :

– Quel que soit l'endroit où nous pourrions vivre, ils te manqueraient.

Deux semaines plus tard, Rosemary téléphona à Edwina.

– Je t'appelle au sujet de votre anniversaire de mariage... Venez dîner chez nous, et nous en profiterons pour fêter ça. Samedi dans quinze jours, à dix-neuf heures trente, si ça vous va...

– Oh, Rosemary, c'est tellement gentil de ta part !

– C'est d'accord, alors ? Si on ne se revoit pas avant, je vous attends samedi en quinze.

Quelques heures plus tard, Kate, la belle-sœur d'Edwina, lui téléphona à son tour.

– Que faites-vous pour vos trente ans de mariage ? demanda-t-elle.

– Je n'aurais jamais pensé que tu te souviendrais de cette date !

– Comment aurais-je pu l'oublier ?

– Eh bien, pour tout dire, nous sommes invités chez Rosemary et James.

– Parfait. Je craignais que Henry et toi, vous vous contentiez de manger une côtelette dans la cuisine sans faire quoi que ce soit pour fêter l'événement. Mais je ne me fais plus de souci. Au revoir.

Trente ans de mariage. Ce matin-là, quand Edwina se réveilla, il pleuvait à torrents. En plus du bruit de la pluie contre les vitres, on entendait l'eau couler dans la salle de bains. Elle en déduisit que Henry devait être en train de prendre sa douche. Allongée dans son lit, elle regarda la pluie tomber et se dit : « Cela fait trente ans que je suis mariée. » Elle avait tout oublié de cette journée si ce n'est que sa sœur cadette, en voulant repasser le jupon de sa robe, l'avait légèrement roussi. Tout le monde avait poussé les hauts cris alors que cela s'était avéré finalement sans importance. Tournant la tête sur l'oreiller, Edwina appela son mari.

Une minute plus tard, il entrait dans la chambre, les cheveux mouillés et une serviette nouée autour de la taille.

– Bon anniversaire, lui dit-elle.

Henry approcha du sien son visage encore humide et qui sentait bon l'after-shave, il l'embrassa puis lui tendit un petit paquet. Edwina retira le papier cadeau et découvrit, posée à l'intérieur d'un écrin de cuir rouge, une paire de boucles d'oreilles : deux feuilles d'or ornées chacune d'une perle.

– Elles sont ravissantes ! s'écria-t-elle.

Henry alla chercher un miroir à main pour qu'elle puisse les essayer et s'admirer. Après l'avoir à nouveau embrassée, il s'habilla tandis qu'elle descendait dans la cuisine pour préparer le petit déjeuner. Ils étaient en train de déjeuner quand le facteur arriva. Rodney leur avait adressé un câble et Priscilla et Tessa chacune une carte. « Pense bien à vous aujourd'hui », « Nous aurions bien aimé être là », « Heureux anniversaire », « Grosses, grosses bises », disaient les messages.

– C'est très sympathique, dit Henry. Au moins, ils ne nous ont pas oubliés.

– Oui, répondit Edwina après avoir lu pour la troisième fois le câble de Rodney.

Henry semblait soudain inquiet.

– J'espère que le fait que nous soyons mariés depuis trente ans ne te donne pas l'impression d'être vieille, dit-il.

Edwina savait qu'il pensait à la maison de Mme Titchfield, bien qu'ils n'en aient jamais reparlé. Elle n'avait pas renoncé à son idée ; elle avait remarqué en allant au village la pancarte À VENDRE accrochée sur le portail. Pour l'instant, la maison n'avait pas trouvé d'acquéreur.

– Non, répondit-elle, je ne me sens pas vieille.
« Juste vide et délaissée comme les chambres de l'étage », ajouta-t-elle en elle-même.

– Tant mieux, dit Henry. Je n'aimerais pas que tu te sentes vieille alors que tu ne parais pas ton âge et que tu n'as jamais été aussi belle.

– C'est à cause de ces magnifiques boucles d'oreilles.

– Je ne crois pas...

Il plut pendant toute la journée. Edwina en profita pour faire des confitures et, comme ils étaient invités à dîner, elle n'alluma pas la cheminée dans le petit salon. Quand les pots de confiture furent terminés et rangés dans la resserre, elle s'aperçut qu'il était temps de monter à l'étage pour prendre un bain et se changer. Elle se maquilla, se brossa les cheveux, mit sa robe de velours noir et se parfuma abondamment. Puis elle aida Henry à fermer ses boutons de manchettes et donna un coup de brosse à son costume de flanelle grise.

– Il sent l'antimite, dit-elle en lui tenant sa veste.

– Tous les beaux costumes sentent l'antimite, répondit-il.

Quand il l'eut passé, Edwina dut reconnaître que son mari était encore bel homme et très distingué. Ils éteignirent les lumières de l'étage, fermèrent la porte d'entrée et après avoir dit au revoir aux chiens, sortirent par la porte de derrière. Ils coururent vers la voiture pour ne pas se faire tremper et descendirent la colline, laissant derrière eux la maison sombre et vide.

Les Turner vivaient dans un adorable petit cottage à quinze kilomètres du village. La porte d'entrée s'ouvrit au moment où Edwina et Henry descendaient de voiture; la lumière venue de l'intérieur transforma la pluie en un rideau argenté.

– Bon anniversaire! Félicitations! s'écrièrent Rosemary et James avant de les embrasser.

Ils laissèrent leur manteau dans l'entrée et se dirigèrent vers le salon. Des bûches flambaient dans la cheminée et ils furent accueillis par les jappements du pékinois, assis sur son coussin. Il y avait un cadeau pour eux : un nouveau rosier pour le jardin.

– Quelle bonne idée! dit Edwina. C'est quelque chose qui nous fait plaisir à tous les deux.

James ouvrit alors une bouteille de champagne. Quand il eut porté un toast et prononcé un petit discours, tous s'installèrent près du feu dans les fauteuils merveilleusement confortables de Rosemary et se mirent à discuter à la manière cordiale des amis de longue date. Leurs verres étant vides, James resservit du champagne et Henry en profita pour jeter un coup d'œil furtif à sa montre. Il était huit heures moins dix.

Il s'éclaircit la gorge.

– Je ne voudrais pas avoir l'air indiscret, James, mais est-ce que nous sommes les seuls invités?

James regarda sa femme.

– Non, répondit-elle. Mais nous n'allons pas manger ici. Nous avons prévu de dîner dehors.

– Je vois, dit Henry sur un ton qui trahissait son étonnement.

– Où comptez-vous nous emmener? demanda Edwina.

– Attends et tu verras bien.

C'était mystérieux et plutôt excitant. Peut-être les Turner allaient-ils les inviter dans le nouveau et coûteux restaurant français de Relkirk. D'avance, Edwina se réjouit de dîner dans ce restaurant où elle n'était encore jamais allée.

A huit heures un quart, James annonça :

– Il est temps de partir.

Ils avaient enfilé leur manteau et étaient sur le point de se précipiter une nouvelle fois sous la pluie, quand James proposa :

– Edwina, tu montes avec moi et Henry va me suivre avec Rosemary.

Ils se mirent en route et James en profita pour expliquer à Edwina à quel point ce vieux Henry jouait bien au golf ces derniers temps. Assise à côté de lui, le col de son manteau relevé, elle regardait la route sinueuse éclairée par les phares.

– Il a drôlement amélioré son swing depuis qu'il a discuté avec ce pro.

Edwina s'attendait à ce qu'il tourne à droite en arrivant au village et prenne la route qui menait au restaurant français ; elle fut un peu déçue qu'il continue tout droit.

– C'est fou les mauvaises habitudes qu'on peut prendre quand on joue au golf, disait James. Parfois, on a besoin d'un avis objectif.

– On dirait que nous retournons à Hill House, s'étonna-t-elle.

– Hill House n'est pas la seule habitation de l'endroit, Edwina.

Elle se tut et regarda par la vitre, cherchant à deviner où ils étaient. La voiture prit un virage en épingle à cheveux et elle aperçut alors des lumières au-dessus d'elle qui, compte tenu de l'obscurité ambiante, lui semblèrent aussi scintillantes que celles d'un feu d'artifice. Où étaient-ils donc ? A force d'écouter James, elle était perdue. Les lumières se rapprochèrent et devinrent encore plus brillantes. Ils arrivèrent à un carrefour avec deux cottages, un point de repère qu'elle reconnut aussitôt. Elle ne s'était pas trompée, c'étaient bien les lumières de Hill House qu'elle avait repérées depuis le début, James était en train de la ramener chez elle. Mais alors que la maison était sombre et déserte une heure plus tôt, toutes les fenêtres étaient maintenant éclairées en signe de bienvenue.

– Que se passe-t-il, James ?

Sans lui répondre, celui-ci s'engagea dans l'allée. Tout au bout, Edwina aperçut la pelouse illuminée, comme éclairée par des projecteurs. La porte de la maison s'ouvrit, les deux chiens sortirent ensemble en aboyant pour leur faire fête, aussitôt suivis par deux personnes, un homme et une femme. Edwina se dit d'abord que c'était impossible. Puis elle dut se rendre à l'évidence : il s'agissait bien de Priscilla et de Bob.

Elle se précipita vers la maison à peine la voiture arrêtée et, ignorant les chiens pour une fois, courut sous la pluie, sans aucun égard pour ses chaussures en satin à hauts talons qui risquaient d'être abîmés par le gravier.

– Bonjour, m'man !

– Priscilla, ma chérie !

Elle serra sa fille dans ses bras, puis lui demanda :

– Que faites-vous ici ?

– Nous sommes venus pour votre anniversaire de mariage, répondit son gendre avec un sourire radieux.

Après l'avoir embrassé, Edwina se tourna à nouveau vers sa fille :

– Et les enfants ? Qu'en avez-vous fait ?

– Je les ai confiés à mon adorable voisine. Quel complot magnifique, non ?

Henry s'était garé derrière James et il sortait de la voiture, l'air totalement sidéré.

– Coucou ! Coucou, papa !

– Que diable se passe-t-il ? répéta-t-il à plusieurs reprises.

– Suis-nous, lui proposa Priscilla en lui prenant la main, et tu vas comprendre.

Stupéfaits, ils entrèrent avec elle dans la maison où ils furent aussitôt accueillis par une voix qui lança du haut de l'escalier :

– Bon anniversaire, mes chers vieux !

Levant la tête, ils virent Tessa qui dégringolait les marches, sa longue chevelure flottant derrière elle. Comme d'habitude, elle sauta les trois dernières, et atterrit dans les bras de son père qui la fit aussitôt tournoyer dans les airs.

– D'où sors-tu, petite polissonne ?

– D'où veux-tu que je vienne ? De Londres, bien sûr. Oh, maman chérie, tu es superbe. Est-ce que ce n'est pas la plus belle surprise que nous pouvions te faire ? Non. Il y a mieux encore... viens avec moi !

– C'est pire que dans un feuilleton à épisodes, lança Henry.

Mais Tessa ne l'écoutait pas et, prenant le poignet de sa mère, elle entraîna celle-ci vers le grand salon. Les housses avaient été retirées, un feu flambait dans la cheminée et il y avait des fleurs partout. Kate et Tony se trouvaient là, le dos au feu, en compagnie d'un jeune homme au visage très bronzé et aux cheveux blonds décolorés par le soleil tropical. C'était Rodney.

– Et voilà ! s'écria Tessa en lâchant le poignet de sa mère.

– Heureux anniversaire, m'man, dit Rodney.

– Comment as-tu fait ? demanda Edwina en se précipitant dans ses bras. Comment avez-vous réussi à organiser tout ça ?

– Tante Kate et oncle Tony avaient été mis dans le secret – Rosemary et James aussi, ainsi que Bessie Digley. Quant à nous quatre, nous nous sommes retrouvés à Londres hier et avons pris l'avion ensemble.

– Mais, Rodney, comment as-tu fait pour te libérer ?

– On me devait des jours de permission.

– Mais j'ai reçu ce matin un câble de ton navire...

– J'avais demandé à mon lieutenant de te l'envoyer.

– Et vos cartes alors... continua Edwina en se tournant vers ses deux filles.

– C'était une manœuvre de diversion, répondit Tessa. Nous ne voulions pas que vous ayez des soupçons. Et bien entendu, nous allons tous dîner ici ce soir. Priscilla et moi avons préparé le repas dans la cuisine de tante Kate et l'avons transporté dans le coffre de la voiture. C'est ce qu'on appelle un repas livré à domicile. Mais de qualité supérieure !

– Mais comment avez-vous réussi à tout organiser si vite ? Le feu... cette pièce... les fleurs...

– Rodney et oncle Tony se sont occupés du salon pendant que nous mettions la table et Bob a allumé toutes les lumières de la maison.

– Ce que c'était drôle ! intervint Priscilla. Au moment où vous êtes partis chez Rosemary, nous nous trouvions dans deux voitures garées en bas de l'allée, tous feux éteints pour que vous ne puissiez pas nous voir. Comme si nous jouions à cache-cache. Et dès que votre voiture a disparu derrière le premier tournant, nous avons remonté l'allée et nous nous sommes mis au travail.

– Comment êtes-vous entrés ? voulut savoir Henry.

– Tessa avait toujours sa clef et Bessie Digley nous a accompagnés. Elle est en train de faire les lits. Si vous êtes d'accord, nous allons passer le week-end ici. Rodney restera plus longtemps car il a deux semaines de permission. Mais moi, il faut que je rentre à cause des enfants et Tessa reprend son travail lundi.

Quelqu'un fit sauter le bouchon d'une bouteille de champagne. On tendit une coupe à Edwina qui n'avait toujours pas retiré son manteau, et ne s'était jamais sentie aussi heureuse de sa vie.

Un peu plus tard, alors que la conversation battait son plein, Edwina se glissa hors de la pièce et jeta un coup d'œil à la salle à manger. Là aussi, un feu flambait dans la cheminée et la table en acajou était dressée comme pour un banquet royal. Elle se dirigea alors vers la cuisine et passa la tête par la porte ouverte. Bessie Digley, debout devant la cuisinière, se retourna :

– Bonne surprise, n'est-ce pas ? dit-elle avec un sourire comme Edwina ne lui en avait encore jamais vu.

Elle monta à l'étage. Sur le palier, les portes des chambres étaient ouvertes et toutes les lumières allumées. Elle aperçut des valises ouvertes, et des vêtements qui traînaient ; ce désordre lui réchauffa le cœur. Elle entra dans sa propre chambre et posa son manteau sur le lit. Elle alla pour tirer les rideaux, puis y renonça. « Laissons tout le monde voir la lumière et deviner ce qui se passe ! » se dit-elle. Tournant le dos à la fenêtre, elle contempla alors sa chambre, une grande pièce un peu défraîchie : la coiffeuse, l'énorme lit à deux places, l'imposante armoire victorienne et le bureau. Les murs étaient quasiment recouverts par les photographies : ses enfants aux différentes périodes de leur vie, ses deux petits-enfants, les chiens, les pique-niques, les fêtes et les réunions de famille. Tant de souvenirs...

Edwina s'approcha enfin du miroir, se recoiffa et se poudra le nez. Le moment était venu de rejoindre les autres. Mais avant de s'engager dans l'escalier, elle s'arrêta à nouveau pour écouter les rires et le brouhaha des conversations qui venaient du salon. Ses enfants étaient là. Ils étaient venus à Hill House pour enlever les housses des pièces inhabitées et occuper les chambres vides. Henry avait raison : ils allaient encore passer bien des années dans cette maison. Il était trop tôt pour songer à déménager. Trop tôt pour se dire qu'ils étaient vieux.

Trente ans de mariage. Edwina toucha ses boucles d'oreille en souriant et dégringola les marches, aussi excitée qu'une jeune mariée.

Traduit par Catherine Pageard

Une balade dans la neige

Antonia, encore à moitié endormie, ouvrit les yeux. La chambre étant plongée dans l'obscurité, elle se crut d'abord dans son appartement londonien. Puis elle prit conscience de certains détails : aucun bruit de circulation, pas de lumière filtrant à travers les rideaux mal ajustés, pas de couette remontée par-dessus ses oreilles. Au contraire, une obscurité totale, le silence et un froid extrême. Des draps de lin serrés autour de son corps et une odeur de lavande. Elle sut alors qu'on était samedi matin, à la fin du mois de janvier, et qu'elle ne se trouvait pas à Londres mais chez elle, à la campagne, pour le week-end.

Sa mère avait semblé un peu surprise quand elle lui avait téléphoné pour lui dire qu'elle arrivait.

– Je serai heureuse comme tout de te voir. Mais est-ce que tu ne risques pas de t'ennuyer ? C'est la morte saison et nous avons un temps épouvantable. Le vent souffle en tempête et il fait un froid de canard. Je suis sûre que nous allons avoir de la neige.

– Ça n'a pas d'importance.

Sans David, plus rien n'avait d'importance et Antonia savait qu'elle ne supporterait pas de passer le week-end toute seule à Londres.

– Je vais prendre le train si papa peut venir me chercher à la gare, ajouta-t-elle.

– Bien sûr qu'il viendra, dit sa mère. La même heure que d'habitude... Je vais tout de suite monter faire ton lit.

Mme Ramsay ne s'était pas trompée dans ses prévisions. Il s'était mis à neiger au moment où le train quittait la gare de Paddington et cela avait continué pendant toute la durée du trajet. Quand il s'était arrêté à Cheltenham, le quai était enfoui sous cinq centimètres de neige. Le père d'Antonia portait des bottes en caoutchouc avec le vieux manteau en tweed doublé de lapin qui avait appartenu à son grand-père et qu'il ne mettait que les jours de grand froid.

Ils avaient eu du mal à rentrer chez eux : les ornières de la route étaient verglacées et la voiture avait dérapé plusieurs fois. Mais ils étaient quand même arrivés à bon port – pour se trouver plongés dans le noir au moment où ils s'apprêtaient à se mettre à table. Le père d'Antonia avait allumé des bougies et téléphoné aux autorités compétentes qui lui avaient répondu qu'une ligne principale s'était rompue mais que les réparateurs étaient partis afin de remédier à la panne. Ils avaient donc passé la soirée à la lueur des bougies, près de la cheminée, à faire des mots croisés en remerciant le ciel que le fourneau marche, ce qui leur avait permis de faire chauffer l'eau pour les bouillottes et de boire quelque chose de chaud avant d'aller se coucher.

Et maintenant, le lendemain matin... C'était toujours la même obscurité, le silence et le froid. Antonia posa une main glacée sur l'interrupteur de sa lampe de chevet et appuya, mais rien ne se produisit. Il ne lui restait plus qu'à allumer le bout de bougie qui lui avait permis de se coucher la veille. Elle fut toute surprise de découvrir en l'approchant du réveil qu'il était neuf heures. Bien qu'elle n'en eût nulle envie, elle repoussa les couvertures et fit quelques pas dans la pièce glaciale. Puis elle ouvrit les rideaux et aperçut la blancheur de la neige, les arbres sombres qui se découpaient dans le demi-jour et pas le moindre rayon de soleil. Un lapin avait traversé la pelouse, laissant ses empreintes dans la neige, une série de petits points aussi réguliers que ceux d'une machine à coudre. Toute frissonnante, Antonia passa les vêtements les plus chauds qu'elle put trouver et après s'être brossé les cheveux et les dents à la lueur de la bougie, descendit au rez-de-chaussée.

La maison semblait déserte. Aucun bruit ne venait troubler le silence. Pas de machine à laver la vaisselle ou le linge, pas d'aspirateur ou de cireuse. Mais quelqu'un avait allumé un feu de charbon dans la cheminée de l'entrée et les flammes dansant dans l'âtre rendaient la pièce accueillante.

Cherchant de la compagnie, Antonia se dirigea vers la cuisine. Il faisait aussi chaud dans cette pièce que dans l'entrée et, installée devant la table couverte de papier journal, sa mère était sur le point de s'attaquer à la tâche fastidieuse de plumer un couple de faisans. Mince et de petite taille, son visage était auréolé de cheveux gris et bouclés.

– Chérie ! s'écria-t-elle en levant les yeux. C'est affreux, non ? Nous n'avons toujours pas d'électricité. Tu as bien dormi, au moins ?

– Je viens juste de me réveiller. Il faisait si sombre et il y avait si peu de bruit... On se croirait au pôle Nord. Tu crois que je pourrai rentrer à Londres ?

– Sans problème. Nous avons écouté les prévisions météo et le pire est passé. Prépare-toi un petit déjeuner.

– Je boirai juste un peu de café, répondit Antonia en s'emparant du pot qui se trouvait à l'arrière du fourneau et en se versant une tasse de café.

– Par un temps comme celui-là, tu devrais prendre un vrai petit déjeuner. Tu es sûre que tu manges suffisamment ? Tu es tellement mince...

– C'est à cause de la vie à Londres. Tu ne vas pas commencer à jouer les mères poules. (Elle ouvrit la porte du réfrigérateur pour prendre du lait, un peu étonnée que la lumière ne s'allume pas.) Mme Hawkins n'est pas là ?

– Elle est bloquée par la neige. Elle m'a appelée il y a une heure pour me dire qu'elle ne pouvait même pas sortir sa bicyclette de la remise. Je lui ai dit que ce n'était pas la peine de venir. De toute façon, sans électricité, elle ne pourrait pas faire grand-chose.

– Et papa ?

– Il est allé à la ferme chercher des œufs et du lait. Il est parti à pied car la tempête d'hier a abattu un des hêtres des Dixon et le chemin est impraticable. Il y avait aussi du vent à Londres ?

– Oui. Mais en ville, c'est différent. Il faisait un froid de canard et les rafales faisaient voler des détritus et toutes sortes de trucs. Par contre, il n'y a aucune chance qu'un arbre tombe soudain sur la chaussée.

Antonia s'assit en face de sa mère et regarda ses mains adroites s'activer sur le faisan, tandis que des plumes grises et marron voletaient autour d'elle.

– Pourquoi plumes-tu ces faisans ? demanda-t-elle. Je croyais que d'habitude papa s'en chargeait.

– C'est vrai. Et j'aurais pu attendre son retour puisque nous ne les mangerons que ce soir. Mais, après avoir lavé la vaisselle du petit déjeuner, je ne savais pas quoi faire, vu qu'il n'y a pas d'électricité. Je me suis dit que j'avais le choix entre nettoyer l'argenterie et plumer les faisans. Et comme je déteste faire l'argenterie, je me suis rabattue sur les faisans.

– Je vais t'aider, proposa Antonia.

Elle posa sa tasse sur la table et saisit l'animal. Son corps était froid et ferme, son poitrail dodu couvert de plumes épaisses et duveteuses. Celles de son cou étaient du même bleu que les yeux d'un paon et aussi brillantes que des pierres précieuses.

– J'ai toujours un peu honte de mettre en pièces une aussi belle créature, dit-elle en écartant les ailes du faisan comme si elle ouvrait un éventail.

– Moi aussi. C'est pourquoi je laisse toujours ton père les plumer. Et pourtant, il y a quelque chose de réconfortant dans le fait de répéter un geste éternel. On pense à ces générations de campagnardes qui ont fait la même chose avant nous, assises dans leur cuisine et discutant elles aussi avec leurs filles. Sans doute mettaient-elles de côté les plumes pour faire des coussins et des édredons. De toute façon, il ne faut pas être trop sentimentale. Ces pauvres oiseaux étaient déjà morts et mieux vaut penser aux délicieux faisans rôtis que nous allons manger ce soir. J'ai invité les Dixon à dîner ainsi que Tom.

Elle prit un sac-poubelle et y mit les plumes qui se trouvaient sur la table.

– Je pensais que David serait là, lui aussi, ajouta-t-elle sans avoir l'air d'y toucher.

David. Mme Ramsay était une femme perspicace et elle tâtait gentiment le terrain dans l'espoir que sa fille lui ferait des confidences. Mais Antonia ne pouvait pas lui parler de David. Elle était venue passer le week-end chez ses parents parce qu'elle se sentait désespérément seule et malheureuse, mais aurait été incapable d'avouer cela à sa mère.

Si ce prénom était venu si facilement dans la conversation, c'est parce que David était le frère de Tom et les Dixon les voisins et amis de toujours des Ramsay. M. Dixon s'occupait de sa ferme et M. Ramsay dirigeait la banque locale mais ils jouaient ensemble au golf chaque fois qu'ils avaient un moment de libre et parfois ils partaient pêcher ensemble pendant une semaine. Mme Dixon et Mme Ramsay s'entendaient elles aussi à merveille, elles étaient des piliers du foyer paroissial local et faisaient partie du même club de bridge. Tom, le fils aîné des Dixon, travaillait maintenant avec son père. Antonia l'avait toujours trouvé très mûr et réservé, le genre de garçon sur qui on peut compter et auquel on fait appel pour réparer une bicyclette ou construire un radeau. Mais elle ne l'avait jamais considéré comme un ami, alors que David et elle étaient inséparables.

David avait deux ans de plus qu'elle et quand ils étaient enfants les gens disaient : « Il est comme un frère pour elle. » Mais Antonia savait qu'il était bien plus cela : le seul qui ait jamais compté à ses yeux. Ils étaient partis au lycée, puis en fac et comme ils suivaient chacun leur propre chemin et faisaient de nouvelles expériences, on aurait pu s'attendre à ce que leur affection mutuelle se transforme en simple amitié. Mais c'est l'inverse qui s'était produit. La séparation n'avait fait que renforcer le lien qui les unissait, si bien que chaque fois qu'ils se revoyaient, ils étaient toujours plus heureux de se retrouver. Les garçons, et ensuite les hommes qu'Antonia avait rencontrés ne pouvaient pas lui plaire car, comparés à David, ils semblaient ennuyeux ou ordinaires ou encore si collants qu'elle en avait très vite assez.

Personne n'arrivait à la cheville de David. Non seulement il la faisait rire, mais elle pouvait lui parler de tout car elle n'avait jamais eu aucun secret pour lui et si jamais elle lui avait caché quelque chose, il l'aurait aussitôt deviné. Il avait toujours été beau garçon et était devenu un homme très attirant sans passer par ces phases de développement pénibles que connaissent d'habitude les adolescents. Tout semblait facile pour lui : se faire des amis, pratiquer le sport en équipe, passer des examens, aller à l'université, trouver un travail.

– Je viens à Londres, lui avait-il annoncé un jour.

Antonia se trouvait déjà sur place depuis un an. Elle travaillait pour un libraire dans Walton Street et partageait un appartement avec une de ses anciennes amies du lycée.

– C'est merveilleux, David !

– J'ai trouvé un job chez *Sandberg Harpers*.

Elle avait craint qu'il ne parte en Ecosse ou à l'étranger, dans un endroit si éloigné qu'elle ne l'aurait jamais plus vu. Maintenant, ils allaient pouvoir faire des tas de choses ensemble : dîner dans de petits restaurants italiens, descendre la Tamise ou passer les froids après-midi d'hiver à la Tate Gallery.

– Tu as trouvé un appartement ? demanda-t-elle.

– Je vais habiter chez Nigel Crawston. Il vit dans la maison de sa mère à Pelham Crescent. Il m'a proposé de m'installer dans les combles.

Antonia n'avait jamais rencontré Nigel Crawston mais quand elle se rendit chez lui pour la première fois, elle éprouva une certaine gêne. Nigel était un jeune homme très raffiné et il vivait dans une maison magnifique qui n'avait rien à voir avec son petit appartement londonien. Une maison très comme il faut, remplie de jolies choses. Quant aux combles que devait habiter David, il s'agissait en réalité d'un appartement indépendant qui possédait une salle de bains digne de figurer dans un catalogue de plomberie haut de gamme.

Et comme si cela ne suffisait pas, Nigel avait une sœur. Elle s'appelait Samantha et utilisait la maison comme une sorte de pied-à-terre entre un séjour au ski en Suisse et une croisière sur un yacht avec des amis en Méditerranée. Les Crawston étaient des gens comme ça. Parfois, quand Samantha était à Londres, elle acceptait un travail pas trop exigeant, simplement pour s'occuper, et il semblait hors de question qu'elle ait un jour besoin de gagner sa vie. En plus, elle était terriblement sexy, mince comme un fil, avec de longs cheveux raides et blonds, toujours impeccables.

Antonia faisait tout son possible, mais elle avait bien du mal à supporter les jeunes Crawston. Un soir, ils étaient allés dîner tous ensemble dans un restaurant si cher qu'elle faillit bondir en voyant David payer la moitié de la note.

Lorsqu'il la raccompagna chez elle, elle lui dit :

– Tu ne devrais pas m'emmener dans des endroits pareils. Tu as dû dépenser au moins le salaire d'une semaine pour payer ce repas.

– En quoi est-ce que ça te regarde ? demanda-t-il, agacé.

Il ne lui avait jamais parlé ainsi et Antonia eut l'impression de recevoir une gifle.

– Je voulais... simplement dire que c'était dommage de gaspiller ainsi de l'argent.

– Je dépense mon argent comme je veux. Et je me moque de ce que tu en penses.

– Mais...

– Ne t'avise pas de te mêler à nouveau de mes affaires.

C'était la première fois qu'ils se disputaient. Antonia passa une partie de la nuit à pleurer en se maudissant d'avoir été aussi stupide. Et le lendemain matin, elle appela David au bureau pour s'excuser. Mais la stantardiste lui répondit qu'il n'était pas libre. Elle n'osa pas le rappeler et dut attendre cinq jours avant que David lui téléphone.

Ils se réconcilièrent et Antonia se dit qu'il n'y avait rien de changé entre eux ; mais au fond d'elle-même, elle savait bien que c'était faux. Pour Noël, ils partirent ensemble dans le Gloucestershire, dans la voiture de David où s'entassaient les cadeaux destinés aux divers membres de leurs familles respectives. Mais les fêtes de fin d'année entraînèrent un autre type de problème. La tradition veut que l'on profite des vacances pour annoncer des fiançailles et, pour la première fois, Antonia eut l'impression que les amis et la famille attendaient quelque chose de ce genre. Deux dames pourtant réservées, la femme du pasteur et la propriétaire du château, se permirent même une ou deux allusions qui, aussi voilées fussent-elles, ne pouvaient pas passer inaperçues. Hypersensible, Antonia eut la certitude que leurs yeux de fouine se posaient sur sa main gauche dans l'espoir d'y découvrir une énorme bague en diamant.

C'était vraiment affreux. Avant, elle en aurait parlé avec David et ils en auraient ri tous les deux mais maintenant, pour une raison ou pour une autre, elle ne pouvait plus se confier à lui.

Assez étrangement, ce fut Tom qui la tira de cette situation gênante. Alors que ce n'était pas son genre, il organisa une soirée dans sa grange le lendemain de Noël, engageant un disc-jockey et invitant tous les jeunes du voisinage. Ils dansèrent jusqu'à cinq heures du matin et firent tant de bruit que les gens cessèrent de se poser des questions au sujet d'Antonia et de David pour ne plus parler que de cette fameuse soirée. Maintenant que la pression était retombée, les choses étaient plus faciles et à la fin des vacances Antonia rentra à Londres avec David.

Les choses en étaient toujours au même point, rien n'était réglé et ils n'avaient même pas abordé le problème mais Antonia préférait en rester là. Elle avait bien trop peur de perdre David. Il faisait partie de sa vie depuis si longtemps que si elle avait cessé de le voir, elle aurait eu l'impression de perdre une partie d'elle-même. Et cette éventualité lui faisait tellement de peine qu'elle n'osait même pas l'imaginer. Lâchement, elle préférait se dire que ça n'arriverait jamais.

Mais David était plus courageux qu'elle. Un soir, peu après leur retour, il lui téléphona pour lui dire qu'il venait dîner chez elle. L'amie avec laquelle elle partageait son appartement s'éclipsa avec tact et Antonia prépara des spaghetti à la bolognaise. Puis elle alla acheter une bouteille de vin chez l'épicier du coin. Quand elle entendit la sonnette, elle dégringola les marches pour aller ouvrir mais dès qu'elle vit l'expression du visage de David, ses illusions et ses espoirs insensés s'écroulèrent. Et elle sut qu'il allait lui annoncer quelque chose de terrible.

David...

Je pensais que David serait là, lui aussi.

Antonia se mit à plumer le faisan.

– Non... Il est resté à Londres ce week-end.

– Très bien, répondit calmement sa mère. De toute façon, s'il était venu, deux faisans n'auraient pas suffi. (Elle sourit.) C'est drôle, continua-t-elle, de se retrouver comme ça, sans électricité et obligés de faire appel à nos propres ressources. Ça me rappelle ma jeunesse. Quand tu es arrivée, j'étais plongée dans mes souvenirs et tout étonnée qu'ils soient aussi vifs.

Mme Ramsay appartenait à une famille de cinq enfants et avait grandi dans un coin perdu du pays de Galles. Sa mère vivait encore là-bas. Indépendante et pleine de vitalité, elle s'occupait de ses poules, faisait des conserves de fruits, bêchait son potager et quand la nuit ou le mauvais temps l'obligeaient à rester chez elle, tricotait de grands pulls un peu irréguliers pour tous ses petits-enfants. Séjourner chez elle avait toujours été un plaisir et une sorte d'aventure, car on ne savait jamais exactement ce qui allait se passer. La vieille dame avait transmis à sa fille une grande partie de son enthousiasme et de son énergie.

– A quoi pensais-tu donc ? demanda Antonia, intéressée par les souvenirs de sa mère mais aussi dans l'espoir que celle-ci ne lui parlerait plus de David.

Mme Ramsay hocha la tête.

– C'est dur à expliquer... C'est lié au fait de ne plus avoir d'appareils ménagers et plus de chauffage dans les chambres. Et aussi à cette odeur de charbon... Nous avions un fourneau dans la cuisine et cela nous permettait de faire chauffer l'eau du bain, mais chaque semaine nous étions obligés de faire la lessive dans une immense lessiveuse qui se trouvait dans l'arrière-cuisine. Tous les enfants donnaient un coup de main, nous étendions les draps sur des cordes à linge et quand ils étaient secs, nous les repassions chacun notre tour. L'hiver, il faisait si froid dans la maison que nous nous habillions dans le placard qui servait à faire sécher le linge car c'était le seul endroit à peu près chaud.

– Mais Granny a l'électricité, maintenant.

– Bien sûr, mais il a fallu attendre longtemps pour qu'elle arrive jusqu'au village. Le soir, la rue principale était éclairée mais passé la dernière maison, il n'y avait plus aucune lumière. J'étais très amie avec la fille du pasteur et quand j'allais prendre le thé chez elle, il fallait que je rentre à la maison toute seule. La plupart du temps, ça ne me gênait pas mais certains soirs d'hiver, quand la nuit était tombée, qu'il bruinait ou qu'il y avait du vent, je voyais partout des fantômes et j'arrivais à la maison en courant comme si tous les monstres de la Création étaient à mes trousses. Ma mère savait que j'étais terrifiée mais elle disait qu'il fallait que j'apprenne à être indépendante et à ne compter que sur moi-même. Lorsque je lui parlais des fantômes et des monstres, elle me répondait qu'il fallait marcher lentement, regarder les arbres et le ciel infini. Je me rendrais compte alors, disait-elle, que j'étais microscopique et à quel point mes minuscules frayeurs étaient injustifiées. Et le plus étonnant, c'est que ça marchait.

Tout en parlant, Mme Ramsay n'avait pas cessé de plumer la poule faisane. Elle releva soudain la tête et regarda sa fille dans les yeux.

– Je continue à faire ça, reprit-elle. Chaque fois que je suis malheureuse ou inquiète. Je quitte la maison, je vais dans un endroit calme et je regarde les arbres et le ciel. Et au bout d'un certain temps, je me sens mieux. Je suppose que cela remet les choses d'aplomb et qu'on retrouve alors le sens des proportions.

Le sens des proportions. Antonia réalisa soudain que sa mère avait compris que cela n'allait plus du tout entre elle et David. Mais au lieu de la consoler, elle se contentait de lui donner un conseil. Regarde en face les fantômes de la solitude, les monstres de la jalousie et de la souffrance. Ne compte que sur toi-même. Et ne te sauve pas.

En début d'après-midi, l'électricité n'était toujours pas revenue. Après avoir aidé sa mère à laver et ranger la vaisselle, Antonia enfila des bottes et un manteau d'agneau et réussit à convaincre le vieil épagneul de son père de venir se promener avec elle. Le chien, qui était déjà sorti le matin, serait bien resté près du feu mais dès qu'il se retrouva dehors, il oublia ses appréhensions, se mit à bondir dans la neige comme un chiot puis partit, nez à terre, sur les traces des lapins.

Une épaisse couche de neige recouvrait la campagne. Il n'y avait pas de vent, aucun bruit et le ciel restait gris et bas. Antonia suivit le sentier qui grimpait sur la colline, à l'arrière de la maison. De temps à autre, elle dérangeait un faisan qui s'envolait à travers les arbres dans un claquement d'ailes, en lançant un cri d'avertissement. Plus elle montait, moins elle avait froid et quand elle arriva en haut de la colline, elle s'était suffisamment réchauffée pour pouvoir s'arrêter. Elle débarrassa une souche d'arbre de la neige qui la recouvrait et s'y assit pour contempler la vue familière.

La vallée s'étendait au pied des collines. Elle voyait les champs blancs de neige, les arbres mornes, le ruban argenté de la rivière et, tout en bas, la masse sombre du village privé d'électricité avec ses maisons groupées autour d'une rue unique. De la fumée s'échappait des cheminées, montant tout droit dans l'air immobile. Le silence était impressionnant, seulement troublé par le bruit d'une tronçonneuse qui, de temps à autre, déchirait l'air cristallin. Antonia se dit que Tom Dixon et un des ouvriers de la ferme devaient être en train de tronçonner le hêtre tombé la nuit précédente.

Les pentes de la colline descendaient doucement vers les bois. Sur ces pentes, Antonia avait fait de la luge avec David lorsqu'ils étaient enfants. Un été, ils avaient construit un campement dans les bois et fait cuire des pommes de terre sous la cendre. Là où la rivière dessinait un coude, traversant les terres des Dixon, ils avaient pêché la truite et s'étaient baignés quand il faisait chaud, nageant dans ses eaux limpides. On aurait dit que tous les endroits de ce petit monde étaient remplis de souvenirs de David.

David. Et sa dernière visite... Furieuse et blessée, Antonia avait fini par s'écrier :

– Tu es en train de me dire que tu ne veux plus me voir !

– J'essaie seulement d'être sincère, Antonia. Je ne suis pas venu chez toi pour te faire de la peine. Mais je ne peux plus continuer à faire semblant. Je suis incapable de te mentir. Et nous ne pouvons pas continuer ainsi. Ce n'est pas correct. Ni vis-à-vis de nous-mêmes, ni pour nos familles.

– Je suppose que tu es amoureux de Samantha.

– Je ne suis amoureux de personne. Ça ne m'intéresse pas. Je ne veux ni me ranger, ni m'engager.

J'ai vingt-deux ans et toi, tu en as vingt. Essayons d'apprendre à vivre l'un sans l'autre et à être nous-mêmes.

– Je le suis déjà.

– Non. C'est faux. Nous sommes si proches l'un de l'autre que tu fais partie de moi-même. Cela a des bons côtés mais c'est aussi une mauvaise chose, car nous ne serons jamais libres.

Il appelait cela « être libre ». Mais pour Antonia, cela signifiait se retrouver seule. D'un autre côté, comme le lui avait expliqué sa mère, avant d'être indépendant il fallait apprendre à vivre avec soi-même. Penchant la tête en arrière, elle regarda à travers les branches nues le ciel triste et gris.

On s'attache plus facilement les gens qu'on aime en leur laissant leur liberté. Quelqu'un avait prononcé un jour cette phrase devant elle – ou alors elle l'avait lue quelque part. Elle avait oublié d'où venaient ces mots pleins de sagesse mais, surgis de nulle part, ils remontaient maintenant à la surface. Si elle aimait assez David pour lui laisser sa liberté, alors elle ne le perdrait jamais tout à fait. Il lui avait déjà tant donné... ce serait bien égoïste de demander plus.

En outre – et c'était là une révélation d'autant plus surprenante qu'elle lui venait à tête reposée –, Antonia n'avait pas plus envie que lui de se marier. Elle ne voulait ni se fiancer ni s'engager pour toujours. Le monde s'étendait bien au-delà de cette vallée, de Londres et des limites de son imagination. Et il était rempli de gens qu'il fallait encore qu'elle rencontre, de choses qui lui restaient à faire. David le savait, et c'est ce qu'il avait essayé de lui dire.

Retrouver le sens des proportions... Quand on y parvenait, l'avenir ne semblait plus aussi sombre. Et même, un certain nombre de possibilités intéressantes se faisaient jour. Peut-être avait-elle travaillé trop longtemps dans une librairie. Peut-être le moment était-il venu de quitter Londres et de partir à l'étranger. Pourquoi ne pas trouver un poste de fille au pair à Paris et en profiter pour améliorer son français, ou alors s'engager comme cuisinière sur un yacht ?

Elle sentit une truffe froide qui se posait sur sa main. Elle baissa la tête et aperçut le vieux chien qui la regardait d'un air suppliant, tentant de lui dire avec ses grands yeux bruns qu'il en avait assez de rester assis et aurait aimé repartir pour chasser à nouveau les lapins. Antonia se rendit compte qu'elle commençait à avoir froid. Elle se leva et se remit en route pour rentrer chez elle. Mais au lieu de reprendre le même chemin, elle traversa les champs couverts de neige en direction des bois. Elle marcha d'abord d'un bon pas puis se mit à courir pour se réchauffer, avec la même fougue qu'autrefois.

A la lisière des bois, elle s'engagea dans le chemin qui menait à la ferme des Dixon et arriva bientôt dans la clairière où le hêtre était tombé. Son tronc immense avait été débité par la tronçonneuse et ne bouchait plus le passage ; mais l'endroit avait un air de désolation dans l'odeur du bois fraîchement coupé et du feu en train de couver sous les cendres. Antonia demeurait là, seule, à regretter la mort de cet arbre noble, quand elle entendit un tracteur qui s'engageait sur la route de la ferme. Le tracteur apparut un instant plus tard au détour du chemin, conduit par Tom. En arrivant dans la clairière, celui-ci coupa le moteur et descendit de la cabine. Il portait un bleu de travail, un vieux pull et une veste en peau mais il était nu-tête malgré le froid.

– Antonia !

– Bonjour, Tom.

– Que fais-tu là ?

– Nous avons coupé du bois pendant tout l'après-midi.

Plus âgé que David, Tom n'était ni aussi beau ni aussi grand que son frère. Son visage buriné par la vie au grand air souriait rarement, mais cette expression sérieuse était démentie par le regard amusé de ses yeux clairs ; on aurait dit qu'il réprimait en permanence une envie de rire.

– Le plus dur est fait, reprit-il. (Il s'approcha du feu et donna quelques coups de pied dans les cendres pour le ranimer.) Au moins, nous n'aurons pas besoin de faire du bois pendant un mois ou deux... Et toi, comment ça va ?

– Bien.

Il leva la tête et regarda Antonia par-dessus les petites flammes et les premières volutes de fumée.

– Et David ?

– En pleine forme, lui aussi.

– Il n'est pas venu avec toi ?

– Non, il est resté à Londres.

Antonia enfonça ses mains dans les poches de son manteau d'agneau et réussit à dire à Tom ce qu'elle n'avait pu avouer à sa mère :

– Il doit partir au ski la semaine prochaine avec les Crawston. Tu dois être au courant.

– Il me semble que ma mère m'en a parlé.

– Ils ont loué une maison à Val-d'Isère et ont proposé à David de les accompagner.

– Ils ne t'ont pas invitée ?

– Non. Nigel Crawston part avec son amie.

– Est-ce que Samantha Crawston sort avec David ?

Antonia réussit à soutenir son regard franc.

– Oui. Pour l'instant.

Tom se baissa, ramassa une branche et la jeta dans le feu.

– Ça t'ennuie ?

– Je n'ai pas tellement apprécié. Mais ça va mieux.

– Quand tout ça s'est-il produit ?

– Cela durait déjà depuis un certain temps mais je ne voulais pas le reconnaître.

– Et tu es malheureuse ?
– Je l'étais. Mais c'est fini. David pense que nous devons avoir chacun notre vie et il a raison. Nous avons été trop proches l'un de l'autre pendant trop longtemps.
– Tu dois quand même souffrir.
Tom resta silencieux pendant un moment.
– C'est une réflexion d'adulte, remarqua-t-il.
– Mais c'est la vérité, non, Tom ? Et au moins, maintenant, nous savons où nous en sommes. Pas seulement David et moi, mais nous tous.
– Je vois ce que tu veux dire. Cela va rendre les choses plus faciles. (Il jeta une nouvelle brassée de bois dans le feu et il y eut un grésillement de neige fondue.) Il est évident qu'à Noël tout le monde vous observait à la dérobée pour savoir ce que vous alliez faire.
– Je pensais être la seule à avoir senti ça ! s'écria Antonia tout étonnée. Je me suis dit que je réagissais trop vivement à l'ambiance.
– Même ma mère, qui a pourtant la tête sur les épaules, avait attrapé le virus et commençait à faire allusion à des fiançailles pour Noël, suivies d'un mariage en juin.
– C'était affreux.
– C'est bien ce que j'avais senti.
Il sourit et ajouta :
– J'étais vraiment malheureux pour toi.
Une pensée traversa alors l'esprit d'Antonia :
– C'est à cause de ça que tu as donné une soirée ?
– J'ai pensé que ça valait mieux que de voir tous ces gens assis là à attendre que David et toi entriez dans la pièce en vous pavanant, les yeux brillants, avant de dire : Ecoutez, écoutez, nous avons une nouvelle importante à vous annoncer !
Il avait dit ça sur un ton si volontairement ridicule qu'Antonia éclata de rire.

– Oh ! Tom, tu es merveilleux, dit-elle avec une affection sincère. Tu as réussi à faire baisser la pression et tu m'as sauvée.

– Eh bien... jusque-là, je m'étais contenté de réparer tes bicyclettes et de te construire des cabanes et je me suis dit que cette fois, il fallait que je fasse quelque chose d'un peu plus constructif.

– Mais c'est ce que tu as toujours fait. Et je ne sais pas comment te remercier.

– Inutile de me dire merci.

Il se remit au travail, expliquant :

– Il faut que j'aie fini le plus gros avant la nuit.

– Tu viens dîner chez nous ce soir, rappela Antonia. Tu es au courant ?

– Je ne savais pas.

– Tu es invité avec tes parents. Et je compte sur toi. J'ai passé la matinée à plumer des faisans et, si tu n'es pas là, j'aurai l'impression d'avoir travaillé en pure perte.

– Dans ce cas, dit Tom, je viendrai.

Antonia resta encore un moment avec lui et le seconda dans son travail. Puis, comme la nuit n'allait pas tarder à tomber, elle le laissa pour rentrer chez elle. Tout en marchant, elle se rendit compte qu'il faisait plus doux et qu'un léger vent d'ouest remuait les arbres. Leurs branches gelées par la neige commençaient à libérer quelques gouttes. Au-dessus d'elle, la couche nuageuse se déchirait, laissant apparaître par endroits un ciel pâle de fin de journée, couleur d'aigue-marine. Quand elle arriva à hauteur de la barrière, au bout du chemin des Dixon, elle regarda en direction de chez elle et vit que la lumière brillait derrière les fenêtres dont on n'avait pas encore tiré les rideaux.

Ainsi, tout s'arrangeait. La panne d'électricité était réparée. Et vivre sans David était possible, après tout. Elle décida qu'elle allait lui téléphoner pour le lui dire afin qu'il ne se fasse pas de souci et puisse partir à Val-d'Isère sans se sentir coupable de quoi que ce soit.

La neige commençait à fondre. Il ferait peut-être beau demain.

Et Tom venait dîner.

Traduit par Catherine Pageard

Week-end

Ce devait être un week-end de trêve. Pas parce qu'ils passaient leur temps à se disputer, non. En deux ans, ils ne s'étaient jamais querellés. Simplement, il avait été décidé tacitement que Tony ne profiterait pas de l'occasion pour redemander sa main à Eleanor, lui évitant ainsi de le repousser de nouveau.

Il lui avait téléphoné deux ou trois jours plus tôt.

– On vient de me donner quelques jours de congé. Ça te dirait de venir avec moi à la campagne ?

Croulant sous les épreuves à corriger, les rendez-vous et d'âpres négociations avec un auteur particulièrement exigeant, Eleanor avait été prise au dépourvu.

– Oh, Tony, franchement, je ne sais pas trop. Ça m'étonnerait que...

– Fais un petit effort. Un tout petit effort... Tu n'as qu'à en toucher un mot à ton éditeur, lui raconter que tu as une vieille tante patraque qui te réclame à son chevet.

– Si tu crois que c'est facile pour moi de...

Eleanor jeta un coup d'œil à son bureau encombré.

– Alors absentons-nous seulement le week-end, reprit Tony. On pourrait partir vendredi en fin d'après-midi et rentrer à Londres dans la soirée de dimanche.

– Où comptais-tu aller ?

– A Brandon Manor.

– Là où tu travaillais ? Mais c'est de la folie, c'est un endroit pour les milliardaires !

– Les milliardaires et les salariés du groupe hôtelier qui m'emploient. N'oublie pas que le manoir lui appartient ; on me fera un prix. Dis oui, et je les appelle pour m'assurer qu'il leur reste deux chambres de libres.

Eleanor se mit à réfléchir. Un confortable week-end à la campagne, au calme, c'était tentant. Les arbres commençaient à bourgeonner, l'herbe à verdir, les oiseaux à chanter.

– Tu me promets que... fit-elle, s'arrêtant net. Pas question qu'on...

De nouveau elle laissa sa phrase en suspens.

– Mais non ! fit Tony. Pas de discussions, c'est promis. On ne parlera pas d'alliances, le sujet est tabou. On va se mettre au vert et se détendre.

Eleanor eut un sourire.

– C'est une idée géniale. Comment résister...

– Je t'aime.

– Tony ! tu avais promis...

– Non. Je me suis borné à te dire que je ne te demanderais pas en mariage. Puisque pour toi l'amour et le mariage, ça fait deux.

Au ton de sa voix, elle comprit qu'il souriait.

– A vendredi, conclut-il.

Ils étaient presque arrivés. La journée avait été magnifique, chaude, sans une goutte de pluie. Et l'air sentait l'été. A Londres, les boutiques avaient déployé leurs stores, les premières roses avaient fait leur apparition aux étalages des fleuristes. A la campagne, les signes avant-coureurs de la belle saison étaient plus rustiques. Dans les vergers, les pommiers exhibaient des fleurs d'un rose délicat. Les jardins des cottages étaient illuminés par le jaune des forsythias et l'éclat des primevères veloutées.

La route sinueuse s'élançait devant la voiture à l'assaut des collines. Au hasard d'une percée entre les arbres, ils purent soudain contempler l'immense plaine d'Evesham et, au loin, cernées d'une brume légère, les collines de Malvern.

– On pourrait rouler comme ça jusqu'au pays de Galles, atteindre la mer, dit Eleanor.

– Mais on va se contenter de gagner Brandon, qui ne doit plus être très loin d'ailleurs.

Piquant du nez, la voiture attaqua la descente en lacet de la colline escarpée. Tout au fond étaient blotties les maisons dignes de cartes postales qui composaient le village. Au détour d'un virage, ils aperçurent le vieux manoir bas avec ses fenêtres à meneaux et ses toits d'ardoise pentus.

– Comme c'est beau ! fit Eleanor. Tu as travaillé là longtemps ?

– Quatre ans environ. En qualité d'assistant du sous-directeur. Autrement dit, d'homme à tout faire. Mais c'est à l'abri de ces murs vénérables que j'ai appris le métier.

– Il y a combien de temps que le manoir a été transformé en hôtel ?

– Les propriétaires ont vendu après la guerre. Et ce sont les nouveaux acquéreurs qui en ont fait un hôtel. Il y a même une suite nuptiale.

Le gravier crissa tandis qu'ils s'arrêtaient devant l'énorme porche de pierre. Tony coupa le moteur, desserra sa ceinture et, se tournant vers Eleanor, lui sourit.

– Rassure-toi, dit-il, on n'y dormira pas. Bien que ce ne soit pas l'envie qui m'en manque !

– Tony... (Sa voix était pleine de reproche.) Tu m'avais promis d'éviter toute allusion au mariage.

– Très juste. Seulement l'endroit est tellement romantique que je vais avoir du mal à me retenir.

– Dans ce cas, je te conseillerais de passer ces deux jours sur le terrain de golf.

– Tu me serviras de caddie ?

– Pas question. Je m'arrangerai pour lier connaissance avec une célibataire sympathique avec qui parler chiffons.

Tony éclata de rire.

– Drôle de week-end en perspective ! (La prenant au dépourvu, il se pencha et l'embrassa sur les lèvres.) Tu sais quoi ? Je t'aime encore plus quand tu essaies d'avoir l'air en colère. Allons, viens, ne perdons pas une minute.

Dans l'entrée lambrissée et dallée de pierre, on n'entendait que le craquement du feu qui crépitait dans l'immense cheminée et le tic-tac de l'horloge de parquet.

La réception avait été astucieusement aménagée sous l'escalier élisabéthain. Derrière le bureau, leur tournant le dos, un homme était en train de trier le courrier. Ne les ayant pas entendus entrer, il ne se retourna que lorsque Tony lança :

– Alistair !

Surpris, l'homme pivota. Après un instant de silence, il sourit.

– Tony ! Ça alors ! Qu'est-ce que tu fabriques ici ?

– Je suis venu passer le week-end au manoir. Tu n'as donc pas vu mon nom dans le registre ?

– Si, bien sûr. Talbot. Mais je n'ai pas pensé à faire le rapprochement. C'est le réceptionniste qui a noté la réservation... (Il tapota amicalement l'épaule de Tony.) Quelle excellente surprise !

Eleanor se tenait derrière Tony. Ce dernier s'écarta et, tendant le bras, l'invita à s'approcher.

– Je te présente Eleanor Dean.

– Bonjour, Eleanor.

– Bonjour.

Ils échangèrent une poignée de main par-dessus le comptoir poli comme un miroir.

– Alistair et moi avons fait nos études ensemble, expliqua Tony. En Suisse.

– Tu es à Londres, c'est ça ? questionna Alistair.

– C'est exact. Comme j'avais quelques jours de congé à prendre, j'ai décidé de revenir dans le coin. Histoire de voir comment tu t'en sors.

Il balaya la pièce du regard.

– L'établissement a fière allure, dis-moi. Et les affaires, ça va comme tu veux ?

– On affiche complet une bonne partie de l'année.

– La suite nuptiale, ça marche ?

– Ce week-end, en tout cas, elle est occupée. (Un sourire espiègle éclaira les traits d'Alistair.) Pourquoi ? Tu avais des vues dessus ?

– Tu plaisantes ! Ces trucs-là, très peu pour nous.

Eclatant de rire, Alistair sonna.

– Le portier va s'occuper de vos bagages.

Eleanor se dit que descendre dans ce genre d'établissement c'était comme être reçu par des amis dans une ravissante résidence de campagne, à ceci près qu'on était sûr de ne pas être obligé de mettre la main à la pâte à l'heure de la vaisselle. Lorsque les propriétaires avaient quitté ce manoir qu'ils avaient habité et aimé, ils avaient laissé – outre leurs meubles somptueux – une atmosphère difficile à définir. On avait un peu l'impression qu'ils s'étaient absentés un court moment et allaient revenir d'un instant à l'autre. La demeure avait été si intelligemment aménagée, la décoration repensée avec tant de goût que le confort moderne, loin de tuer le charme des lieux, le rehaussait encore.

Dans les chambres, des rideaux de coton fraîchement empesés encadraient les fenêtres à petits carreaux et profond rebord. Bien que toutes les chambres fussent dotées de sanitaires ultra-modernes, il arrivait qu'on débouchât au hasard des couloirs sur les salles de bains d'origine, aux merveilleuses baignoires encastrées dans des coffrages d'acajou et robinets de cuivre trapus.

Au rez-de-chaussée, le même esprit de discernement avait présidé à la redistribution des pièces. L'ancienne bibliothèque avec ses portes-fenêtres ouvrant sur une volée de marches qui menaient à une terrasse tenait maintenant lieu de petit salon. Quant à la salle à manger, elle avait été aménagée dans le grand salon qu'agrémentait un immense bow-window. Le bar, quant à lui, occupait une pièce qui avait dû servir de lingerie.

Le soir arriva. Alors que Tony avait pris un bain et s'était changé pour passer à table, Eleanor n'avait même pas commencé à se maquiller. Pour l'attendre, il vint s'asseoir au bord de son lit, très élégant en blazer foncé, chemise immaculée et cravate.

– Tu sens délicieusement bon le savon et l'aftershave, lui dit-elle.

– Je sens peut-être bon, mais j'ai sacrément besoin d'un verre.

– Descends en prendre un, je te rejoins au bar. J'en ai pour dix minutes maximum.

Il tourna les talons, sortit et Eleanor entreprit de brosser ses longs cheveux blonds. Soudain, avisant son reflet dans la glace, elle cessa de manier la brosse et dévisagea avec un certain mépris la jeune fille qui lui rendait son regard.

« Qu'est-ce que tu veux ? lui demanda-t-elle sèchement. Qu'est-ce que tu veux, au fond ?

– Savoir que je peux me lancer dans l'aventure sans pour autant être submergée.

– Tu veux tout, alors. Le beurre et l'argent du beurre. Il faut choisir. Ce n'est pas sympa pour Tony. »

Lentement, elle se remit à son brossage. Derrière elle, la petite chambre – véritable havre de paix avec son papier fleuri et sa peinture blanche – ressemblait à une nursery victorienne. Peut-être que ce serait agréable de redevenir une petite fille. Les enfants n'ont pas de décisions à prendre, les adultes décident à leur place.

Seulement Eleanor Dean n'était plus une petite fille. Elle était éditrice de livres pour enfants dans une maison renommée. A vingt-huit ans, elle était compétente, efficace. Et elle avait passé depuis longtemps l'âge de regretter les jours enfuis de sa jeunesse. S'ébrouant, elle finit de se maquiller, se parfuma, prit son sac et quitta la pièce sans un regard pour son reflet.

Leur verre terminé, Tony et Eleanor empruntèrent le couloir moquetté menant à la salle à manger, où les trois quarts des tables étaient déjà occupées. C'était l'heure du coup de feu.

Une fois qu'ils eurent passé leur commande et que le garçon se fut retiré, Tony regarda Eleanor en souriant.

– Si on jouait aux devinettes ? dit-il. A ton avis, de tous les dîneurs ici présents, quels sont ceux qui ont loué la suite nuptiale ?

Ses yeux pétillaient de malice. Eleanor se demanda ce qu'il y avait de si drôle. Intriguée, elle balaya la pièce des yeux. Les petits jeunes à la table d'angle ? Non, ils n'avaient sûrement pas le porte-monnaie assez bien garni. Ce couple, alors, près de la fenêtre, qui paraissait s'ennuyer ferme ? L'œil dans le vague, la femme ressemblait à une jument de race ; l'homme, lui, semblait atteint d'accablement en phase terminale. Impossible de les imaginer mariés et encore moins séjournant dans la suite nuptiale. Ou bien était-ce le jeune couple de golfeurs américains, elle avec son bronzage irréprochable et lui, immaculé, dans un blazer marine et un pantalon écossais ?

Eleanor reporta les yeux sur Tony.
– Aucune idée, dit-elle.
Il inclina imperceptiblement la tête.
– Le couple, près de la cheminée.
Regardant par-dessus l'épaule de son compagnon, Eleanor les aperçut. Ils étaient assez âgés pour être ses parents, voire ses grands-parents. La femme avait des cheveux argentés ramenés sur la nuque en chignon. L'homme, de carrure imposante, avait une moustache et une calvitie avancée. Ce n'était qu'un couple quelconque de gens âgés. Et pourtant ils n'étaient pas si ordinaires que ça, parce qu'ils bavardaient et riaient, sans se soucier des autres.
Intriguée, Eleanor regarda de nouveau Tony.
– Tu en es sûr ?
– Sûr et certain. M. et Mme Renwick. Suite nuptiale.
– Ce seraient eux les jeunes mariés ?
– Sans doute. En général, la lune de miel suit le mariage.
– Peut-être se connaissaient-ils depuis des années, fit Eleanor, et peut-être que lorsqu'elle a perdu son mari et lui sa femme, ils ont décidé de s'unir.
– Peut-être.
– Ou bien peut-être qu'elle ne s'est jamais mariée et que lorsque sa femme à lui est décédée, il a réussi à lui avouer qu'il l'aimait en secret depuis toujours.
– Peut-être.
– Tu ne pourrais pas essayer de te renseigner ? Je suis morte de curiosité.
– Je me disais bien aussi que ça t'intéresserait.
La suite nuptiale. Eleanor observa de nouveau le couple, charmée de voir ces deux êtres qui allaient si bien ensemble.
– Tu crois que ça t'aidera à changer d'avis ou à prendre une décision ? reprit Tony. En ce qui nous concerne, je veux dire.

Elle baissa la tête et changea son couteau de place avec soin.

– Tu avais promis, Tony. Tu dois tenir ta promesse.

Le vin arriva.

– A qui veux-tu porter un toast ? demanda Tony.

– Certainement pas à nous.

– Aux jeunes mariés, alors ?

– On leur souhaite une longue vie pleine de bonheur ?

– Pourquoi pas ?

Ils burent. Par-dessus le bord de leurs verres, leurs regards se croisèrent.

« Je l'aime, songea Eleanor. Je crois en lui. Pourquoi est-ce que je n'arrive pas à me faire confiance ? »

Le lendemain matin, après un petit déjeuner tardif, ils sortirent faire une promenade. Le temps était parfait. Eleanor portait un jean blanc et avait enfilé un pull par-dessus son chemisier. Lorsqu'ils eurent exploré les jardins, admiré la grange aux dîmes située légèrement à l'écart de la grande bâtisse, ils descendirent jusqu'au lac et dénichèrent un coin abrité sur la rive plantée de roseaux.

L'herbe drue était bien verte, parsemée de pâquerettes. S'étant allongés, ils regardèrent les nuages dériver dans le bleu du ciel. Ils étaient si tranquilles, immobiles, qu'un couple de cygnes curieux traversa le lac afin de contempler de plus près ces étrangers qui avaient envahi leur territoire.

– Ça devait être merveilleux, dit Eleanor, d'être propriétaire de tout ça. Tu imagines, passer son enfance ici, comme si ça allait de soi. Devenir adulte et savoir que cette propriété vous appartient. Qu'elle fait partie intégrante de votre vie et de vous-même.

– Tu oublies les responsabilités, souligna Tony. Les gens qui sont à ton service mais dont il faut prendre soin. Et puis les terres à cultiver, les bâtiments à entretenir.

– Ça te plaisait de travailler là ?

– Oui, dit-il. Seulement au bout d'un moment, j'ai eu l'impression d'être coincé dans cet endroit certes merveilleux, mais éloigné de tout. J'ai trouvé que ça manquait d'animation.

– La présence des gens ne te stimule pas assez ?

– Non, pas suffisamment.

– Et si on se mariait, tu ne finirais pas par avoir l'impression de végéter dans un coin perdu ?

Tony ouvrit les yeux, leva la tête et regarda Eleanor avec étonnement.

– Je croyais qu'on ne devait pas parler mariage.

– N'empêche qu'on passe notre temps à ça. Peut-être qu'on ferait mieux de mettre le sujet à plat sur la table et d'essayer d'y voir clair.

– Eleanor chérie, ça fait deux ans qu'on se connaît. On a largement eu le temps de se rendre compte qu'on formait une bonne équipe. Nous deux, ce n'est pas une amourette qui va tourner en eau de boudin le jour où on décidera d'officialiser. En outre... (Il sourit.) Je ne veux pas faire comme les Renwick et rater une partie du chemin à faire avec toi.

– Moi non plus, Tony. Mais je ne veux pas non plus que ça tourne au vinaigre.

– Comme mes parents, tu veux dire ?

Les parents de Tony avaient divorcé lorsque le jeune homme avait quinze ans ; ils avaient bien sûr refait leur vie depuis. Tony ne parlait jamais de cette expérience traumatisante. Et il n'avait jamais présenté Eleanor à sa famille. Il poursuivit :

– Les mariages parfaits, ça n'existe pas. Et puis, on n'est pas obligé de refaire les mêmes erreurs que ses parents. En outre je te signale que les tiens, eux, étaient très heureux.

– C'est exact. (Elle se détourna, arrachant machinalement une touffe d'herbe.) Mais maman n'avait que cinquante ans lorsque papa est mort.

Lui mettant une main sur l'épaule, Tony l'obligea à se tourner vers lui.

– Je peux difficilement te promettre de vivre éternellement mais je t'assure que je ferai de mon mieux.

Eleanor ne put s'empêcher de sourire.

– Je te crois, Tony.

Le dimanche matin, comme n'importe quel mari, Tony décida de se mettre en quête d'un partenaire pour faire une partie de golf. Il invita Eleanor à l'accompagner sur les greens mais elle déclina l'offre et prit son petit déjeuner au lit tout en lisant les journaux. Vers onze heures, elle se leva, se plongea dans son bain, s'habilla, descendit et sortit. Le soleil était toujours au rendez-vous mais la température avait fraîchi ; aussi prit-elle d'un pas énergique la direction du club-house, décidée à aller à la rencontre de Tony.

Une fois devant le petit pavillon, elle s'arrêta net, ne sachant quelle direction emprunter. Et soudain elle entendit une voix joviale qui lançait : « Bonjour ! » Pivotant, elle aperçut sous la véranda, devant le pavillon, Mme Renwick, la « jeune mariée ». Celle-ci portait une jupe de tweed, une veste en tricot épais et était confortablement assise dans un fauteuil en osier.

– Bonjour, répondit Eleanor avec un sourire. (A pas lents, elle rejoignit Mme Renwick.) J'avais pensé aller à la rencontre de mon ami, mais j'ignore de quel côté me diriger.

– Mon mari fait une partie de golf, lui aussi. Normalement, il devrait arriver par là. Je pensais le rejoindre mais j'ai finalement préféré m'asseoir. Pourquoi ne pas vous joindre à moi ?

Après un certain temps d'hésitation, Eleanor décida d'accepter sa proposition. Approchant un fauteuil en osier, elle s'installa près de Mme Renwick, jambes tendues, visage tourné vers le soleil.

– Ah ! c'est rudement agréable, dit-elle.

– Plus agréable que de marcher ; le vent est glacial. Il y a longtemps que votre mari est dehors ?

– Deux heures environ. Mais ce n'est pas mon mari.

– Oh, désolée. Ainsi donc, je me suis trompée. Nous étions persuadés que vous étiez des jeunes mariés en voyage de noces.

Amusant de constater que les Renwick s'étaient posé des questions à leur sujet.

– Ça n'est pas le cas.

Eleanor jeta un coup d'œil furtif à la main gauche de Mme Renwick, s'attendant à y voir briller une alliance neuve. Mais l'alliance qu'elle vit était aussi terne que semblait âgée la main qui la portait. Intriguée, Eleanor fronça les sourcils. Mme Renwick ne put s'empêcher de surprendre sa mimique.

– Il y a quelque chose qui ne va pas ?

– Rien... Simplement... nous pensions que c'était votre mari et vous qui étiez en voyage de noces.

Rejetant la tête en arrière, Mme Renwick éclata de rire.

– Quel délicieux compliment ! Vous avez découvert, je suppose, que nous séjournions dans la suite nuptiale.

– Eh bien... (Eleanor éprouva une certaine gêne, comme quelqu'un qui est pris en flagrant délit d'indiscrétion.) Tony et le directeur sont de vieux amis, voyez-vous.

– Je vois. Eh bien, je vais vous tranquilliser. Nous sommes mariés depuis quarante ans, nous fêtons nos noces de rubis, et au lieu d'organiser une réception, mon mari a préféré nous offrir un week-end à Brandon. C'est à Brandon que nous avons passé notre lune de miel. C'était la guerre alors, et mon mari n'avait que deux jours de permission. Mais nous nous sommes toujours promis de revenir un jour. Franchement, l'endroit est aussi ravissant que dans mon souvenir. (Elle rit de nouveau.) C'est drôle que vous ayez pensé que nous puissions être de jeunes mariés. Vous avez dû vous demander ce qu'un couple de vieilles personnes comme nous pouvait bien fabriquer !

– Non, dit Eleanor, pas du tout. Vous aviez l'air tout à fait crédible, je vous assure. Vous n'arrêtiez pas de rire, de bavarder. On aurait dit que vous vous étiez rencontrés la veille et que vous étiez tombés follement amoureux l'un de l'autre.

– Ah, mais c'est un compliment encore plus adorable ! Et dire que nous vous avons soigneusement observés... Hier soir, lorsque vous dansiez avec votre ami, mon mari m'a dit qu'il n'avait jamais vu un couple aussi bien assorti.

Elle hésita un instant puis reprit d'un ton très terre-à-terre :

– Vous vous connaissez depuis longtemps ?

– Oui, dit Eleanor. Deux ans.

Mme Renwick réfléchit.

– Oui, fit-elle, pensive, ça commence à faire. De nos jours, les hommes sont vraiment gâtés. On leur tend sur un plateau tous les avantages de la vie conjugale sans qu'ils aient à en assumer les responsabilités.

– C'est ma faute, dit Eleanor. Tony, lui, ne demande qu'à se marier.

Mme Renwick sourit tranquillement.

– Manifestement, il vous aime.

– Oui, fit Eleanor d'une voix faible.

Elle regarda la vieille dame assise au soleil avec son air de bonté, son œil perspicace. C'était une inconnue, bien sûr ; elle eut pourtant la conviction qu'elle pouvait lui faire des confidences.

– Je n'arrive pas à prendre une décision, ajouta-t-elle.

– Avez-vous une raison valable de ne pas l'épouser ?

– Aucune. Nous sommes libres tous les deux. Nous n'avons d'autres obligations que professionnelles.

– Qu'est-ce que vous faites ?

– Tony dirige un hôtel à Londres. Je travaille pour une maison d'édition.

– Votre carrière compte beaucoup pour vous ?

– Oui. Mais rien ne m'empêchera de continuer à travailler étant mariée. Du moins jusqu'au moment où je déciderai d'avoir des enfants.

– Peut-être que vous n'êtes pas prête à passer le reste de votre existence avec lui ?

– Mais j'en ai envie, pourtant. C'est bien ça qui me chiffonne. Ce qui m'arrête, voyez-vous, c'est la crainte de perdre mon identité. Les parents de Tony ont divorcé quand il était petit. Mais mes parents à moi étaient toujours ensemble. Ils vivaient l'un pour l'autre. Lorsque par hasard ils étaient séparés, ils se téléphonaient tous les jours. Et puis mon père à fait une crise cardiaque, il est mort, et ma mère s'est retrouvée seule. A cinquante ans. Elle qui avait toujours été un véritable pilier pour sa famille et ses amis, du jour au lendemain elle s'est écroulée. On pensait qu'elle finirait par s'en remettre et revivre normalement, mais non. Sa vie s'est arrêtée lorsque mon père a disparu. Je l'aime infiniment mais je ne peux pas continuer à partager son chagrin.

– Je suis désolée, dit Mme Renwick. Malheureusement, ce genre de chose peut nous arriver à tous. J'ai soixante ans, mon mari soixante-quinze. Il serait idiot de se voiler la face, de faire comme si on avait encore de nombreuses années à vivre ensemble. En outre, d'après les statistiques, j'ai de grandes chances de lui survivre. Mais il me restera de merveilleux souvenirs et l'idée de me retrouver seule ne m'a jamais épouvantée. Je me suis toujours efforcée de me réserver des plages de temps bien à moi. J'ai beau adorer Arnold, j'ai toujours refusé d'être dans ses jambes vingt-quatre heures sur vingt-quatre. Voilà pourquoi au lieu de le suivre pas à pas sur les greens et de le regarder rater ses coups, je suis restée tranquillement assise ici.

– Vous n'avez jamais joué au golf ?

– Ah, non alors ! Le sport, ça n'est pas mon truc. Moi ce que j'aime, c'est le piano. J'ai de la chance parce que, toute petite, j'ai appris à en jouer. Oh, je n'ai jamais été une virtuose ; jamais je n'aurais pu en faire ma profession. La plupart du temps, je jouais pour mon plaisir. La musique était mon jardin secret ; elle m'a soutenue toute ma vie et quoi qu'il arrive, je pense qu'elle sera toujours pour moi un excellent dérivatif. Je m'estime très heureuse d'avoir une passion. Mais il n'y a pas que le piano, vous savez. J'ai une amie, par exemple, qui n'a pas de talents particuliers et a choisi de se promener avec son chien tous les après-midi. Qu'il pleuve ou qu'il vente, elle marche pendant une heure. Personne n'est autorisé à l'accompagner. Elle est persuadée que cette manie l'a sauvée plus d'une fois.

– Si j'étais sûre de pouvoir réagir, de ne jamais rester prostrée comme ma mère... dit Eleanor.

Mme Renwick la regarda longuement et avec attention.

– Vous voulez épouser ce jeune homme ? dit-elle.

Au bout d'un moment, Eleanor acquiesça.

– Alors, épousez-le ! Vous êtes bien trop intelligente pour vous laisser étouffer par un homme, encore moins par ce garçon délicieux qui de toute évidence vous adore. (Elle se pencha et tapota la main de la jeune femme.) Souvenez-vous seulement de mon conseil et arrangez-vous pour avoir un monde bien à vous. Gardez votre indépendance d'esprit. Il vous en saura gré, et votre existence à tous deux n'en sera que plus riche.

– Comme l'est la vôtre, fit Eleanor.

– Qu'en savez-vous ? Vous ignorez tout de ma vie.

– Je sais que vous êtes mariée depuis quarante ans et que vous riez toujours avec votre mari.

– Et c'est ça que vous voulez ?

– Oui, reconnut Eleanor après un instant d'hésitation.

– Alors, allez-y. Foncez. Prenez la vie à pleines mains. Tenez... J'aperçois Tony, là-bas. Pourquoi n'allez-vous pas à sa rencontre ?

Eleanor tourna les yeux vers le fairway. Aperçut deux silhouettes qui se dirigeaient vers le club-house. L'une d'elles était indubitablement celle de Tony. Une sorte d'excitation inhabituelle lui fit battre le cœur à grands coups.

– C'est une idée, acquiesça-t-elle.

S'étant levée, elle hésita, pivota vers Mme Renwick et lui plaqua un baiser sur la joue.

– Merci.

Elle dévala les marches du petit pavillon, traversa l'allée gravillonnée et foula la pelouse élastique du fairway. La voyant venir vers lui, Tony lui fit signe de la main. Elle agita la main à son tour et se mit à courir comme si, alors même qu'ils allaient passer le restant de leur vie ensemble, il n'y avait plus une seconde à perdre.

Traduit par Dominique Wattwiller

Cousine Dorothy

Mary Burn se réveilla de bonne heure dans sa jolie chambre au papier peint fleuri. Mais le soleil avait beau briller et les oiseaux chanter, les soucis qui l'avaient accaparée la veille au soir n'avaient pas pour autant disparu.

Se retournant, elle ferma les yeux et regretta que Harry ne fût plus là pour la rassurer d'un ferme : « Ne t'inquiète pas, chérie, je vais m'en occuper. » Hélas, il était mort cinq ans auparavant, et leur fille Vicky – qui se mariait dans une semaine – se retrouvait sans robe.

Harry aurait su quoi faire. Avec lui, Mary avait perdu non seulement un amant et un ami, mais aussi un mari compétent et adorable qui réglait tous les problèmes.

Mary, toute contente de s'occuper de la maison, du jardin et du bébé, avait été ravie de le laisser prendre toutes sortes d'initiatives. D'autant qu'elle le reconnaissait volontiers elle-même : l'organisation n'était pas son fort. Dans les associations et les comités elle était totalement inefficace, et elle oubliait fréquemment d'arranger les fleurs le dimanche à l'église lorsque venait son tour. C'était Harry qui préparait les vacances, commandait le charbon, allait trouver les directrices d'école, mettait de l'essence dans la voiture et remettait les poignées en place quand par hasard elles se dévissaient.

De même, il prenait à bras-le-corps le problème que posait Vicky.

Toute petite, ç'avait été une enfant affectueuse, démonstrative, une fillette d'une compagnie délicieuse, qui fabriquait des habits pour ses poupées, faisait des bonshommes en pain d'épices et bêchait son petit carré de jardin. Mais vers l'âge de douze ans, elle avait brusquement changé. Du jour au lendemain, elle avait cessé d'être une petite fille docile et sage pour se métamorphoser en une adolescente ombrageuse, récalcitrante et têtue. Chaque fois que quelque chose la contrariait – les chaussures qui n'étaient pas à son goût, les mauvaises notes qu'elle obtenait en classe –, elle en rendait sa mère responsable.

Mary n'en revenait pas de cette métamorphose.

– Mais enfin, qu'est-ce qu'elle a ? chuchota-t-elle furieusement à Harry après une scène particulièrement mouvementée qui s'était terminée par des éclats de voix et des claquements de porte. J'ai l'impression qu'elle ne m'aime plus.

– Elle grandit, c'est tout, répondit Harry. Elle s'affirme. Cela lui passera. Ne t'en fais pas.

– Comment le sais-tu ? Tu n'as jamais eu de sœur. La seule jeune fille que tu aies connue, c'est ta cousine Dorothy.

– Ne recommence pas avec Dorothy.

Dorothy était le seul sujet sur lequel les époux n'étaient pas d'accord. La cousine de Harry avait bien dix ans de plus que Mary et la valait cent fois. Célibataire, elle avait opté pour une carrière dans l'administration et travaillé plusieurs années au Foreign Office. Elle parlait trois langues et était la collaboratrice directe d'un sous-secrétaire d'Etat en compagnie duquel elle effectuait de fréquents séjours à l'étranger. Lorsqu'elle n'était pas en déplacement à Genève ou à Bruxelles, qu'elle n'arpentait pas les allées du pouvoir à Whitehall, elle se réfugiait dans son appartement de Knightsbridge. Mary l'avait toujours connue impeccablement vêtue, maquillée et coiffée. Elle avait un faible pour les chaussures de prix et ne se séparait jamais de son sac à main en cuir – un fourre-tout de la taille d'un attaché-case qui devait regorger en permanence de lourds secrets d'Etat.

– Mais je ne recommence pas, Harry. Simplement, je n'arrive pas à m'imaginer Dorothy en adolescente casse-pieds, Dorothy amoureuse. Bref, Dorothy en proie à une émotion quelconque. Reconnais qu'avec la personnalité qu'elle a, elle est plutôt réfrigérante.

– Possible, mais ça ne devrait pas te poser de problème. Tu la vois si rarement...

– C'est exact. Mais c'est ta cousine, tout de même. Ce serait bien que nous soyons amies.

Vicky avait dix-sept ans à la mort de Harry. On aurait pu penser que l'antagonisme entre mère et fille se serait dissipé une fois pour toutes ; mais il n'avait fait que s'atténuer et il était toujours prêt à se réveiller, tel le feu couvant sous la cendre. Alors que les deux femmes auraient dû pouvoir se réconforter l'une l'autre, elles semblaient passer leur temps à se disputer.

Ce fut une période épouvantable. Le chagrin, le deuil et les pénibles formalités qui l'entourent avaient été épuisants. Mais le plus dur, ç'avait été d'apprendre à vivre sans Harry. Les mois passant, poussée par l'impérieuse nécessité, Mary fut bien forcée d'acquérir en hâte l'esprit pratique qui jusque-là lui avait fait défaut.

Pour Vicky, le problème ne se posait pas dans les mêmes termes. La disparition de son père l'avait déboussolée, traumatisée, rendue furieuse, et Mary – qui la comprenait – la soutenait de son mieux. Seulement, bien que comprenant l'épreuve traversée par sa fille, elle ne parvenait pas vraiment à la réconforter.

Le pire, c'est qu'elle ne pouvait se confier à personne. Certes, elle avait des amis dans ce petit village du Wiltshire où elle habitait depuis son mariage. Mais on ne débattait pas avec les amis des défauts de sa fille. Ç'aurait été déloyal.

Et du côté de la famille, il n'y avait que la cousine Dorothy. Celle-ci, qui avait cessé ses activités au Foreign Office et pris sa retraite, s'était installée à la campagne. Demeurant à quinze kilomètres de là, elle s'occupait activement de la Croix-Rouge locale et jouait régulièrement au golf. Mary et elle se rencontraient parfois pour déjeuner, mais l'atmosphère était toujours guindée et la conversation difficile. Vicky était un sujet d'autant plus délicat que Dorothy n'avait jamais eu beaucoup d'affection pour elle.

– C'est une enfant gâtée, pourrie, avait-elle déclaré plus d'une fois à Harry. Forcément, une fille unique... Tu n'as jamais su lui dire non. Tu le regretteras.

Dans ces conditions, Mary ne voulait surtout pas donner à Dorothy l'occasion de s'exclamer triomphalement : « Je vous l'avais bien dit. »

La situation était devenue presque invivable. Toutefois, au moment où Mary se disait que cela ne pouvait pas continuer plus longtemps, Vicky prit les choses en main. Un matin au petit déjeuner, elle annonça tranquillement à sa mère qu'elle avait décidé d'aller à Londres pour y suivre des cours de cuisine.

Mary reposa avec soin sa tasse de café.

– Où comptes-tu les suivre, ces cours ? demanda-t-elle.

Vicky le lui dit et ajouta :

– Sarah Abbey a étudié dans cet établissement. Tu te souviens de Sarah ? On était en classe ensemble. Elle a un appartement à Londres, maintenant, et elle se fait un fric fou à préparer des déjeuners pour des cadres. Elle m'a proposé de partager son appartement.

Ainsi mise devant le fait accompli, Mary déclara qu'elle allait se renseigner. Mais Vicky lui dit que c'était inutile, qu'elle s'était déjà inscrite pour le prochain trimestre.

« Elle sera mieux seule », se dit Mary après avoir mis Vicky dans le train de Londres et regagné la maison vide mais étrangement calme.

Seulement, comme il fallait s'y attendre, Vicky ne tarda pas à donner à sa mère de bonnes raisons de se faire du mauvais sang. D'abord installée chez Sarah Abbey, elle déménagea au bout d'un mois. Dieu merci, elle téléphona à Mary pour lui expliquer ce qui se passait.

– Mais Vicky, je ne comprends pas. Je croyais que tu l'aimais bien ?

– Maman, elle a tellement changé qu'elle en est méconnaissable. C'est simple : plus rasoir, tu meurs. Je vais habiter avec une autre fille qui est à l'école avec moi. Et deux garçons. Ils partagent une maison à Fulham. Ça va être nettement plus sympa. Tiens, voilà mon adresse... (Mary attrapa un bloc et un crayon, et s'empressa de noter.) Tu l'as ? Bon, il faut que j'y aille.

– Vicky, comment ça se passe, au fait... Les cours, je veux dire.

– Comme sur des roulettes. C'est enfantin. Je te ferai un carré d'agneau la prochaine fois que je viendrai.

Lorsque Vicky se décida à venir passer le weekend chez sa mère, elle portait des vêtements excentriques qui semblaient avoir été dénichés dans une vente de charité. Ce qui était le cas. Elle arriva en compagnie d'un jeune homme rencontré, expliqua-t-elle, dans une discothèque. Il portait un costume de lin mauve tout froissé et passa le week-end à écouter sa mini-chaîne.

Le cours de cuisine dura une année. A la fin, Vicky passa ses examens haut la main et se mit aussitôt en quête d'un travail. En deux temps trois mouvements, elle se retrouva sillonnant Londres avec ses poêles et ses casseroles, ses couteaux à découper et tout son matériel empilé sur le siège arrière de sa Mini d'occasion. Elle cuisinait des dîners, remplissait des congélateurs, faisait le traiteur pour des mariages ou bien concoctait des déjeuners substantiels pour des conseils d'administration prestigieux.

Devant tant de succès et de zèle, il était inutile de se faire du souci. Aussi Mary cessa-t-elle de s'inquiéter. Mais elle n'arrivait toujours pas à s'expliquer pourquoi les amis de Vicky avaient un genre aussi excentrique. Vicky les lui amenait dans le Wiltshire à intervalles réguliers et ils étaient tous plus bizarres les uns que les autres; mais la plus bizarre de tous était certainement cette fille nommée Regina French : maigre à faire peur, elle ressemblait à une sorcière et ne se nourrissait que de céréales et de noix.

Mary se disait qu'il y avait sûrement des jeunes gens normaux et charmants à Londres. Pourquoi Vicky n'en rencontrait-elle pas ? Ou pourquoi la laissaient-ils indifférente ? Réagissait-elle contre son éducation qu'elle jugeait trop conventionnelle ?

Autant de questions qui restaient sans réponse.

Dorothy lui téléphona.

– Mary ?

– Oui... Comment allez-vous ?

– Ma chère, il faut absolument que je vous pose une question. Figurez-vous que j'étais à Londres, hier, chez Harrods, et que j'ai aperçu Vicky. Du moins une jeune fille qui lui ressemblait... Seulement, elle s'est teint les cheveux en jaune poussin.

– Dieu merci, pas en rose !

– Qu'est-ce qu'elle fait ? Elle a un job ?

– En effet, elle a monté sa petite entreprise de traiteur. Elle travaille très dur, fit Mary sur la défensive.

– Eh bien, elle a une drôle d'allure. Je suis étonnée qu'on lui confie ne serait-ce qu'un œuf pour le faire cuire à la coque.

– Son allure, c'est son affaire.

– Bien sûr, c'est votre fille.

– Oui, répliqua Mary d'un ton ferme. En effet. C'est ma fille.

C'était la première fois qu'elle tenait tête à Dorothy, et elle n'en fut pas peu fière.

Et puis un beau jour, sans crier gare, l'inimaginable se produisit. Vicky alla passer quinze jours en Ecosse afin de préparer les repas d'un petit groupe d'amateurs de pêche dans un village reculé des Highlands. Là, elle rencontra un certain Hector Harding. Elle n'eut bientôt plus que ce nom à la bouche, le glissant dans la conversation sous les prétextes les plus futiles.

Mary dressa l'oreille.

– Qui est ce Hector, Vicky ?

– Un type que j'ai rencontré en Ecosse. Je le vois pas mal en ce moment.

– Qu'est-ce qu'il fait ?

– Il est architecte.

Un architecte. Voilà qui était nouveau. Il n'y avait encore jamais eu d'architecte dans la vie de Vicky. Mary reprit espoir. Hector Harding fut invité à passer le week-end dans le Wiltshire.

« Ce n'est qu'un copain », se dit fermement Mary, qui ne voulut pas se mettre en frais ni préparer quoi que ce soit de spécial. Toutefois, le vendredi soir, lorsque la voiture s'arrêta devant sa porte, elle ne put réprimer un mouvement de curiosité en allant à la rencontre des deux jeunes gens.

Ils étaient venus non pas dans la Mini de Vicky mais dans la voiture de Hector. Ce dernier s'extirpa de derrière le volant, dépliant ses longues jambes moulées dans un jean, et se précipita pour serrer la main de son hôtesse. Grand, mince, il avait une épaisse crinière châtaine. Ce n'était pas un garçon particulièrement beau – il n'avait rien de particulièrement remarquable, d'ailleurs. Mais il était terriblement gentil.

Le samedi matin, il tondit la pelouse et répara le grille-pain qui donnait des signes de défaillance depuis des semaines. L'après-midi, Vicky et lui allèrent faire une longue promenade. Ils revinrent à cinq heures, l'air un peu groggy. Plus tard, tandis qu'ils prenaient un verre avant de dîner, ils annoncèrent à Mary qu'ils avaient l'intention de se marier.

Dorothy téléphona quelques jours après.

– Mary, je viens d'ouvrir le *Daily Telegraph* où j'ai appris les fiançailles de Vicky. Ça date de quand, ces fiançailles ?

Mary répondit à sa question.

– Qu'est-ce qu'il fait, ce jeune homme ?

– Il est architecte.

– Il vous plaît ?

– Beaucoup. Et je suis sûre que Harry l'aurait apprécié, lui aussi.

– A quand le mariage ?

– En août, dans l'église du village. Il y aura une petite réception à la maison après. Quelque chose de très intime. Nous n'inviterons que les amis. En toute simplicité.

Mais elle se trompait. Car comme toujours, Vicky avait son idée sur la question.

– Il va falloir faire imprimer les invitations et établir une liste d'invités, dit Mary.

– Hector et moi, nous ne voulons pas plus de cinquante personnes. Nos amis les plus proches. Pas de membres de la famille que nous ne connaissons pas.

– Il y en a certains que nous serons bien obligés d'inviter. La cousine Dorothy, par exemple, souligna Mary.

– Pourquoi devrais-je inviter la cousine Dorothy à mon mariage ? rétorqua Vicky. Elle ne peut pas me voir en peinture. Je l'ai aperçue l'autre jour chez Harrods, et je me suis sauvée, de peur qu'elle me mette le grappin dessus. Je savais qu'elle allait me fixer avec ses yeux perçants et me poser des questions indiscrètes.

Mary ne comprenait que trop bien la réaction de sa fille.

– Je sais, elle me hérisse, moi aussi, reconnut-elle. Mais malgré tout, je crois qu'on devrait l'inviter.

– Bon, très bien, concéda Vicky à contrecœur. Elle n'aura qu'à s'asseoir dans un coin et papoter avec la grand-mère de Hector.

Le problème de Dorothy étant réglé, on passa à la question capitale : la robe.

– J'ai vu une photo dans un magazine, dit Vicky à sa mère. Ce serait parfait.

Mary imagina aussitôt un voile et des flots de dentelle blanche. C'était peine perdue... Lorsque sa fille lui montra le magazine, elle ouvrit des yeux ronds devant la photographie en question. Le mannequin ressemblait à Vicky, avec ses cheveux teints et ses longues jambes maigres. La robe était une manière de tee-shirt auquel était suspendue une jupe de coton confectionnée pour ainsi dire à l'aide de mouchoirs qui semblaient avoir été mis là à sécher. Le mannequin arborait chaussettes et tennis.

Il y eut un silence, bientôt rompu par Vicky :

– Tu trouves pas que c'est génial ?

– Trois cent vingt livres, murmura Mary.

– Oh, mais rassure-toi. Pas question de l'acheter, je vais la faire copier. Tu te souviens de Regina ? Je te l'ai amenée une fois, il y a une éternité. Elle est couturière.

– C'est son métier ?

– Non, un passe-temps. Je vais lui demander de me faire la robe.

– Elle aura fini à temps ?

– Bien sûr !

– Bon, très bien. (Après tout, c'était le mariage de Vicky.) Tu ferais peut-être bien de la contacter le plus vite possible, alors.

Vicky se précipita sur le téléphone mais ne put joindre Regina. Alors, elle appela Hector et lui parla pendant une bonne heure. Mary – qui faisait la vaisselle du petit déjeuner – fut prise d'un fâcheux pressentiment.

Ce pressentiment ne tarda pas à s'avérer fondé. Chaque fois que Vicky montait à Londres voir comment Regina s'en sortait avec la robe, ou qu'elle lui téléphonait, Regina avait une bonne excuse. Elle n'avait pas reçu le tissu... Sa machine à coudre était en panne... Elle devait aller dans le Devon s'occuper du bébé d'une amie... Mais il ne fallait pas que Vicky s'inquiète : la robe serait prête à temps.

Ne pas s'inquiéter... Cette pensée ramena Mary dans le présent. Le mariage avait lieu dans une semaine, et le problème de la robe n'était toujours pas réglé. Elle sortit de son lit, s'habilla et descendit au rez-de-chaussée où elle découvrit Vicky assise à la table de la cuisine et buvant du café. Le courrier était arrivé.

– Des nouvelles de Regina ? demanda-t-elle.

– Oui, répondit Vicky sans la regarder.

Mary jeta un coup d'œil autour d'elle, espérant voir un paquet susceptible de contenir une robe de mariée. Mais rien.

– Une lettre, précisa Vicky.

Avec une pointe d'inquiétude, Mary prit la lettre des mains de sa fille et lut.

Chère Vicky,

Désolée, j'ai chopé la grippe. Impossible d'approcher du téléphone. Navrée pour la robe. Impossible de m'en occuper maintenant. J'espère que ton mariage sera réussi.

Amitiés, Regina.

Mary tendit le bras vers une chaise et s'y laissa tomber.

– Si je t'entends dire quoi que ce soit, je hurle, attaqua Vicky.

– Loin de moi cette idée. Au moins, maintenant, on sait à quoi s'en tenir.

– Oui. Je suis toute nue !

Mary se dit qu'il lui fallait à tout prix conserver son sang-froid.

– Veux-tu que nous allions à Londres faire les magasins, essayer de te trouver quelque chose ?

– Je ne trouverai jamais rien qui me plaira. J'en suis certaine.

Sa voix avait dérapé dans les aigus. Elle annonçait une suite qui menaçait de devenir hystérique.

– Si je n'ai pas *la* robe qui me plaît, c'est simple, je me marie en bleu de travail !

– Ma chérie, du calme, ne te mets pas dans tous tes états.

Vicky bondit sur ses pieds.

– Que veux-tu que je fasse d'autre ? Si seulement Hector et moi, on pouvait s'enfuir ! Ne pas se marier !

La porte de la cuisine claqua derrière elle.

L'espace d'un moment, Mary resta immobile sur sa chaise puis, avant de se laisser aller à casser quelque objet ou à monter au premier dire des choses désagréables à Vicky, elle prit son sac, sortit, monta dans sa voiture et se rendit chez Dorothy.

Celle-ci était en train de jardiner. Même dans cette situation, elle demeurait impeccable en pantalon bien coupé et petit filet maintenant en place sa chevelure blanche. Elle bêchait une plate-bande mais dès qu'elle vit Mary se diriger vers elle, elle laissa tomber sa bêche et vint à sa rencontre.

– Voyons, ma chère, que se passe-t-il ? fit-elle d'un air inquiet.

« Je dois avoir une sale tête », songea Mary. Elle essaya de parler mais, avant même d'avoir eu le temps de prononcer une parole, éclata en sanglots.

Dorothy se montra adorable. Elle l'entraîna doucement à l'intérieur, l'installa dans un fauteuil du séjour et disparut comme si de rien n'était. La pièce était fraîche et bien rangée, il y flottait un parfum d'encaustique et de linge repassé. Calmée petit à petit par cette atmosphère paisible, Mary réussit à endiguer le flot de ses larmes. Prenant un mouchoir, elle se moucha. Dorothy revint, lui apportant non un café mais un petit verre de cognac.

– Tenez, buvez ça.

– Mais Dorothy, il n'est même pas dix heures du matin !

– Ordre du médecin ! (Dorothy prit place dans l'autre fauteuil.) Vous avez l'air toute retournée. Buvez, je vous dis.

Mary obtempéra. Aussitôt, elle se sentit plus forte et réussit à sourire.

– Je suis désolée. Tout va de travers. Il fallait absolument que je quitte la maison pour parler à quelqu'un. Et c'est à vous que j'ai pensé.

– Il s'agit de Vicky ?

– Eh bien, oui, d'une certaine façon. Ce n'est pas sa faute. Elle m'a bien aidée à préparer le mariage et je commençais à me dire que nous allions traverser cette épreuve sans une dispute. (Mary reposa son verre vide.) Je sais, vous avez toujours pensé que Harry et moi l'avions trop gâtée et ce n'est pas entièrement faux. Mais la vérité, c'est que Vicky et moi sommes terriblement différentes. Je n'ai rien de commun avec elle. Quand tout va bien, ce n'est pas grave. Mais ce matin...

Et elle relata à Dorothy la désastreuse saga de la robe de mariée.

– Mais vous n'y êtes pour rien, souligna Dorothy lorsque Mary eut terminé.

– Je sais. N'empêche que maintenant il ne nous reste plus qu'une semaine pour en dénicher une autre. Et Vicky a des idées tellement arrêtées sur la question... Elle m'a menacée successivement de se marier en bleu de travail, de s'enfuir avec Hector, et de faire l'impasse sur la cérémonie religieuse.

Dorothy secoua la tête.

– A mon avis, c'est une crise de nerfs prénuptiale. Dont vous êtes victimes toutes les deux. Un mariage, c'est du travail, et plus encore quand on n'a plus de mari pour vous aider. En fait, voyez-vous, j'ai bien failli vous téléphoner pour vous proposer un coup de main. Seulement j'ai eu peur que vous ne preniez ça pour une indiscrétion de ma part. Quant à Vicky, si vous voulez le fond de ma pensée, je trouve que vous avez été une mère formidable et ça n'a pas dû être facile tous les jours sans Harry. Je vous ai vraiment admirée lorsque vous l'avez laissée partir vivre sa vie à Londres.

Etre admirée par Dorothy. Voilà qui était nouveau, et tellement réconfortant ! Un silence s'établit. Mais un silence qui n'était ni pénible ni tendu.

Jamais Mary ne s'était sentie aussi à l'aise avec Dorothy.

Jetant un regard à l'horloge, elle dit :

– Je me sens mieux. J'avais besoin de parler.

– Qu'allez-vous faire pour la robe ?

– Aucune idée.

– Moi j'en ai une, dit Dorothy.

Mary rentra à toute allure, le cœur incroyablement léger. Elle descendit de voiture, s'empara du grand carton vieillot posé sur le siège arrière, le porta dans la maison et le monta jusqu'à sa chambre. Puis elle le déposa sur son lit, et s'assit à sa coiffeuse pour arranger un peu son visage bouffi par les larmes.

– Maman ?

La porte s'ouvrit sur Vicky.

– Ça va ?

Mary ne se retourna pas.

– Oui, bien sûr que ça va.

Elle se passa de la lotion sur les joues.

– Je me demandais où tu étais passée. (Vicky mit les bras autour du cou de sa mère et se pencha pour l'embrasser.) Je suis désolée, dit-elle en s'adressant au reflet de Mary. J'ai disjoncté. Si je n'ai rien à me mettre, c'est entièrement ma faute et je n'aurais pas dû te coller ça sur le dos. Ni m'en prendre à toi.

– Oh, chérie.

– Où étais-tu passée ? Je me suis si mal comportée que j'ai eu peur de t'avoir chassée de la maison.

– Je suis allée voir Dorothy.

Vicky vint s'asseoir sur le lit.

– Dorothy ? Pourquoi ça ?

– Je ne sais pas. Un besoin irrésistible de parler à quelqu'un de raisonnable. C'est la femme la plus sensée que je connaisse. Eh bien, j'ai eu une bonne idée d'aller la trouver. Elle m'a offert du cognac et m'a fait cadeau d'une robe de mariée.

– Tu plaisantes ?

– Pas du tout. Regarde dans le carton.

– Mais à qui appartient cette robe ?

– A elle.

Mary se tourna vers sa fille.

– On croit toujours connaître les gens, mais en fait on se trompe. Quand Dorothy avait dix-neuf ans, elle était fiancée à un jeune officier de marine. Le mariage devait être célébré en septembre 1939. C'est alors que la guerre a éclaté. La cérémonie a dû être annulée. Son fiancé est parti en mer où il a trouvé la mort. C'est pour cela que Dorothy ne s'est jamais mariée.

– Mais comment se fait-il qu'on n'en ait jamais rien su ? Même papa l'ignorait ?

– Harry n'avait que neuf ans à l'époque. Il était trop petit pour se rendre compte de quoi que ce soit.

– Et nous qui pensions que c'était un gendarme, une femme sans cœur, soupira Vicky.

– Je sais. Mais là n'est pas la question. Elle m'a dit que si elle te plaisait, tu pouvais porter sa robe. Une robe de 1939, une véritable pièce de collection qui n'a jamais servi.

– Tu l'as vue ?

– Non. Elle m'a donné le carton sans l'ouvrir.

Assises toutes les deux sur le lit, elles défirent la ficelle, retirèrent le couvercle et déplièrent le papier de soie. Se mettant debout, Vicky sortit délicatement la robe et la tint à bout de bras pour l'examiner. Le satin froufrouta jusqu'au sol. La jupe était évasée, coupée en biais, les manches bouffantes, les épaules rembourrées ; le décolleté, profond et carré, était brodé de perles. Une légère odeur sucrée évoquant celle d'un pot-pourri se dégageait du tissu.

– Oh... Maman, c'est un rêve !

– Effectivement, elle est ravissante. Mais tu n'as pas peur que les épaulettes...

– Les épaulettes, c'est très à la mode. Elle est parfaite.

– Un peu trop longue, peut-être.

– Ça, ce n'est pas difficile à régler. Je suppose que Dorothy n'y verra pas d'inconvénient.

– Sûrement pas. Elle t'en fait cadeau. Passe-la vite.

Vicky s'empressa d'obéir, se débarrassant de sa chemise et de son jean et enfilant la robe de soie par la tête. Mary attacha les minuscules boutons qui la fermaient dans le dos.

Vicky s'approcha de la grande glace. Exception faite de la longueur, la robe semblait avoir été taillée pour elle. Elle se tourna pour se voir le dos, admirer la jupe superbement coupée qui s'évasait en une petite traîne de soie.

– Elle est splendide, murmura-t-elle. Je la mettrai. Je n'aurais jamais rien trouvé d'aussi beau, même si j'avais cherché pendant des années. Comme c'est gentil de la part de Dorothy ! Je me demande bien pourquoi elle est si gentille avec moi...

Elles défirent les boutons et Vicky ôta la robe. Mary la suspendit sur un cintre qu'elle accrocha à la porte de son armoire.

– Ah ! Maman, quelle chance ! Je vais passer un coup de fil à Dorothy immédiatement. Je m'en veux d'avoir été aussi chipie avec elle et d'avoir refusé de l'inviter à mon mariage. (Vicky enfila son jean.) Tu avais raison. (Elle fit coulisser la fermeture Eclair.) On croit tout savoir des gens et en fait on se trompe. (Elle boutonna son chemisier et serra sa mère contre elle.) Quant à toi, tu t'es conduite comme un ange.

Elle s'éclipsa. Quelques instants plus tard, Mary l'entendit parler à Dorothy d'une voix vibrante de plaisir et de gratitude.

Mary ferma la porte de sa chambre et se rassit à sa coiffeuse. Elle regarda la robe et se dit que pour une fois, Vicky allait accepter d'être belle. Elle songea au mariage qui avait lieu dans une semaine et y songea avec plaisir. Elle songea à Hector qui allait devenir son gendre, à Dorothy dont elle avait l'impression de s'être fait une amie. Après le mariage, elles déjeuneraient ensemble ; elles avaient beaucoup de choses à se raconter.

Elle songea enfin à Harry. Sa photographie trônait au milieu des flacons et des pots de crème sur la coiffeuse. Elle lui adressa un sourire. « Ne t'inquiète pas, Harry, chuchota-t-elle, j'ai pleinement confiance. Tout va bien se passer. » Elle contempla son reflet, se poudra, et, d'un cœur léger, tendit le bras vers son rouge à lèvres.

Traduit par Dominique Wattwiller

Postface

Durant mes longues années de labeur qui ont précédé la publication des *Pêcheurs de coquillages*, j'ai consacré beaucoup de temps à la rédaction de nouvelles. Il y avait à cela nombre de raisons : il s'agissait d'abord d'une forme de composition qui me plaisait tout particulièrement ; l'écriture d'une nouvelle ne prenait ensuite que quelques jours, à une époque où, en charge de quatre enfants, je n'étais pas en mesure de me lancer dans une œuvre de longue haleine.

Il y a une dizaine d'années, pendant un intervalle entre deux romans, mon éditeur américain me proposa de publier un recueil desdites nouvelles dans une édition grand format. Il me fallut quelque temps pour les retrouver dans mes archives – dossiers personnels, magazines divers qui avaient publié les premiers mes petites histoires –, mais après pas mal de recherches, nous parvînmes à les collationner en un recueil que nous intitulâmes *La Chambre bleue*.

Aucune de ces nouvelles n'est « romantique » en soi. Il s'agit plutôt d'historiettes consacrées aux relations entre les êtres. Entre parents et enfants. Entre frères et sœurs. Amitiés et épousailles. Certaines d'entre elles vous amuseront, du moins je l'espère. D'autres sont moins légères.

J'ai offert ce recueil à de nombreux amis, en leur demandant spécifiquement de le placer sur la table de nuit dans la chambre d'amis. Sur la page de garde, j'avais inscrit les mots suivants : « Ordonnance. Absorber une unité avant le coucher. »

Un second recueil fut publié quelques années plus tard. Les deux volumes ont été regroupés par les Presses de la Cité. J'espère vivement que cet ouvrage, qui rassemble mes meilleures nouvelles, vous aura distraits, vous et vos visiteurs occasionnels.

Rosamunde PILCHER

Table des matières

ROMAN

Adler Elizabeth
Secrets en héritage
Le secret de la villa Mimosa

Ashley Shelley V.
L'enfant de l'autre rive
L'enfant en héritage

Beauman Sally
Destinée
Femme en danger

Bennett Lydia
L'héritier des Farleton
L'homme aux yeux d'or
Le secret d'Anna

Benzoni Juliette
De deux roses l'une
Un aussi long chemin
Les dames du Méditerranée-Express
1 - La jeune mariée
2 - La fière Américaine
3 - La princesse mandchoue
Fiora
1 - Fiora et le Magnifique
2 - Fiora et le Téméraire
3 - Fiora et le pape
4 - Fiora et le roi de France
Les loups de Lauzargues
1 - Jean de la nuit
2 - Hortense au point du jour
3 - Félicia au soleil couchant
Les treize vents
1 - Le voyageur
2 - Le réfugié
3 - L'intrus
4 - L'exilé
Le boiteux de Varsovie
1 - L'étoile bleue
2 - La rose d'York
3 - L'opale de Sissi
4 - Le rubis de Jeanne la Folle-
Secret d'État
1 - La chambre de la reine
2 - Le roi des Halles
3 - Le prisonnier masqué

Bickmore Barbara
Une lointaine étoile
Médecin du ciel

Binchy Maeve
Le cercle des amies
Noces irlandaises
Retour en Irlande
Les secrets de Shancarrig
Portraits de femmes
Le lac aux sortilèges

Blair Leona
Les demoiselles de Brandon Hall

Bradshaw Gillian
Le phare d'Alexandrie
Pourpre impérial

Bright Freda
La bague au doigt

Bruce Debra
La maîtresse du Loch Leven

Cash Spellman Cathy
La fille du vent
L'Irlandaise

Chamberlain Diane
Vies secrètes
Que la lumière soit
Le faiseur de pluie

Chase Linday
Un amour de soie

Collins Jackie
Les amants de Beverly Hills
Le grand boss
Lady boss
Lucky
Ne dis jamais jamais
Rock star
Les enfants oubliés
Vendetta

COLLINS JOAN
Love
Saga

COURTILLÉ ANNE
Les dames de Clermont
1 - Les dames de Clermont
2 - Florine
Les messieurs de Clermont

COUSTURE ARLETTE
Émilie
Blanche

CRANE TERESA
Demain le bonheur
Promesses d'amour
Cet amour si fragile

DAILEY JANET
L'héritière
Mascarade
L'or des Trembles
Rivaux
Les vendanges de l'amour

DELINSKY BARBARA
La confidente

DENKER HENRY
Le choix du docteur Duncan
La clinique de l'espoir
L'enfant qui voulait mourir
Hôpital de la montagne
Le procès du docteur Forrester
Elvira
L'infirmière

DERVIN SYLVIE
Les amants de la nuit

DEVERAUX JUDE
La princesse de feu
La princesse de glace

DUNMORE HELEN
Un été vénéreux

FALCONER COLIN
Les nuits de Topkapi

GAGE ELIZABETH
Un parfum de scandale

GALLOIS SOPHIE
Diamants

GOUDGE EILEEN
Le jardin des mensonges
Rivales

GREER LUANSHYA
Bonne Espérance
Retour à Bonne Espérance

GREGORY PHILIPPA
Les dernières lueurs du jour
Sous le signe du feu
Les enchaînés

HARAN MAEVE
Le bonheur en partage
Scènes de la vie conjugale

IBBOTSON EVA
Les matins d'émeraude

JAHAM MARIE-REINE DE
La grande Béké
Le maître-savane
L'or des îles
1 - L'or des îles
2 - Le sang du volcan
3 - Les héritiers du paradis

JONES ALEXANDRA
La dame de Mandalay
La princesse de Siam
Samsara

KRANTZ JUDITH
Flash
Scrupules (t. 1)
Scrupules (t. 2)

KRENTZ JAYNE ANN
Coup de folie

LAKER ROSALIND
Aux marches du palais
Les tisseurs d'or
La tulipe d'or
Le masque de Venise
Le pavillon de sucre
Belle époque

Lancar Charles
Adélaïde
Adrien

Lansbury Coral
La mariée de l'exil

Mc Naught Judith
L'amour en fuite
Garçon manqué

Perrick Penny
La fille du Connemara

Philipps Susan Elizabeth
La belle de Dallas

Pilcher Rosamund
Les pêcheurs de coquillages
Retour en Cornouailles

Plain Belva
À force d'oubli
À l'aube l'espoir se lève aussi
Et soudain le silence
Promesse
Les diamants de l'hiver

Purcell Deirdre
Passion irlandaise
L'été de nos seize ans
Une saison de lumière

Rainer Dart Iris
Le cœur sur la main
Une nouvelle vie

Rivers Siddons Anne
La Géorgienne
La jeune fille du Sud
La maison d'à côté
La plantation
Quartiers d'été
Vent du sud
La maison des dunes
Ballade italienne
La fissure

Roberts Anne Victoria
Possessions

Ryan Mary
Destins croisés

Ryman Rebecca
Le trident de Shiva
Le voile de l'illusion

Shelby Philip
L'indomptable

Simons Paullina
Le silence d'une femme

Sloan Susan R.
Karen au cœur de la nuit

Spencer Joanna
Les feux de l'amour
1 - Le secret de Jill
2 - La passion d'Ashley

Steel Danielle
L'accident
Coups de cœur
Disparu
Joyaux
Le cadeau
Naissances
Un si grand amour
Plein ciel
Cinq jours à Paris
La foudre
Honneur et courage
Malveillance
La maison des jours heureux
Au nom du cœur
Le Ranch
Le Fantôme

Taylor Bradford Barbara
Les femmes de sa vie

Torquet Alexandre
Ombre de soie

Trollope Johanna
Un amant espagnol
Trop jeune pour toi
La femme du pasteur
De si bonnes amies
Les liens du sang
Les enfants d'une autre

Victor Barbara
Coriandre

Walker Elizabeth
L'aube de la fortune
Au risque de la vie

Westin Jane
Amour et gloire

Wilde Jennifer
Secrets de femme

Wood Barbara
African Lady
Australian Lady
Séléné
Les vierges du paradis
La prophétesse
Les fleurs de l'Orient

IMPRIMÉ EN FRANCE PAR BRODARD ET TAUPIN
1699 – La Flèche (Sarthe), le 5-04-2000
Dépôt légal : avril 2000

POCKET – 12, avenue d'Italie - 75627 Paris cedex 13
Tél. : 01.44.16.05.00